Astrology for the soul
by Jan Spiller

前世
ソウルリーディング

あなたの魂はどこから来たのか

ジャン・スピラー＝著
東川恭子＝訳

徳間書店

★ドラゴンヘッド占星術

あなたの知らないあなた自身と出会うために
——二つの扉の開き方——

これまで紹介されなかった占星術の秘法

占星術と聞くと、TVや雑誌で知られるホロスコープを思い浮かべる人が多いのではないでしょうか。しかし占星術にはいろんな解読用の材料（十二の星座、十の惑星を始め、日食、月食、アスペクトなど）があり、ホロスコープではこのうち太陽と十二星座との位置関係について占ったものです。その内容は「あなたの性格は……」「ラッキーな日は……」といった比較的シンプルなリーディングが少なくありません。

いっぽう本書で扱っている〝材料〟は、ドラゴンベッド。くわしく言うと、月のドラゴンヘッドとドラゴンテイル、そしてこれらの交点軸です。直訳すると「竜の頭」と「竜の尻尾」。そう呼ばれるのは古代中国で月の満ち干は龍に食べられるから起きると考えられたことに起因しています。

ドラゴンヘッド・ドラゴンテイルとは、地球と月の軌道の二つの接点のことで、上昇してくる点をドラゴンヘッド（またはノースノード）、没する点をドラゴンテイル（またはサウスノード）と呼びます。これらが示すのは、占いの対象となる人の前世のパターンと今生でのテーマです。

〝前世〟と聞くと東洋的なイメージを持ちますが、これも立派な占星術のアプローチのひとつなのです。占星術八千年の歴史の中で、ユダヤ教やキリスト教が台頭するにつれ、前世を扱うことは長い間〝異教〟

とされてきたため、これまであまり紹介されることがありませんでした。ドラゴンヘッド・ドラゴンテイルによるリーディングを秘法ととらえるのはこのためなのです。

二つの扉の示すもの

あなたという魂が何度も生まれ変わり、何千年という年月を過ごすうちにできた生活パターンや、経験から生まれた価値観などを示すのがドラゴンテイルです。この生活パターンや価値観は、何度も生まれ変わりながらくり返し強調されてきたために、あなたの人格の中で肥大し、バランスを欠いてしまっています。そこであなたの人格の偏《かたよ》りを正すために、それまでの価値観や性格と対立するような価値観や性格を取り入れるように、宇宙は今生のあなたに課題を与えているのです。この課題を表すのがドラゴンヘッドです。

本書ではこれらの相対する二つの価値体系をあなたの心という世界の中で調和させ、矛盾《むじゅん》や葛藤《かっとう》を減らすことにより、より生きやすく充実した楽しい人生を送れるように導くものです。

それを示すのが二つの扉――つまりあなたがこの世に誕生した瞬間にドラゴンヘッド・ドラゴンテイルがどの星座（サイン）にあるか（第一の扉）、そして太陽がどの星座にあるか（第二の扉）によって、明らかになるのです。

第一の扉を開くにはまず、あなたのドラゴンヘッドがどの星座にあるか、10ページの表で確認してください。そしてその星座の章を紐解《ひもと》きます。ここに書かれているのがあなたの人生での基本的な課題、つまりバランスを取るべきエネルギーです。ここに提示された課題や経験はあなたにとって最も難しい挑戦となるはずです。なぜなら、ここではあなたにそれまでの前世で慣れ親しんだパターンと決別することを迫り、そうしないと今生《こんじょう》で本当の幸せは成就《じょうじゅ》しないと書かれているからです。

しかしこれに取り組む前に、第二の扉を開いてみましょう。

第二の扉は11ページの分類表を参照し、そこに示された星座の章を紐解くこと。これは第一の扉で示された課題をクリアするために、あなたに力と自信を与え、個性をより輝かせる資質を示しています。どちらに書かれている前世（カルマ）も今生の課題もあなたを正確に表すものですが、第二の扉が示す課題の方が克服しやすいはずです。そのあとで第一の扉の課題に取り組むと、より自信を持って、それまでのあなたの対極とも言える人格を表現できるようになるのです。これら二つの扉のコンビネーションで、あなたがこれまで出会ったことのないあなた自身の姿、そしてどの方向を目指すと本来のあなたが輝き始めるかが浮かび上がってくるでしょう。

そしてもう一つつけ加えると、あなたが生まれた瞬間にドラゴンヘッドがどのハウスにあるかによるリーディングの仕方があります。これを知るには正確な誕生日時、場所に基づいて誕生図を作成する必要があるため、ここでは扱いませんが、**ジャン・スピラーの英文ホームページ（http://www.janspiller.com）**にあるパーソナルチャートのサービスを利用すると、無料で作成することができます（11・12ページ参照）。**このパーソナルチャート（誕生図）から、水色のヘッドホンのような形（☊）をしたドラゴンヘッド記号が1～12のうち何番のハウスに入っているかを見つけ**、目次からそのハウス番号に対応する章を読んでください。

本書でよく使われる「エネルギー」という考え方

人の心というものは、それが何百という前世経験を経てきたものだとすればなおのこと、複雑で深遠《しんえん》な存在です。このため二つの扉が示唆するものは、時として非常に深遠な心理学や哲学に触れ、頻繁《ひんぱん》に「エネルギー」の話が登場します。近年「プラス思考」という言葉がよく使われますが、これを本書流にいえば「プラスのエネルギーを増幅させる考え方」となります。

愛や調和、真実などはそれ自体が大きなプラスのエネルギーであり、逆に怒りや悲しみ、嫉妬などはマイナスのエネルギーととらえます。人の心の中で、そして人間関係の中でさまざまなプラスとマイナスのエネルギーがぶつかり合い、相殺《そうさい》しあっていますが、プラスのエネルギーが増えると人は強くなり、マイナスのエネルギーが増えるとすべてに自信がなくなり、心身ともに弱くなります。

そこで本書ではまず、あなた自身も気づかなかったあなたの性格の隅々《すみずみ》に光を当て、どこがあなたの性格や人間関係パターンでの調和を乱しているかを示します。あなたの心の中でこれまで無視され、否定されつづけてきたマイナスの部分を、排除するのではなくあえて自分の一部と認め、それらと上手に付き合っていく方法を本書は示しているのです。

人は自分らしくいるとき最も心が安定し、最大限の力（エネルギー）を発揮することができます。あなたという壮大な「宇宙」を隅々まで探険するにあたり本書を利用することは、宇宙全体を網羅《もうら》するナビゲーターを得たようなものです。読み進むうちに、ちょっと難しく感じる部分が出てきても、想像力を働かせてあなたの心の世界をイメージしてみてください。きっと本書を読む前より、自分が好きになっていることでしょう。

まずは自分のために二つの扉を開き、次に家族や友人の心の中をのぞいてみましょう。本書に書かれたメッセージを汲《く》み取ることができたあなたの人生は、確実に生きやすく、至福に満ちたものになっていくはずです。

訳者

前世ソウルリーディング　目次

ドラゴンヘッド乙女座　第六ハウス

ドラゴンヘッド天秤座　第七ハウス

ドラゴンヘッド蠍座　第八ハウス

ドラゴンヘッド射手座　第九ハウス

装　幀／坂川事務所
カバーフォト／乙葉　潔
本文レイアウト／浅田恵里子
編集協力／スタディオ・フォニオ

あなたのドラゴンヘッドの位置

●**第一の扉**…この表の中からあなたの誕生日を見つけて下さい。
右端に表示されたものがあなたのドラゴンヘッドのある星座です。

生年月日	ドラゴンヘッド
1984年9月12日—1986年4月6日	牡牛座
1986年4月7日—1987年12月2日	牡羊座
1987年12月3日—1989年5月22日	魚　座
1989年5月23日—1990年11月18日	水瓶座
1990年11月19日—1992年8月1日	山羊座
1992年8月2日—1994年2月1日	射手座
1994年2月2日—1995年7月31日	蠍　座
1995年8月1日—1997年1月25日	天秤座
1997年1月26日—1998年10月20日	乙女座
1998年10月21日—2000年4月9日	獅子座
2000年4月10日—2001年10月12日	蟹　座
2001年10月13日—2003年4月13日	双子座
2003年4月14日—2004年12月25日	牡牛座
2004年12月26日—2006年6月21日	牡羊座
2006年6月22日—2007年12月18日	魚　座
2007年12月19日—2009年8月21日	水瓶座
2009年8月22日—2011年3月3日	山羊座
2011年3月4日—2012年8月29日	射手座
2012年8月30日—2014年2月18日	蠍　座
2014年2月19日—2015年11月11日	天秤座
2015年11月12日—2017年5月9日	乙女座
2017年5月10日—2018年11月6日	獅子座
2018年11月7日—2020年5月4日	蟹　座
2020年5月5日—2022年1月18日	双子座
2022年1月19日—2023年7月17日	牡牛座
2023年7月18日—2025年1月11日	牡羊座
2025年1月12日—2026年7月26日	魚　座
2026年7月27日—2028年3月26日	水瓶座
2028年3月27日—2029年9月23日	山羊座
2029年9月24日—2031年3月20日	射手座
2031年3月21日—2032年12月1日	蠍　座

生年月日	ドラゴンヘッド
1936年9月15日—1938年3月3日	射手座
1938年3月4日—1939年9月12日	蠍　座
1939年9月13日—1941年5月24日	天秤座
1941年5月25日—1942年11月21日	乙女座
1942年11月22日—1944年5月11日	獅子座
1944年5月12日—1945年12月13日	蟹　座
1945年12月14日—1947年8月2日	双子座
1947年8月3日—1949年1月26日	牡牛座
1949年1月27日—1950年7月26日	牡羊座
1950年7月27日—1952年3月28日	魚　座
1952年3月29日—1953年10月9日	水瓶座
1953年10月10日—1955年4月2日	山羊座
1955年4月3日—1956年10月4日	射手座
1956年10月5日—1958年6月16日	蠍　座
1958年6月17日—1959年12月15日	天秤座
1959年12月16日—1961年6月10日	乙女座
1961年6月11日—1962年12月23日	獅子座
1962年12月24日—1964年8月25日	蟹　座
1964年8月26日—1966年2月19日	双子座
1966年2月20日—1967年8月19日	牡牛座
1967年8月20日—1969年4月19日	牡羊座
1969年4月20日—1970年11月2日	魚　座
1970年11月3日—1972年4月27日	水瓶座
1972年4月28日—1973年10月27日	山羊座
1973年10月28日—1975年7月10日	射手座
1975年7月11日—1977年1月7日	蠍　座
1977年1月8日—1978年7月5日	天秤座
1978年7月6日—1980年1月12日	乙女座
1980年1月13日—1981年9月24日	獅子座
1981年9月25日—1983年3月16日	蟹　座
1983年3月17日—1984年9月11日	双子座

生年月日	ドラゴンヘッド
2031年３月21日―2032年12月１日	蠍　座
2032年12月２日―2034年６月３日	天秤座
2034年６月４日―2035年11月29日	乙女座
2035年11月30日―2037年５月29日	獅子座
2037年５月30日―2039年２月９日	蟹　座
2039年２月10日―2040年８月10日	双子座
2040年８月11日―2042年２月３日	牡牛座
2042年２月４日―2043年８月18日	牡羊座
2043年８月19日―2045年４月18日	魚　座
2045年４月19日―2046年10月18日	水瓶座
2046年10月19日―2048年４月11日	山羊座
2048年４月12日―2049年12月14日	射手座
2049年12月15日―2051年６月28日	蠍　座

●第二の扉

誕生日	星座
３月21日―４月20日	牡羊座
４月21日―５月21日	牡牛座
５月22日―６月21日	双子座
６月22日―７月22日	蟹　座
７月23日―８月22日	獅子座
８月23日―９月23日	乙女座
９月24日―10月23日	天秤座
10月24日―11月22日	蠍　座
11月23日―12月21日	射手座
12月22日―１月20日	山羊座
１月21日―２月18日	水瓶座
２月19日―３月20日	魚　座

出典：米国占星術センター

http : //www.janspiller.comであなたのドラゴンヘッドを調べましょう。

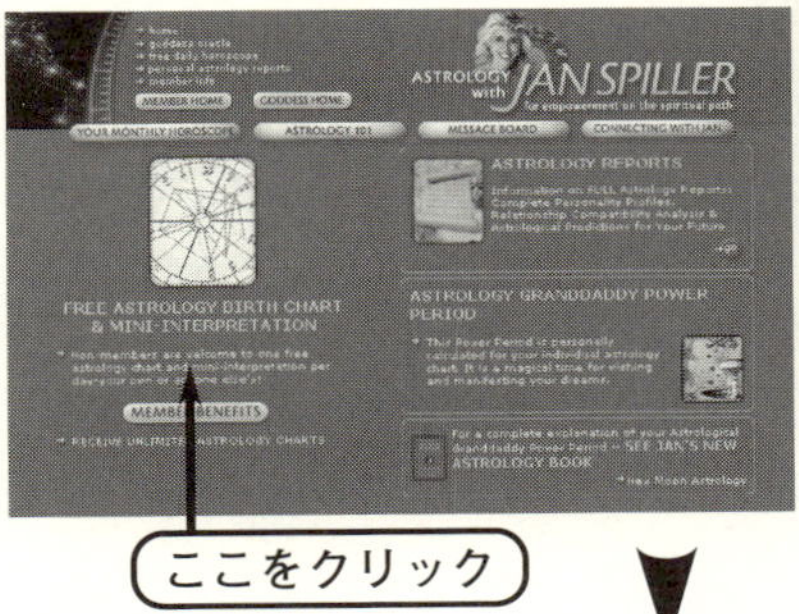

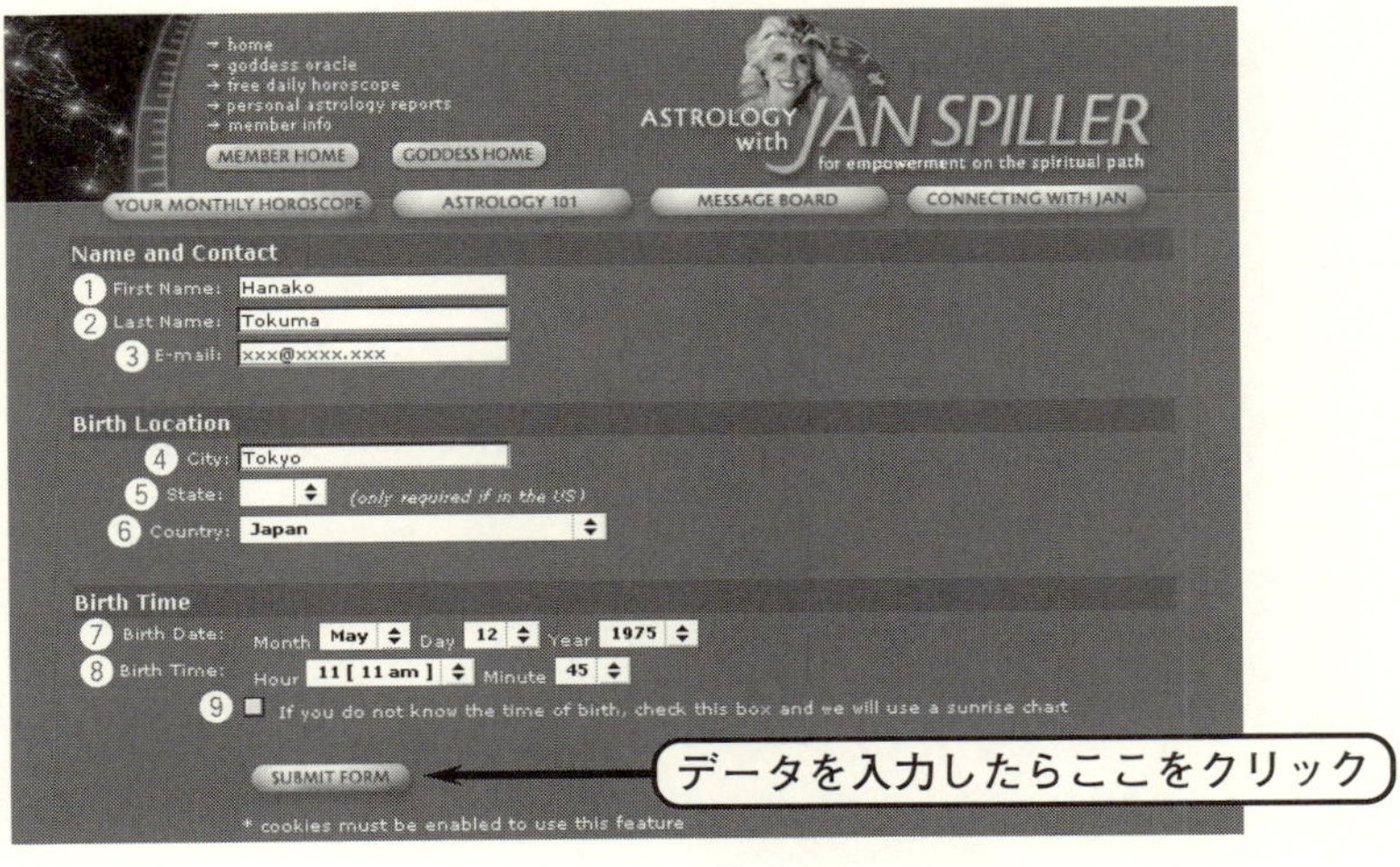

①名
②姓
③Eメール（アドレス）
④生まれた都市（市もしくは都道府県）
⑤生まれた州（米国以外は入力不要）
⑥生まれた国
⑦誕生日（月・日・年）
⑧生まれた時間（時・分）
⑨生まれた時間が不明な場合はここにチェックを入れる

次のページへ

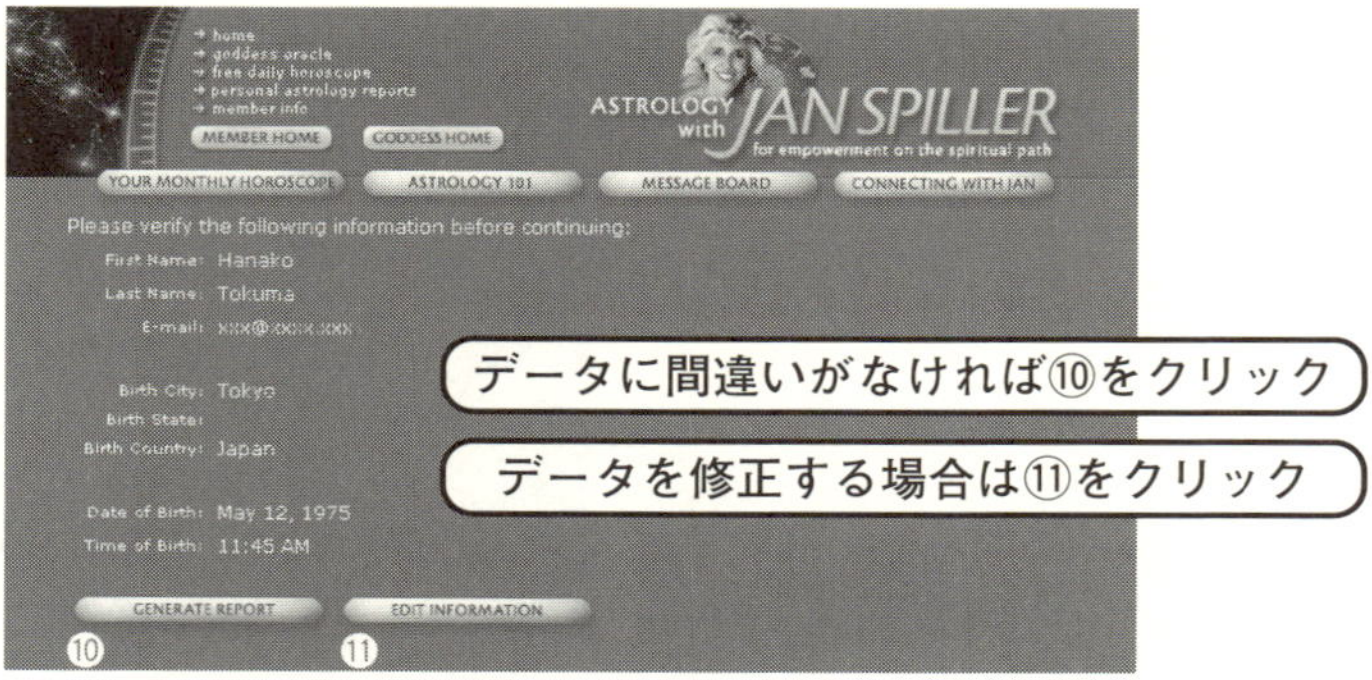
home
goddess oracle
free daily horoscope
personal astrology reports
member info
MEMBER HOME
GODDESS HOME
ASTROLOGY with JAN SPILLER
for empowerment on the spiritual path
YOUR MONTHLY HOROSCOPE
ASTROLOGY 101
MESSAGE BOARD
CONNECTING WITH JAN
Please verify the following information before continuing:
First Name: Hanako
Last Name: Tokuma
E-mail: xxx@xxxx.xxx
Birth City: Tokyo
Birth State:
Birth Country: Japan
Date of Birth: May 12, 1975
Time of Birth: 11:45 AM
GENERATE REPORT
EDIT INFORMATION
⑩
⑪
データに間違いがなければ⑩をクリック
データを修正する場合は⑪をクリック

▼

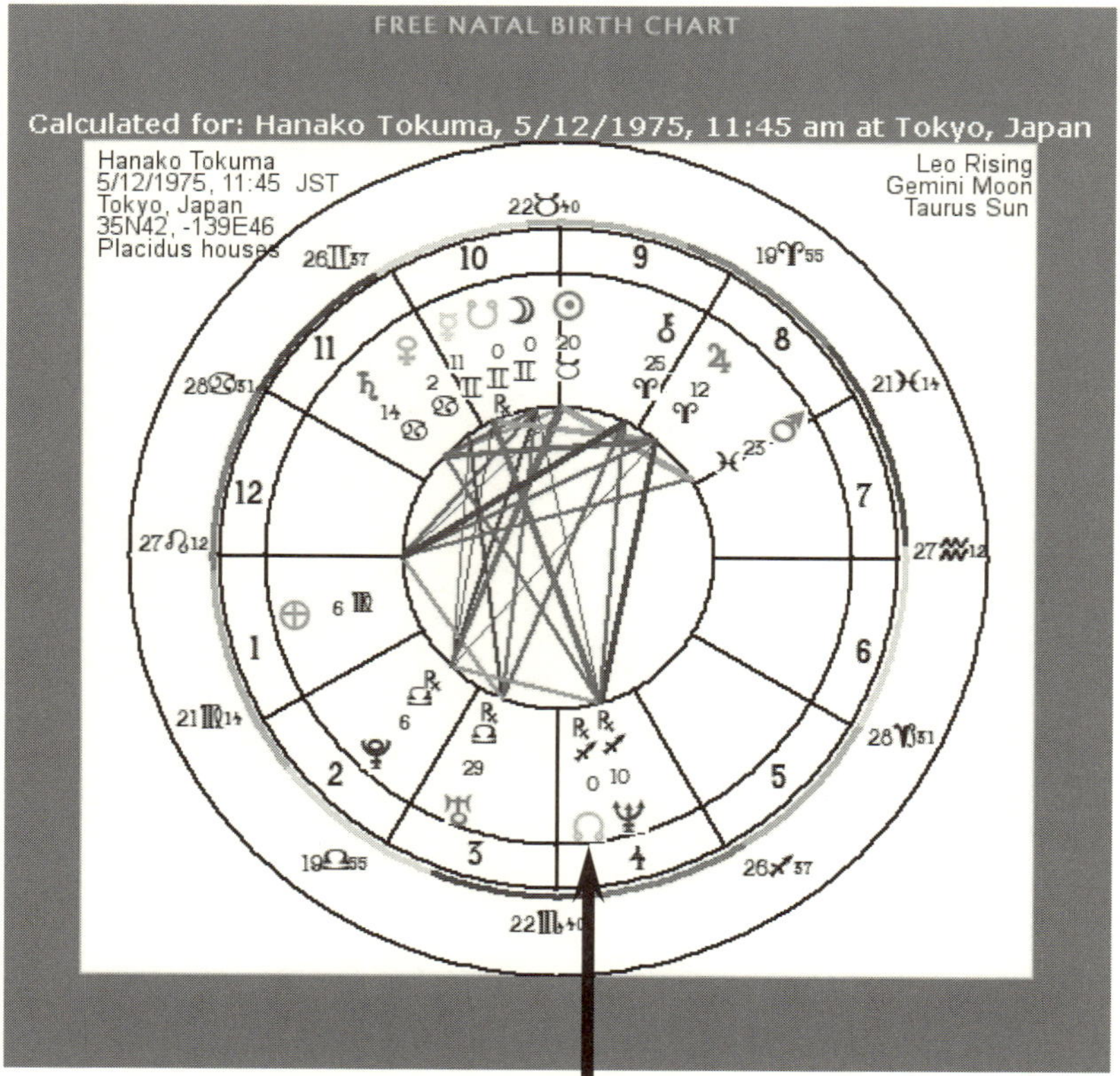
FREE NATAL BIRTH CHART
Calculated for: Hanako Tokuma, 5/12/1975, 11:45 am at Tokyo, Japan
Hanako Tokuma
5/12/1975, 11:45 JST
Tokyo, Japan
35N42, -139E46
Placidus houses
Leo Rising
Gemini Moon
Taurus Sun

第４ハウスの乙女座

はじめに

本書に記したのは私の職業上の秘密です。この秘密の方法はこれまで二十年間にわたり、個人の占星術を行う際にきわめて正確な情報を提供してくれたものです。

私を霊能者と呼ぶ人は少なくありません。それは正しい指摘かもしれませんが、占星術をするときに霊能力を使うわけではありません。占星術による解読を正確に行うために、占星術家はある出発点――個人の誕生図を見るときに重視するポイント――を決めます。太陽のサイン（星座）、月の位置、日食や月食、主要なアスペクト、火・水・地・風の四大元素の中に惑星がいくつ入っているかなど、占星術家はこれらの一つを起点として誕生図全体を読み、解釈するのです。

私の場合はドラゴンヘッド（月の軌道と地球の軌道の北の交点）を起点として使います。占いの対象となる人が成功し、自信を持ち、バランスの取れた性格になれるように導くとき、ドラゴンヘッドはいつでも正確な情報を与えてくれるからです。私の占星術の正確さは私の霊能力からではなく、ドラゴンヘッドの動きを起点としているためです。

私が人の誕生図を読むとき、まず最初に注目するのがその人のドラゴンヘッドにあるサインとハウスです。次にそのドラゴンヘッドと他の惑星との角度（占星術家はこれをアスペクト[*注]と呼びます）、そしてそのサインを巡る天体の際立った情報を読み取ります。すると突然、誕生図に命が吹き込まれ、その誕生図の人に与えられた問題点をはじめ、仕事の成功や人生の達成を実現するために高めるべき性格な

＊アスペクトは非常に重要で、それだけで一冊の本にする価値があります。本書「ソウルリーディング」の続編ではアスペクトを全面的に扱う予定です。

どを、語りかけてくるのです。

幸せと自由を感じられる道がある

この本を活用するにあたり、占星術の知識は必要ありません。また、心理学や科学的見地から占星術を見るとき、そこに占星術家の考え方が関与することはなく、きわめて実用的な知識となります。知識の蓄積と実験の積み重ねで明らかになるものなのです。占星術による性格判断はあなたが自分を知る上で参考になるでしょうか？　占星術による、ものごとを起こすタイミングの診断（個人の誕生図を解読する必要があります）は、あなたが人生の計画を立てる上で役に立つでしょうか？

本書に書かれた真実を評価する上で大切なのは、あなたが心の内面と対話し、過去の経験を振り返ることです。他人の見方がどうあれ、あなたの心の葛藤《かっとう》を知っているのはあなただけだからです。

ドラゴンヘッドの分類に基づき、本書ではさまざまな提案をしていますが、それらを取り入れ性格や行動パターンの偏《かたよ》りを正そうと考えるなら、一つ一つ実践してみて自分のエネルギーの反応に注目し、あなたが本来あるべき軌道の上を歩んでいるかを確かめてみて下さい。本書の提案の一つを試《こころ》みたとき、あなたのエネルギーレベルが上昇し、幸せと自由を感じたら、それはあなたが自分本来の軌道に乗っているという合図です。自分を信じてあげましょう。しかし、そういう感じがしなかったら別の提案を試してみて下さい。あなたが本来の軌道にいるかどうかを判断するには、あなた自身が幸せで自由な感覚を持てるかが鍵《かぎ》なのです。

各ドラゴンヘッドグループの中に書かれた提案を読み「どこかが違う、当たっていない」と感じたら、本書より自分の感覚を信じて下さい。それはあなたがすでに克服した部分かもしれないし、何らかの理由であなたに当てはまらない部分なのかもしれません。新しい靴を履いて試すような感覚で本書を読んでいただければよいのです。その靴があなたの足にフィットするかどうかは、あなた自身が判断すること。自分を信じてよいのです。

本書に書かれている内容は、慣れない初めのうちは脅威に感じられるかもしれません。しかし「当たっているかもしれない」と感じたら、勇気を出して本書の提案に従ってみて下さい。その「実験」を終えたとき、あなたは不安を克服し、確かな自信を身につけていることでしょう。その変化はずっとあなたとともにあり、ほんの何週間、あるいは何ヵ月か前にあなたを悩ませていた同じ問題に、もう悩むことはなくなっている自分に気づくでしょう。周りの人は以前と同じように悩んでいても、あなたの中にはもっと違う感覚――失っていた平和な気持ち――が戻っているのです。

私たちの根本的な性格は、この世に生まれた時刻にドラゴンヘッドがどのサインとハウスの位置にあったかにより決定します。しかし本書の執筆中、私は自分のドラゴンヘッドグループではない章で、私にもあてはまる性格の問題を扱っていることに気づきました。克服するべき問題点は同じでも、その人がどのドラゴンヘッドグループに属しているかにより、その問題の深刻さに違いがあるということです。たとえばある人のドラゴンヘッドが蟹座（第四ハウス）にあった場合、その人にとってコントロールをゆるめること、信じること、そして感情を分かち合うことは非常に大きな課題です。しかし別のドラゴンヘッドグループに属する人でも、感情を他人と分かち合うことに困難を感じる場合があります。その人は「ドラゴンヘッド：蟹座」の章を読むことにより自分の傷つきやすさを克服し、心の均衡と安らかさを得るために書かれた提案を参考にすることができます。ドラゴンヘッドが蟹座にある人がそれらの提案を実践するときより、それは恐らく容易なはずです。

たとえば私のドラゴンヘッドは牡羊座（第一ハウス）ではありませんが、「ドラゴンヘッド：牡羊座」の章を書き進むうち、私は自分自身が自己主張に課題を持っていることや、牡羊座の人々が取り組むべき課題を私もまた抱えていることに気づきました。そしてその章を書く過程で私は癒《いや》され、自己主張を前向きに取り入れ、自分に正直になっていたのです。その結果、人生がずっと楽に感じられるようになりました。コツを理解できさえすれば、路線を調節し、変化を起こすのは難しいことではありません。しかし、自分自身のドラゴンヘッドグループに挙げられた課題を克服する場合は、そう簡単にはいきません。私の場合、二十年前にコツを理解したつもりでも、未だに解決していないものすらあるのです。

知識から慈悲の心を得る

偏見のない広い心で占星術を理解するとき、それは無償の愛に直結しています。人の心の構造を完璧に理解し、その欠陥がどこにあるか知ったとき、その人に対する怒《いか》りは起こりません。私たちはみな限られた知識や経験の範囲内でベストをつくし、欠点を直そうと努めているのです。なぜ直す必要があるかといえば、それが実用的な意義を持つからです。欠陥は私たちの望むものを手に入れようとするとき、邪魔に入ります。その意味で私たちはみな同じ立場です。

新聞や雑誌でお馴染《なじ》みのホロスコープは、太陽と星座の位置だけで占うという簡単なものです。誕生時の天体からの影響を占星術で読むとき、十の惑星（銀河系を地球から見た宇宙としてとらえるため、太陽と月も惑星とみなされます）の位置のほか、その人の出生時に活動していた天体軸、そしてドラゴンヘッドや日食、月食などを考慮に入れて占います。実際一人ひとりがまったく違った運命を背負って生まれてくるのです。太陽の周りを回る惑星はそれぞれ違った速度で軌道を運行しているため、まったく同じ誕生図ができるのは二万五千年に一度の確率と言われています。おぎゃあと泣いたそのとき、地球上の命ある人々全員が同じ瞬間を過ごしています。人はそれぞれにその一瞬を有意義に過ごそうと努め、その次の瞬間、そしてまたその次と時は流れ、今日に至っています。しかしあなたが地球上に生まれた瞬間はあなたの細胞に焼きつけられ、あなたの一部になっているのです。

このため、あなたには自分が生まれた瞬間を地球上のすべての人々のために、プラスのエネルギーに満ちた瞬間にするという役割が与えられ、それができるのは地球上であなたただ一人なのです。それはさながらその一片の時間をスローモーションに引き延ばし、一生という長さにしているようなものです。そしてあなただけに与えられたその瞬間を、他のすべての人々のために有効に使うにあたり、あなたに与えられたさまざまな傾向の中で問題があればそれを矯正《きょうせい》し、幸せと笑いの絶えない時間を過ごすようにすることで、プラスのエネルギーを作り出すことができるのです。そしてそのエネルギーは地球に住む人々にもプラスに影響するのです。自分の人生を生きることは、過去に起きたその瞬間を変化させることを意味し、その過去を変化させることができれば、全員の現在《いま》を変えることにもなるのです。他人のためにできる最大のことは、自分と向き合い、向上させることだとこれまで多くの精神世界のリーダーたちが言っています。存在の最も深いところで私たちはみなつながっていて、一つに結ばれているのです。

内なる記述

占星術の基本となる占星図とは、その人が本来持っている傾向を記述した表のことです。記述は一人ひとり違う内容です。それはよいとか悪いとかいうものではありません。あなたの誕生図はあなたが生まれたときに決定された記述を示していますが、それらをどうするかはあなた次第なのです。

あなたが自分の行動パターンを客観的に見ることができれば、行動の効率を上げ、よりよく生きるために望ましくない部分を修正することができるでしょう。記述に示された歪《ゆが》みが正されると、初めは内面で、そして外からも分かるほどに人生がスムーズにいくようになります。誕生時の記述の全体を本人が把握していれば、自分が持って生まれた欠陥を理解でき、前世から受け継いだ偏った生き方を改善させることも可能なのです。

たとえばある人が客観的に自分の誕生図を読み取り、

「すべての答えを知っていると考える傾向を持っているため、独善的でせっかちな態度を取りやすく、その結果、孤立する（双子座、第三ハウスの例）」

ということを理解すると、その人は自分の欠点を意識した上でゆっくり時間をかけて、他人の意見に真摯《しんし》に耳を傾けてから自分の意見を発表するようになります。その一点に注意するだけでもこの人の社会生活は著《いちじる》しく改善されるでしょう。

私たちはみな孤独感や不幸を感じるに至る何らかの不適切な行動傾向を持っています。私たちに与えられた課題はその欠陥をいち早く知り、それを避ける力を貯えることです。このような客観的な知識があれば、もう暗闇で悩み、なぜ人生がいつでも不幸な結果しかもたらさないのか理解に苦しむこともなくなるでしょう。目隠しで歩いていけるほど人生は長くはないのです。本書の目的は、ドラゴンヘッドにより十二に分類した性格カテゴリーのそれぞれの中で、あなたの人生で何が成功につながり、何が失敗につながるかという内なる記述をお知らせすることなのです。

本書は、人というものはその誕生図に表わされたものの集積にはとどまらない、という前提に基づいています。誕生図はあなたの性格の構造を示しますが、その誕生図にあなたという要素が加わり、あなたはその性格（誕生図に示されたエネルギー）をどのように使っても構わないのです。あなたに与えられた性格を考慮に入れずに人生を歩むのも自由。またその性格と向き合い、自分のエネルギーをプラスに転化して人生を思い通りに動かしていくのもまたあなたの自由なのです。

成功／失敗する方法

占星術によると、十の惑星が司《つかさど》る十の王国があなたの性格を形成しています。誕生図を見ると、それらの性格のある部分が継続的に他の部分とぶつかり合っていて、エネルギーを相殺していることがあります。それ以外の部分は完璧に調和していて、それらに関しては生涯問題を起こすことはありません。ただし、もっと深いレベルで誕生図を見ると、あなたの性格にさまざまな影響を与える基盤が見えるのです。本書の目的はこの性格を形成する基盤を探り、詳細に解説し、調節の仕方を提案するものです。これらの調節をすることで宇宙のエネルギーと調和のとれた共存を果たすことができるのです。

あなたの中に司令官が住んでいて、すべての性格の各部分がこの司令官の命令に瞬時に従うことを想像してみて下さい。あなたが「招集ラッパ」を吹くと、あなたの中で葛藤していた部分同士が戦いをやめ、司令官の下に集まります。あなたの性格の中で、平和すぎてぼんやりしていた部分もそのラッパの音を聞き、怠慢《たいまん》の寝床からはい出して集まってきます。性格の各部分がすべて集まってくると、あなたは統一感と集中力を覚え、外界が変化し始めます。最も重要なのはこの状況の変化とあなた自身の関係です。新しい視点に立つと、あなたはどうすればよいか明確に分かるようになり、その行動がうまくいくことは確実となるのです。

あなたの誕生図の中の、月の軌道と地球の軌道の北の交点、つまりドラゴンヘッドがあなたの司令官なのです。あなたの心の中の世界を統括《とうかつ》し、均衡《きんこう》を保っている法則を知ることは、一種の魔法を使うようなものです。あなたがこの法則を忘れず、ある状況をプラスに変えるエネルギーを活性化させるための「実験」をしようという意欲さえあれば、あなたの人生のあらゆる局面で、一〇〇%機能する法則なのです。

初めのうちは、こういう「実験」をすることは簡単ではなく、恐れさえ感じるかもしれません。たとえばあなたのドラゴンヘッドが蟹座で、自分の弱いところを見せ、心の内側にある感情や恐れを外に表わすことで、「ものごとがうまく運ぶ」とは、にわかに信じられないかもしれません。あなたは前世で弱みを見せたことがなかったからです。このため他人に自分の本当の感情を見せることは、死ぬほど恐ろしいと考えるかもしれません。あなたの心は全面的にこれに抵抗するでしょう。しかしこの抵抗に打ち克《か》って「実験」をしてみると、変化は必ず訪れるのです。あなたの中で、確かに何かが死ぬかもしれませんが、それは本来のあなたではなかった部分なのです。死ぬのはあなたにこびりついていた恐怖感です。勇気を持って「実験」を試みると恐怖感が消失し、その後には恐れを知らない、自信に満ちたあなたが生まれるのです。しかしすべてはあなた次第。危険を冒さなければ何も変わりません。恐怖に打ち克つ処方箋《しょほうせん》は積極的な行動しかありません。

自分のドラゴンヘッドの解説を読み進む過程で、あなたは今生で取り組むべき基本的なレッスンを知ることになるでしょう。それは一生にわたるものですから、すべてが一度に起こるというものではありません。新たな方向に踏み出すとき、あなたは幾度もくり返されてきた、前世を通じて親しんだ習慣に逆らっているということを心にとどめておいて下さい。あなたが前世から「相続」した不均衡、つまり偏《かたよ》った考え方や生き方を矯正《きょうせい》し、より均整のとれた人生を歩んでいくのだということを常に意識している必要があるのです。

本書の目的は、あなたが前世から引き継いでいる習慣を再び選択する方法を提供するものではありません。本書は前世の偏った習慣を断ち切り、新しい価値観で生きるための指針を提供するために書かれました。あなたのドラゴンヘッドの章に書かれた法則に従って行動するたびに、あなたの周りの状況がプラスに転化《てんか》し、世界があなたを認めてくれるようになることに気づくことでしょう。しかしそうやってすべてがうまくいっているときにも、慣れ親しんでいない行動パターンを取り入れるのは時間がかかるものです。それはゆっくりとした過程をたどるものなのです。

あなたのドラゴンヘッドの章を読み進むだけで、あなたのものの見方は変化し、自然な変化のプロセスが始まるでしょう。本書に書かれた提案を行動に移すと、その過程は加速していきます。しかしその変化を究極的に起こすのは、あなたの意識変革以外にはありません。たとえばある人が、信号を無視して道路を渡るとトラックにひかれることが前もってわかっていたら、その人は道を渡るでしょうか? 答えはノーです。楽しい実験なら歓迎しますが、痛みをともなう実験を自ら望む人はいません。よくない副作用が予想されるとき、それは大きな抵抗となって、行動を阻《はば》むものなのです。

占星術、現世的成功、そして精神世界

物質的に満たされるということが、永続する幸福に結びつくことは決してありません。物質を得ることで一時的に喜びを感じても、すぐその後に不満足がついて来るのです。幸福を追求する究極の方法は物質にはなく、その精神にあるのです。しかしながら私たちの心の奥には消すことのできない物質への欲求があり、それは物質を手に入れることでしか満たすことができず、その後で物欲を解放するという手段を取らざるを得ないこともあるのです。

ある仏教の高僧の話があります。年老いた高僧は、お気に入りの弟子の中でまだ悟りを開いていない者がいることに気づきました。この弟子は高僧と三十年も行動をともにしていて、身も心も高僧に捧げ、修行を積んでいるにもかかわらず、精神の高みを経験することがありませんでした。ある日高僧はこの弟子に言いました。「私はこれから巡礼の旅に出るが、お前もついて来るがよい」

二人は人里離れた山の中を何キロも歩きました。何日も、何週間も歩き、ついに一ヵ月が過ぎましたが、二人は歩き続けました。ある日高僧は立ち止まり、遠くに見える丘を指差してこう言いました。「あの山の頂上が見えるか?」そのとき頂上を覆《おお》っていた霧が晴れ、太陽を浴びて燦然《さんぜん》と輝く大きなお城がそびえ立っているのが見えました。

弟子「はい、見えます」

高僧「あの山の頂上に立つ家が見えるか？」
弟子「はい、見えます」
高僧「前世の多くの人生で、お前はずっと自分の家を渇望《かつぼう》してきた。そしてその願いはいまだ叶えられていない。この欲望がお前を縛《しば》る最後の糸であり、終わりのない至福に至る道を阻《はば》んでいるのじゃ。これまでわしがお前に与えた修行のどれも、その深い欲望を解くことができなかった。つまりこれを解き放つには満たしてやるしかないということじゃ。あの家がお前の家じゃ。行って所有するがよい」

そう言われた瞬間、弟子は悟りを開いたのです。

大方の世俗的な物欲は、それほど重要なものでないため、時の経過とともにある程度簡単に断ち切ることができます。しかし物欲の中には、あるレベルまで満たさないと振り払うことのできないものも存在します。さまざまな面を持つ人格の統合がうまくいったとき、欲望は重要性の低いものから消失していき、消すことのできない深い欲望は実現しやすくなっていきます。

本書では、あなたが自分の人格を見つめ、再構築することにより、あなたの求める現世的な経験をより手に入れやすくするために役立つ法則を提示しています。心のメカニズムが正しく機能するようになり、日常生活が幸福感に包まれるようになったら、基本的な欲望は満たされ、自己顕示欲や物質的な報酬を求める次元を超越し、より高次元の喜びに意識が向かうようになるのです。欲望が満たされ、世俗的な目標が以前ほど重要に思えなくなってくると、人格はゆったりと構えられるように変化します。この静かな境地を得ることで、私たちは高次元の意識に触れ、私たちが本来属していた深い至福に満たされた領域にたどり着くことができるのです。その領域こそが、聖書に書かれている「地上にありながら天父の王国を経験する」ということなのです。

本書の使い方

★ドラゴンヘッドとは

ドラゴンヘッドは、星などのように形のあるものではありません。それは太陽の周りを回る地球の軌道と、地球を回る月の軌道を結ぶ二つの交点のうちの一つを指します。二つの交点は時計と反対の方向に移動し、上昇軌道の上にあるのがドラゴンヘッド（地球の北極に近いほうの交点）で、南の交点は下降軌道にあり、ドラゴンテイル（地球の南極に近いほうの交点）と呼ばれています。これらは常に一八〇度の位置に相対しています。占星術家の中には真性の交点（月の軌道の歪みを計算に入れたもの）や、平均の交点（月の軌道の歪みを考慮しない方法）を基準にする人もいます。私の場合は真性の交点を使っていますが、これらの手法の差異は最大でも一度四五分を超えるものではありません。

★交点軸

すべての惑星にはドラゴンヘッドとドラゴンテイルがあります。本書で使われているのは月の軌道上にある北と南の交点で、占星図では交点軸とも呼ばれるものです。便宜上ドラゴンヘッドと呼んでいますが、本書で紹介している解説はこれら二つの交点を結ぶ交点軸が元になっています。占星図のドラゴンテイルの位置（ドラゴンヘッドの正反対の位置にある）は、その人が前世で強調してきた人格的傾向を表わし、その資質が今生でも影響力を発揮し、その人の人格の均衡を崩そうとするのです。本書と出合うことなく行動を続けていると、人はドラゴンテイルが示す通りの行動パターンを繰り返します。その行動パターンは前世でうまく機能した生き方であり、その人が最も慣れ親しんだ方法だからです。しかし今生では、ドラゴンテイルが示すような方法でものごとに取り組んでも前世のようにうまく運ばないという運命に、私たちは今生での経験から思い当たるのです。

本書で提示する内容の中心になっているのはドラゴンヘッドですが、実際には交点軸上にある二つの交点、すなわち前世をつかさどるドラゴンテイルと、今生のテーマとなるドラゴンヘッドの両方に目を向け、これらを統合することを目指しているのです。

占星術家が交点を語るとき、通常は月の交点のことを指しています。占星術によると、月は、気分、依存心、不安、帰属意識など、私たちの感情全体を支配しています。月は自己イメージをつかさどり、世間的なイメージとは無関係に私たちが本能的に考える自分自身を象徴しています。人のカルマや前世を読む上で、私は月が占星図の中で最も多くの情報を提供してくれる〝惑星〟だと考えています。月の示す資質がすべての人格のベースにあるからです。私が初めて占星術の本を書いたとき、全十章のうち、月について書くのに要した時間は残りの九章を合わせた時間を超えるものでした。月が語りかけるものは計り知れないほど深く、どこかで終わりにしようと決心しない限りとめどなく進んでいくのです。月の交点が示す知恵に導かれ、私たちの感情の不均衡を正していくと、私たちは心の中の葛藤を解消し、それぞれの個人としての自信を取り戻すことができるのです。

★サインとハウス

どの人の誕生図でも、ドラゴンヘッドはどれかのサインとハウスの中に存在します。サインの位置は本書の10ページにある表から探すことができ、星座ごとに書かれたそれぞれの章で、あなたの潜在能力のすべてを理解する方向に導く情報が解説されています。

あなた自身をさらに深く理解するために、ドラゴンヘッドのあるサインの章（第一の扉）、太陽のある星座の章（第二の扉）に加え、ドラゴンヘッドのあるハウスの章も読むことをお勧めします（これはコンピュータで誕生図を作成するか、占星術家にたずねればわかります）。

第一の扉の各章が示すものは、あなたの人格の中で求められる心理的な変革です。一方、第二の扉の星座の章は、あなたが今生で変革するための力と自信を与え、さらにハウスの章が新しい人格の統合へと導きます。

私の経験によると、サインとハウスはどちらも同じくらい重要なものです。ハウスはドラゴンヘッドが示す自己変革が行われる環境を表わします。たとえばあなたのドラゴンヘッドが蟹座でハウスは十一番目にあるとき、あなたは自分の感情と向き合い、それを表現することを学び（蟹座）、周りの流れと調和しながら友情のエネルギーを育てていく運命にあるのです（第十一ハウス）。またあなたのドラゴンヘッドが牡羊座でハウスは四番目にあるとき、本能的な感覚を鋭く育てながら（第四ハウス）、自分を発見し、自分と対話することを学ぶのです（牡羊座）。

★サインとハウスが同じ場合

もしあなたのドラゴンヘッドのサインと、ドラゴンヘッドのハウスが同じ星座だった場合（たとえばドラゴンヘッドが双子座で、ハウスも第三ハウスの双子座、あるいはドラゴンヘッドが魚座で、ハウスが第十二ハウスの魚座という場合）、その章のレッスンがより強い影響力を持つことを意味します。

★対極のサイン／ハウスの位置

ドラゴンヘッドが「牡羊座と第七ハウス」、「牡牛座と第八ハウス」、「双子座と第九ハウス」、「蟹座と第十ハウス」、「獅子座と第十一ハウス」、「乙女座と第十二ハウス」、「天秤座と第一ハウス」、「蠍座と第二ハウス」、「射手座と第三ハウス」、「山羊座と第四ハウス」、「水瓶座と第五ハウス」、そして「魚座と第六ハウス」にある人々は、サインとハウスが正反対の位置にあります。

この人々は正反対の資質を一つの人格の中に持っているため、注意深く継続的に性格や行動パターンが調和するように気を配る必要があります。一般にハウスはサインが示す教訓を学ぶ環境を作るものだと考えてよいでしょう。ハウスは箱のようなもので、サインの示す内容を包む入れ物だと言えます。

たとえばあなたのドラゴンヘッドが牡羊座と第七ハウスにあった場合、あなたは自分の新しい個性を築くことを学び（牡羊座）、同時に他人の個性についても認識を深めるのです（第七ハウス）。他人と協力し合い、他人が目標を達成するための支援をする中で、あなたは自分の持つ本当の個性に触れることができるのです。しかしこれとは逆に自分に意識を集中させると、他人を喜ばせてあげるというあなた自身の個性を失い、他人が望む通りの没個性なナイスガイ／ウーマンになってしまいます。この場合、自我を見失わないための鍵となるのは他人を助けるという行為にあるのです。

★総体運

それぞれの章は総体運から始まります。ここでは、対象となる人が留意すべき点を概括的に指摘し、その人の人生で目指すものを手に入れるために役立つ方法を説明しています。厳しい環境下に置かれたとき、それは新しい行動パターンを採用し、それまで積み上げてきたカルマの重荷を軽くする好機でもあります。そんなとき、どうすれば自分も周りの状況もうまくいくようにできるかを簡単に表わした言葉が大変役に立つのです。

総体運に書かれたことがらを実行に移す中で、あなたに最も当てはまると思われることを一つか二つ選び、意識してあなたの人格のその部分を浄化するように努めてみて下さい。これを続けていると、少しずつあなたの能力を抑制していたエネルギーが消失し、生きることの喜びを感じられるようになるでしょう。そして準備ができたら別の課題を選び、その傾向を改めたり、またある傾向を積極的に育てる努力を続けるのです。これはあなたの人格が向上する過程なのです。多くの時間とエネルギーを要する上、それまでの人格が壊れるほどの脅威を感じることもあるかもしれませんが、進む方向を見つけて一歩踏み出せば、行動を起こす前にあった恐怖感や限界意識に引き戻されることは決してありません。

あなたの人格のバランスを取り戻す提案の中で、ある要素はほかのものよりずっと改善が困難な場合もあります。一週間前に改善できたと感じたことでも、また一年間かけて解決したと考えていても、再び同じ課題があなたの前に現われて、一段高いレベルでの取り組みが要求されるのです。しかしその場合は初めて向き合ったときよりずっと簡単で苦痛のないものになるはずです。このようにあなたの人格はらせん階段を上るようにゆっくりと洗練されていくのです。上っていくほどに、あなたは人生から恐怖を感じることが少なくなり、あなたが求めていたものがより簡単に、しかも自然に叶えられるようになっていきます。あなたが身軽で恐れるものがなく、自由だと感じられるようになる――つまりあなたを拘束していた前世の見えない鎖が消えてなくなると魔法のようなできごとが起きるようになるのです。

それぞれの章の総体運の項で、伸ばしたい長所、そして改めたい短所を列記し、そのグループの人々の弱点、避けるべき罠、決心すべきこと、求めるもの、才能／職業、そして癒す言葉を挙げています。

◆伸ばしたい長所

これらはあなたの今生に与えられた贈り物ともいうべき能力です。前世であなたは長い時間とエネルギーをかけて性格のある部分を発達させてきたのですが、その結果として発達した部分の対極にある部分が影になり、無視され続けてきたことになります。このためあなたが今生に生まれてきたとき、性格が不均衡になっているのです（私たち全員が不均衡の状態で生まれてきますが、その内容と度合は一人ひとり異なります）。宇宙はあなたに幸せをつかんでほしいと願っているのです。しかし不均衡が是正されない限り、あなたの幸せは手に入っても長続きしません。ですから前世でないがしろにされてきたあなたの性格の部分を意識的に育て、この項で書かれた「贈り物」である能力に光を当て、伸ばしていくべきなのです。それは長いこと使われなかった筋肉を使い、強化するようなものです。運動を始めると、次第に力がついてきて、あなたの中の他の部分と調和できるようになります。この項で書かれた能力を開発することは、どんな場合でもあなたが望むように展開していくことを保証するでしょう。

◆改めたい短所

生まれついての性質というものがあります。前世ではうまく機能していたもので、その性質や考えを元に行動すると、思うような結果を得ることができていたのです。このためあなたは今生に生まれたときも、前世で成功したパターンの記憶を無意識に背負っていて、前世と同じように行動し、成功させようとするのです。しかし今生で前世と同じ行動パターンを取っても、それはうまくいきません（うまくいくというのは、成功する、自信を得る、楽になる、といったことを指します）。今生での経験を振り返ってみると、その行動パターンを幾度となく繰り返しているにもかかわらず、それがあなたを成功に導いたことは一度もないことに気づくでしょう。

これらの性質は、悪いというわけではないのですが、前世で過剰に発達してしまった性質なのです。幾度も人生を繰り返す中で、その性格ばかりをあらゆる方面から発達させてきたために、ほかとのバランスを崩すほど巨大な比重を占めるようになっているのです。そのため今生では、あなたの誕生図の上で、この部分を抑制するために、機能しないという運命を与えているのです。この項で書かれた性質を生かした行動を取っていると、あなたの行動はどんな場合にも裏目に出る運命にあります。

◆あなたの弱点／避けるべき罠／決心すべきこと

この項はあなたや同じドラゴンヘッドグループに属する人々の陥りがちな罠、つまりあなた方が惹きつけられやすい誘惑のことで、これを律することができないと、前世から引き継いだ望ましくない習慣に戻ってしまうのです。この罠は今生で大きく口を開け、求めるものをどれほど詰め込んでも満たされることがないほど深い欲望となっています。これが赤丸つきの最も注意を要するカテゴリー。この罠に陥りそうになっていることに気づいたら、すぐにその場を立ち去らないと、あなたは確実に飲み込まれてしまいます。

◆あなたが一番求めるもの

この項は前世の指向と今生で与えられた資質を合わせたものについて書いています。つまり生まれながらに持っている心からの欲求を、今生のあなたが使うことのできる方法で手に入れ、人格の均衡化を図るというものです。

初めは少し大袈裟に実践してみるとよいでしょう。心の中で前世の傾向を完全に否定し、今生で開発するべき資質に集中するのです。これは振り子の法則で、大きく振れているものは次第に振れ幅を小さくして、中心に帰ってくるものです。最終的には前世の長所と今生の贈り物である資質を共存させることで人生の幸福感を味わうことができるのです。しかし前世の条件づけはとても強く、初めのうちはこれを「破壊」したり無視したりという強硬な手段で取り組まないと、バランスの取れた人生への道を歩き出すことは困難かもしれません。

◆才能・職業

ここではこのドラゴンヘッドグループの人々に託された能力について書かれています。この能力を生かせば、職業的な成功は容易なはずです。より正確な適職判断のためには、個人の誕生図を元に別途占星術家と相談することをお勧めします。

◆あなたを癒す言葉

これらの言葉はあなたの障害となっている前世からの傾向を弱め、活気に満ちた自由な人生を謳歌できるよう、支援するために作られました。この項を有効に使うには、あなたが伸ばしたいと考えている資質に最も当てはまる言葉を一つ選びます。そして一日中さまざまな状況の中でその言葉を心で暗唱し、その資質が自分の一部となり、その存在が力をつけるようになるまで続けるのです。

その資質があなたにとって重要性を持たなくなったら（そうなるまでに数ヵ月かかることもあるでしょう）、別の言葉を選び、同様のことをします。これらの言葉からその時期のあなたの人生で最も必要とされている資質を選び、ある決められた時期に一つずつ取り組んでいくのが望ましいのです。

★性格

この項はそれぞれのドラゴンヘッドグループの人々の特徴や、独特の振る舞い方、心配ごとや感情の特徴などについて解説しています。経験上、個人の性格というカルマと取り組んでいるのは本人だけだと考えがちですが、あなたが自分の否定的な部分を解消していくことにより、同じドラゴンヘッドグループの人々もまた浄化されていくのです。同じドラゴンヘッドグループの人々全員のエネルギーがお互いを支え合い、精神を成長させていくのです。一人ひとりの孤独な戦いではありません。

★必要とするもの

この項で書かれている要素は、それぞれのドラゴンヘッドグループに存在する正当な欲求です。私たちはその性格の基本を変えたり、求めるものを否定する必要はありません。しかし、成功するためにはそのアプローチの仕方、つまり必要とするものを入手する方法を再考することも有効なのです。この項ではそれぞれのドラゴンヘッドグループの人々が心の安定を得るために必要とするものや心の奥で何を感じているかについて触れ、その人のあるべき軌道を踏み外さずに求めるものを得る方法について書いています。

★人間関係

この項ではそれぞれのドラゴンヘッドグループの人々が人間関係をどう見ているか、人とどう関わるかについて、またこのグループ独特の傾向、障害、結婚などの親密な関係を持ったときの問題解決の仕方について解説しています。

★ゴール

ここではそれぞれのドラゴンヘッドグループの目標意識、このグループの人々が目標達成を目指す際の長所や短所について解説しています。この項で対象となる人々が持っている「障害物」について知ることは、これを克服し世俗的な目標にたどり着くための力を与えるでしょう。

★癒しのテーマソング

音楽には私たちの人生に魔法をもたらす特殊な力があり、

書かれた言葉では触れることのできない脳の部分に触れられます。それぞれのドラゴンヘッドグループの人々には違った人生の課題があるため、対象となる人々がその課題に気づき、それまでの誤解を解くためのテーマソングを作りました。これらのテーマソングは対象となる人々のエネルギーを音楽の力で自然にプラスに転化するよう作られています。

癒しのプロセスを始めるにあたり、歌詞の一部が各章の最後に記されています。全十二曲の完全版は、楽曲としてＣＤとカセットテープに収められ、別売されています（購入は著者のホームページからのみ）。各楽曲はそれぞれのドラゴンヘッドグループのヒーリングを目的としていますが、どの曲もあなたのエネルギーを活性化し、ドラゴンヘッドグループに関わりなく癒しの効果を発揮します。

◆用語の解説

前世……あなたの魂が現在の体に宿り、生まれてくる以前に、別の体に宿り別の名前を持って過ごしたたくさんの過去の人生のこと。

今生……現在の人生。現在の体に宿っているあなた自身の人生のこと。

カルマ……因果。業。前世で私たちの取った行動の結果として生まれた傾向。

イド……個人の本能的な源泉であり自我の基礎をなす衝動。

エゴ……本能的な衝動と社会的要求との間を調整する自我を指す。

スーパーエゴ……自我を監視する無意識的良心、社会的要求を満たそうとする自分のこと。

ドラゴンヘッド

牡羊座

第一ハウス

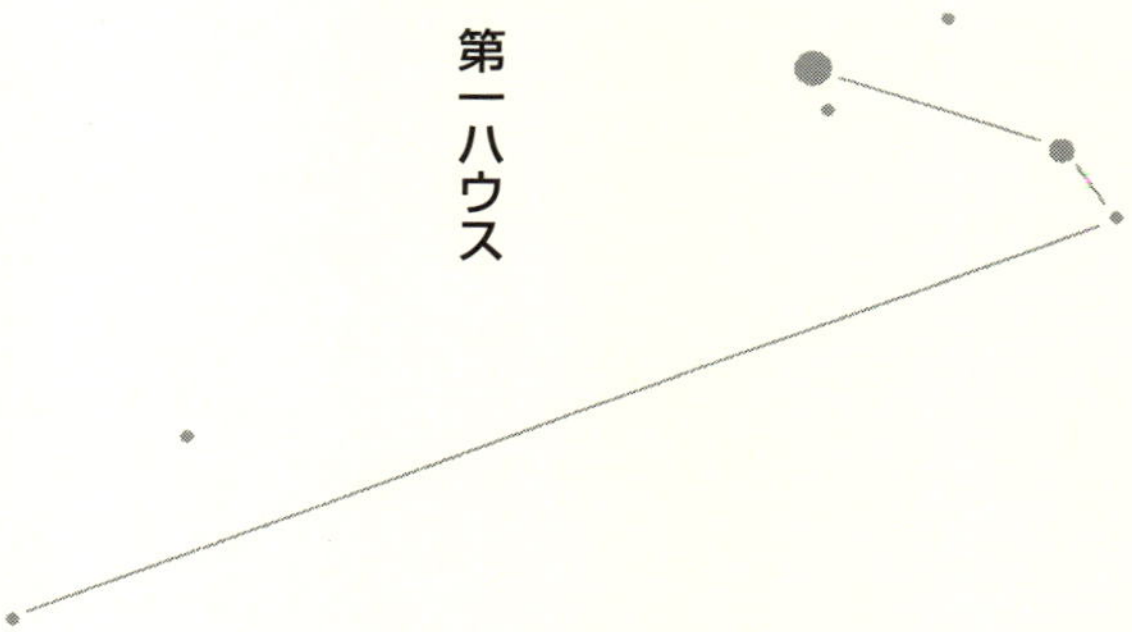

Aries

総体運

●伸ばしたい長所

次の性質を伸ばすと、あなたの隠された能力が見つかります。

- 自立心
- 自分を知る
- 直感を信じる
- 勇気
- 自分への前向きな興味
- 他人に奉仕しすぎない
- 自分を豊かにする

●改めたい短所

次の性質を減らすようにすると人生が生きやすく、楽しくなります。

- 他人の目から見た自分を意識する
- 「無私・無欲」の考えを軽視する
- 「いい人」を演じる
- 公平さへの過度の執着
- 共依存：外見上の調和に固執する
- 「目には目を」の考え

です。

◆あなたの弱点／避けるべき罠／決心すべきこと

ドラゴンヘッドを牡羊座に持つ人の弱点は、公平さに固執しすぎること。「みんなが自分に対して公平に振る舞ってくれないと私は生きていけない」と考えるとき、あなたには要注意信号が出ています。あなたは生まれつき他人に対して献身的に奉仕する心を持っていますが、公平であることや絶対的公正感へのこだわりはあなたを底のない落とし穴へと引き込んでしまいます。相手に何かを与えるとき、与えすぎないことを知りましょう。そうすれば仮に与えた分が戻ってこなかったとしても不満に思わずにすみ、自分に対する「公平感」を保つことができるのです。

あなたが陥りやすい罠は、「完璧なパートナーさえいれば、私は満足することができる」と、理想や献身的なパートナーを追い求めすぎること。満ち足りた気分というものは、あくまでも一個人の中で実現するものです。パートナーがどんなに素晴らしい人だったとしても、他者との関係から得るものではありません。あなたが知るべきなのは、自分自身でいることに、ほかの誰の許可を得る必要もないということ。あなたはある時点で決心して、たとえリスクをともなうものであっても、自分のために有意義なことを選択する必要があるのです。そしてひとたびあなたが自分の進むべき方向を歩み出すと、不思議にしかるべき人々が現われてサポートしてくれるようになるでしょう。

◆あなたが一番求めるもの

あなたが求めているのは幸福、調和、公平さ、そして愛するたった一人のパートナーに支えてもらうこと。これらを実現するにはまず自分が自分にとってのベストパートナーとなる必要があります。自分を知ることにより、あなたは少しずつ自分が喜びを感じるようなことをしたり、自分を豊かにするための行動を取るようになります。そして強く、自信に満ちた心を持ち、周囲からも支えられていると感じるようになります。自分自身を公平に扱うことができるようになると、あなたがずっと求めていたバランス感覚と公平さがあなたの中に生まれます。そうなって初めて完全に対等にすべてを分かち合える健全なパートナーシップを組むことができるのです。

◆才能・職業

あなたには他人の意向に制限されることなく、自分の直感に従い「自分のこと」ができる環境が必要です。あなたはリーダーであり、革新家、パイオニアなのです。このため自分の本能に従って行動できる、独立した環境を許される職業に向いています。イニシアチブを取り、独立した行動を取れる仕事、たとえば外科医、技術者や起業家のような職業で成功します。

前世での経験からあなたは他人の目でものを見ることができ、公平にものごとが進むよう外交的に交渉する能力を身につけています。この持って生まれた才能を生かし、今生ではさらなる成功を手にすることができます。しかし自分の目指すゴールへと導くための交渉でなく、交渉や仲裁そのものが目的となってしまうとあなたは熱意を失ってしまいます。

●あなたを癒す言葉●

「自分を信じ、直感に従うと、みんなのためになる」

「ほかの人に奉仕しようとする前にまず自分を豊かにすることを考えよう」

「真に自分に忠実に振る舞うことで、ほかの人を助けることができる」

「いつでも〝いい人〟でなくてもよい」

「バランス感覚と強靭さは自分自身に対する公平さから生まれる」

性格

◆前世

あなたはその前世において、ほかの人を助けるという天分を発揮してきました。前世であなたは主婦、秘書、カウンセラー、アシスタントなどを務め、舞台裏からほかの誰かのためにエネルギーや援助の手を差し伸べてきました。あなたは自分の全人格、力、プラスのエネルギーをかけてほかの人を大きく、強くしてきたのです。あなたはその前世の多くを「家庭人」として過ごしてきたために、自分のエネルギーを身近な環境に調和させることに長じています。

ほかの人を効率よく支えるために、あなたは多くのことに目を向け、それらに気づく繊細さを身につけています。あなたは相手に愛情を注ぎ、元気づけや励ましの言葉をかけ、相手に自信を与えながら相手があらゆる状況下でもしっかりと立ち上がることができるよう努めました。あなたの関心は常に「ほかの誰か」にありました。自信を喪失したり、支えを必要とする人を見るや否や、すぐに助けに入ります。助けを求められるまで待つことはまずありません。あなたは他人のニーズに敏感で、自分のことはさておいてもそのニーズを満たしてあげようとします。信じられないほど愛情深く寛大な精神の持ち主なのです。あなたは他人に与え、チームプレイヤーとして、自我意識にとらわれることなく他人を支えることに慣れているのです。

前世ではこれほど寛大だったあなたですが、そこにはもう一つの思惑がありました。つまり、チームのパートナーが成功すれば同じチームにいるあなたも安泰であるという計算が働いていたのです。あなたはパートナーの心を調和に導き、あなたに対して親切で寛大に振る舞ってくれるように仕向けているのです。このためあなたはパートナーを強くし、満足させることばかりに集中し、自分のニーズに目を向けることを諦めてしまいました。

この方法は前世ではうまくいったのですが、今生ではそうはいきません。前世で他人を支える過程において、あなたは自分の人格をすっかり見失ってしまったのです。このため今生でのあなたの運命は、あなたという魂の持つ波動のパワーを取り戻すことにあります。今生で、あなたの周りになんとなく助けを求めてやってくる友人を支え、その代わりにあなたがその人に頼ろうとしても、がっかりさせられることが多いのはそのためです。誰かに依存することは、あなたが自力で生きていく妨げになるのです。ほかの誰かを強くするために自分を犠牲にしたとき、あなたの計画——期待するような見返りを得ること——は成就しません。自分を再発見するべき時に来ているのです。

・自我意識の欠如

過去の数え切れない前世にわたり、あなたはほかの人の世話ばかりしてきたため、今生で自分が誰なのか分からなくなっています。エネルギーのレベルでいうと、このグループの人々は自我を他と区別する境目を失っているのです。赤ん坊が生まれたとき、赤ん坊は体の周りに自我というオーラを放ちます。ほかのグループの人は皆このオーラを持っていて、オーラは外界の強いエネルギーの影響から身を守ります。この「よろい」のおかげで人々は緊密なやり取りをしてもお互いを傷つけ合うことはないのです。

例を挙げると、ある日ビルが道でスーに出会ったとします。ビルは親しみを込めて「やあ、スーじゃないか」と話しかけます。スーは同じように返事をし、少しの間楽しく立ち話をしたあとで、何もなかったかのように別れます。しかしビルがドラゴンヘッドを牡羊座に持つ人、ジムに出会ったとします。ビルはさっきと同じように親しみを込めて「やあ、ジムじゃないか」と言うと、ジムは完全に圧倒されてしまいます。ジムはビルのエネルギーを丸ごと受け止めてしまうのです。自我を外界から守るオーラが弱いため、このグループの人々は他人に対して非常に敏感で、他人の感情や意見に影響されやすいのです。これを防ぐため、この人たちは常に自我を意識し、強固なものにする努力が必要なのです。

このグループの人の中には、他人の自我をそのまま身につけてしまう人もいます。一般に他人の言葉のアクセントを真似するのが上手で、ごく短い時間一緒にいるだけでしぐさなどを無意識に取り入れてしまいます。調和を大切にするあまり、すべての人に合わせて何にでもなってしまうのです。他人に対するこういった感受性の副産物として、あなたの中には簡単に燃え上がる愛情があふれています。自我意識が弱いため、ほかの誰かと心が触れ合うと、すぐにその人と一体になってしまう傾向があるのです。

このグループの人々の今生での課題は、自分の自我意識を高めることにあります。あらかじめ決められた自分という概念がないあなたは、自分にとって何が本物であり、自然なのかを自由に探索していけるでしょう。それは子供が何かを探すように無心な過程をたどります。あなたの心の奥から聞こえる衝動があなたの自我を形成し、それに基づいて行動することがあなたの自我意識を強くします。

自分をよりよく知るため、あなたは多くの時間を一人で過ごす必要があります。一日のうちのどこかで自分と語り合う時間を作り、毎日続けることをお勧めします。まず初めに、自分は一体何者なのかを見つけること。それができれば他者との境界線を維持することも可能になります。これらは急に展開することではなく、じわじわと変化していくものです。自我の発見は急いで行うものではありません。しかし自分自身に目を向ける準備さえできれば、あなたはすぐにペースをつかめるでしょう。

・愛に満ちた精神

あなたの中には前世の時代から蓄積された愛情がたくさんあふれています。前世においてあなたは人間関係をよく知り、他人を心から助けてきた結果、多くの人々から感謝され、愛情を受けてきました。このため今生でもあなたは不思議と周囲の人から愛されるのです。この愛はあなたの中で輝き、あなたが出会う人すべてに伝わります。

あなたには人の短所だけでなく、愛すべき長所を見る力も同時に備わっています。その人の人柄を全体として理解し、その真の姿を祝福します。その人の輝いているところ、強さ、エネルギー、光、生命を心の目で見つめて祝福するとき、あなたの気持ちは高揚します。そしてその人に限りない愛情を感じます。あなたが今生ですべきことは、その美しい愛を自分自身に向けることです。

このグループの人たちは開放的で愛情深いのですが、自分の居場所を侵害されると怒ります。そして「あまり愛すべきでない性格」が顔を出したあと、罪の意識に陥るのです。しかし悪い面は人間なら誰にでもあるものです。そうやってあなたは自分のさまざまな性格を知り、いいエネルギーも悪いエネルギーも一つに統合することを学んでいきます。愛に満ちたエネルギーが引っ込んで、気持ちががらりと変わることは誰にもよくあることです。大切なのはどんなときも自分自身でいることなのです。

あなたの献身は正しい行為なのですが、もしあなた自身が損な役回りをしていると感じたら、その献身はせいぜい表面的な調和を生み出す程度に終わるでしょう。あなたに焦点が絞られすぎると、他人ばかりを賞賛し、自分を正しく評価しないというあなたの「内なる悪魔」が現われ、あなたを占領してしまうのです。悪い面が表に出ているとき、あなたは人と一緒にいるのを好みません。いつも信条としている愛情と献身に満ちた人間でいられないと、罪悪感を感じ、その場を立ち去ってしまうのです。

実際のところ、悪い面が出るのはあなたにとってよい傾向といえます。それはないがしろにされてきたあなたの性格の一面が自己主張をしているのです。自分の内面と向き合い、自分の長所を認め、我が身をいたわることで意識的に自分を愛そうと努めると、あなたの中の悪魔は自然に消えていくでしょう。だからあなたは定期的に時間を作り、自分のために何ができるかについてゆっくり考える必要があるのです。そうすれば内面に強さと調和をたたえ、誰とでもコミュニケーションを取れるようになるはずです。

◆過敏な心

・調和と自己犠牲

過去の人生の多くを他人の支援のために生きてきたため、あなたは他人に対していつでも自分を開放する姿勢を身につけています。あなたは常に支えるべき人を観察していて、その人がほんのちょっとしたことで不安を感じたり、心の調和が乱れたりするのも見逃しません。パートナーの気分をいつも幸せに保つことに集中すれば、その人の幸福感をあなたも共有できるというわけです。

しかしこれは前世での話。今生において他人の幸せは、あなたに本当の幸せをもたらすには不十分なのです。他人の幸せというエネルギーをためておく受け皿となる自我意識があなたの中に残っていないからです。今生で本当の幸せを手にするためには、自分という人格を掘り起こし、そこに自分のエネルギーを蓄積しなくてはなりません。

このグループの人々は、調和を保つために必要な言葉を駆使して人々を慰めます。そうするとき彼らは、自分はいい人で他人に奉仕していると感じます。しかしこれは一時的なものに過ぎません。――二人の個人の人格と誠意に基づいた確固たる人間関係を築くという、もっと恒久的な解決手段を延期しているだけなのです。

あなたは他人を取り巻く環境にとても敏感なため、「調和の取れた環境作り」を人間関係形成の中心に置いてしまう傾向があります。満足感や幸福感を味わうためには調和も確かに大切。しかし、自分の心のバランスを保つための要素を他人に依存しなくてはなくなったときに問題が起こります。「あなたが幸せなら私も幸せ」となったとき、あなたは無理

ドラゴンヘッド　牡羊座　第一ハウス

にでも相手を操り、自分との調和を保とうとします。あなたは相手の弱点を補うことにより、その人のバランスを保ってあげれば、その人は喜んで好意に応えてくれるものと信じているのです。だから調和を保つために他人が「なすべきこと」をしないとそれが理解できず、多くの場合きちんと仕事をこなしているのは自分一人だと感じてしまいます。人間関係において調和を維持することは、このグループの人にとってはフルタイムの仕事になるほど重要なことなのです。

しかしそれは今生のあなたの仕事ではありません。むしろそれは双方の自由を束縛《そくばく》することになってしまいます。相手は自律性を失い、あなたに調和を保ってもらおうと依存し、あなたはどんな代償を払おうとも調和を保つという役割に縛られてしまいます。そういう関係は残念ながら二人の重荷になってしまうでしょう。

求めるべきは、「自分とのつきあい」に注意を向けること。あなたの内なる調和の感覚を伸ばしてくれるのはどんな行動ですか？　心のバランスを失ったとき、内なる調和を取り戻すために何が必要ですか？　とかく「いい人」になりたがるあなたですが、「いい人」が他人を困らせることはありません。「何が何でも平和がほしい症候群」は、ときに自己否定につながり、不正直にもなっていきます。動機は愛情から派生しているのですが、正直さをともなわない愛は怒りを買うことになります。

過去において他人が望みを叶えるための手助けばかりやってきたあなたは、「他人が望むことをする」ことと「他人に奉仕する」ことを同一視しています。このため他人のニーズを満足させることを優先し、自分が幸せになるために必要なものを犠牲にします。今生であなたは奉仕することの本当の意味を学び直さなくてはなりません。必要以上のものを差し出すことは奉仕ではないということを。あなたは他人に献身するエネルギーが大好きです。でも献身が心地よいレベルを超えたとき、それは本当の意味で相手のためにはなりません。構わず自分の中の「貯え」を他人のために汲み出していくと、あなたはついに疲労困憊《こんぱい》し、あなたも相手も幸福にはなれません。あなたに必要なのは自分を信じること。もし奉仕をしているとき、心の中で赤信号を感じたら、速やかに奉仕をやめ、自分をいたわることです。

自我と他人の境界線を知ることがあなたの今生での課題。あなたが自分のエネルギーを別の人格を持った他人に対してでなく、二人の「関係」につぎ込んだ場合、それは一時的な調和を作るに過ぎません。実体のないものにエネルギーを注ぐようなものだからです。関係とはそれ自体存在するものではなく、二人の間にできるエネルギーのつながりで、二人がそれぞれにさまざまな経験をしたり、気分が変わったりするたびにエネルギーも変化するのです。

ある人間関係が調和を保っているときというのは、二人がそれぞれの中に強さと平和を感じるときなのです。あなたが相手との「関係」にエネルギーを注ぐことにより自分の思い通りに相手を動かそうとしている限り、あなたの心に平和は訪れません。しかし二人の関係に独立と個性を認め、相手をまっすぐに見つめ、一人の個人として相手を支えてあげたとき、あなたは勝利を収めるでしょう。なぜなら、相手も同様にあなたの独立心と個性を支えてくれるからです。

・参加と待避

サポーター体質が染みついたあなたは、本能的に相手の気分が読めます。しかしこの能力は今生ではあなたを非常に疲れさせます。あなたと相手との間には自分の領域を示す壁があるのですが、あなたの場合それが希薄なため、相手との共依存という形であなたのエネルギーの場が相手とくっついてしまうのです。

このグループの人の中には時々、あまりに消耗してしまうからといって人と交わらなくなる人もいます。あなた方は主体的に参加しているように見えても、エネルギーのレベルでは自分の殻にこもっています。気さくに挨拶をして、丁寧な応対をしながらそのエネルギーは他者と交わっていません。しかし交流の輪から完全に逸脱《いつだつ》すると、後で正反対の性格を現し、あふれるエネルギーを持て余して興奮状態になります。

この人たちにとっては消耗することも、過剰に興奮することも表裏一体の現象なのです。つまり実際に起こっていることと向き合っていないということ。与えすぎて消耗するか、あるいは出し惜しみをして他者からエネルギーを受け取るばかりになり、過剰のエネルギーを持て余すことになるのです。いずれの場合も独立した個人としてその場に存在し、腰を落ち着けて一瞬一瞬の出来事に反応しないというあなたの姿勢の副産物なのです。心の調和を保つには、相手のエネルギーに飲み込まれることなく相手を意識することが肝要です。あなたに必要なのは自分の力を常に意識し、自分が快適さを失わずに他人に貢献することです。自由に能力を分かち合い、支援の手を差し伸べ、心から奉仕する――あくまでも自分の持っている力よりも多すぎず、少なすぎずに行うことです。

この人たちは自分と相手とで共有するエネルギー圏内で問題解決を図ろうとします。相手のエネルギーに欠けているものを補完して調和を保とうとするのです。あなた方はこの作業が大好きで、さながらそれは愛の表現ともいうべきものです。しかしその背後にある動機は、自分のエネルギーを相手のそれと同化させることにより、自分が個人として分離してしまうのを避けているのです。そうすれば一人だけ目立つことなく集団行動に参加できるからです。他人から見られることへの恐怖は、取りも直さず自分を見つめることへの恐怖でもあるのです。

とても敏感で傷つきやすい性格のあなたは、他人から見られることへの恐怖にも押しつぶされそうになります。長所を認められるのはうれしいのですが、短所を指摘されるのが何より怖いのです。あなたは他人に指摘されて自分の内なる悪魔と立ち向かうことを嫌います。「自分はあまり他人に好かれていないのではないか」とか「自分の中の悪魔と対面しないため、誰かにひどく非難されるかもしれない」などなど。自分自身に対してどんな攻撃がやってくるかいつもおびえているため、自分が個人として目立つことなく、群れの中でそっとしておいてほしいと願うのです。

しかしながら他人の目にどう映るかという悩みは、あなたが他人の目でものを見ようとしているときにだけ生じるものです。前世では、パートナーの目でものを見ることはパートナーを効率よく支えてあげるために自分の行動を調整するという有効な結果を生んでいました。しかしこのパターンをいくつもの人生で使いすぎたため、自分を相手に合わせるという方法はもう通用しなくなってしまったのです。今生で、他人の目を通してものを見ることはあなたにとってマイナスの効果しかありません。それは自我という意識を目覚めさせ、構築していく能力を萎《な》えさせてしまうからです。

◆優柔不断

・揺れる心

この人たちがある方向を目指したとき、なかなか真っ直ぐな道をたどれないことがあります。理由はさまざまですが、選んだ道に確信が持てず、ほかの選択肢をいろいろと探したり、方向性を定めるのに長い時間がかかる人もいるでしょう。たとえばざっとこんな具合です。ある決断をすると、この人たちは周囲の友人全員にそのことを話します。そして疑問が生まれます。たとえば「冒険小説を書こう」と決めたとします。そして「でもほかのジャンルの本も好きなんだけど」と考え直します。あなたは一つの考えに落ち着くと「これしかない」と思うようにします。しかし後になって「いややっぱりどうも違うようだ」と考え直し、結局決断を下せないのです。

あなたがある決定をしたとき、あなたにとってそれを正当化するのは簡単なことです。どんな決定でもこの決断は正しいとか正しくないとか評価できるのです。しかしそれはあなたが本当はどうしたいかという真相を歪める働きをしてしまいます。たとえばある決定をする段になるとまず本能的な反応があるのですが、次に「うーん、でも正しい判断をするために反対意見も取り入れよう」などと考えます。そうなるとあなたは混乱し、初めにどうしたかったのかを見失ってしまいます。

今生であなたが学ぶべきことは迷いのない心です。選択する前に選択肢のすべてを天秤にかけるのではなく、最初に感じた心の声に従ってみることの価値を学ぶべきなのです。心の中で沸き上がるわくわくするような感覚を信じて決断をしてもよいのです。そしてあなたの知性を傾けて実践してみて下さい。人生は実験の連続なのですから。後になって「ちょっと違うかもしれない」と感じたら、あるいはほかにもっとわくわくするようなものを見つけたら、さっさと後片づけをして次を目指せばよいのです。あなたにとって今生は、新しい人生の始まりなので、数々の決定事項が変更を余儀なくされるのも自然な成り行きなのです。

実際、今生のあなたのテーマは決断を下すことではありません。決断とは多くの場合、二つの選択肢から妥協点を見つけることを意味します。あなたの現在の役回りは決断を下すレフェリーではなく、いくつかの選択肢の一つになることです。正しい判断に導いてくれる最初のひらめきに注目することがあなたにとってプラスになるのはこのためです。そうすると活力や自信、喜びなどがあなたの人生に戻ってきて、それが周囲の人々をも幸福にするのです。

迷いのない心を持つにあたり大きな障害となるのは、あなたが選択肢のすべてに魅力を見出してしまうことです。前世で他人の人生に深く関わってきたため、自分の見方以外の要素を尊重することに慣れているのです。あなたは自分の「お気に入り」を持ちませんでした。自分の趣味や嗜好が分からず、「これだ」という確信に至らないのです。

あなたがするべきことは、時間をかけて自分の中にあるいろんな要素を取り出してみて、どれが本当に好きなのか自問してみることです。たとえば「何色が好きか」と聞かれてもすぐには答えられないかもしれません。しかし一人になって心の中の色を一つ一つ探り、自分の心がどの色と一番共鳴できるかをイメージすると、次第にどれか一つに定まっていきます。

この人たちが決断をしなければならないとき、多くの場合正しい「勘」が働きます。しかし彼らは感性の声を聞く前に決定してしまうのです。そこで先ほど色を決定したときのようなイメージ法が有効です。選択肢の一つを選んだときの自分をイメージし、どんな気持ちになるか体で感じてみるのです。そして別の選択肢を選んだ自分をイメージし、気持ちを確かめます。大事な決断で簡単にイメージできないときは十分に時間をかけ、正しい判断が見えてくるまで待ちましょう。

・他人の評価の罠

今生でこのグループの人たちは何かを決断する過程に他人の意見を取り入れると、結果がよくても悪くても自分自身を見失い、満足を得られません。前世ではあらゆる決断がチームで下され、チーム全体の利益を考え、メンバーに相談しなくてはなりませんでした。しかし今生のテーマは自分自身の再構築です。今度は「この決断について自分がどう思うか」を最優先させましょう。

他人にあなたの決断を話すとき、あなたはその人に認めてもらえるか、自信がなくなります。とても敏感な性格のため、その人に否定されたりするとすぐに「やっぱり私は間違っていた」などと考えてしまうのです。だから自分が成長したり変化したりすれば、決断もまた変化すると了解した上で、あなたの決断をあまり他人に話さないほうがよいのです。

他人、とくにあなたが尊敬する人の意見に左右されやすいあなたは、自分の本能より他人の意見のほうを高く評価する傾向があります。今生でのあなたの仕事は、自分の判断力を基準にすることですから、決断が正しいかどうかより決断を通じて自分をより深く知ることのほうがずっと重要なのです。

もしも正しい論理に基づいた決断ができなかったら他人にひどく非難されるのではないか、とあなたは恐れます。あなたは他人が論理的な決断をすると思っているので、自分が衝動的な決断をすると、それは他人のそれより劣っていると感じるでしょう。ほかのグループの人たちは論理的に進めたほうがよくても、今生のあなたは心の声に従うべきなのです。なぜならあなたの心に最初に響いた声がたいていの場合あなたにとって最良のものだからです。心の声に従って決断し、それを実行するとき、あなたの論理性が役に立つでしょう。

もし決断をしなくてはならないのに何の衝動も感じなかったとしたら、それは今は決断を下すべき時ではないという印か、あるいはどういう決断でも構わないということです。はっきりしないときは胸を張って「分からない」と言ってよいのです。

この人たちはある状況に陥ったとき、いろんな人の意見を考慮に入れることで安心します。それらの意見に対して賛成や反対の意見を述べるのですが、最初に自分の意見を持ち出すことは心配でできません。しかし今生ではどこからそんな考えが出てきたのかと思われるほどユニークな考えでもどんどん発表して下さい。他人の意見を支持するのが得意なあなたですが、今生のあなたは自分がどこへ行きたいかを衝動的に知り、自分の考えを主張し、それを一〇〇％実行して下さい。今生ではあなたがパイオニアなのです。

必要とするもの

◆自我意識

ほかの人を支えるために自分を犠牲にしてきたこのグループの人々は、今生に生まれたとき自我意識を持っていません。まず第一に必要なのは真の自分を発見し、再構築することです。この人たちの若いころは「他人があなたをどう見ているか」に基づいて「自我」が形成されていきます。あなたは「他人の目に映るあなた」を演じるか、完全に反発するかのどちらかになるでしょう。いずれの場合でもそれはあなた自身ではなく、他人が作ったあなたのイメージの投影に反応しているにすぎません。自分発見の旅は次の質問から始まります。「他人の投影とは異なる私とは一体何者なのか」その答えはあなたの中にあります。

・自分を知る

自分を知るためにお勧めしたいのが、定期的な自己チェックです。自分を意識していないとき、あなたは極端な行動をします。他人といるときあなたは愛情深く、親身で献身的な明るい人でなくてはならないと思っています。しかしいつでもそんないい人を演じ続けられるわけもなく、正反対の性格を作り出してしまうのです。愛と献身の人でいようと常に意識するのは、それが前世でのあなたの姿だからですが、表に出ているこの役回りが善良であればあるほど、その対極にある暗闇も深くなります。この暗がりに目を凝らしてみると、それはあなたが日ごろ外に現さないちょっと強引な性格――男性的な「陽」の部分です。前世の多くの人生においてあまりにも長く抑え込まれてきたため、人格の一部として溶け込めず、二極分化してしまったものです。このためこの性格があまりにも激しい形で現れるため、あなた自身でさえ「あれ

ドラゴンヘッド　牡羊座　第一ハウス

は一体どこから来たのか」と戸惑うほどです。

一番よい解決方法は、自分自身の一部として受け止めること。自分の中のエネルギーの流れを観察し、目をそらさないことです。心に動揺が起きたとき、すぐに自分を意識して「なぜか自分は今とても動揺している」とつぶやいてみます。大切なのは自分自身でいること。こういう試みは初めのうちは何となく居心地が悪いかもしれません。しかしあなたの感情の起伏の根元は愛情なのですから、どんな現れ方をしても基本のところでは間違っていないことを信じるべきなのです。

あなたは責任を引き受け、自分のためになることを行い、自分の欲求に従って行動し、自立することを学んでいます。もしも何か、これをすると満足感が得られそうだという直感が働いたら、何をおいてもその直感を信じましょう。前世で心の浄化ができているため、あなたの直感が他人に危害を与えることはなく、直感はあなたの行くべき方向を示してくれるものなのです。人生のどの場面でも第一印象や勘に従って行動してみましょう。わがままだと心配する必要はありません。こうしてあなたは自分らしさを受け止め、自分に責任を持ちながら他人とのバランスを維持できるようになっていくのです。

この人たちは自分の領分を尊重することの価値を理解していないため、他人がそれをどれほど大切にしているかに気がつきません。助けてほしいと頼まれたわけでもないのに助けてあげて相手に迷惑がられたり、他人の領域に入り込んでその人の感情を探ったりした経験がありませんか？　あなたにとって他人のニーズを知るのはよいことかもしれませんが、彼らにもあなたにも自己の領域を示す境界線があるのです。相手の領域を尊重することを覚えると、あなた自身の領域にも目が向けられるようになるでしょう。

あなたは自分で自分の面倒を見る人を目にすると反動的になります。あの人たちは自分のことにかまけて他人を慈《いつく》しまない、利己的な人だと勝手に判断します。しかしそれこそがあなたのするべきことなのです。自分が実践していないので他人がやっているのを見ると気になり、不愉快になるのです。もし他人が「利己的」に見えたら、自分のためにすべきことをしているか、改めて考えてみて下さい。初めのうちはぎくしゃくしても、自分を見つめる作業を続けましょう。

毎日三十、四十分ほど時間を作り、一人で過ごしてみましょう。外界から遮断された一人の部屋の中で、お茶を飲みながら明日の計画を立てたり、日記をつけたり、興味をそそられる本を読んだり、あるいはただぼんやりと座っているのもよいでしょう。これは要するに自分を最優先させるひとときを持つということです。自分のために何か一つでもすることができれば、残りの時間を全部他人に捧げても不公平感を感じることはないでしょう。自分の息遣いに注目するのもよいでしょう。あなた自身の体にも気持ちが行き届くようになります。ほかの人と一緒にいるとき、折りに触れて深呼吸をして自分の領域を意識してみましょう。

無私・無欲の境地を学ぶために生まれてきたドラゴンヘッドグループもありますが、あなた方は今生であえて利己的になることを学んでいます。自分自身を意識していると誰でも利己的になります。たとえ道理にかなっていなくても、人は自然に自分をいたわり、可愛がるものです。あなたは自分のことを考えると他人を傷つけやしないかと考えますが、自分自身でいることはより深いレベルでは他人にとってもプラスになるのです。しかし今あなたがしなくてはならないのは利己的（自分の満足感を得るためだけに行動すること）になるとはどういうことか、実体験することです。今生では自分の幸せを自分の手で作り出していかなくてはなりません。

・他人に認められる

前世の影響からあなたは他人に奉仕し、他人の意見を支持し、他人の計画を成功に導くという「完成させるためのエネルギー」をよく理解しています。しかし今生ではものごとを「新しく始める」のがあなたの仕事なのです。あなたが始めたことを今度はほかの人が引き継ぐのです。ほかの人が参加してくれなかったら、全責任を自分で引き受け、一人で進めてよいのです。しかしほかの人が入ってきたら、あなたは手を引いてその人たちに任せ、新しい考えで進めてもらいましょう。

あなた方の中には、自分の仕事を他人に渡してしまうと自分より他人が認められてしまうのではないかと考え、仕事を手放せない人もいます。自分と同じことを他人ができると、他人より自分の価値のほうが低いと考えるからです。また引き継いだ人に遅れを取ってしまうのではないかと不安に思うのです。「じゃあどうしたらいいの？　私の仕事は何？　私の存在価値はどこにあるの？」とあなたは自問します。

このような反応は、あなたが自分と他人の自我をごっちゃにしているという由々《ゆゆ》しい勘違いから起こります。自我意識の均衡を取り戻すためには、自分の役割と他人の役割をはっきりと区別する必要があります。そうすればその仕事を始めるのがあなたの役割で、それを結実させるのがほかの人の役割だと理解し、任せられるようになるでしょう。

褒められたい気持ちや他人に認めてほしい気持ちが高じて、ときに他人の建設的で創造的な考え（たとえそれがあなたの考えよりも優れていて、当事者に有益だったとしても）を否定してしまうことがあります。もしあなたの出した考えが本当に優れたものだったら、ほかの人はそれを支持し、それぞれの持ち味を生かして貢献してくれるでしょう。あなたが自分の考えを実現させたいなら、自分の周りにいる人々の個人的能力を知らなくてはなりません。一人ひとりの持つ個性的な能力が理解できれば、自分を過小評価することなく他人の能力を認めることができるでしょう。

あなたはしばしば自分が賞賛を浴びることばかり考えて、ほかの人も大きな貢献をしたということをないがしろにします。お手柄を全部自分のものにしたいのです。自分の手柄にするにはすべての責任を負い、すべて一人でことを進めなければならないので、結局あなたの考えは実を結ばないことが多いのです。大切なのは、最初に思いついたのはあなただとほかの人は認めてくれると知ることです。そしてあなたの考えは多くの人の手により現実のものとなり、大勢の観衆の前で発表されます。そうさせるためにあなたは一歩退いてほかの人の協力を仰ぐ必要があるのです。これはこのグループの人にとって役割の逆転を意味します。あなたはリーダーでありながら他人の協力を受け入れ、他人の考えを推進しなくてはなりません。

今生で自分を再構築するという運命を背負っているため、他人に認められたいと願うのも、ある意味では自己開発の試みの一環といえます。しかし結果は動機次第で変わります。あなたの動機が満足感や自己発見にあるとき、それは望ましい結果を生むでしょう。しかし他人の承認を得ることが動機となったとき、あなたはまだ自分の価値を他人の評価に委ねるという依存体質から脱していません。自分が自分を正しく評価するためには他人に認められなければならないという考えを捨て、自分の評価を自ら下すことを覚えましょう。不思議なことに仕事から手を離し、周囲の協力者の個々の能力に目を向けると、彼らはさらに貢献をしたいと望み、その仕事全体に愛情がゆきわたります。あなたの仕事はほかの誰にもできないこと――ほかのみんなが続くための基礎となる考えを創出することです。

◆大地に根を下ろす

・自我意識

あなた方は世界に愛のメッセージを伝えるために、しっかりと大地を足で踏みしめる必要があります。鍵はそれまでに持っていた愛情表現の仕方を忘れること。あなたが自分の愛情を調和した、やさしく敏感で献身的な、慈悲深いといった愛の形に当てはめようとするとうまくいきません。なぜなら愛はいかなる定義の枠も持たない、大きく自由なものだからです。子供が道を渡ろうとするとき、向こうから車がやってきたら、愛はその子供の腕をぐいとつかんで脇道へ引っ張るという行動を取るでしょう。

この人たちは愛こそが現実のすべてで、そのほかのものは幻に過ぎないということをよく知っています。だからこそ、あなたの心に浮かぶ衝動はそれがどんなものであれ、愛の正しい表現だということを学んでいるのです。あなたが心の中にある愛と感謝に導かれて行動すれば、あなたは自分自身でいるといえます。しかし大地のエネルギーをもらってしっかり立っていないと他人に翻弄《ほんろう》されてしまいます。

あなたはこの新しい愛の形を人間関係の中で経験する必要があります。難しいところは心の中にある自分自身をしっかり持ったまま他人を愛するということ。不思議なことにあなたが自分をしっかり持ってさえいればその存在自体がほかの人に愛を教え、愛に満ちた気持ちを人に呼び起こします。そうするためには他人の考えを操ろうとするのをやめ、一瞬一瞬を正真正銘の自分として精いっぱい生きることです。初めのうちは難しいかもしれません。新たな考えに集中するには訓練と、繰り返し自分に言い聞かせることが必要です。しかし究極的な愛というものは自分に心から忠実でいるときにだけ、嘘やエゴのないところからやってくるものです。

・毎日の習慣

大地に根を下ろして立つために有効なのが体を意識すること。まず体の表面を自我の自然な境界線だと考えます。あなたは他人の意識の中に入り込み、自分の中心がどこにあるか忘れてしまう習性があります。これを防ぐため定期的に運動をして、地に足をつけて立ち、バランスと調和の感覚を味わうことがよいのです。

何らかの日課を作ることもよいでしょう。毎日自分のチェックをする習慣になるからです。毎日朝起きたらベッドを整える、自分のチェックをする、コーヒーを入れる、ブラインドを上げる、体操をする、瞑想をする、健康的な朝食を作る、犬の散歩をするといったごく普通のことでよいのです。あなたの傾向としては、一日目はきちんとベッドを整え、二日目は部分的に、三日目はまったくベッドに触れず、四日目は気分次第、というところでしょうか。

不規則だったり習慣がないと生活の輪郭を失いがちになるので、何かを決めたら毎日必ず実行しましょう。また週に一度行う決めごとや儀式などもよいでしょう。毎週教会に行ったり、同じ仲間と昼食をとるなど。これらの習慣は不規則な生活に陥りがちなあなたの生活にある構造を与え、それを維持するための内なる力を鍛えます。他人のエネルギーや意識の領域を出たり入ったりすることをやめ、日常の習慣を守ることで自我意識を高めましょう。

このグループの人の多くは日課が嫌いですが、それには正当な理由があるのです。前世でのあなたは、自分に日課があるとほかの人の一大事のときにすぐに駆けつけてあげられないという理由から日課を持ちませんでした。ほかの人のニーズによりよく合わせられるよう、この人たちは自分の日課はおろか自分の人生を持つことすら諦めていたのです。今生ではその逆で、自分の日課をしっかりと持ち、ほかの人に合わせてもらうのが筋なのです。しかも自分が日課を持つことは、ほかの人の日課に組み込まれにくいという利点もあります。日課を守るという訓練はあなたを強くするという目的を満たします。そして心の奥に住んでいる「戦士」を発見し、喜びを覚えることでしょう。自分をしっかりと持つためには趣味を見つけたり、潜在能力を開発したりするのも役立ちます。あなたが人間関係をさておき、自分の興味のあることに打ち込んだとき、あなたの個性はきっと花開きます。あなたは定期的に時間を取り、自分らしさを開発し、自分が心から満足するようなものを探し続ける必要があるのです。たとえば芸術的センスのある人ならアートクラスに通ってみましょう。音楽の才能があれば楽器を覚えるのもよいでしょう。ダンスが好きならダンスクラスに通ったり、友人やパートナーと踊りに行きましょう。

・自分を鍛える

大地に足をつけるというのは、あなた方にとって自分を鍛えることを意味します。ためになることは常に何らかの鍛練《たんれん》を要します。毎日自分のために時間を作ること、日課をいくつか作り、規則正しい生活を送ること、そして自分を正しく評価することなどがよい例です。

自分を鍛え、自分を意識しているかどうかチェックする方法として、食習慣に注目するのもよいでしょう。漫然と、あるいは暇つぶしやヤケ食いなどで食事をとるのではなく、自分の体が食物を欲しているかを確認し、何を欲しているのかを考えます。このときイメージ法が役に立つでしょう。サラダを食べる姿を想像し、体がどう反応するか見るのです。口の中にスープを含んだところ、あるいはサンドウィッチ、果物、マッシュポテトを食べるところを想像するだけで、あなたには体が何を望んでいるかが分かります。

この人たちはとても繊細なため、ある特定の食物を食べるところを想像しただけで、その食物がいい気分にさせるか、だるくさせるか、あるいはエネルギーを感じるかなどが分かってしまいます。それに従い、そのときに感じたいものが得られる食物をとればよいのです。しかしあまりにも自分自身とかけ離れてしまっている人には初めのうちはそれさえも困難に感じられるかもしれません。慣れるまで努力をする必要があるかもしれませんが、やってみるととても満足感があり、体と心のつながりが生まれます。

自己鍛練は罰ではなく向上です。「主体的に動こうとする」筋肉を強化し、習慣的に繰り返すことにより強靭さ、健康、豊かさを向上させます。あなた方にとって自己鍛練は自己発見のための道具なのです。繰り返し自分を鍛えていくと、自分の中にバランスと調和の取れた戦士が生まれます。

精神世界のレベルでは、あなたは本当の自分――新しい、それまで眠っていた自然のままの個性――に出会おうとしているのです。そのために、あいまいな自我意識を逆に活用し、厄介な習慣を絶つことも可能です。自分を鍛える方法の一つに、新しい自我を発明するというのがあります。自分に対する先入観も認識もないので、心の中で好きに自我を置き換えると、案外すんなりと収まります。たとえば私のクライアントの中に、若いころはたばこを吸わなかったのに、私のところに来る五年ほど前からヘビースモーカーになった人がいました。そして彼はある日突然、何の支障もなくたばこをやめたのです。彼はノンスモーカーだった以前の自分をただ単に思い出したのです。

◆自分の中心を作る

・中心は人間関係

このグループの人々は過去のたくさんの人生で他人と同化して生きてきたので、自分の中心――自我のある場所――をパートナーのそれと混同しています。パートナーがあなたの心の中心にいるため、あなたはパートナーの気持ちに非常に敏感なのです。このためパートナーの機嫌が悪かったり何かに不満を抱いているとすぐにあなたは気づきます。あなたは自分の幸せや満足が乱されないように、それが一生続いたとしても自分の時間とエネルギーを使って相手を喜ばせようとします。

問題なのは、ほかの人を幸せにする行為に対して責任を引き受ける人が誰もいないということです。人が他人にできることはせいぜい一時的に気分が落ち着くような何かを与えてなだめることでしょう。しかしそれを繰り返すと、相手は幸せになるために常にあなたを必要とするようになります。このパターンは今生のあなたがすることではないのです。

あなたが成長するために一番よいのは、人間関係が何より自分に必要であるという考え方を改めることです。あなたは自分一人で立ち、他人との新しい関わり方を学んでいるのです。しかしこれほど繊細なあなたでも天真爛漫なまでに他人に関して鈍感なことがあります。それは他人の行動の動機、生きる目標、どのような成功を未来に描いているか、といったことについてです。あなたは相手（そしてあなた自身）の目先のニーズや欲求が満たされているかどうかという表面的な現象にとらわれがちです。相手の感情をコントロールして、自分との調和が保てるに十分なレベルまでしか相手を観察しないのです。このためこのグループの人たちはよく相手に驚かされたり、がっかりさせられるのです。それはあなた方が相手の本質を見抜いていないことが原因なのです。あなた方は相手と自分との関係ばかりに注意を払い、相手本人に目を向けていません。それでは本当の意味で相手（や自分自身）を支え、成長させることはできません。人間関係は実体のあるものではありません。当事者の二人が成長しなければ、「関係」の成長はありえないのです。このためどれほどの時間とエネルギーを費やしても、「関係」があなたに返してくれるものはありません。だからこそあなたと相手それぞれの自立と個性を伸ばすために何が必要なのかに目を向けたほうがよいのです。相手が自分一人で何かを達成するよう元気づけ、刺激することにより、あなたも相手も独立した個人として成長することができます。

個人より関係に気を取られることの弊害がもう一つあります。それは相手の個性をしっかりと認識できないことです。あなたが相手を際限なくなだめ、安心させ、欠点を補っていくのではなく、相手が自分で自分の面倒を見られるのだと信じてあげるようにすると、次第に相手の長所が見えてきて、それらを活用させるよう仕向けられるようになります。そこまでできればあなたは自分自身をより深いレベルで見られるようになり、長所を伸ばし、成長するための直感力が冴えてきます。

・公平さと自己主張

あなたは公正で公平という理想にとらわれています。何か不公平を発見すると急に怒り出すというほどに。あなたはあなたの考える厳格な基準を世界中の人々が満たすことを望んでいるのです。その理由は、「私は他人に対して公平に振舞っているのだから他人も私に同じようにするのは当然だ」と思っているからです。あなたは世の中がもっと公平であればいいと心から願っていますが、そうではないのがこの世の現実。あなたの考えるような公平な世の中ではないのだと悟るや、あなたは「いい人」を演じるのをやめ、自分の本能や自我意識に基づいて行動したくなります。いくつもの人生の過程で、あなたは自分自身でいられる機会を待ち望んできました。そして今生こそがそのときなのです。

今生では、あなたの公平意識は、それが守られないとき怒り出しても構わないほどのものであるかを正確に表わすものではありません。つまりあなたが大急ぎで駆けつけて、不公平を正したいと思うとき、そこには不公平や不公正なことが存在しない場合が多いのです。まず第一に「公平」という言葉の定義が、あなたの場合他人のために自分の払った犠牲の数々（自分を犠牲にすることなく相手に献身するという限界を常に踏み越えているのです）に直結しています。そして「公平」であるために、相手にも同じことを期待します。あなたは他人に奉仕するとき、自分の限界を超えないことを学び、相手にもその限界を超えるよう薦《すす》めないことを学ぶ途上にあります。

何かが不公平だと感じると、あなたは怒りを覚えます。心に怒りを感じたら、それは「ちょっと立ち止まってゆっくりと深呼吸したほうがよい」という合図です。また「自分の感情を表わしなさい」という合図でもあります。そんなときはこう口に出してみましょう。「なぜか今、自分は怒りを感じている。一人になって考えてみよう」

感情を正直に表現することは自我意識をはっきりさせ、強める働きがあります。同時にほかの人にあなたのニーズや自我の境界線の所在を知らしめる効果があります。相手の反応を判断材料にすれば、自分の目の前にいる人がどういう人なのかがはっきりと認識できます。もし相手が「私が何か気に障ることを言いましたか？」と聞いてきたら、その場で何が問題なのか話し合い、解決を図りましょう。人には違った前世経験があり、あなたのように敏感な人ばかりではないからです。しかし自分の気持ちをそうやって表現するようになると、相手があなたのニーズを理解し、尊重してくれるという反応から、自己主張することの大切さが分かるようになるでしょう。

あなたは今、建設的な自己主張をすることにより、はっきりとした自己表現で公平感を達成する方法を学んでいます。たとえば私のクライアントに、友人からある高額な不動産をローンで購入しようとしている女性がいました。ある日その友人はクライアントの女性に対し、急にお金が必要になったと打ち明けました。この女性はこのグループの特徴通り、本能的に助けたいという姿勢を見せてすぐにお金を渡してしまいました。そのお金はいずれ返ってくるか、不動産の代金から差し引くかしてもらえると信じていたのです。ところがその友人はお金を返さなかったばかりか、借金の存在すら認めようとしなかったのです。女性は傷つき、腹を立てましたが二度とそのことに触れようとはしませんでした。彼女はその不誠実な友人に対して一切の感情を閉ざしたのです。

あなたの人生にはこういったできごとが頻繁に起こります。そのたびにあなたは他人からがっかりさせられる思いを強くします。広い意味では、こういうことをきっかけに自己主張を学ぶよう、運命から促されているともいえます。あなたは他人とのやりとりの中で自分に責任を持つことを学ぶ必要があります。先ほどの例の中で、友人がお金を貸してほしいと頼んできたとき、私のクライアントは「もちろんよ。次の月の支払い分を前倒しにしてあげるわ。お望みなら向こう三ヵ月分を先に支払ってもいいけれど、あなたはどれが都合がいいのかしら？」ということもできたはずです。こう言っていれば友人に対して直接的で、正直で、しかも公平なやり方で相手に奉仕したいという欲求も同時に満たすことができたのです。

このグループの人々は心底から相手に奉仕するのが好きです。しかしその動機は共依存関係を作ることではなく、愛そのものであるべきなのです。相手に何かを与えるとき、相手にがっかりさせられることがないよう、見返りを期待してはいけません。もし自分が相手に与えすぎていると感じたら、それをはっきりと相手に伝え、双方が満足できるように路線変更すればよいのです。相手に自分の意志をはっきりと伝えずに、相手が自分と同じことをしてくれるよう期待するとき、あなたは進むべき道から外れてしまいます。もう黙って期待を胸にしまうのはやめにしましょう。

自分が相手にしてあげたことの見返りとして、相手にどうしてほしいのかを自己主張し、双方が公平でいられるようにするのはあなたの仕事といえます。あなたは公平感に強いこだわりを持っているのでこの仕事にはあなたが適任で、快感すら覚えることでしょう。これはあなたの中に自信を芽生えさせ、他人に対する不満を抱えることがなくなり、さらに自分に満足を感じるようになるでしょう。

公平感に造詣《ぞうけい》の深いあなたですから、他人にあなたの考える公平の基準を教えてあげてよいのです。それによりあなたはただ相手に奉仕するだけでなく、人間関係におけるギブアンドテイクの方法を相手と共有することもできます。

この人たちは正直な自己主張から新鮮なエネルギーを創出することができます。相手からもらうことをじっと待っていたり、相手の出方に反応したりする方法ではなく、自分の中に生まれる衝動をとらえ、それを表現するという方法で。相手に対して敏感であっても、あなたは自分の自我を築いていかなくてはなりません。相手に頼らず自立することにより新たな自信が生まれ、相手に対して健全でユニークな関係を築くための力が湧いてきます。

人間関係

◆依存

周りの人との調和（特に配偶者との）への依存をやめることが今生のあなたの取り組むべき課題です。あなたは依存という域を超え、配偶者の自我に同化し、そのほかの身近な家族や友人とも同化してしまいます。あなたはパートナーとあまりに一心同体になってしまうので、パートナーの感情に強く影響されます。パートナーが取り乱しているとき、あなたが最初にするのは自分の気持ちを落ち着けるために相手の気を静める言葉を探すこと。あなたは相手を自分の延長ととらえ、相手を「立て直し」、平和を取り戻すことにより、自分の心の安定を確保することに心を奪われます。ところがあなたの「緊急事態」の認識が状況を悪化させることになるのです。

　相手をコントロールすることで自分の心の調和を取り戻そうとしても無駄だということを、あなた方は理解しなくてはなりません。相手が取り乱したとき、あなたがするべきことは丁寧にその場を辞して一人になることです。相手が自分の感情と向き合い、折り合いをつけていく時間を与え、助けてほしいと頼まれるまで相手の自助努力を尊重してあげるのです。このようにしてあなたはより深いレベルでの自我意識に達することができます。

　またパートナーと少し距離を置くと、パートナーに今何が起きているのかよりよく観察することができます。あなたの自我意識を高めるため、自分のものをたくさん置いた自分だけの空間を持つことが重要なのはこのためです。あなたには、自分が相手の自我に呑み込まれたと感じたときに逃げ込める、一人になれる場所が必要なのです。

・境界線

　自分と他人を分ける境界線から目をそむけ、他人の自我を自分の中心に据えている限り、この人たちの心に平和は訪れません。たとえば結婚生活の悩みを解消するために私のところにやってきた人がいました。彼は結婚して二十三年目を迎え、経済的にも非常に恵まれていましたが、いつも妻に物を買ってあげることで妻の機嫌を取っていました。妻を喜ばせるためにしょっちゅう旅行をし、彼女が喜ぶと彼も幸せに感じるのです。しかしこれはすべて彼の中心に妻の心を持ってきた彼が、妻の感情を操作することにより自分の心の平和や安定を保とうとしているに過ぎないのです。

何年も繰り返すうちに妻を喜ばせることがどんどん難しくなり、ついに何ものも彼女の心を動かさなくなってしまいました。彼女は言葉の暴力により家族を傷つけ、自分の存在を主張しました。暴言はさらにひどくなり、その否定的なエネルギーは彼女をさらに不機嫌にしていきました。

私のクライアントはもうどうしてよいか分からないという状態でした。妻を喜ばせる方法を失ったために、彼自身の心の中心にも大波が起こっていました。これがこの人たちが学ぶべきレッスンの好例です。理想的な環境にあったとしても、他人があなたの心の真ん中を占めていては自分の心の平和は望めません。自分以外の人をどうしたら幸せにしてあげられるかを知ることは誰にもできません。その上、その仕事を引き受けてしまったら、相手が自分自身を発見し、自分の感情と向き合うという彼ら自身の大事な仕事を横取りすることになるのです。もし私のクライアントが自分の心の平和のために、妻が自分の不幸感と向き合う時間を与えないという間違いを犯さなかったら、妻は自分の感情の乱れを自分で正すことができたかもしれません。そして、もしそれができていたら、彼女が自分の存在を主張するために暴力的な手段を使わずに済んだかもしれません。

あなた方は自分の中に自我の境界線を発見しても、すぐにはそれを外に現すことに慣れていません。あなたは自分にとってマイナスになると分かっていても、相手を支えてあげなくてはならないと感じてしまうからです。このため相手があなたのすることに反対したとき、「分かった。それではやめることにしよう」と言っておいて、陰で計画を実践しようとします。自分の立場を守ろうとするとき、それを正直に他人にも示さないと人間関係に不健全な依存体質を助長させることになります。

こういった問題は、ある意味であなたが持って生まれた愛と慈悲の精神から起こります。何代もの前世で繊細な感受性を磨いてきたのですから、あなたがパートナーよりも敏感に人々やできごとに対して同情してしまうのは、いわば当たり前のことなのです。パートナーがあることに関わりたくないと主張したとき、あなたはその場の平和を維持するために「分かった。それではやめましょう」と言います。そして後になって心の中から怒りが込み上げてきますが、状況をどう解決したらよいものか思案に暮れてしまいます。人助けをしたいと願うあなたの欲求は、行きすぎるとパートナーに内緒の行動を生みます。それによりパートナーはあなたへの信頼を失い、二人の関係がぎくしゃくしてきます。そうなるとあなたは自分のしていることへの自信をなくしていくでしょう。

　これを避けるためにはあなたとパートナーが「私たち」の概念を拡大し、もっと柔軟に考えることが大切です。あるときには二人のチームとして、また別のときにはそれぞれ別の個人として考えるのです。先ほどのような状況に陥った場合、ちょっと勇気が要りますが、自分が感じていることをそのまま相手に伝えるのが最良の手段です。たとえば「ねえ、あなたはこのことに関わりたくないと感じているようだけど、私としては力になってあげたいの。私一人でやるなら構わないでしょう」という具合です。あなたが相手と違う考えを持っていることに気づいたとき、あなたはあえて「私はそう思わない」とはっきり伝えるべきなのです。ここで大切なのは、あなたの感じていることが正しいかどうかではなく、あなたが相手に嘘をついてはならないということなのです。

・パートナー選び

配偶者や何かのパートナーを選ぶとき、このグループの人は無意識に自分をなくすことができる相手を求めています。あなた方はパートナーの自我の下に深く潜行し、そこで「安全」に過ごしたいのです。$\frac{1}{2}+\frac{1}{2}$で一つの人格をなすという昔ながらの考えを実践しようとしているのですが、これはもうまくいきません。あなたが今学ぼうとしているのは、一個人＋一個人で二人編成のチームを作るという等式です。

　それでも、今生での課題に気づくまでは依然として自分が同化しやすいパートナーを求め続け、そのパートナーを強くするためにすべての愛と献身を捧げることでしょう。残念ながら今生でこういうパートナー選びをすると間違いなく失敗します。つまりあなたを利用しようとする人や失望させる人を選んでしまう確率が非常に高いということです。失敗しないためには正反対の選び方を試みることです。パートナーばかりに考えを集中させることをやめ、自分を中心に考えましょう。自分が自分らしくいることに慣れてくると、誰とも違う、ユニークな本当の自分の姿が浮かび上がってきます。そして自分自身の行くべき方向が自ずから生まれ、そのエネルギーはあなたにぴったりの人、つまりあなたの個性を認め、大切にしてくれる人を不思議と引き寄せるのです。

　あなた方は前世での経験から誰かと寄り添う喜びを知りすぎているため、無意識のレベルで、幸福な人間関係とは仲良く相互に依存し合う関係だと思い込んでいます。あなた方はいつでもパートナーと一緒にいて、何でも二人でやりたいと考えています。あなた方は基本的に明るい性格なのですが、依存し合う人間関係を結ぶと、表面からは見えないところでエネルギーが流出していきます。相手に認められたいと願い、相手の自我意識の中に入れてもらいたいと願うあなた方の欲求は、底無し沼のように身を滅ぼしていきます。

無意識の中で、この人たちは他人の協力がなければ生きていけないと思い込んでいます。それで周囲の自分より強そうな人々と共依存関係を築こうと苦心します。そして自分の目標は横に置いたまま、選んだパートナーの目標を達成するために自分の時間とエネルギーをつぎ込みます。あなた方は相手を限りなく理解し、自分のニーズよりもパートナーのニーズに対して敏感です。このようにしてあなた方はパートナーにとってなくてはならない人となり、見事に依存関係を作り上げてしまいます。

あなたは自分が不健全な依存体質を作ったことを棚に上げ、パートナーが自立しようとすると腹を立て、パートナーが目標を達成できないと非難します。自分ではすべて愛がなせるわざ（実際あなたは非常に愛情深く、協力的な人なのです）と考えていますが、実はあなたの自己犠牲は無意識に相手を「操作」していることにほかなりません。愛はどんな場合にも見返りを期待するものではなく、怒りは何かを期待したのに得られなかったときに生まれる副産物なのです。あなた方は自分自身に、そして相手に対しても正直に、あなたがどこまで相手に奉仕できるか、そしてその代わりにどうしてほしいのか見極めることの大切さを学ばなくてはなりません。あなたがチームのメンバーから支えてもらえることも、チームの一員であることの特権なのです。

・自立を学ぶ

あなた方は他人に依存しないということを学んでいるところなので、無意識に、頼りない人を周りに引き寄せてしまいます。その結果あなた方は自分に頼るしかないと学んでいきますが、ときに手痛いレッスンとなる場合もあります。

このグループの人々は、相手の自我が分からなくなるほど自分と相手の自我意識が融合した関係を作り出そうと、常に努めます。そして相手をどうすれば喜ばせることができるかという点においてしか相手を見ることがありません。自分のパートナーが本当はどういう性格なのかといった心の深みに、あなたが関心を持つことはほとんどありません。もっと悪いことに、あなたはいつも自分の心を埋めて安心させてくれる誰かを求めているため、ほかの人々も同じように自我意識が欠けていて、その空白を埋めてくれる誰かを探しているのだと勝手に想像しています。そうやってあなたはどこか幼稚で、不正確な前提条件の下で人間関係を築いていくのです。

相手の人格や目標に対して間違った認識を持つあなたは、それに基づいて行動するため、相手が去っていったり、悲しませることをすると多くの場合とても感情的になり、混乱します。世の中の多くの人は自分の中心に自我というものがあり、独立心のある人々はとくにあなたの「いつでも一緒にいたい、それが駄目なら心だけでもつながっていたい」、という欲求をうっとうしく感じ、反発します。

あなたは知らず知らずのうちに、常に自分を求めてほしいと考える利己的な人々に引き寄せられる傾向があります。あなたがその人のことだけを考え、エネルギーを注ぎ込んでも、同じように返してくれないような人になぜか出会ってしまいます。意図していないにしろ、あなたが寛大な奉仕を相手に捧げた結果として、初めは相手の気持ちの分かる繊細な人でもやがて利己的で図太い神経の持ち主に変貌してしまうこともあるのです。

大概の場合、あなたはある程度の繊細さを持ち合わせ、あなたのしたことに報いてくれる人とつきあっているほうが幸せなのです。あなたはエネルギーをぶつけ合う必要のない人々と一緒にいるほうが落ち着けるはずです。あなたは相手の中に沈み込ませてもらえる人を求める傾向があるので、それを防ぐためにあなたがあなたらしくいるよう勇気づけてくれ、あなたの愛情深さや慈悲深さを悪用しない人とつきあう必要があるのです。自分がどうしたいか相手に伝えることも、相手があなたに対して丁寧に接してくれるための有効な手段です。

◆間接的アプローチ

・争いごとを避ける

平和と調和を愛するあまり、あなたは争いごとを一つも起こさないように気を配り、知らず知らずのうちに人間関係そのものをかえって損なってしまうことがあります。「これから僕はチームのメンバーとして頑張るぞ」と意気込んだ後で、チーム内で不和が起こりそうな状況を発見したとします。あなたは争いの種を見つけたとき、すぐに解決を図らず、先送りにして問題を深刻化させてしまうのです。

乗り越えるべきハードルは、常に地に足をつけ、心に浮かんだことを間を置かずにきちんと言葉にして周囲の人に伝えるよう気を配ることです。たとえば、ある素晴らしい考えを思いついたとき、「これを実行したいんだ」と発表しましょう。気持ちを偽ったり、過小表現してはいけません。あなたが気持ちをそのまま表に出せないのは、自分がほかの人々と違う考えや目的を持っているかもしれないという不安からです。その不安はその場で外に現せば解消されるのに、現さないため自分の中で増殖してしまい、大きな脅威にまで成長します。そしてあなたはもう自分の手に負えないと諦めてしまうのです。心に浮かんだものをその都度正直に表現していれば、他人との相違を確認でき、さらに充実した人間関係を築くことができるのです。

ほかの人と意見が合わないのではないかと思うことが原因で、あなたは真実を後になってから話そうとします。何かをしたいのだけれど、相手の反対が予想されるとき、あなたは相手に内緒で実行しようとします。そして相手にばれたとき、二人の考え方の相違は埋められないばかりかお互いに傷つき、信頼関係が失われます。あなたが本当はどうしたいのかについて相手と話し合わないということは、あなたが人間として成長しようとする行動を相手が寛大に支援してくれる機会を自ら台無しにしているようなものです。事態が悪くなってからの話し合いは感情を鎮めることはできても、一度壊れた関係を修復するには膨大な労力が必要です。

私のクライアントに飛行機のパイロットがいました。サイドビジネスとして航空機の輸送をしていた彼は、その仕事が大好きでした。あるときトルコに航空機の輸送をする仕事を引き受けたのですが、彼の妻は、その仕事と同じ時期に予定されている家族の行事に参加するよう主張しました。彼は妻の気持ちを理解したものの、どうしても話し合わず、密かにトルコ行きを計画しました。そこで彼は妻と話し合わず、トルコに行きたかったのです。そこで彼は妻と話し合わず、密かにトルコ行きを計画しました。出発のときが来て、彼は「これからトルコに行ってくるよ」と言います。妻は「何ですって？　二人で話したとき、旅行はやめにすると言ったじゃないの！」と。ここで彼は妻に嘘をついたという事実と向き合わなくてはなりません。こうなると彼がトルコに行くには、妻を説得するばかりでなく、嘘をついて傷つけたことの埋め合わせもしなくてはならなくなってしまいます。結果彼はこれを収拾不能の事態と判断し、行くのを諦めてしまったのです。この例のように、このグループの人々が自分のしたいことをできずにいるのは、自分のしたいことをするよりパートナーとのコミュニケーションの問題を解消させることのほうが大事だと考えるからです。そうすることにより二人の関係は調和を取り戻しますが、自分の願いを犠牲にしたという苛立たしい思いがあなたの中に残ります。そうならないために、あなたは最初から手の内を全部パートナーに明かし、自分がどうしたいのか、なぜそれが大切なことなのか、きちんと説明しなくてはなりません。パートナーと二人で向き合って、自分のしたいこと、恐れていることをとことん話し合うべきなのです。

先ほどの例で、私のクライアントはこう言うこともできたでしょう。「ねえ、君に話したいことがあるんだ。僕にとってはとても大事なことなんだけど、僕が気にしているのは君がそれを理解してくれるかということなんだ。君が分かってくれないために、僕は旅行を諦めることになるのが心配なんだ」相手の心を誘導しているようにもとれますが、実は気がかりなことを正直に伝えています。恐れは言葉に出してしまうと氷解するものです。その後で彼はどうしたいのか、そしてその理由について話せばよいのです。「トルコのバイヤーのところに航空機を届けたいんだ。僕は自分のビジネスを持ち、独立した収入を得たいと思っている。そのためにこの仕事は重要なんだよ。この仕事は僕に満足感と自信を与えてくれるんだ」

彼が進もうとしている方向に、より高い収入が待っていると知れば妻も夫を支持し、このできごとが愛情を表現するよい機会になったかもしれません。この方法で進めてもパートナーがあなたに理解を示さなかったとしたら、その関係が真に二人の個人的成長のためになる関係がどうかを再検討する必要があるでしょう。

・**決断の延期**

習慣的に自分より他人を優先させるあなたは、自分が成長するために必要なエネルギーを自分に注ぐことをおろそかにしています。自分の人生の進むべき道を諦めたとき、人はすべてにおいて弱くなります。そしてパートナーのエネルギーに頼ることになるのです。あなたに必要なのは、あなたが純粋に楽しいと感じる行動を一人で始めることです。

相手に対して公平でありたいと願うあまり、あなたはパートナーと相談するまで自分のための決断を延期してしまいます。不幸なことに、ものごとを相手の視点から見るとき、あなたは相手を傷つけまいとして、せっかくの自分の直感を尊重しないのです。

迷いが生まれたときはこう自問しましょう。「この行動をする自分が好きになれるか？」もし答えがイエスなら、まず自分がしたいことを相手に伝え、次に相手がそれについてどう考えるかをたずねます。簡単な方法ですが、これならあなたが自分の心の声に従うことができ、しかも相手に対してもフェアでいることができます。

たとえば、ある日車で帰宅する途中、映画館の『風と共に去りぬ』の新作の大きな広告が目に入ったとします。その瞬間あなたは「そうだ。今夜トムと一緒に見よう！」と思います。家に帰るとあなたは多分「ねえトム。今夜は何か予定があるの？」と聞くでしょう。夫は「今日は疲れているんだ。家で『月曜フットボール中継』でも見ながら冷蔵庫にあるものを食べようよ」と言うかもしれません。外交戦術と相手のコントロールに熟達したあなたは、間接表現を用いてこう言うでしょう。「家にいるよりも外出して映画でも見たほうが、ずっとあなたの気が晴れるんじゃないかしら」「いや、今夜は家で過ごしたいんだ。それに僕がフットボールの試合を見たいのは分かっているだろう」「そうね、トム。でももうずいぶん二人で外出していないのよ」ここまで来ると夫は妻に自分の行動を指図されていると感じ、腹を立ててどうしても家にいたいと主張するでしょう。妻も怒りを抑え切れずその場を立ち去り、こうつぶやくかもしれません。「いつでも私の願いは聞き入れられないんだわ。彼のしたいことばっかりしている」しかしあなたは映画のことについてまだ一言も彼に話していません。

あなたにとって最もよい方法は、自分はこうしたいとはっきりと相手に伝え、その後で相手がどうしたいのかたずねることです。代わりにこう言ってはどうでしょう。「ねえトム。帰り道で『風と共に去りぬ』の新作をやっているのを見つけたの。私、あの映画を楽しみにしていたの。二人で今夜見に行きたいんだけど、あなたは何かほかの予定があるかしら？」夫はこう答えるかもしれません。「今日は疲れているんだ。家で『月曜フットボール中継』でも見て過ごそうと考えていたんだ」あなたは妥協するのが誰より得意です。双方の希望が明らかになったところで、お互いが公平になるような結論を引き出します。「そうね。あなたはお疲れのようだし、『月曜フットボール中継』は月曜日しかやっていないものね。それじゃあ今夜は家で過ごして、明日の夜は映画に行きましょう」

◆飛び込むのが怖い

過去の人生における人間関係では相手に振り回され、利用されてきたために、今生でのあなたは人間関係や結婚に対して恐怖感を抱いています。相手にすべてを捧げてしまい、自分をなくしてしまうのではないかという心配が心のどこかにあるのです。このためある人間関係を築くことに大きな魅力を感じつつも二の足を踏んでしまい、また自分を見失ってしまうよりは独身で過ごしたほうがいいと思ってしまうのです。もともと結婚に適した性質を持っているにもかかわらず、あなたはその関係が親密なものになる前に無意識に壊してしまうことがあります。またパートナーを求めている心とは裏腹に、見つかった相手が自分にふさわしい人ではないと無理に自分に言い聞かせたりすることもあります。

このように親密な人間関係に対する抵抗感を解決するのに現代ならではの方法がいくつかあります。結婚していても別々に暮らしたり、結婚という形態を取らずに一緒に暮らすということもできます。まずは自分に対して忠実で誠実でいるという覚悟を明確に持つことができれば結婚もまたうまくいくでしょう。結婚も、究極的にはあなた自身に与えられた課題と同じなのです。まず自分の独立した自我を築き、その上でパートナーとの共存共栄の協力関係を試行錯誤しながら作っていくのですから。

・自立

あなたはパートナーから許可をもらわないと一人で行動してはいけないものだと考える傾向があります。子供のようにパートナーの顔色をうかがい、パートナーをコントロールし、自分の行動を正当化するための術策をふんだんに使い、許可と協力を得ようとします。あなたはパートナーに自分の力を全部あげてしまい、自分自身のままでいるのはよくないことだと感じています。あるいはもっと単純に、自分のしたいことをあっさりと諦めてしまいます。

今生ではパートナーの子供としてでなく、大人同士の関係を築かなくてはなりません。それはつまりリーダーシップと勇気と人生への主体性を持ってパートナーに対して自分の意志や計画を説明できること、そしていかに自分が心の中に不安を抱えているかを自分にもパートナーにも極力知らせないようにすることを意味します。もしパートナーがあなたの計画に対して躊躇《ちゅうちょ》したら、あなたは自分自身をより深く知り、成長するために一人でも実行すると伝えなくてはなりません。その時点でパートナーはあなたに合わせてついてきてくれるか、双方にプラスになるよう話し合いをします。

結婚という一番大切な人間関係がうまくいくために、あなたは自分一人で何かを実行することの大切さを学び、自分が満足感を得られるようなテーマを追求することを学んでいく必要があります。そうすれば、幸せな気分になるためにパートナーとエネルギーを分け合う必要がなくなります。自分の世界を広げ、多彩な人々とつきあいながら自分自身を洗練させ、強くしていけるようになります。ひとたび独立した自我意識を持つことができると、あなたは心からパートナーと分かり合え、それぞれの長所を分かち合う喜びに浸ることができます。あなたのエネルギー源は二人の関係の外で充電されているので、二人の関係の中でエネルギーを豊かに分け合えるのです。

問題は、あなたが何をしたいのかは、いつでもはっきりと分かるわけではないということです。ほかのグループの人々に比べ、あなた方は何か一つを選択することが苦手です。あなたは常に他人が求めているものと自分が求めるものを認識し、どの状況でも公平さを欠かないよう気を配ります。

当然ながらそのようにいちいち当事者全員の希望を秤にか

けるには時間がかかります。もし急いで結論を迫られたりすると、たいていの場合その結果にあなたは満足できません。あなたは追い立てられることが苦手なのです。ある状況の中に感情的な要素が入ってくると、この人たちは明断《めいせき》さを失い、自分の行きたい方向でなくてもずるずると流されていってしまうのです。これを避けるには、感情的な圧力の中では決断をしたり、何かに合意したりしないことです。感情的な要素が入ってくるのを感じたら、こう言ってみましょう。「感情的にならざるを得ないときは結論を出すのは控えよう」そして自分の中にバランスと明断さが戻ってくるのを待ちます。あるいはこう言ってもよいでしょう。「皆さんの意見を整理するのに少し時間をもらえませんか？　意見はすべて正しく思えますが、その内容を理解するのに時間が要るのです。この問題は後日話し合いましょう」

個人的関係ではとくに自分の心を正直に明確に伝えなければなりません。「感情的雰囲気の中で、私は結論を導き出したくないんだ」と。こう話すと相手はあなたが現状に対してどう思っているのかよく理解できます。言葉に表わすことであなたの性格の一面、つまり他人に対する感受性と人間関係で何が起きているか把握しているということを、自他ともに認識できます。このように自我の「最前線」に立つことは、あなたを強くし、自信を高めます。

・わがまま

今日の世界でわがままは忌《い》むべき性格です。しかしあなた方は前世において繰り返し無私・無欲を貫いてきたので、バランスを取るためには大いにわがままになる必要があるのです。奇妙なことに、自分が幸せな、元気な気分になれるような何かを実行するとき、それが自己中心的と自分では思っていても、後になってあなたはもちろん、関わりのあるすべての人にとって最良の決断だったと分かるのです。

あなたは自分を一番に考えることが得意ではありません。たとえばあるパーティーに出席して、急に気分が悪くなったとしても「先に失礼したいのですが」とか、「家まで送っていただけますか？」などと言うには大変な勇気が要ります。心の中で「もし私が帰ったら残った人々はどう思うかしら。私がいないとパーティーが気まずくなったりしないかしら」などと考えてしまいます。あなたの目は完全に自分以外の人々に向けられていて、自分自身に注意を向けるよう、体をくるりと向き直らせる必要があるほどです。

あなたが何気なく思いついたアイデアを、それが合理的であるかなどと気にすることなく実行すると、それはみんなにとって素晴らしい結果を生みます。それは要するに人間の判断能力を超えた何かが世の中を回しているということです。

先ほどの例でも、あなたは自分を送るために友人はパーティーを早めに辞さなくてはならないと思いましたが、その人がもしとどまっていたら、誰も予期しなかったような重大なトラブルに巻き込まれていたかもしれないのです。

あなたの率直なひらめきは自動的に周囲に対する公平さを内包《ないほう》しています。たとえばある状況で何となく居心地が悪くなり、あなたはこう言います。「なぜか分からないんだけど、落ち着かないんだ。何が原因なのだろう」。そうするともう一人が、「いやあ多分僕がさっき——と言ったせいだろう。あれはちょっとみんなにフェアじゃなかったよね」などと言います。あなたが対決姿勢を取らずに周囲の人と対話をすると、それをきっかけにしてそれぞれが自分の言動を振り返り、軌道修正を始めるのです。

ゴール

◆自分を見つける

今生のあなたにとって自分を見つけるという目標は何にも代え難い喜びをもたらします。自己発見にあたり、最良のテクニックは心のひらめきに従う勇気を持つことです。合理的でないと思う向きもあるかもしれませんが、ひらめきに従うとあなた自身に力がみなぎってくるのです。その様は牡羊座の牡羊（頭をぶつけ合い、無謀なことをしては傷つく）に似ていますが、それがあなたの自分発見の過程なのです。自分を見つける旅の途上には、危険もありますが、さまざまな自分と出会う経験にあふれていて、どこにたどり着くかは問題ではないのです。あなたはどんなことをしても、その根底には自己発見という目的を持っている限り、道に迷うことはありません。どんな結果になってもそれはあなたの新しい一面に光を当てることになるからです。

・自分を振り返る

あなたを他人の視点から見ると、他人が考えているあなたや、他人が望むあなたの姿が見えてきますが、それは本当のあなたとは別の人格です。ほかの人があなたをどう見ようとあなたはあなたでなくてはなりません。そしてあなた自身を見つけるには、心の中の衝動的な考えや感情を言葉で表現しほかの人にあなたを理解してもらうことが肝要です。

他人の目を通して自分を見ることは、あなたにとって自分を見失うことにほかなりません。なぜなら自分本来の感覚に基づいて判断するための自信を打ち砕くからです。自分の目で自分を見る習慣がつくと自分の喜びにつながり、エネルギーを増幅させるだけでなく、しっかりと自分の足を大地に根づかせるような行動ができるようになり、自信と喜びが満ちてきます。ここでのあなたのレッスンは、あなたのそういう行動は道理にかなったものばかりではないということ、そして自分や自分の行動をいちいち正当化する必要はないということです。

あなたが今生で学んでいるのは、他人の感情の変化より自分の感情の変化に目を向けるということ。この能力を身につけ、自分に対して公平な毎日を送るようになると、あなたの周りには切望していた公平感が自然に生まれます。自分を尊重し、大切にすることによってしか、他人に自分を公平に見てもらう術《すべ》はありません。あなたは他人との関係に望むものを相手にきちんと伝えたとき、自分を尊重しているといえます。あなたが自分の正体や何を求めているかについて正直になれたとき、あなたの周りにはあなたと似通った価値観を持つ人々が集まってきて、お互いを豊かに満たし合うことができるでしょう。

・自己愛

他人に雨のように注いできた愛情を、今生では自分自身への愛情に転化させるのがあなたのテーマ。あなたが本当の自分をなかなか他人に見せようとしないのは、あなたの中に不安があるからです。だからこそ自分を正当に評価し、自分を肯定することが大きな課題になってくるのです。自分の姿を他人の目にさらすことで自己を確立させる必要があるのです。これができるようになると、他人に知られる自分のイメージを意識し、自信が育っていきます。

自分の過去の経験に照らして、これまでの人間関係で相手に妥協したり、自分を押し殺したりする手段がことごとく失敗に終わったことを考えれば、勇気を出して他人の前に自分自身を見せることはそう難しいことではなくなります。違う結果を出すには、とくに親しい人々との人間関係の築き方にも違うアプローチが求められます。

自己愛を育てるのに有効な手段は、自分の夢を実現させるよう努力することです。自分の考え通りにことが運んでほしいと心から願えるほど自分を信じ、愛せるようになったとき、あなたは自分に素直になることが夢の実現への最良の策だと気づくでしょう。「どうしたらこの考えを実現できるだろう？唯一の方法は不正直のベールをはがすこと」あなたがそう考えると人間関係のエネルギーはあなたに反発するどころか、あなたに向かって注がれるようになります。初めのうちは反対されるのではないかと不安に感じますが、自分の考えを無事実行に移すためにはその不安感を克服する勇気がどうしても必要なのです。そしてあなたには隠しごとが何もないので、自分の全エネルギーをアイデア実現に向けて使うことができ、実現への支援者リストを作る余裕さえ生まれるでしょう。

ごく自然に自分が前面に立ったとき、みんながうまくいくのです。どんな行動を取るとあなたはあなた自身を頼もしく、幸福で、より完全に近く、そして満足に思うでしょうか？自己愛とは自分を支持する決断と深く関わっています。まずは基本的な質問をすることから始めましょう。「どうしたら生き延びられるだろう。ゴールにたどり着くには何をすればいいだろう。どの道を選ぶとストレスが一番少なく、健康にもよいだろう」

・自己主張

前向きな自己主張というゴールを見極めるため、あなたは前世での自我イメージ、「いい人」でいたいという潜在的欲求を手放さなければなりません。あなた本来の新しい自分自身が誕生するために、「……でなくてはならない」といった既成概念をすべて忘れて自分を表現していきましょう。心に浮かんだ最初の言葉を躊躇《ちゅうちょ》なく口に出し、衝動の赴《おもむ》くままに行動すればよいのです。正直に自己主張すると自分の飾らない姿が見え、他人の目に映ったあなたとは別の自分自身を認められるようになります。

他人の動向を待つまでもなく心の衝動に従い、すぐに行動に移していきましょう。行動に移すことで自分の心の衝動を支持すると、その衝動はますますエネルギーを帯び、力強くなっていきます。

あなたが学んでいる自己主張のもう一つの形は、自己の境界線を他人に示し、自分の身を自分で守り、また他人に傷つけられないようにすることです。あなた方はほかの人も自分同様他人に気を配る愛情を持ち合わせていると考えがちですが、必ずしもそうではありません。あなた方の仕事は、相手に気を配っても自分を十分に愛し、傷つけられないようにすることです。

ある悟りを開いた高僧がインドを旅行しているときのことです。ある村に入ったとき、そこには外で遊ぶ子供の姿が一人もいないことに気づきました。「子供らはどこじゃ」とたずねた高僧に、村人は答えました。「偉いお坊様、森に住んでいる大蛇が夜毎に村にやってきて、子供たちを食べてしまうのです。どうかお助け下さい」高僧はすぐに森へ行き、「大蛇よ。私の前に姿を現しなさい」生きとし生けるものは皆、徳の高い僧侶に逆らえないので、大蛇は隠れ家からおずおずと姿を現しました。「大蛇よ。この村の子供らを食うてはならん。もう一人たりとも食うてはならんぞ」と高僧は警告しました。大蛇は恥ずかしそうに「お坊様、分かりました」と答えました。

高僧はその後も旅を続け、十年後に再び同じ村に立ち寄り、あらゆる年齢の子供たちが遊ぶ姿を見つけました。しかしその片隅で何かに熱中している子供の一団がありました。高僧が近寄ると子供たちの真ん中には、いじめられて傷つき、死にかけた大蛇がいました。高僧は子供たちを追い払い、大蛇に向かってこう訊ねました。「我が友よ。どうしてこんなことになったのじゃ?」「お坊様、あなたが子供を食べてはいけないとおっしゃったからです」と大蛇は答えました。「愚かな大蛇よ。私は子供たちを食うてはならぬといったのじゃ。シューシューという声（危険が迫ったときに蛇が発する警戒音）を出すなとは言っておらん」

この逸話はあなたが学ぶべきことを象徴しています。人間関係において、相手に傷つけられそうになったらすぐに「シューシュー」という警戒の声を出すということです。敏感なあなたの心が傷ついたとき、あなたが他人に与えすぎているとき、あるいは支えが必要なときは、直ちに相手に知らせなくてはなりません。大事なのはあなたが相手に利用されたと感じ、その人から物理的に、また心理的に離れていく前にその相手に知らせることです。あなたが他人に傷つけられることは、みんなにとってよくないことなのです。

◆信頼

・自分を信じる

あなたのゴールは自分を信じ、自分自身になりきること──誰かを支える歯車に組み込まれるという罠のない、健全な人間関係を築くことです。人間関係の中で、正直に素のままのあなたを相手の前に見せられなければ、その関係からは愛も公平さも見出せません。それはあなたの直感的な知恵を信じるということ──あなたの大いなる愛をすみかとする直感やひらめきを表現すれば、周囲のすべての人々にとってよい結果が自然に引き出せます。

これには勇気と意欲が必要です。しかし危険を承知で実践するところまで自分を信じられれば、うまくいくことが分かってきます。あなたはリーダーの経験が少ないので、誰かがあなたの指し示す方向に異議を唱えると、すぐに引いてしまいます。異議を認め、間違っているのは自分のほうだと考えるのです。実際あなたの考えはユニークで革新的なので、最初は人々の抵抗に遭《あ》うことも少なくありません（人がいつでも新しい考えに抵抗するのは、それが変化を意味するからです。それは自然な反応で、それを理解するのもリーダーの仕事といえるでしょう）。あなたが自信を外にみなぎらせ、心の衝動に従って行動し続けると、周囲の人が次第にあなたに足並みを合わせ、あなたの進む方向についてくることに気づくでしょう。

あなたは今生で新しい自分を発見する喜びを経験します。人生は冒険。あなたがそう考えて心の赴くまま、いろいろなアイデアが浮かぶに任せて行動を始めると、満たされた感覚や幸福感があなたの中でどんどん大きくなります。しかしそれにはまず自分の本能から生まれる声を信じなければなりません。

私のクライアントに、誰がオスカーの受賞者になるかについて職場で賭けをした人がいました。彼女は心の中で誰が賞を取るか直感的に分かっていました。しかし同僚たちといろいろ話し合っているうちに自分の直感に自信がなくなり、ついに友人に同調して違う人を選んでしまいました。賭けに負けたとき、彼女は落胆し、自分の直感を信じるべきだったと痛感しました。

あなた方は自分を疑うのをやめ、早く自分自身になりきることです。そこで心がけてほしいのは自分の中に起きる直感に基づいた行動を取ることです。あなたが積極的にゴールに向かって突き進むことで自分の幸せを自分で確保できるようになったら、あなたのニーズを満たしてくれる活動や人々があなたの前に集まってくるでしょう。一歩踏み出すと、その次にどんな行動を取るべきかという疑問への答えがすぐにあなたの前に現われます。

私のクライアントに、何年も自分にふさわしいロマンチックなパートナーを待ち焦がれている女性がいました。しかし出会いは少なく、惨澹《さんたん》たる結果に終わる関係もいくつかありました。不幸と絶望が彼女を苦しめ、ついに抗鬱剤《こううつざい》に依存するまでになりました。そしてとうとう彼女は「白馬の王子様」の幻想を諦め、自分の力で行動する自信と、本当の幸せを見つけるために動き出しました。

暮らしが活動的になるにつれ、彼女の気分もよくなっていきました。彼女はジョギングが好きだったのですが、一日の日課の都合でジョギングができるのは早朝のまだ暗いうち。一緒に走ってくれる似たような日課を持つ人が現われるのをただ待つ代わりに、彼女は地元紙に広告を出し、早朝ジョギングパートナーを募集しました。四人から返事が届き、彼女はその人たちとジョギングを始めたのです。そしてそのうちの一人が何と彼女の「王子様」だったのです。しかし彼女が王子様と出会えたのは、パートナーに自分を幸せで満たしてもらおうと願うことをやめ、自力で求めるものを明確にし、新聞広告という合理的な方法で実行に移した後だということは言うまでもありません。

・否定的な感情を受け止める

あなたはすべてうまくいっているというふりをする癖があります。いわゆる否定的な感情を持つことに罪悪感を持ってしまうからです。自分との対話を過去の人生で行わなかったことから、あなたは何かが起きてもすぐに自分の感情がどう反応しているのか分からないことがあります。たとえばある日、ある感情が起こってもなんだか分からず、何週間も経ってから「あのとき私は怒っていたんだ」と気づくのです。友人に「あなたにとって、一月はどんな月だったの?」と聞かれると、「今思うと孤独で落ち込んでいたつらい時期だった」と答えるのに、一月に「調子はどう?」と聞かれても「順調よ」と答えていたでしょう。

そんなあなたですから、定期的に小休止を入れて自分の心の中で何が起きているか探ってみる必要があるのです。自分の感情に気づかずにいると、あなたはよく理不尽な行動に出て周囲を驚かせます。それが起きたとき、あなたはすぐにその場を離れ、一人になろうとします。そしてその感情を一人で見つめ、理性を取り戻すのです。これはとてもよいことで、もっとよいのはその場にいる人にこう言うことです。「なぜか分かりませんが、私は今とても動揺しています」。こうして正直に言葉にすれば、他人にあなたの感情をぶつけずに済みます。仮に感情が爆発してしまっても、後でこう言うようにしましょう。「ごめんなさい。なぜか分からないんだけれど、今とても動揺しているんです。でも後で説明できると思います」この方法は雷を落とした後でも効果があります。

あなたの中には残酷な、他人を傷つけたいという気持ちが潜んでいて、それに快感を覚えます。過去の人生で幾度となく「いい人」を演じてつらい思いをしてきたあなたは、その代償が長年のツケとなり行き場のない怒りとして心の奥にたまっているのです。そして今、何の脈絡もなく、あなたに愛情を持ってくれている身近な人にその怒りの矛先を向けてしまうのです。あなたは怒りを爆発させた後ですぐに謝ります。あなた自身、怒りをぶつけられても相手を受容してきた経験があります。このため相手も同じように自分を許し愛してくれると期待し、そうしてもらえるとさらに自分で自分を受け入れられると無意識に考えているのです。

今生であなたは怒り、恨みといった否定的感情を中和させるという使命を持っています。あなたの場合こういう感情を外に出したほうがよいのです。過去において、他人と足並みを合わせるために押し殺し続けてきた感情が今、外に出ようとしているからです。これらの感情は、あなたの粗削りなエネルギー源だと考えてよいのです。

激怒、立腹といった感情は勢力、強い自己主張、リーダーシップといった男性的な「陽」のエネルギーに属するもので、これまでのあなたが完全に蓋をしてきたエネルギーです。このエネルギーの出口を作ってやり、あなたがいくつもの過去の人生で培ってきたやさしく繊細なエネルギーと調和させると、あなたの中に住んでいる戦士が自然に姿を現すでしょう。

その過程を上手に進める最良の方法は規則的に運動をすることです。強い感情のエネルギーを放出し、調和させるには武道のクラスなどに参加するのが最適です。運動を通じてそのエネルギーが定期的に、着実に放出されるようになると、不適切な感情の爆発はなくなります。運動は激しいものを選びましょう。たとえばエアロビクス、ボクシング、ラケットボール、テニスなど、あなたの戦士としての性質を思い起こさせるものを始めると、あなたは驚くほど喜びを感じるでしょう。

あなたは競争を避ける性質を持っていますが、競争はあなたにとってプラスになる体験です。他人同士が競い合うとあなたははらはらしますが、いざ自分が競争をすることになると、あなたの最良の部分が引き出され、実に見事に戦って見せます。競争は過去の人生で抑圧されていた感情に光を当て、強化します。負けを恐れる気持ちはあるものの、過去の寛大なあなたを思い出せば不安はすぐに解消し、相手が勝ったときには心から祝福できます。自分が勝ってもうれしく感じ、勝利はなかなか気持ちのよいものだととらえるようになるでしょう。つまり、勝利を目指して戦うとどちらが勝ってもうれしく思うことができるのです。

あなたが競争を楽しむには、競争の目的が意義のあるものでなければなりません。また自分自身を競争相手にすることもあなたを強くします。いつもは五マイル走ってやめるところを次はもっと長く走るといった具合に、自分は強くて何でもできるのだと感じることが肝要なのです。また他人がやっていることを見て、自分もやってみようと感じるのもよいことです。そのときあなたは他人と自分を前向きに比較し、自分が成長する機会を増やしているのです。

◆力を誇示する

　あなたは他人との関わり合いの中で、自分の力をはっきりと示し、常にその力とともにあることを学んでいます。そして自分の真の所有者になろうとしているのです。あなたが本当に体と心を一体化させ、しっかりと大地を足で踏みしめているとき、自分のあまりの力強さに恐れを抱くことさえあるでしょう。それでもあなた方は恥ずかしがり屋で、自分を表現するのが怖いと感じます。あなたが自分の力で立っていないとき、それは往々にしてあなたの心が「間違いを犯してはいけない」とあなたを萎縮《いしゅく》させていることに起因しています。「間違いを犯す」ことはあなたが気にするべき問題ではありません。あなたが恐れるのは、間違いを犯すと自分を認められなくなり、自分の力がしぼんでしまうことです。しかし今生のあなたが経験するのは、自分を前面に出してぶつかった結果間違ったとしても、それが一つの自己発見という貴重な実を結んだというプラスの経験であり、そういう自分をあなたは認めることができるはずです。自分の中にある力を意識し、主張することのほうが結果よりずっと大切なことなのです。

　心の衝動に従い、行動しましょう。その行為自体があなたを魅力的にし、自分が好きになれるステップなのですから。力を自分のものにし、自分を心から愛せるのは、自分が自分の運命を握っているからにほかなりません。この人たちが自分に必要なものを言葉に表現し、自分の考えに従って行動すると、心がわくわくしてきます。

・リーダーシップ

　この人々は過去の多くの人生で他人を支え、他人に従ってきました。今生ではあなたがリードする番です。まず自分のことを考え、ほかの人は二の次です。そう考えるとあなたの中の戦士が顔を出しやすくなります。

　あなた方はかなり若い時期から、普通の人があまり興味を持つことのない、珍しい分野で働くことに喜びを感じます。この選択のために、あなたは他人より過酷な仕事を強いられるようになります。しかし次第に熟練してくると、その経験はあなたの人格を鍛え、成長させます。あなたは物質的な報酬の高低にかかわらず、誰が手がけても同じ結果を生む仕事をしたがりません。自分個人としての仕事にこだわりがあるのです。ものごとを分析するとき、あなたはほかの人とちょっと違った視点でものを見、他人との違いを楽しむ傾向があります。

　あなたがリーダーになったときの最大のメリットは、自分の個性を他人に役立てられることです。あなたがリーダーになると、スタッフ全員が快適な気分でいられるように職場の環境を上手にコントロールすることができます。

前世では人の世話を天職としてきたので、あなたには生まれつき他人をサポートする能力が備わっています。人の気持ちに敏感で、どうしたら幸せになれるかを知っています。人は無意識に他人も自分と同じ考えだと思いがちなので、あなたは他人も自分と同様人に奉仕することを理解していると考えます。そしてあなたが他人を助けたとき、なぜほかの人は自分と同じようにできないのだろう、と疑問に思います。あなたはそう思いつつ一人でリーダーシップを発揮し、アイデアを出し、よい職場によい雰囲気作りまでしているのです。

ほかの人があなたのようにできないのは、どうすれば人を支えることができるか分からないからです。あなたはリーダーとして、意識的にメンバーに何をしてもらいたいかということに考えを集中させることが大切です。他人があなたのニーズを敏感に察知してくれるのを黙って期待しないで、はっきりと客観的にどうしてほしいかを伝えなくてはなりません。そしてメンバーの欠点を指摘したりあなたがどんなにがっかりしたか伝える代わりに、どうすればよいかを示し、メンバーが自分から取り入れられるよう前向きなエネルギーで満たしてやる方法がよいのです。こうしてあなたの周囲の人々にあなたの特技を教え、成長させてあげることができます。

周りの人（とくに配偶者）に人の愛し方や人の個性を気づかうことを教えることは、今生におけるあなたの大切な仕事の一つです。あなたが学んでいるのはほかの人を支える創造的な方法を教えてあげることで、その術《すべ》を知らない人に怒りを感じることではありません。人を支えるにはいつでもその人のことを見ていなくてはなりません。大変な仕事ではありますが、それによって人は支えられていると感じるものです。あなただけが持っている、そういう細やかなテクニックを今生ではほかの人々に分け与えて下さい。愛と慈悲の心を持って他人を支えることの極意を、あなたは自分自身でいるだけで他人に示すことができるのですから。

・共存共栄

あなたは典型的な「共存共栄型」の人といえるでしょう。あなたには他人のニーズを満たしてあげては相手にがっかりさせられてきた苦い過去があります。今生であなたは独立心のある自己を開発し、配偶者との関係から実りある交歓《こうかん》の喜びを味わいましょう。そのためには配偶者との関係を共存共栄という視点で眺め、互いに助け合ってそれぞれの長所を伸ばし、自分を守る能力を伸ばしていきましょう。一人ひとりが完全に自立した上で自分の個性に合った冒険をして、二つの世界でのお互いの経験を共有するのです。

健全な関係は、お互いが相手の個性を高め、共通のゴールを目指すものです。人間関係の力学に取り込まれることなく、二人はそれぞれの力で立ち、相手の世界に参加していくのです。

あなたは前世で自分を省みず、他人を一生懸命支えてきました。この延長で、あなたが他人に奉仕しすぎて自分が生きるためのエネルギーが低下したとき、自分の身を守ろうとする本能の警告を軽視してしまいます。支えている相手がそこにいる限り、自分の疲れを感じることはありません。しかし一人になるとどっと疲れがやってきます。今生であなたが学んでいるのは、行きすぎのない安定した奉仕活動を調整する機能を持つことです。エネルギーを共有するプロセスは、それによりお互いが活性化するところが醍醐味といえるでしょう。

「金の卵」を人に分け与えるためには、生みの親であるガチョウが元気に生きていなくてはなりません。前世であなた方は自分が持っている金の卵をすべて他人に与え、しまいにガチョウまで差し出してしまっていたのです。今生であなたが取り組むのはガチョウを健康にたくましく育て、金の卵をどれほど生んでも疲れ果てたりやせ細ったりしない態勢作りです。

一対一の関係で「共依存」を避けるとは、相手に何か必要が生じたときに、それを補ってあげようとする代わりに、(1)相手には問題を自力で解決するに十分な能力とエネルギーが備わっていること、そして(2)相手を支援してくれる人は自分のほかにもいる、ということを理解させることを意味します。たとえばあなたの配偶者が地元の画廊に自分の絵を飾りたいと考えたとします。あなたが割って入り画廊に電話をかけてあげるのではなく、友人に頼むなり、画商を雇うなりすることを勧めるのです。こうすれば相手の問題であなたの生活が狂わされることはありません。

共依存から共存共栄に移行する過程には三つのステップがあります。

(1)共依存段階：二人の気持ちが通い合っていて、二人のチームが存続するために双方の弱点をカバーし合います。

(2)独立段階：二人ともそれぞれに自立してお互いを必要としません。金銭面から生活面まで、すべて自分で全責任を負っています。

(3)共存共栄段階：自立した、自分一人ですべてのニーズを満たすことのできる個人が、同様に自立したもう一人と相互に支え合う関係を築き、共通の目標を目指します。

共存共栄の関係を結べるところまで人格を磨き成長したら、あなたは真の意味で周囲に輝きを放つ存在になるでしょう。

〔癒しのテーマソング〕

音楽は何かに挑戦するとき、感情面でユニークな力を発揮します。
それぞれのドラゴンヘッドグループに合わせ、
エネルギーをプラスに転化する働きを持つ詩を作りました。

審判の日を超えて

この詩のメッセージはドラゴンヘッドが牡羊座にある人々を共依存への誘惑から慈愛に満ちた自分の心のひらめきを信じ、進むべき方向へと導くために書かれました。

この世に存在する本という本を読みあさり
会う人ごとに道をたずね
いにしえの小道に潜む神秘をひも解く
それでも審判の日を迎えるのはあなた一人
栄光を手にしようと、他人の協力を仰いではいけない
進むべき道を示す地図を自分の外に求めてはいけない

本を捨て去り、観念を乗り越えて行こう
内なる光を信じて苦難を踏み越え
あなたの本来の姿――完全無欠のあなたになる
術を知っているのは
そして内なる光があなたを審判の日へ導いてくれることに気づいているのは
あなた以外の誰でもない

ドラゴンヘッド

牡牛座

第二ハウス

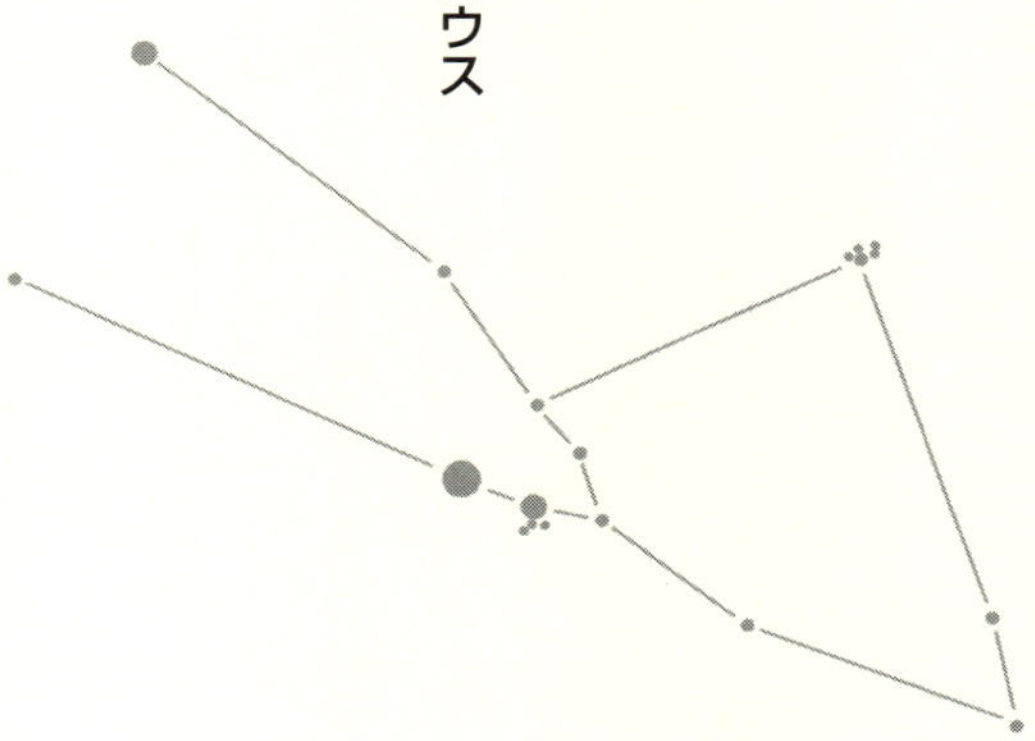

Taurus

総体運

●伸ばしたい長所

次の性質を伸ばすと、あなたの隠された能力が見つかります。

- 忠誠心
- 境界線を知る
- 一段ずつ進む
- 自分を尊重する
- 個人の価値を知る
- 忍耐
- 自分と他人の希望を尊重する
- 五感を楽しむ
- 感謝
- 地球の恵みを知る
- 許すこと
- 粘り強さ

●改めたい短所

次の性質を減らすようにすると人生が生きやすく、楽しくなります。

- 危機に引き寄せられる
- 他人ごとに関心を持つ
- 忍耐力の欠如
- 不適当な激しさ
- 批判的姿勢
- 他人の心理的動機を気にする
- 他人の要請に応じない
- 過剰反応
- 部分を変えようとして全体を壊す
- 偏執狂的強迫観念

◆あなたの弱点／避けるべき罠／決心すべきこと

ドラゴンヘッドを牡牛座に持つあなた方の弱点は、自分の価値を他人の認知から得ようとすること。「他人に認められれば自分に自信が持てる」と考えると、自分を分かってくれるソウルメイトを限りなく求めるという罠に陥ります。「この特別な一人のエネルギーがあれば自分は満たされる」真実のところ、あなたの心の調和を作れるのはあなたしかいません。たとえソウルメイトが見つかっても、心の調和は人間関係から得られる副産物ではないのです。どれほど多くの支援や認知を他人から得ても、それで十分だと感じることはありません。実際のところ、あなた方が自分の生き方が正しいかどうか確かめるのに、他人の認知というものはよい判断基準とはいえません。誰がどう考えようと自分が正しいと思う基準に従って生きることで、あなたは自分の価値を認められるようになるからです。

あなたは人生のどこかの時点で決心して他人ごとに巻き込まれることをやめ、独立独歩の道を歩み始める必要があるのです。皮肉なことに、あなたが一人で歩き始めると周りの人々はあなたを経済的にもエネルギーレベルでも支えてくれるのです。

◆あなたが一番求めるもの

あなた方が一番求めているのは誰かのエネルギーと融合し、ともに強くなることです。あなた方は完璧な、そして永続する献身を求めています。すべての物質的な要求を満たしてくれるパートナーを求め、一方でパートナーに精神的ニーズを提供する（あるいはその逆）という共生の関係はお互いを強くし、信頼に値すると考えています。こういう関係を築くには、あなたと同じエネルギーと価値観を持つ人を見つける必要があります。共通の目標は二人が個人としてそれぞれに価値を見出せるものでなくてはなりません。

これを実現するために、あなたはまず自分の価値観と取り組むことです。自分の求めるものを知り、あなたにとっての現実とそれが意味するものについて考え、自我をしっかりと持つことです。課題は自分自身のエネルギーを確立させ、自分は誰なのかを真っ直ぐに見つめること。あなたのエネルギーが強くなってくると、自動的に似通ったエネルギーを持つ、パートナー候補が引き寄せられてくるでしょう。

◆才能・職業

あなた方はものを作る才能に恵まれています。家、人間関係、ビジネスなど一定の法則を守りさえすれば何でも作ることができるのです。あなたは自分が心から価値を見出す分野の職業で成功します。たとえばあなたがマッサージは人を癒す道具であり、自分にとっても利益を生むと考えたらその分野で成功します。あなた方はお金に関する能力にも恵まれています。自力で利殖の方法を考えそれに快感を覚えたら、そこでも成功できるでしょう。

人生の物質面や五感の喜びを強調する職業ならどんな分野でも向いています。農業、建設業、エンジニアリング、料理、スポーツを教えることなど。一般によいのは一人でする仕事です。自分でビジネスを始めたり、企業の一部門を任されたりする形でもよいでしょう。あなたは目先の結果にとらわれず、階段を一歩ずつ昇り、次の一歩を目指す前に足元を確かめながら進むことを学んでいます。

あなた方はまた危機管理能力に長じています。そして心理学に対する生まれつきの理解力があります。他人の願望やニーズに気づくことが自分の目標を達成する一助となります。相手のエネルギーを受け止め、双方のエネルギーを高めるようにすると、あなたも相手も望むような結果が得られます。しかし心理学そのものや危機管理を目的とする職業につくと、あなたは満足感を得られず、空虚な気持ちになります。あなた方は能力を形のある構造物を作ることに傾け、それにより心の安定感を得るほうが向いているのです。

●あなたを癒す言葉●

「ゆっくりと粘り強く、一歩ずつ歩もう」

「自分の価値観で生きると幸福感が得られる」

「母なる自然が必要なエネルギーをくれる」

「自分のニーズや他人のニーズを満たすと、人間関係が安定する」

「心地よい気分でいられたら、私は正しい道にいる」

「他人が言うことは私には関係ない」

性格

◆前世

・他人と交わる

前世でのあなたは権力や影響力を持つ人との強い絆に結ばれていました。王を支える王妃や側室などとして、内部情報を打ち明けられる存在ですが、最終的な決断は相手がしていました。あなたは首領の相談役、あるいは会社社長の第一秘書、軍司令官の参謀役でした。あなたは権力やエネルギー、カリスマをあなたより強いソウルメイトの中に育て、その代償として相手から認められ、感謝されることで自分の価値を見出していました。

前世では権力のある相手があなたの衣食住を満たし、可愛がりました。あなたがすべきことは相手にぴったりと寄り添って、相手の願望を満たしてあげることだけで、その結果あなたはその時代の最高のライフスタイルを享受《きょうじゅ》することができたのです。今生のあなたは、まるでほかの人がクレジットカードの支払いをしてくれると考えているようにお金にルーズなところがありますが、状況はもう前世とは違うのです。前世の依存パターンではあなたが自分の力で道を切り拓いていく能力があるということを証明する機会に恵まれませんでした。だからこそ今生では自信の基盤としてまず経済的基盤を自らの手で確立する必要があるのです。自分のお金の使い方に気をつけられないと膨大な負債を抱えることにもなりかねません。

また別の前世では「娼婦」の類いとしての悪評判に耐えた時期があります。これらの前世では、あなたの成功は自分だけの領域を持たないことにより得られ、抵抗なく相手のエネルギーの圏内に入り込み、一人では作れない強さのエネルギー圏を二人で作るという経験をしています。ここであなたは他人のニーズを敏感に察知することを覚え、この能力はその人生において大変重宝なものでした。しかしこういった近すぎる融合を重ねた結果、あなたは一個人としての自分の価値やニーズを見失ってしまいました。このため今生で誰かとあまりに急激に、またあまりに近すぎる関係になると裏切られる経験をしますが、これは自分の境界線や価値、精神の倫理などを忘れないようにという戒めの印なのです。

前世でのあなたは戦略家やカウンセラーとして人々の心理を読み、動機や心の動きを予測することで実力を発揮しました。あなた方の周りには心の不安定な人が多く、彼らからあなたは人の精神や感情の欠陥を学びました。そして彼らを癒す代償として金銭を受け取っていたのです。あなたの霊的敏感さは敵の動きを予測するのに役立つと同時に、ソウルメイトの心の中にある欲望やニーズも感じ取りました。しかし今生では他人の心理との共鳴はあなたが自分の進みたい方向に着実に歩を進める妨げになります。今生は前世のような他人との深い関係から卒業し、自分の人生に集中するべき時なのです。

あなた方の中には権力を乱用し、暴力を振るった人々もいます。そういう人々は今生で権力の使い方を学び直し、その現われとして暴力や虐待の被害者となる人々もいるでしょう。この人々にとって今生は過酷な学習の場となります。この人々は、薬物やアルコール依存症や重度の精神障害から企業の取締役会に席を並べる役員になったり、あるいは聖職者となって寺院に暮らすなど、人生の両極端のありようを体験することになるでしょう。彼らの人生は深い暗闇から光に満ちた崇高なものまで、さまざまな局面を見ることになります。

・危機意識

他人の権力闘争に常に巻き込まれている前世の経験から、あなたは危機やトラウマ、ぎりぎりの切羽詰まった感覚を自分に引き寄せる「意識」を作り出しました。あなた方は危機に瀕《ひん》して感じるあの興奮、アドレナリン分泌が大好きなのです。そのハイな気分を味わうために自分の体や健康、安定した暮らしには欠かせない平和すらも犠牲にします。何度でも、必要もないのにリスクを冒し、危機の状況に身を投じます。そしてあなたはのた打ち回り苦しんで、人生を台無しにしてしまうのです。ときに薬物やアルコールに浸って新たな危機を招き入れることもあります。あるいはそういう依存症の人を伴侶として持ち、救い出してあげるという挑戦をするのです。

あなたが作りたいと思う方向に反して膠着《こうちゃく》状態に陥ったとき、あなたは過剰反応し、その激しさがそれまで存在しなかった危機状態を作り出します。こういう過剰反応はたいていの場合、あなたと相手との共生関係が壊れそうになっているときや、相手があなたに対して一〇〇%の信頼を持っていないと感じたときに起こります。自分自身の価値を心から認めていないため、あなたはいつでも大切なパートナー（お金やエネルギーを提供してくれる相手）の認知に頼り、それはあなたにとって死活問題となっているのです。相手の心理を始終見張り、相手から大切に思われるように自分の態度を微調整するのです。こうしてあなたは相手にとってなくてはならない人物になり、あなたの存続が確保されるのです。

相手があなたを傷つけようとしているのではないかと考えるとき、あなたの最初の反応は復讐行動です。しかし復讐することが目的になると、それは成功しません。あなたが求めるものを得るには、人々や状況から率直な方法で手に入れるべきなのです。そして防御姿勢を取ることなく相手に「これは私にはとても大切なことなのです」と言うことが大切です。力で応じようとせず、謙虚に相手と向き合うほうがうまくいくのです。

常に心すべきは、あなたの目指す結果に心を集中させていること。自分のニーズを確保しようとするのは正しいことであり、傷ついたり裏切られそうになったら自分の身を守るしかありません。しかし問題はあなたが過剰に反応する傾向があり、すでにある状況よりずっと大きな問題にしてしまうことです。

あなた方はとても情熱的で、激しい感情を味わいたいという欲求のあまり自分が何をしようとしているのかが分からなくなってしまうことがあります。今生での課題の一つは、あなたの情熱エネルギーをコントロールして建設的な方向に指向させることです。今生のあなたのテーマは破壊ではなく建設で、建設するためにはあなたの親しんでいる激しさよりもむしろ時間をかけることのほうが大切なのです。

あなたが恐怖から行動を起こすとき、破壊が起こります。愛情から行動を起こすと建設が生まれるのです。あなた方は自分の情熱、エネルギー、精神力を活用してこの世に価値あるものを建設することを学んでいます。そしてそれが完成するたびにあなたは至福の感覚に包まれるでしょう。あなたは今生で、金銭や個人的、性的なリスクに固執して危機に陥り、体を壊すことよりもっと大切なものがあることを学んでいます。あなたが何をするかということよりはあなたの激しいやり方が混乱を招くのです。少しの間立ち止まり、自分と向き合うことで、あなたの足元から失われそうになっている現実に立脚した、遅くとも確かな歩を進める必要があるのです。

他人との権力闘争に身をやつした前世経験から、あなたには平和への渇望があります。あなたは今生で、ものごとを強引に解決しようとする欲望を満たすと、すべてが台無しになることを学んでいます。これと反対に、あなたが平和的に解決しようという意志を見せると、当事者全員にとってよい方向に事態は進展していくのです。

◆自尊心

あなたは自分自身の存在価値を体験するために生まれてきました。前世でのあなたは相手の権力に統合するために、あなた自身にとって必要なことを諦めてきました。相手を権力の座にとどめるという仕事を評価してもらうことにより自分のしていることを是認してきたのです。しかしあなたはその仕事を認めてもらうために、ときには自分の道徳や倫理観を犠牲にしてまで仕事に打ち込んできたのです。

自分の価値体系を抑制して過ごしてきた前世の影響から、あなたは他人に肯定されないと自分の価値を認められないという構造を持って生まれてきたのです。このためあなたは周りの人々の価値観を取り入れるにあたり、非常に無防備な態勢を持っているのです。

過去の人生ではよかったのですが、相手があなたを経済的に支えたり、全面的に認めてくれるという無言の期待の下で、誰かにくっついて支援していくという形は今生では機能しません。今生での課題はあなたが自分の価値観に従って生きることにより自分を尊重できるようになること。他人に力を注ぐのは、それがあなたにとって重要なことであるとき、自分の価値観と一致しているとき、そしてそれにより何の見返りも期待しないときだけです。

・認められる

あなた方は自慢をする傾向があります。誰かが話しているときに割って入り、その話題を契機にして自分の過去の栄光、誰かを助けた話や、自分の権力の大きさについて、延々と語るのです。これは深層心理の中で相手の認知を求めているからなのです。

他人との交流の中で不安に陥ると、それを解消する手段として自分の話をして他人からの認知を求めようとするのです。周りの人があなたの価値を認め、評価し、尊敬してくれたら自分の不安感はなくなるのではないかと期待しているのです。残念ながらそれは長続きしないため、それをずっと続けなくてはならなくなるのです。そしてそういう習慣に人々は辟易《へきえき》してしまいます。皮肉なことにあなたが自分に価値を見出せない感覚は、自己批判をしたり、他人と比較したりするときに起きるのです。

あなた方の心には大きな怒りが内在しています。しかしよく見ると、その怒りは恐怖に端を発しているのです。尊重してもらえないことへの恐怖、人に好かれないという恐怖、人間として扱われない恐怖などです。ですからある状況で怒りを感じたら、こう自問すると心の調和が取り戻せるでしょう。「私は何を恐れているのだろう？」

他人から正当な評価を受けていないと感じるとき、あなたはフラストレーションを感じ、自尊心が失われていきます。あなたの恐れはすべてここから始まっています。「どうしたら彼らに認められるのだろう」あなたが恐れ、怒るのはあなたが周りに示しているのに対して、あなたの求める認知が返ってこないと考えるからです。しかし認知は外から与えられることはないのです。あなたがどんなに富と権力、名声を持っていたとしても、心から自分を尊重できるほど他人から認知されることはありません。この怒りを解決するには自分が納得する生き方を選び、自分の価値観に基づいて生きる以外にはありません。あなたが周りを見回して他人の認知を求めることをやめ、自分の内側に目を向けると、あら不思議。あなたの怒りは生産的なエネルギーに形を変えています。

時々あなたは自分の価値を認めてもらいやすいという理由で、あまり自分に向いてもいない職業を選ぶことがあります。あなたは他人が高貴だと考える職業に就いて、賞賛を浴びたいという誘惑に弱いのです。そしてそこで評価されないと、それは仕事の喜びを台無しにします。そういうときは、仕事のどの部分に喜びを感じるかを考えるとよいでしょう。その仕事はあなたにとって大切だと思える価値を高めてくれるか。自分に価値を感じられる能力を使っているか。自信をつけられるような大きな責任を負っているか。労働に見合った高い報酬を得ているか。仕事のどこを自分が評価できるかを見つめ、意識的にその価値観と照らし、自分はよいことをしているという感覚を維持することが大切です。この認知の仕方は他人の欲求を満たすのではなく自分が自分らしくいることへの喜びであり、いつでもそこにある認知なのです。

他人の評価はあなたにとってエネルギーという形の食べ物のようなものです。友人からの電話や訪問が大好きなのは、周りの人々があなたの存在を認識している証拠だからです。他人のエネルギーに頼らないで済むシステムを、あなたは自分の中に築く必要があります。そしてその上で自分に必要だからではなく、会いたいからという理由で人と会うという態勢を築くのです。

自己評価をする方法として、自分の財政計画を立てるのもよいでしょう。また、おいしい食事を作るといった、自分にとって意義のあることを毎日一定の時間とエネルギーをかけて実行するのもよいことです。要するに自分がよい精神状態で、自分の価値を認められるようなことを他人との関わりのないところで定期的に行うということです。これをすると、あなたには迷いがなくなります。

・境界線

子供の頃、あなたの両親はその価値観をあなたに強要したのではないでしょうか。これは親としては自然な行動ですが、ほとんどの子供は自分が持って生まれた価値観と違う親の価値観を割り引いて受け取るものです。ところがあなた方には親と自分の違いが見えませんでした。親との意識下にある深い絆を断ち切ることは、あなたの人生最初で最大の挑戦でした。

あなた方はまず他人の願望について考えることをやめ、自分がどうしたいかを伝えることを学んでいます。あなたは自分の人生が他人の状況によって決められていて、自分がどうしたいか、どこを目指しているかといった意志とは違った形で展開していると感じています。このためあなたは意識下で、まず他人がどうしたいかという動機を知ることが大切だと考えているのです。しかしそうすると軌道を外れることも多くなります。あなたは相手の動機を完璧に理解し、それに基づいて行動するのですが、多くの場合、その判断が間違っているのです。

相手の動機や願望に焦点を合わせることをやめ、自分の望みを座標軸にすると、うまくいくのです。「私に必要なのは……、私の動機は……」などなど。周囲の状況に振り回されず、安定感を持って目標を達成するには、自分の心地よさのレベルと境界線を知ることが肝要です。目標を目指すとき、こう自問しましょう。「この目標について自分は心地よく感じられるか。正しいと思えるか」進み方が早すぎるときにも、心地よさの感覚を問うことで確認することができます。実際に早すぎる場合は、心地よいと感じられるペースまで落とす必要があるのです。自分の境界線を断固として守り、あなたにとって重要だと思える方向に向けて歩み続けていると、周りの人はあなたに合わせて協力するようになり、あなたの大切なものを手に入れやすくしてくれるようになります。

・自己妨害

あなたは自分の成功を自ら遠ざけるようなことをする傾向があります。あなたは大切な目標を目指し、心から達成したいと願っているのですが、無意識に自分にはその価値がないと思い、自ら障害物を作ってしまうのです。そしてその障害物のために四苦八苦するのです。

たいていの場合、あなたは自己矛盾の理由に気づかないため、内省することや深層心理を探る過程が必要となります。ときとしてそれは実際の、あるいは想像上のできごとについてあなたが罪の意識を感じていることに対する罰として障害物を作り、目標にたどり着くことを妨害するのです。たとえばあなたが五歳のときに弟を押し倒し、弟が病院に行くことになったことについて、無意識下で大人になっても罪の意識を持ち続けていたりすることもあるのです。

目標達成には計画的で実証された方法で一段ずつ進めていくことが要求されます。しかしあなた方は心の中にある成功への抵抗が強すぎるため、成功するために明らかに必要と思われる一歩を無視してしまいます。たとえば医学部に進もうと考え、資格を十分に満たし、成績もよいという場合、あなたは医学部を何校か受験しますが、滑り止めに少し入りやすい医学部を受験しません。そして有名大学の医学部に入れなかったとき、あなたの前途はふさがれてしまうのです。

自己妨害のもう一つのパターンは、セーフティーネットのないところまで自分を追いつめること。それはスペアのパラシュートなしにスカイダイビングするような、またシートベルトをつけずに運転をするようなものです。そうやって勝つ見込みのまったくない挑戦をするのです。つまるところあなたは目標を達成するのに自分のエネルギーに頼るしかありません。他人が協力を約束してくれても、それに頼ることなく、また不測の事態が起きてもすべて乗り越えて最終的には自分の手で達成しなくてはならないのです。論理的思考だけでは十分ではありません。常識を持ち、人生を戦略的に考える必要があるのです。

鍵となるのは、目標を達成するにあたり、厳密な意味合いにこだわらない実用的な発想と、次の一歩に神経を集中させて一段ずつ昇っていく姿勢。前世ではあまり実務的な経験がないため、あなたが目指す道の先輩に方法を学ぶのはとてもよいことです。

あなた方は時々自分を現実より大きく見せて、相手に感心してもらいたいという願望を持ちます。そしてこれが問題を起こします。あなたはあるがままでよいのだということを現世で学んでいます。自己妨害が起きるのは、能力以上に早く進みたいとか、現実の自分より大きくなりたいと思うあまりのことなのです。あなたはありのままの自分を大切にし、現在の身の丈をそのまま認めてあげる必要があるのです。

◆批判する

あなたは他人を厳しく批判するとき、それがどれほど他人に深刻な打撃を与えるかに気づいていません。他人の感情を斟酌《しんしゃく》せず、相手の信じるものに対し尊大なまでの熱心さで残酷に八つ裂きにしてしまいます。あなたには神聖なものが何もないため、相手にとって神聖な何かを破壊することに良心の呵責《かしゃく》も感じないのです。

当然ながら批判的な態度の人には友人ができません。それどころかよき友人になれたかもしれない人々さえ遠ざけてしまいます。批判されることを恐れ、人が近寄ってこないためあなたは孤立します。あなた方は他人の築いたものを壊すのをやめ、自分がよいと思うものを築くことに集中するというレッスンをしています。「破壊活動」を防ぐには、積極的によいことをしようと努めることです。

他人の行動のどの部分にあなたが腹を立てるかを知ることは自分の価値観を確認するよい方法です。あなたが、配偶者以外の相手と性的関係を持っている人を批判するとしたら、恐らくあなたには一夫一婦制度が重要なのですから、あなたの価値観リストに「一夫一婦制」と書き込んでいきます。そしてその価値観に従っていくうちに自分を尊重する気持ちが育っていきます。常に自分の価値観に忠実でいると、あなたは自分と考え方の違う他人をそれほど批判しなくなるでしょう。

あなたは自己批判傾向も強く、それが原因で自分自身を過小評価することになります。あなたには厳格な行動規範があり、それを自分にも他人にも当てはめ、自分にはとりわけ厳しい目を向けるのです。あなたは自分にとって最悪の敵にもなりうるのです。ものごとが自分の思い通りに運ばないとき、自分の判断が悪かったと自分を責めます。このためあなたはうまくいかないという不機嫌さ、そしてその原因を作った自分への自己批判という二重の苦しみを味わうことになります。

あなたはよく他人と自分を比べ、自分の持っていないものを持つ人をうらやみます。これはあなたの人生を複雑にし、幸せを遠ざけます。誰にとっても、人生で自分のしていることに幸せを感じられたら、正しい道を歩んでいるといえるのです。しかし他人と比べることは不幸の始まりです。見方によってはいつでもあなたより上の人も下の人もいくらでもいるのです。あなたは今生で、批判するのは自分の仕事ではないと学んでいます。あなたの仕事は単純に人生を歩み、それぞれの状況でできる最大の努力をして、あなたが自分でよいと思う方向を一歩ずつ目指していくことなのです。

・他人に干渉しない

自分の境界線がはっきりしないため、あなたはおせっかいをする傾向があります。あなたは自由に他人の領域に入っていきますが、他人があなたの領域に入ってくるとショックを受け、厳しく批判をします。相手の隠された動機を推論すると、あなたは相手に関するあらゆる結論を引き出します。そして相手がするべきことを勝手に決め込んで、それをその人がしないと言っては怒ります。

問題は、あなたが自分の価値観を他人に押しつけ、その価値観にかなわないとき批判することです。他人の目標はあなたのそれとはまったく違うもので、その人の行動はその人の価値観にかなっていることなのです。あなたが結婚と献身を求めているとき、結婚の対象でない相手とデートを楽しむ友人について強く批判します。その友人はその時点では結婚をする気がないだけで、短期間の異性体験はその友人にとって価値のあることなのかもしれません。あなたは他人には違う価値観や目標があるということを認識し、尊重する必要があります。他人の人生に立ち入らず、自己開発に精進すべきなのです。

あなた方には、意図したわけではなく他人と激しい口論になり、あなたの批判的意見から全体が気まずいムードになってしまうという経験があるのではないでしょうか。あなたは他人の落ち度を厳しく指摘し、それが自分にも当てはまることを忘れています。あなたにはまだ自我が定着していないため、それを話題にするとき、感情的にならざるを得ないのです。解決法は自分の悪いところを認識し、許してあげること。そうすれば正しい行動の定義を他人に当てはめることにより、自分を正当化することもなくなります。

あなたの行動が自分の考える価値観に基づいて行われるようになると、あなたは心に平和を感じます。あなたは他人の行動の中に尊敬できないものがあってもそれを逐一《ちくいち》批判することはなくなるでしょう。なぜならあなたはもう必要な知識——自分のアイデンティティーと心情——を知ったからです。

他人ごとに首を突っ込む傾向は、前世での霊的ヒーラーとしての経験からもきています。あなたは精神科医、心理学者、カウンセラー、シャーマンなどの立場から人の無意識に常に立ち入っていたのです。しかし今生では他人のエネルギー領域に立ち入らず、自分のことだけを考えるほうがうまくいくのです。

あなた方は他人の批判にさらされることに大変敏感です。誰かがあなたのエネルギー領域を否定的なエネルギーで刺激したら、その人には近づかないほうが賢明です。前世経験の中で、あなたは他人とこれ以上近づけないというところまで接近する体験をしています。相手が自分をどう見ているかに非常に敏感なため、自分の行動を微調整して相手に合わせることにより二人で一つの単位を作り、平和を維持してきたのです。しかし今生で他人が自分をどう考えるかを取り上げることは自分の本質とのつながりを弱める結果になるのです。あなたの仕事は他人の心や他人のすることから手を引くこと。「他人が自分をどう思っても、自分には関係ない」と考えましょう。

・二面性

時々あなたは大変影響力のある地位につくことがあります。大きな弁護士事務所のスター弁護士、大企業の重役などという地位につくと、あなたの不謹慎な面が表面化することがあります。それが出てくるとあなたは部下や自分の倫理や、ときには自分自身にも忠実でなくなり、エゴイズムが膨張していきます。自己中心が高じるとそのためなら何でもするようになり、魂を売ってまで富と権力を得ようとします。他人からの紐つきのプレゼント、賄賂を受け取ることにより自分を売り渡すこともあるでしょう。そして他人の権力闘争に巻き込まれ、他人の価値観の中で生きるようになっていきます。

あなた方は自分の力を他人に委ねることに慣れていて、今生でその誘惑が訪れると権力と特権に簡単に負けてしまいます。そして大きな権力を手にするのです。人の雇用や解雇、人を育てたり駄目にしたりする力も得て、それがあなたのエゴを膨張させます。あなたは部下がその職を失うかどうかの危機に陥らせ、権力を乱用するかもしれません。しかしそういうことは部下の良識を砕き、あなたは部下の良心、信頼、忠誠心を失います。

あなたは権力を乱用しないことを学んでいます。因果応報。自分のしたことは必ず巡り巡って自分に返ってくるのです。あなたが権力を乱用すれば、それはいずれあなたを呪いに返ってきます。あなたは自分の価値観を無視すると自尊心もそれだけ傷ついていくということを学んでいます。そしてあなたがこの人生で最も求めているのは自尊心だということはいよいよ重くのしかかってくるのです。

光に満ちた天使のような人の場合でも、あなたの二面性は現われます。私のクライアントに、ウエイトレスをしている人がいました。彼女の高次元の自我が見るところでは、扱いが難しいお客さんほど愛を求めている人だということでした。彼女がその人たちに意識的に愛と善のエネルギーを注ぐと、彼らは善良なやさしい人になるのです。しかしその彼女がキッチンに戻ると人を殴るジェスチャーをするのです。その行動は彼女の前世の自我が解放されていることを表わしています。そして彼女は再び天使の笑顔でお客さんと対面し、「正しい」行動を取るのです。あなた方の前世からくる本能的な反応は人を痛めつけたいという願望だったりするのです。

時々この悪いほうの一面の中に生きている人もいます。他人の動機を探り、その人の周りに悪いことが起こることを望むのです。この人たちは他人にある悪は自分の意識下の悪を反映したものだということをいずれ学んでいかなくてはなりません。また悪を求めると、否定的なエネルギーを引き寄せ、自分も身動きが取れなくなってしまいます。こういう傾向から身を守るには、他人の中のハイド氏、悪の部分にばかり意識を向けずに自分の中に築いている強さに集中することです。あなたはブラインダーをつけた馬のようによそ見をせず、実現したい善なるものに心の焦点を合わせましょう。あなたの強い精神を光に集中させると、善なるエネルギーを引き寄せるようになるでしょう。

必要とするもの

◆快適空間を作る

あなた方が他人に依存するのは、自分の快適空間を出てしまったことに起因しています。あなたは自分のよりどころを、壊れやすく不安定ではあっても他人との関係によってしか得られないと考えるのです。あなたが自分の心地よいレベルを常に意識していられれば、自分の中の安心できる確かなよりどころをベースとして、もっとよい人間関係を築くことができるのです。あなた方は前世で過激な変化が連続する運命をくぐり抜けてきたため、今生ではゆっくり休み、「所有物」を増やし、ただ人生を単純に楽しむこと（おいしい食べ物、よいパートナーとのセックス、快適で安定した家庭環境など）がテーマなのです。あなたがこの道にいるかどうかは、心の中で心地よさを感じるかどうかで正確に判断することができます。あなたが自分の快適空間と境界線の中にとどまっていれば人生は楽になります。

・欲しいものと必要なもの

ときとしてあなたの中に妬《ねた》みの心が生まれます。あなたは他人の所有するものを見て自分のものにしたがります。あなた方には他人の持ち物から端を発した欲望が無限に続く傾向があります。隣人が新車を買ったのを見て、すぐに「あれが欲しい」と思います。しかしあなたの欲望が不安からきているものだった場合、それは底のない落とし穴になります。物質面の安定を望むなら、自分が持っていないものばかり探すことをやめ、すでに持っているものを見てそれに満足することを知りましょう。

今生はあなたにとって物質的なものを蓄積する人生でもあるので、物をほしがることは決して間違ったことではありません。しかし自らの努力で自分がよいと思うものを手に入れる必要があるのです。妬みが起きたとき、それは純粋に自分がほしいから感じたのか否かを確かめ、手に入れる努力をするべき対象か判断します。物欲の犠牲者になるのではなく、自分で得ようと努力すれば何でも手に入るということをあなたは学んでいます。

あなた方は他人の物欲や動機に振り回される傾向があります。前世のなごりから心の奥で他人の動向に注意を払ってしまうからです。単純な人生を指向し、他人の心に立ち入らないという鉄則を守り、自分のことに集中しましょう。私には何が必要か、この環境で私が快適に暮らすためには何が必要かということに。

あなたが究極的に求めているのは心の安定（自分の求めるものはすべて手に入ると考えられること）です。今生は宇宙からもたらされる豊かさを享受するときであり、他人のものを奪う人生ではないのです。あなたが浮き足立って宇宙がもたらしてくれるのを待っていられなくなると、豊かさが与えられる心地よい自然なタイミングを逸してしまいます。

あなた方は心の中にも「財産」を蓄積する運命にあります。宇宙が与えてくれる機会を受け止められる程度に歩みを遅くして待つことがあなたの課題です。他人を利用価値でとらえることはやめ、自分の人生を自らのパートナーとして前向きに進んでいくと、あなたの中の不安感はいずれ癒されていきます。宇宙はあなたに新しいニーズが生まれるたびにあなたに最もふさわしい人を予期しないときに送り込み、あなたの人生を生きやすくしてくれるでしょう。

・タイミングと価値

あなた方は何でも急いでやろうとします。運転をしていても景色を楽しむことをせず、目的地へと急ぎ、極力早く着こうとします。あなた方はすぐに結果が欲しいのです。あなた方はとても激しい気性なので、自分で自分の手綱を引き自分の心地よい空間にとどまり、自分の力を信じることを学んでいます。

あなたは自分の足場が確かなものになるよう、ゆっくりと時間をかけることを学ぶのです。ゆっくり進むことに慣れていないため、なかなか実践するのは難しいのですが、今生のあなたは早く激しい過程ではなくゆっくりと確かなペースで進歩することになっています。

例を挙げると、ある摩天楼を建て直すにあたり二つのグループの作業が必要になります。一つは摩天楼にダイナマイトを仕掛けて取り壊し、クレーンとブルドーザーで地ならしをします。ここまでの過程は一週間で済みますが、新しい摩天楼を建設するには一年かかるかもしれません。しかし今生では後者の方は破壊グループのメンバーでした。前世であなたはずっと長い時間がかかるグループにいるのです。構築するにはずっと長い時間がかかり、どの段階も重要で、省略すると摩天楼が倒れてしまうのです。

あなた方は歩みを遅くして自分にとって重要なものを注意深く築いていかなくてはなりません。人間関係、ビジネス、夢の実現も然りです。あなたが心地よいと感じなくなったら、それは構築過程の何かを忘れているという合図です。あなたは自分を信じ、自分で作った快適速度の進歩の過程がもたらす平和な雰囲気を楽しむことを学んでいます。

よい結果を生むには快適速度が肝要ですが、あなたが自分を動機づけるためには適度の刺激が必要です。危機の中であなたはすぐに行動を起こしますが、この危機で発揮されるエネルギーなしに仕事を完了することはできません。目標達成の過程に危機的状況がない場合、タイムリミットを設けるのが一つの有効な方法です。

タイムリミットは人工的な危機となり、あなたは必要な作業をリストアップし、一つずつ解決していくでしょう。その過程は明確なほどよく、目標は何か、手順はどんな段階を踏むのか、それぞれの段階をクリアする締め切り日はいつか――。これによりあなたの危機管理エネルギーが発動します。

あなた方は計画を最優先するべきです。決めた目標を達成することが最重要事項で、それを中心にほかの仕事を調整していくのです。たとえば体重を三十ポンド落とそうと考えたとしたら、それが自分で決めたタイムリミットまでの最重要課題です。仕事もバカンスもすべて後回しです。仕事をしているときも食事に注意し、ほかの人の行動を気にせず自分のダイエットプログラムに基づいた食事をとります。午後になってエネルギー不足を感じたらコーヒーや中国茶を飲んで、ダイエットは固く守ります。疲れたら早くベッドに入り、決して夜食をとってはいけません。生活のすべては目標を中心に回ります。

最優先の目標を決めるとき、現実的な目標やタイムリミットを設定することも大切です。たとえばあなたが会計事務所で働いていて、税金の時期に体重を三十ポンド落とすという目標を掲げるのは間違いです。その時期のあなたの最優先課題は仕事ですから、不必要なストレスを生まない時期にダイエットの目標を立て直すべきなのです。あなたがある方向を決めてやる気になったら、あなたの前世から引き継いだ、一つのことにしがみついて離れない偏執狂的なエネルギーはプラスに活用でき、何があってもスケジュール通りに達成できるでしょう。

◆自己受容

・ニーズを尊重する

自己受容の最初のステップは、自分の中にはいろんなニーズを持つもう一人の自分がいて、このニーズを満たしてあげることがあなたの個人的責任だと考えることです。あなたが自己充足を装い、内なるニーズの叫びを無視していると、そのうちにその欲求は膨大なエネルギーとなって炸裂《さくれつ》します。あなた方は前世で自分の欲求を押し殺し、延期し続けてきたので、抑圧されたエネルギーが注目を要求しているのです。しかしそれはよいことで、今あなたはその部分の自我を受け止め、自己表現できる立場にいるのです。

あなたがこの欲求を外に現わせないと、人間関係の中で真実や正直さを経験することはできません。つまり人の言葉に傷ついたことを外に現わさずにやり過ごしたり、相手に同意するふりをしたりするという「怠慢の罪」を犯してはいけないということです。あなた方はまず自分の不快感や傷ついたことを、それを引き起こした相手に伝えることから始めなくてはなりません。健全な態度を見分け、新たに築くには、古い習慣を絶つ必要があります。自分を表面に出すと他人に自分の本当の姿を認識してもらえ、自分のニーズを再確認し、目標達成への道が楽になります。

あなた方には他人の隠された願望が見えます。あなたは他人が自分をよりよく知ってくれるよう促すことができ、彼らの自己破壊的な動機の犠牲にはなりにくいのです。しかしあなたにも弱点があります。あなたは他人が自己妨害的な行為をすることがよく理解できますが、自分のそれには気づかないのです。もっと悪いことに、あなたは他人がそれを指摘することをかたくなに拒絶するのです。あなたを気にかけている周りの人々には、あなたが自分を傷つけたり、躊躇していることがはっきりと見えるのです。しかしその行為を指摘されるとあなたは否定するのです。今生での自分を成長させるためには、無意識の罪悪感や自己破壊的行為を白日にさらし、手放すことが大切です。

支援の手を拒絶する理由の一つには、前世では常にあなたのほうが支援をする側に立っていたことがあります。あなた方は他人にも人の弱点を見つけ、あなたにとって大切なものを育てる能力があることを認めたがらないのです。あなた方はまた批判に過敏で、批判されると、自分をよりよくするための糧にするより、自分の価値を疑われたと受け取ってしまいがちです。これを解決する鍵は、自分の作りたいもの、価値観や目標に心を集中させること。あなたの仕事は自分が変化するために他人の助言を力にすることです。

あなたが変化する大きな曲がり角は、あなたが一般に重要だとされるものを追い求めることをやめ、真に自分にとって重要なものに時間とエネルギーを使い始めるところにあります。私のクライアントに自分の好きな本を人に買ってあげる趣味の人がいました。それ自体は寛大な行為で、彼女はわざわざ時間を作り、その人に最適と思われる本を購入してはメッセージをつけて贈っていました。本を贈られた人の一人は私の友人で、読書をまったくしない人でした。これはあなた方が自分のエネルギーを自分のために全部使わずに分散させて、頼みも感謝もしない他人によけいな支援をしてしまうよい例です。

今生であなたは自分の力を取り戻すことを学んでいます。自分の力を後ろ盾にするとあなた方は他人に対し愛情深く協力的になることができます。それは相手が自分に必要だからではなく、自分の環境に満ち足りていることから来る寛大さによる行為です。このためあなた方の最初の仕事は自分に対する責任を果たすこと。自分の価値を自ら認知できることや人生の満足と喜びを感じられる行動を起こすことです。戦いはもう終わり、あきらめるべきものもなく、あなたのどの部分も捨て去る必要はないのです。今生は建設の季節です。自分と仲良くなり、心地よい環境を構築しましょう。

・許すこと

自己受容を完結させるために、あなたには過去にあなたを傷つけた人々を認め、許してあげる過程が必要です。これには今生での人間関係はもちろん、前世の記憶による疑いや怒りの感情も含みます。自分の力を維持するためにはこれらを許すことが不可欠なのです。その理由はあなたの寛大さを磨くためではなく、むしろあなた自身に必要なことだからです。

前世であなたは復讐によって自分の身を守ってきました。誰かがあなたに石を投げたら、あなたは石を投げ返し、もう一つ余計に投げて相手が二度と再び攻撃してこないようにしたのです。前世で他人に勇ましく立ち向かうことはあなたに力を与えました。しかし今生でのそれはエネルギーの無駄使いで、あなたの平和的な新しい道標を妨害するものでしかありません。あなたは今生で快適で安定感のある人生を送り、地上に生きる喜びを享受するのですから。

しかしそれを実現するには、虐待や暴力に対しても進んで許してあげられなければなりません。それがあなたの霊的領域から相手を追い出し、平和を取り戻す唯一の方法なのです。相手があなたにどんなことをしようと相手の虐待を許し、虐待を許した自分を許すのです。その経験から得られた強さに気づくことはさらによいのです。

あなたの許容範囲を超えるほどの悪いことを誰かがしたとき、あなたはその経験を心の中から追い出す前に相手と向き合う必要があるでしょう。一つの方法は静かなところに行き、目を閉じて許せない相手と椅子に座って対面する姿を想像します。イメージの中であなたは相手と向き合い、あなたがどう感じたかについて伝えます。そして相手の主張を直感で聞き取るのです。

あなたの心の中で相手が素直に謝ったら、あなたはその人を許してあげることができるでしょう。しかし相手が傲慢《ごうまん》な態度に出たり、正当化しようとしたら、あるいは明白に自分のしたことの重大さに気づいていなかった場合、相手に知らしめる必要があるでしょう。あなたは想像の中で自分の経験を元にして加害者の立場となり、相手に虐待の痛みを味わわせるのです。それからあなたは相手を許し、永遠にあなたの中からその人を解放するのです。

許すことはあなたにとって大変重要なことです。痛みをともなう思い出を水に流すために、なくてはならない行為です。あなたが人を恨み、許さずにいるとあなたはその人と否定的エネルギーで結びついたままでいることになるのです。

許せないのは恐怖のためでもあります。もしあなたが虐待者を許すと、あなたはその人に再び虐待されるかもしれないし、本当に虐待されても、過去の記憶がないと無防備に被害者になってしまうのではないかと考えるのです。しかし心から許すという行為は、その人との絆を断ち切ることができるのです。許した後ならその人があなたに何をしようと、あなたは無防備になることはありません。

◆地に足をつける

あなた方は過去の多くの人生でほかの人のエネルギー領域と密接に結びつき、自分の体が地上に立っている感覚――体を意識して、物質的な局面を楽しむ感覚を失っています。前世であなたはより高い次元を経験したいと願い、片足を浮かせて天に近い現実の世界を感じようとしました。そしてついに両足を大地から離してしまったのです。このため今生のあなたは大地の感覚や心の安定感を完全に失っているのです。あなたの課題は両足で再び地を踏みしめ、強さを自分の中に感じることです。

・感謝

今生で満足感を得るための鍵の一つには、常に感謝の心を忘れない姿勢があります。この行為だけであなたの人生はがらりと変わります。前世では、立ち止まって何かに感謝することはまったくといってよいほどありませんでした。あなたの意識は危機管理に釘づけになり、常に興奮状態にあったのです。あなたの欲望は常に満たされず、いつでももっともっとと欲望を募らせていました。前世にあった活発すぎる欲望を中和するために、今生では解毒剤としてあなたがすでに持っているものに対して感謝の気持ちを持つことが必要なのです。

感謝のエネルギーを開発するには、あなたの人生を見渡し、豊かにあるものを認めることが役立ちます。宇宙があなたに贈った豊かさに感謝すると、あなたはリラックスし平和な気分になり、愛されていると感じます。感謝のエネルギーはあなたを自分自身の中心へと引き寄せます。そして自分の中心に意識を向けることができると、あなたは宇宙からの贈り物を受け入れやすくなります。

あなたがどれほどたくさんお金を持っていても、またどんなに貧乏でも、あなたはこう言うことができます。「宇宙よ。私に住む家や食物、そして私が今持っているものを与えてくれてありがとう」あなたにパートナーがいなくても「宇宙よ。私に友人や同僚、子供、ペットなどを送り込み、彼らを通じて私を愛してくれてありがとう」こう考えることがあなたが求める完全さを得る秘訣なのです。これは世俗的なレベルで起きていることとはまったく無関係です。あなたが持っているものをありがたく受け入れ、感謝するというだけのことです。時間をかけて自分の持っているものに気持ちを込めて感謝を捧げると、あなたは心の中に愛と完全さが芽生えるのを感じ、それまでしばしば経験していた精神の興奮は消えていくでしょう。

・自然とのつながり

新鮮な気持ちで快適に暮らすためには誰もが外からある種のエネルギーを充電してもらう必要があります。前世のあなたはそれをソウルメイトとの関係に依存していました。自分を充電するエネルギーを今生で他人に求めると、あなたは失望することになります。それは自分のニーズは自分で満たせるようになりなさいという宇宙の意思があるからです。

今生であなたは母なる地球や自然と魔法のように深い関係があり、あなたはそこからエネルギーを充電できるのです。母なる自然と波長を合わせるとあなたは力を感じ、癒しと活力があなたに流れ込みます。心を落ち着け、強い自我を持つために、定期的に自然と触れ合い、意識的にその恩恵に感謝することをお勧めします。これを続けるとあなたの普段の感情がとても静かに落ち着いてくるでしょう。内側から平和なエネルギーを充電し続けていると、人間関係から来る不安感も少なくなります。

あなた方の中には植物の育成に才能があり、植物とともに過ごしたりガーデニングをすることに安らぎを感じる人もいるでしょう。樹木や植物に触れたりして母なる自然からできるだけ多くのエネルギーを吸収することは、あなたにとって非常によいことです。木の幹を抱きしめると、人を抱きしめるのと同じエネルギーと幸福感が得られます。人を抱きしめるなど性的な愛情もあなたにはよいのですが、相手の思惑など何らかの懸念があった場合は、そういう心配のない木の幹にしておいたほうがよいでしょう。

自然からエネルギーを得られるという能力はほかの人にも分けてあげることができます。たとえば友人と公園を歩いているときに、木から得られるエネルギーの話をしてあげると、友人は自然に対する感受性が高まり、あなたと同じように自然から慈しみを受ける方法を身につけることができるでしょう。

・官能的快楽
自分の夢を実現することに意識を向け続けるために、あなたは自分の本当の価値を認めることが肝要です。あなたは自分のために時間とエネルギーを使うのは無駄なことだと考えがちですが、それはまったくの間違いです。あなたは自分にとって大切だと思うことに時間を割き、自己充足を感じられる基盤を持った上で、それを人生や人間関係を構築していく糧としていくべきなのです。

精神のバランスを取るために官能的な喜びを経験し、地に足をつけ地球人としての自覚を高めることが今生のあなたの運命です。前世であなたは心理的霊的な領域で深い喜びを味わってきました。そしてあなたの今生は五感を開発するべきときなのです。今生のあなたの感性は大体において敏感に生まれついているはずです。周りにあふれているさまざまなことから五感を楽しませてみましょう。春の香り、おいしい食事の味、香水の香り、そして恋人との触れ合い。ウェイトリフティングなどの運動も官能的な効果があります。体を使い、そこから喜びと自尊心を引き出せるものがよいのです。

音楽はあなた方に大きな喜びを与え、心に調和をもたらしてくれるでしょう。いつでもBGMを流していることもよいかもしれません。またあなたは海辺の波の音や小鳥のさえずりなど、自然の音とも波長がよく合います。聴覚を楽しませることはあなたが本来するべきことのうちなのです。また周りの美しい景色を愛でたり、絵画に親しんだり、夕陽を見に行ったりといった視覚的喜びもお勧めです。

あなた方は味覚がとても優れています。おしゃれなレストランに美食を求めて出かけたりするのはあなたにとって非常によいことなのです。触感も同様で、木々や葉に触れ、布地の感触を味わうなど、感覚的な喜びに浸ることがよいのです。真冬の雪道で、あなたの靴の下で雪が固まる様子を感じることでさえ官能的な喜びとなります。

地上の喜びを感じるもう一つの方法は、服装を、とくに着たときの体の反応を意識しながら選ぶことです。官能的で快適な感じがするか。生地の感触がよいか。どちらもイエスなら、あなたを癒し、楽しませるそういう衣服を着たほうがよいということなのです。衣服はあなたの自尊心を高めるよい方法でもあります。大事な約束のとき、自分が快適だと感じられる服と相手に印象づけられる服の間で迷ったとき、選ぶべきなのはあなたが快適だと感じられるほうなのです。そうすれば相手がどう思おうと、あなたは少なくともずっと快適な自分自身でいられるでしょう。

あなたによいカルマをもたらす官能経験としてマッサージをしたりされたりすること、マニキュア、フェイシャル・ボディーエステ、サウナ、ジャグジーなどが挙げられます。体にご褒美を与え、官能の喜びに浸ると、あなたは充電エネルギーを他人から求めようとしなくなります。

人間関係

◆ソウルメイトを求める

あなたは生まれたときからソウルメイトを探しています。若い頃のあなたは、絆を強く求めるためにほとんど無差別にいろんな人とすぐに親密な関係になろうとしてしまいます。今生のあなたの課題は絆を求めるよりも自分の価値観を確立することにあり、パートナーは自然に最適なときに現われるものなのです。

あなたは前世の経験から自分の持っているもののすべてを相手に与え、相手にも同じことを期待することに親しんできました。しかし今生では、あなたには意外かもしれませんが、そういう緊密な共依存の相手には巡り合わない運命にあるのです。これは宇宙があなたの偏った共依存の体質を矯正し、自立した自我を再構築するために与えた課題なのです。心の奥底であなたは何よりもソウルメイトを求めています。あなたは自分と同じ傷つきやすさ、コミットメント、そして相互に力を与え合いながらともに人生を歩んでいける特別な誰かを切望しています。この夢を実現するには、まず自分一人で充足感を得られるようになる必要があるのです。自分が完全な存在となり、他人の力を必要としなくなったとき、初めてあなたにふさわしいパートナーが現われるのです。

あなたは時々寂しさに襲われ、パートナーを渇望《かつぼう》します。あなたは変わることのない、信頼できる親密な相手を求め、実際そういう関係を今生で手にする権利を確かに持っています。しかしほかのすべてのものと同様に、あなたはそれを自らの手で探さなくてはならないのです。自分の欲求のすべてを自分の力で満たし、人生の針路を探り、力強く流れる川のような人生を築いたとき、あなたは別のところで力強く、しかも同じ方向を目指して流れている川と出会い、ともに海に流れ込むのです。

・**侵略的な術策**

ソウルメイトを求める飽くなき願望があなたを相手の心理を読む行動に駆り立てます。前世ではこの方法がうまくいきました。あなたが他人の心理状態を読むことで相手との絆が深まっていったのです。しかしあなたは他人の心理領域に入り込むことに慣れすぎていて、自分の境界線を忘れてしまうのです。今生であなたが相手の領分に踏み込むと、それはあまりに深く侵略的ですらあり、二人とも自律性を失ってしまいかねないのです。また相手もあなたがその人を一個人として尊重した上で愛情を感じているのではなく、絆のエネルギーを必要としているのだということに気づくのです。

あなたは自分以外の人々も自分と同様に愛や承認、感謝を求めているものだと考えています。このためあなたは誰にでもそういった情動的な支えを提供します。しかしあなたが性急に相手を変えようとすると、相手が自分の領分を侵されたと思い、怒りを表わしショックを受けることがあります。

またあなたは他人の心理領域に深く入りすぎ、居心地の悪い思いをすることがあります。あなたが他人の領分に侵入するとき、あなた自身のエネルギーは低下します。それに気づいたら一人になって近所を散歩したり、木々に触れたりして、自然のエネルギーを取り込むようにしましょう。心が落ち着き、自信が戻り、自分の心が自分の中心にあることを感じられたら、またその場に戻り、次の行動を冷静に考えられるでしょう。

今生であなたは他人との絆を求める前に、自分の霊的領域を他人とはっきり識別して維持する必要があるのです。誰かと絆を持ったら、相手との距離を持つように心がけましょう。あなたは目の前の相手のためなら何でもしようとしますが、それは必ずしもよいことではなく、相手が別の人格を持った人間であるという認識が薄れていってしまう危険があるのです。自分の個人としての自立と自尊心を維持するのに不可欠な境界線を確立することは、あなたとあなたの相手が心地よい関係を続けるためのスペースを作るためには欠かせないものなのです。初めのうちは自分と他人の境界線を知ることは難しいかもしれません。しかし落ち着いた心を持っていれば、自分の境界線は自然に見えてきて自我を強く持つことができ、そうなれば相手の境界線も視野に入ってくるのです。自我の境界線の存在を意識することは自分と他人を尊重するための基本です。

・虐待

あなたの前世の世界ではある種の「虐待」が横行していました。深い絆で結ばれた関係がお互いを疲れさせるようになると、力関係の中で心理的・身体的虐待を与えたり与えられたりすることが起きていたのです。今生のあなたの課題の一つは、自分の自我を両親のそれと分離させることでした。この絆を断ち切るために自分の領域を作らないと、終わりのない「権力争い」を生むことになるからです。

あなたは今生で力を乱用しない訓練をしています。ときには自らが被害者になることでそれを学ぶのです。人生の早い時期に被害者になると、大人になってから他人を被害者にするようになるか、あるいは虐待とのつながりを断ち切り、自分が受けた虐待の復讐に走らないようにするという二つの選択肢があります。あなたは愛することと許すことを学んでいます。このレッスンは不当に傷つけられる経験のすぐ後にやってくるのです。

子供の頃に虐待を受け、それが誰の目にも明らかだったとしても、あなた方はその頃のつらい体験を否定することがあります。この人たちは自分の両親を善良な人々だと思い、虐待は自分が悪いことをしたから起きたのだと考えています。この人たちは罪の意識をこうして簡単に背負ってしまうのです。私のクライアントには子供が二人いて、彼女自身幼い頃両親から性的・身体的・精神的虐待を受けていました。彼女はそれでも両親は善良な人だったと回想するのです。彼女は精神科医の治療を受けていて、ある日精神科医がこうたずねました。「あなたが子供の頃に受けた虐待を受けても当然だと思えるようなことをあなたの子供たちがするとしたら、それはどんな行為でしょうか」この質問に彼女は沈黙してしまいましたが、心の中ではあのようなひどい虐待が正当化できる行為などありはしないということに気づいたのです。

あなたが大人になってから虐待を受けた場合、まず虐待があることを認識する必要があります。そしてその状況から自分を解き放ち、心理的なつながりを断ち切り、許してあげるのです。心理療法やそのほかの方法であなたの過去の痛みを白日の下にさらし、前世や幼い頃の虐待や罪の意識を解放することが大切です。自分を本質的に悪い子だったと考えたり、他人に忌み嫌われた経験などはあなたが過度に相手に干渉し、承認を得ようとした結果であることが多いのです。あなたが他人の承認を得ようとするのをやめると、他人に嫌われることへの恐れをあまり感じなくなります。あなたを虐待した人はあなたを遠ざけますが、それは当然のことで、虐待をしたという罪の意識がそうさせるのにほかなりません。

あなたはものを作る能力に長じています。あなたが自分らしいやり方で、心地よさを維持しながら人間関係を作ると、それは永続的な関係になります。課題はあなたの心地よさの基準に他人の基準を取り入れないこと。他人の価値観をあなたの中に招き入れることは得策ではありません。

・区別

自分の人生に最も大切なものは何かについてまったく知らずに生まれてきたあなたは、他人の価値観を知ろうとするのです。しかし他人が自分に必要なものを話すと、あなたはそれをきちんと理由をつけて否定するので、相手は自分が否定されたと思ってしまい、無意味な行動に終わります。結局あなたは取り入れるべき価値観を得られず、相手も自分の価値観を疑われ、お互いに寄り道をすることになり、双方が不愉快な思いをします。

あなたは前世の多くを他人の価値観に基づいて生きてきたので、自分の考えが相手と合わなかったり、社会的に受け入れられないのではないかという懸念の元に、自分の主張を差し控えてしまうのです。しかし今生で自分を心から尊重できるようになるためには、他人の価値観と自分の価値観をしっかり区別して、自分のしたいことを通していく必要があるのです。自分の主張を通して初めてあなたは自分に納得できるようになるでしょう。たとえばお金をたくさん稼ぐ必要があっても、あなたは他人の価値観を取り入れて自分のニーズを否定します。「それはあまりに物質主義的だし、自分はもっと精神的充足を求めているんだ」と。そして自分を恥じて、欲求を抑えてしまうのです。これがあなたが自分の価値を否定する典型的なパターンです。

しかし他人に否定されるからといって自分の物質的欲求を抑えると、あなたは後で金銭問題に直面することになります。

あなたが金銭問題を解決しようとすると、金銭的に成功してはいけないという無意識の罪悪感から何らかの問題が起こります。そうして行き詰まり、どうして金銭問題が解決しないのだろうと悩み、自己嫌悪に陥ってしまいます。だから富への欲求があれば、迷わずその方向へ進むほうがよいのです。

親密な関係を持つ相手に問題を抱えている人を引きつけてしまうあなたにとって、人を区別することは大きな課題です。情動に問題のある人々と接してきた前世での影響のほか、崖っぷちの人生を好むあなたの性格上、あなたは親密な関係を築くことができない人々に惹かれることがあります。彼らと絆を持ち、信じようとしても失望するだけです。

あなた方は問題のある人と出会うと、相手はあなたにまったく何ももたらしてくれないことを心の中で知っていながら惹かれていくのです。あなたはその人を癒してあげられると思い、相手はそれを感謝し、愛情を返してくれると期待します。しかしこれは不毛以外の何ものでもありません。あなたは心理的に健全な人々とそうでない人々を区別して、前者を相手にするべきなのです。

あなたが相手の価値観に従って生きようとするとき、ふさわしくない人と関係が始まります。たとえばあなたは薬物を使わないのに、そのことを話題にしたり、パフォーマンスとして実際に使ってみたりするのです。これは自分だけでなく相手も混乱させます。このために普段のあなたが惹かれる相手を遠ざけ、現在の相手と同じ価値観の人を引き寄せます。あなたにとって一番大切なものを思い出し、その価値を体現すると、その価値観を尊重する相手との出会いがあるでしょう。

今生のあなたに必要なのは危機ではなく安定なのです。人間関係でこれを達成するには、あなたのパートナーにあなたを否定させてはいけません。もしパートナーがあなたを当惑させるようなことを言ったらこう言いましょう。「それにはちょっと納得できない」こうしてあなたは相手に自分の境界線を知らせ、相手があなたの価値観を尊重し、ニーズを満たしてくれるための機会を与えるのです。関係が進んでいくと相手があなたにふさわしいかは自ずから見えてくるでしょう。

◆絆

あなたは一人ではできないことを二人で成し遂げる、緊密な絆のエネルギーが大好きです。その過程自体はよいことです。問題はあなたがシーソーゲームの末、相手の価値を尊重するあまりその人の目標を一緒に追いかけてしまうことです。

これは今生ではうまくいきません。あなたは相手の信頼を得て、あなたの目標達成に合わせてもらう側に回る運命を持っているのです。あなたは利己的な人ではありません。他人があなたに協力し、あなたの夢の実現を支援してくれたらあなたは相手のためになることを必ず返してあげるのです。しかし上手に絆を築くには、あなたが相手を支援するのではなく、その逆である必要があるのです。それには自分の価値観と目標を明確にして、周りに人が集まるように仕向ける必要があります。

エネルギーを共有し、助け合って生きることに慣れているあなたは、無意識に自分の存続には他人のエネルギーが要ると考えます。このためとくに若い頃に間違った相手を選んでしまうのです。あなたが性急に固い絆で結ばれた関係を作ろうとするために、人を見る目を鈍らせてしまう結果です。

若い頃のあなたが激しい人間関係にはまっているとき、あなたは足を地につけていません。そのときあなたは相手を全面的に信じるために傷つきやすい状態になります。そういうときに相手が決断を迫ると、あなたは早すぎる決断をしてしまうのです。しかし性急に進めるのはあなたにとってよい結果をもたらしません。あなたはゆっくりと確かな足取りで進んでいき、確実に結果を出す運命にあるのです。無分別に飛び込んでいくという関係は一時的なエネルギーの融合に過ぎず、ほとんどが失敗に終わります。さらにあなたが急ぐと、うまくいく関係でもその間にするべき過程を省略してしまう結果、かえって駄目にしてしまうことになるのです。

充実した長続きする関係を築くには、まず自分が一人で生きていくために十分なエネルギーを持っていることが重要です。あなたが不完全なまま相手を求めると、同様に自尊心の低い人を引き寄せてしまいます。相手に満たしてもらおうとする欲求に引きずられることなく時間をかけて、どの人があなたのエネルギーを高め、喜びをもたらしてくれるのかじっくり探すことにしましょう。

・セックス

あなた方は一般に性的魅力を持っています。あなたは性的結合によって二人が激しく一つになる興奮が好きです。若い頃は手当たり次第に相手を求めるかもしれません。相手との結びつきを感じるとすぐにベッドに行き、一つになろうとするでしょう。そしてそういう関係には情熱を支える基盤がないため、始まったときと同じようにすぐに終わります。

あなた方は人生の多くの時間を、ジグソーパズルのピースのように、あなたの欠けた部分をぴったりと埋めてくれるソウルメイトを求めて過ごします。あなたが二人の関係が築かれるのを待たず性急に性的関係を持つとき、それはソウルメイトを求めるあまりセックスにより相手を見分けようとするからです。しかし時間をかけるほうが二人の関係が充実してくるので性的エネルギーはさらに高まり、満足なセックスになります。

ところが前世では情動的心理的結びつきのほうが強かったため、セックスという体のつながりを経験してきませんでした。このため今生ではセックスの後疲れやすく、あなたには理由が分かりません。今生のあなたは他人の領分から離れ、自分の体の中にホームベースを持つ必要があります。そしてそれが幸福なセックスライフの秘訣でもあるのです。あえてゆっくりと関係を育て、相手との官能的な関係をしっかり確認するまではベッドには行かないようにしましょう。

あなたはたくさんの愛撫を必要とします。キスや手を握ること、触ること、マッサージなど、想像とは違う、肌や筋肉に触れる相手の手の感触や、あなたの神経が相手の刺激に感じる喜びなどが大好きです。そして相手があなたの刺激に反応する姿を見ることもあなたには大切なのです。体同士の感触を確かめ合うと、二人のセクシュアルな感情が高まり、心からセックスを楽しむことができます。あなたの体が相手と共鳴しなかったら、それは体同士の結びつきが薄く、ロマンチックな関係としては長く続かないという合図かもしれません。

長い間には、深い関係の相手と性的な問題が起きることもあります。それは多くの場合、ほかの問題をセックスで解決しようとしているときです。たとえばあなたが女性で、花や宝石が欲しいと願い、セックスを道具にして相手を操り、買ってもらおうとしたりするということです。あなたが男性でも、女性に何かしてほしいと思うとき、彼はセックスを控えるか、セックスを利用して相手を操ろうとするのです。

こうしてセックスの欲望がほかの動機によって薄まっていき、セックスに熱が入らなくなってしまいます。相手はセックスを利用してほかのことを考えているあなたに気づき、関心をそがれます。こうして激しく肉感的に始まった関係もプラトニックな友人関係になったり、不能の感覚に陥ったりします。性的欲望を頭で利用しようとするとあなたはその潜在能力を落としていきます。

今生でのあなたはセックスをほかのものと区別して、純粋に体の交わりを楽しむことを学んでいます。生きていることの単純な喜び、食事、セックス、心地よさなどといった感覚的な喜びは人間の体を持つ私たちの特権なのです。

・忠誠心

忠誠心と献身はあなたにとって重要な資質です。あなたは本来無責任な交際をしません。人生をともに歩く相手を求め、相手にもそれを期待します。満足感を得るためにあなたは結婚すると相手に力を与え、承認し、相手にも同じことを期待します。しかしあなたは初めに相手の立場に立って、そのニーズを確認しないのでうまくいきません。あなたは相手の価値観に立つ代わりに自分の価値観を相手に押しつけているのです。あなたは相手の望みやニーズを勝手に自分の物差しで判断し、それを与えますが、相手の本当の望みやニーズはほとんど伝わっていないことが多いのです。

確かな人間関係というものはそれぞれが責任を持って自分のニーズを満たし、お互いからではなく外からエネルギーを得て安定した精神を維持できることをいうのです。そこで健全な絆が生まれ、お互いの強さを提供し、高め合う関係ができるのです。

あなたは相手に対する忠誠心というものは、自分への忠誠心を持つことが基本だということを学んでいます。相手に忠誠心を求める前に、自らが自分への忠誠心の絆を持ちしっかりと立つことが重要なのです。自分への忠誠心とはつまり正直に相手に自分を伝えることです。相手に合わせるために自分を曲げることなく「私はこういうことをしたくない」とはっきりと伝えるのです。それは相手の同意しそうなところをいつでも探すのではなく、一つの決まったスタンスを持ち、自分が正しいと思ったらその信念に従い、誠実に向き合うことを指すのです。

自分の価値観をしっかりと持ち、それに従って行動していると それを支持し、支えてくれる人が自然に現われます。これは今のパートナーを失うというリスクも含んでいます。しかし自分自身に正直に、心の落ち着くところにとどまっていれば、相手は本当のあなたに合わせて歩み寄ってくれるか、あるいはもっとあなたにふさわしい人のためにパートナーの座を明け渡してくれるでしょう。

結婚生活で大きなストレスを感じるとき、困難を乗り越えるまでお互いに忠誠心を持っていることが二人を結びつけるとあなたは考えます。忠誠心とは、二人が諦めることなく問題に取り組むための誠意と献身を表わします。あなたは相手がいつでもそこにいることを確かめる必要があり、あなたが全身全霊で絆を持ったとき、足元をすくわれることをとても恐れるのです。

あなたにとってこれは大変重要なことなので、関係が始まるときに「僕には忠誠心がとても大切なんだ。どんなときにも一緒にいてくれると思えることが。君にとってもそれは大切なことかな」とたずねるとよいでしょう。初めから大切な価値観を共有しておけばどんな関係を築いていくのかイメージできるのです。

自分にとって何が必要なのかを知り、明確に相手に知らせ、その反応を知る。これがあなたの内なるニーズを上手に満たす効果的な方法です。要するに関係が深まるにつれて相互のギブアンドテイクを、相手に期待するばかりの関係から情報開示へ、きちんと言葉でお互いに大切なものを伝え合う関係に成長させるということです。そしてお互いのニーズをどう満たしていくか、最適の方法を永続する戦略として立てていくのです。

◆与えないこと

あなたは相手のニーズを自分の価値観で判断し、満たしてあげないことがあります。たとえば相手が週に一回友人とブリッジをしたいと希望したとします。あなたはこう言って許さないのです。「そんなことしないほうがいいよ。大体彼らは君ほどうまくないじゃないか」しかしそうやって彼女のニーズを認めないことは、二人の関係を壊すことになるのです。あなたがすべきことは、自分の希望を押しつけることなく相手の願いに共感してあげることです。

あなたは自分の要求が強すぎて、相手が要求してきても最初の反応は拒絶である場合が多いのです。あなたは相手に与えすぎて自分が減っていくのを恐れ、拒絶した上で相手を批判して自分を正当化しようとするのです。この場合両方にとって悪影響が出ます。相手は不満を感じ、あなたの求めるものを与えることを躊躇したり、怒りとともに与えるようになるのです。これは二人の絆を根底から揺るがします。

相手の願望を満たすことはあなたにもプラスの影響を及ぼします。ここでも鍵は区別することです。相手の要求はあなたの自尊心を傷つけるものですか？　答えがノーなら相手の希望を叶えてあげるのがあなたの義務です。あなたが他人の価値観に従って生きるのがよくないように、相手をあなたの価値観に従わせるのもいけません。人はみな自分自身でいる権利があるのです。

・欲求を知る

言葉に表わされた欲求と、表わされない欲求には違いがあります。表現された欲求とは、たとえばあなたの相手が毎日一時間、一人になる時間がほしい、自分のプロジェクトをする時間がほしい、週に一度は一緒に夕食をとりたいなどということ。あなたが寛大にそれらを満たすと相手は喜び、愛と感謝をあなたに寄せるでしょう。表現されない欲求はその人の行動に反映されてくるものです。これは相手の表面的な欲求では満たされない部分で、双方にとって不満が残ります。

あなた方は時々、こんな要求をすると利己的だと思われるなどという懸念《けねん》から言い出せないことがあります。自分の欲求を口に出さないと、相手はそれを満たしてあげることができません。また自分の境界線をはっきりと示し、あなたに必要なものを伝えないと、相手はあなたを尊重しなくなります。あなた方は反対することを好みません。あなたが「いいえ、それはできません」とはっきり言うことができず、自己主張できないことをいいことに、周りは好きなことをするようになってしまいます。

あなたにとって周りの人はあなたの欲求を満たしてくれる鍵を持つ「偉い人」たちなのです。しかしそれはあなたが他人を過大評価し、自分を過小評価しているだけのことで、そのうちにがっかりさせられることになります。これに気づいたら、相手が自分の願いを叶えてくれそうか探るより、相手に自分がそれについてどう感じているか、自分が幸福感を感じるには何が必要かについて説明したほうがよいのです。正当化したり妥協したりせず、二人の関係にあなたが求めるものを率直に伝えるのです。はっきりと「二人の関係がうまくいくために僕はこれが必要だと思うんだ」と伝えることにより相手にあなたのニーズを知らせ、合わせてくれる機会を提供するのです。このように自分に正直に行動できるようになると、相手は多くの場合あなたの望むように変化していきます。

あなた方は時々相手に与えすぎて、もう与えるものはなくなってしまうと考えることがあります。これはあなたが相手の欲求に敏感だからです。いつでも相手に神経の一部を集中させるのはエネルギーの要ることです。自分が空になってしまう感覚はあなたに有利に働きます。それはあなたに自分のニーズのことを先に考えるべきだという合図なのです。自分で満たしていかないと、相手がどんなに与えてくれても空虚感は消えません。

・露出

人類の歴史の中で、多くの否定的な考えや感情が人生の経験とともに作られてきました。不十分という感覚や罪や恥などがその代表選手です。これらは個人に属するものではなく集合的無意識の領域に存在するものです。これらの概念は私たち個人を表わすものではありませんが、そういう感情が自分に宿るとき、私たちはそれを隠そうとします。そしてこんなひどい感情を抱いているのは自分だけだと思うのです。

この過程はとくにあなた方に顕著に現れます。否定的な感情がふわりとやってきて、あなたはそれを取り込みしっかりと抱えた後、隠そうとします。うまく隠そうと、深いところにしまい込んでしまいます。こういう感情を他人の目から隠すには大変なエネルギーが要り、誰かに自分の感情を見破られることへの恐れは大きな不安感を生みます。あなた方は他人と霊的に結びつきやすいので、あなたのしていることを周りは初めから全部知っているのではないかと思い、あなたの感情はいよいよ激しく隠そうとするのです。

この不安をやり過ごすには、自分の感情を少しずつ外に出してしまうことです。露出してしまえばもう追い出してしまうことができます。光がその感情を雲散霧消させてくれるのです。あなたは自分の感情を出す練習を、周りの人々が信じられるときに少しずつ実践していく必要があります。しかしどんな感情でも初めのうちは露出することに恐れを抱くことは避けられないでしょう。

こんな始め方もあります。「君と話したいことがあるんだ。ちょっと話すのが怖いんだけど」これで一皮むけました。そして「とても落ち着かないんだけれど、なぜだか分からない。不安の下にある感情があってね。それが何だかよく分からないんだ」と言ってもう一皮むけました。一枚ずつはがしていくうちに、次のステップが自然に見えてきます。「要するに、僕が感じているのはね。この状況を僕はうまく処理できないような気がするんだ」それでよいのです。露出してしまえばその感情は消えていきます。不安も不十分だという感覚からもすべて解放されます。この過程を経てあなたの心にあった否定的感情は永遠に追放されます。次回からはこれほど不安を感じることはなくなるでしょう。

ゴール

◆自分を頼る

あなた方は今生で自分を信頼する訓練をしているので、自分が成功するために他人に依存することはできません。あなたが自分の望むものを得るために他人のエネルギーを利用しようとして叶えられなかった場合、それはあなたに対して、自尊心を汚すことをしてはいけないという宇宙からの警告なのです。皮肉なことに、あなたが自分を頼るようになると人が周りに集まってきて、あなたが目標を達成する手助けをしてくれるのです。あなたが一段ずつ目標を目指す階段を自力で昇って手にした成功は自分のものだと感じるところから自信が生まれるのです。

・自分の価値を確立する

あなたが周りの人々の力を認めるとき、あなた自身には力がないと感じます。しかし自分の内側に目を向けると、あなたには大きな力があることが分かるでしょう。自分の力を主張することは自分の価値を理解することから始まります。価値のある存在になろうとする必要はありません。あなたの中に価値はすでに存在しているのです。あなたのありのままの姿が、この世に贈られた宝物のようなものです。変わり続ける世間一般の意見や価値観の中で、頼るべきはあなた自身の価値だけなのです。他人にあなたの価値を決めてもらうと、それはジェットコースターのように乱高下を繰り返すでしょう。

私のクライアントに絶滅に瀕した動物たちの世話をしている人がいました。動物を扱うと服が泥だらけになり、臭うので彼女は毎日着替えを持参していました。ある日着替えを忘れた彼女は仕事着のまま帰宅することになり、たまたま檻《おり》に入れた動物を家に持って帰ったのです。フェリーを待つ人の列に並んでいるとき、周りの人が彼女を敬遠し、軽蔑の目を向けていることに気づきました。

そこへ車のビジネスをしている友人が現われ、新車を三台フェリーで運ばなくてはならないので、彼女に一台運転してくれないかとたずねました。それで彼女はぴかぴかのリンカーン・コンチネンタルに乗り込んだのですが、そのときに周りの人々の態度が全然違うことに気づいたのです。彼らはにこにこと親しげで、彼女に手まで振っていたのです。彼女自身の価値はさっきと少しも変わっていません。彼女は他人の見る目を信用することの愚かさをそのときつくづく感じたのです。

今生のあなたの一番大切な目標は自分の価値観に忠誠を誓い、自分を価値ある存在と認めること。あなたは自分の価値を他人に認めてもらうという方法や、他人の価値観を否定する方法では自分の真の価値は分からないということを学んでいます。そうではなくあなたが自分にとって何が本当に大切で価値のあるものかを発見したとき、それこそがあなたの価値観なのです。その価値観に基づいて行動した結果、副産物として得られるのがあなた自身の持つ価値です。

あなたはこのことに気づいていても、自分の本当の価値はどこにあるかと考え込むと分からなくなってしまいます。それでもよいのです。あなたは何も書かれていない真っ白な紙のようなもので、それは自分の魂の奥深くに触れる貴重な機会でもあるのです。常に意識して何があなたにとって大切なものかを探り続ければよいのです。どんな価値があなたの気持ちをどっしりと安定させ、自信を与え、世界に安心して出ていく気持ちにさせるか、自問を続けましょう。「自分が好きになり、自分の価値を認め、この道でいいんだと確信できるような信条とはどういうものだろう」

たとえばあなたが人と話をするとき正直さが大切だと考えたら、人と話していて相手が正直でないと感じたときにはすぐに指摘する必要があります。自分のビジネスを立ち上げることが大切だと思ったら、時間を決めて着々とビジネス開始を目指すべきです。あなた方は目標さえはっきりすれば実行できるのです。人生の旅の中でどの道を選んだらよいか迷ったら、こう自問しましょう。「世俗的な結果がどうあれ、この行動を取ったら自分に納得できるだろうか」答えがイエスなら、自信を持って進みましょう。

もっと厳密にすると「この方向を選ぶと私は心地よく感じるか、それとも落ち着かないか」と自問してみます。あなたが快適と思える領域に向かって進んでいくと、たいていうまくいきます。セーフティーネットのない不安な世界に入ってしまうと困難なことが多いのです。「この道は心の安定にたどり着ける道か、それとも危機に至る道か」心の安定はあなたにとって勝利を意味します。「私の動機は自分の価値観を立証するか、それとも世間の価値観を満たすか」あなたの心にある価値観を満たし、自分を尊敬できる方向にあなたの成功は隠されているのです。

・自分を力づける

あなたは他人を力づけることに慣れていて、自分のことを忘れがちです。今生ではスポットライトを自分に振り向けて自分を力強い存在に育てることがあなたの使命なのです。あなたが他人に力を与える方法で、自分に力を与えてみましょう。たとえばあなたは他人がどうしたいかを読み、それを目指す行動を促し勇気づけます。あなたは他人がすでに持っているものを基本にして力を与えるのです。それを当てはめて、どんなプロジェクトや方向があなたに力を与えますか？　何を築きたいですか？　その答えが分かったら、その命題に力を注ぎ込めばよいのです。

今生であなたは力を自分の元に取り戻し、その力を他人に与えたりあなたに返ってこないものにつぎ込むのではなく、自分のために使わなくてはなりません。たとえばあなたが毎月家のローンの支払いに苦心しているときに慈善事業に精を出すことは、自分の経済基盤の確保をする前に他人の面倒を見ていることになるのです。

あなた方はエネルギー（お金でも自分の能力という形でも）の無駄使いを減らすこと、そして意識を傾けてエネルギーを使うことを学んでいます。自分の快適空間と心の安定を築くことから気をそらすことは容易です。自分自身のニーズを満たすことに自信が持てないため、すぐにほかのことに気が散ってしまうからです。しかし実際的な方法で取り組み、一歩一歩進むという鉄則を守れば、自分に確信を持つことができるでしょう。

あなたは持てる能力を一〇〇％使わない傾向があります。先の見通しに自信が持てず、失敗してさらに自信を失うことを恐れるからです。しかし一〇〇％の能力を出し切って取り組めば、もし失敗したときもあなたはベストを尽くしたのですから、自分に納得がいくのです。しかし全力を出さないで失敗すると、あなたは確認のしようがありません。「もしベストを尽くしたら成功していたかもしれない」と悩むことがさらにあなたの自信を揺るがせます。

一番よいのはあなたが全力を尽くすしかないという状況に直面することです。やるしかないという土壇場に来るとあなたは自分のパワーを全開にして取り組みますが、その状態こそあなたが真に自分の力と直接関わっているときなのです。その時あなたは心から自分の価値を認めるでしょう。

あなたは自分のパワー、自分の中から湧き出る誰の力も借りないエネルギーを知ることを学んでいます。あなたは自分の内なるパワーが自然に引き出されるようなことを心がければよいのです。あなたに金銭や心地よさや心の安定をもたらしてくれる仕事に打ち込むことが、あなたをパワーアップする行動なのです。あなたは難しい場面に勇気を出して飛び込み、よい結果を出したときに力が湧いてくるのを感じます。自分にとって何が一番大切かを他人に伝え、それにより状況が改善されたときに力を感じます。社会通念による価値判断の外に出て自分自身の価値観を認め、それに忠実でいるときはいつも自分とともに力があることを感じます。

◆実践への応用

・目的意識

あなた方はもの作りのエキスパートです。あなたが時間をかけて少しずつ急がずに作ったものは永遠に壊れません。あなたの前世での一生はすべて他人の事業計画を中心に回っていました。今生では自分の事業を計画し、舵を取ることを学んでいます。事業を進めるために不可欠な強さは、どれほど明確に目標を定めているかにかかっています。一歩進むごとに「この電話をかける目的は、この会議の目的は何だろう」と目標を明確にしていくと、方向性がはっきりし、着実に計画ははかどっていきます。

最初の仕事はあなたが安心でき、幸せな気分になるような計画を見つけ、それを実現するために何が必要か、また同時にお金にもなる計画にするにはどうしたらよいか考えることです。これはあなた自身の事業なので、自分に責任を持つとエネルギーが倍増するのです。そして成功するとエネルギーはさらに増大し、高い評価からさらなる成功へのらせん状の上昇気流が生まれ、あなたは明晰な心で次の目標を目指せます。

自分に価値を認めることを犠牲にして他人を支えてきたあまりにも長い前世の経験から、あなた方は他人を自分の世界に招き入れることに恐れを抱くことがあります。しかし今や状況は逆転しているのです。今生であなたがゴールを定めた以上、あなたは他人に協力を仰ぐ立場にいるのです。あなたは自分の成功へ至る道を自ら厳しいものにする傾向があります。あなたは他人が何でも与えてくれ、協力を惜しまず物質面でも供給してくれるものと願っていました。しかしそれができないのであれば、すべて自分で調達しなくてはならないと考えます。この「黒か白か」の極端な選択は適当でなく現実的でもありません。

あなたが自分の成功を自分の手で勝ち取らなくてはならないことは事実です。しかし一度目標を定め、そこを目指す努力を始めたら、他人の協力を得、勇気づけてもらうことは非常によいことなのです。他人はあなたにいろんな機会を与え、落とし穴を教えてくれ、違うやり方を見せてくれ、足元を固める手伝いをして目標へ至る道を楽にしてくれるでしょう。

人に依存することはよくないのですが、そこに協力者がいるときは遠慮なく受け入れて構わないのです。

・一段ずつ進む

あなたは目標がはるか彼方にあると考えるとき、パニックに襲われます。膨大な仕事と乗り越えるべき障害の数、一体行き着くことがあるのだろうか？　こうして失敗への恐怖から大きな目標を引っ込めてしまいます。気が遠くなるような道程に圧倒されてしまうのです。

あなたの視点で見ると、それは誰にとっても気が遠くなるようなことなのです。長期目標を達成させるには、その過程を細かく分けて進める以外にありません。医者になることは高校生にとっては押しつぶされそうになるほど遠いことかもしれません。しかし本当になりたいなら障害物を乗り越える価値はあるのです。アメリカでは四年制の大学を出てからさらに四年間の医学部専門課程を消化し、レジデントを経てドクターになります。長い過程ですが段階に分けて考えればできないことではありません。一つ一つの段階を全力でクリアすれば遠かった目標にも必ずたどり着けるのです。

大切な人間関係についても同じことが言えます。あなたが

「この人だ」と思える人と出会ったとき、ソウルメイトと今生で再び出会うことに心を奪われ、夢中で急接近しようとしますが、それは悲劇的結末を迎えます。あなたの願いが叶わないのは必要なステップを飛び越えているからです。時々あなたは目標について考えるとき、達成するかしないかはそこを目指していくあなたの意欲次第で決まるということを忘れてしまいます。あなたは激しく不安な感情に揺さぶられ、果たして自分がそんな高い目標を目指せるものかと疑います。

しかしそれは高い山を眺めて自分に登る資格があるかどうか悩んでいるようなもの。登る価値のある存在になるには実際に登る以外にありません。十分な装備を身につけ、経験と能力に即したルートを選び、一歩ずつ歩を進めれば頂上にたどり着けるのです。

あなた方は目標までの戦略の策定に慣れていません。段階ごとに進める戦略作りは前世ではパートナーの仕事だったのです。今はあなたが目標を自ら立て（家族でキャンプに行くこと、事業を起こすなど）、具体的に実践に向けて戦略を立てます。一歩進むごとにあなたはとても効率がよく、うまくやっていけそうだという自信がついてきます。着々と段階ごとに進んでいけば、本当にうまくいくのです。

それでも自分の暮らしをどうしたいかについて明確なイメージができない人もいます。そういう人は自分をじっくり見つめ、魂を探り何を築きたいのか自問することです。そして決心がついたら自分の心の快適さを物差しにして自分の選んだ道が正しいものかを判断することを忘れずにいましょう。あなたの進めようとしていることのどこかに居心地の悪さを感じたら、それは進めるべきことではないのです。心の中の心地よさ（これがあなたの心の境界線）に忠実に従えば、すべてはあなたの願うままに運んでいくでしょう。

あなたには人生の指針となる価値と倫理、晴朗な心を得るために一歩ずつ進む道が必要です。心の道標となるような精神の信条を見つけたらそれを日ごろの生活に取り入れるとよいでしょう。あなたは理論より応用が得意なのです。たとえばアルコール依存症治療や、アルコール依存症のアダルトチルドレン向けの十二段階プログラムなどは、実用的なステップごとのアプローチを精神の信条に当てはめたものですが、あなたはこのタイプのシステムで優れた進歩を見せるでしょう。

自分の価値に対する確信を得るためには、他人の動向を考慮に入れず、自分が道徳的に正しいと思える道を突き進んでいくことです。その道程は必ずしも楽しいものではないかもしれませんが、その道は自分の完全さや価値を見出せない暗闇を通り抜け、光の世界に向かっています。恥や罪の意識を感じたら、自分の言動を見直してみましょう。世間一般の価値観がどうあろうと、あなたは何が自分を幸福にするか心では知っています。自らの心の導きに従って進めば、あなたは自分の本当の価値をしっかりと受け止めることができるでしょう。

◆財政の確立

前世での慈善活動の結果、あなた方は今生で富を得る権利を有しています。慈善活動は、あなたの生活資金のすべてを他人が負担していた前世では当たり前のことでした。あなた方は自分の住んでいる社会のためにエネルギーを使ったのです。しかし今生では無償でする活動よりも、活動の対価を得たほうがあなたの自尊心を高める意味でよいのです。

　あなた方は金銭に関して人を信じすぎる傾向があります。あなたは宇宙を信じることはいつでも正しい信条だと知っています。しかし「神は自らを助けるものを助く」もまた真実なのです。宇宙を信じることと、無責任に相手をむやみに信じて非合理なことをすることは別です。たとえば友人に「三千ドル都合してもらえないかしら」と頼まれ、あなたはちょうど自分の支払いに用意した三千ドルを持っていたとします。そこで「宇宙を信じて三千ドル都合してあげよう」と考えるのは間違いです。

あなたは自分の財政管理の責任を負う必要があります。それができて初めて、自分の力や自己評価が失われることを恐れずに他人とともに活動することができます。金銭面で安心できれば、人生があなたに贈る「ものを見極める力」を宇宙から受け止めることができるでしょう。

・主体性を持つ

金銭面で責任を負い、個人資産を増やすには、金銭出納の記録をつけて自分のお金の使い方を注意深く監視する必要があります。これはあなたに力を与えます。あなたは自分の資金を意義のある方向に使うようになります。蓄財はあなたが卓越した能力を持つゲームなのです。気持ちを集中させるだけであなたは少ない資本を富に育てることができるのです。

　前世では金銭に関わる面倒なことがまったくなかったため、時々あなたはどうして自分が金銭管理を仕切らなくてはならないのかと考えます。しかし自分の面倒を見る以上、それはごく当たり前のこと。安定した仕事、安定した収入、定期預金、そして未来の財政プラン。大切なのは安定した財政基盤を持ってほかの分野でリスクを冒せる態勢を作ること。そうすれば生活に安心と自信が生まれ、自分に好感を持てるでしょう。

　遺産を上手に運用する人もいますが、あなた方はこの範疇《はんちゅう》に入りません。遺産や他人の貯えた財産、公的な資金援助や生活保護などの金銭に依存することはあなたにとってプラスに働かないのです。財政的に他人に依存することはあなたの自己価値を減少させるのです。今生ではあくまでもあなたの使ったエネルギーの対価を受け取り、自分の力で資産運用することが肝要です。

遺産を相続したら、その一部を使って事業を始めたり、何らかの形で自分の価値を感じられるものを始めるとよいでしょう。配偶者に経済的に依存している人は小さなビジネスを始めるのもよく、家の外で職を得ることも、とくに必要を感じなくても、また得る収入がわずかでもよいことなのです。あなたは他人とのつながりの中で自分を見出すのでなく、自分という個人を意識する必要があるのです。定期的に時間を割いて、個人的な目標やプロジェクトを進めるのも自分を尊重する心理効果があります。

資金援助を受けて生活している人は、何らかの収入を得るために副業を持つとよいでしょう。あなたが子供を持つ親だったら、自宅で託児プログラムを始めるのもよいでしょう。ここで大切なのは収入の大きさではなく、それによって得られるあなたの自尊心なのです。

あなたはお金がもたらす効果や流通の重要性を自然に理解しています。あなたの課題は意識を傾けて流通させること。流通の仕方を覚えると、あなたは金満家になれるのです。前世であなたは他人のお金を使うことに慣れていて、自分で稼ぐ必要がなかったために金銭感覚を失っています。今生であなたはお金の価値を再確認し、賢く使うたびにお金は増えていくでしょう。お金はあなたの教師です。お金の性質を直感で理解できたら、お金が自分で増やし方を示してくれるでしょう。

・負債

あなた方の中には資産と負債のバランスを考えることができない人がいます。私のクライアントの多くに、それらを混同して大きな負債を抱えた人々がいます。そのうちの一人は夫ともう一組の夫婦の四人でユニークな化粧品ビジネスを始めたのです。それは初めから予想以上のペースで売れていき、注文が間に合わず顧客から苦情が出るほどでした。この需要に追いつくため、彼女はクレジットカードで資金を調達し新たなスタッフを雇い入れ、材料を購入したりしました。そして負債はほとんど六万ドルに達したのです。

そして夫婦の不和が起こり、会社は倒産し、彼女は離婚して六万ドルの負債を抱えました。返済を終えるまでに十年を要しましたが、彼女は安いアパートに住み、贅沢を一切控え、社交もせず副業を持ち、大変なストレスと窮乏《きゅうぼう》に耐えたのです。

最初にビジネスに火がついたとき、彼女は外界の需要にすぐに応えることで自分を危機にさらしたのです。そうする代わりに彼女は宇宙に任せ、初めは小さい規模のままでやり過ごし、利益が出たらそれを投資してビジネスを拡大するという無理のない自然な方法を取ってもよかったのです。

もう一人のクライアントはニューエイジ関係の、女性と男性の新しい社会的役割の始まりを扱ったグループの映画を作ろうとしていました。彼女は映画の気高い使命を主張し、「宇宙を信じて」資金を提供しました。彼女は映画の制作費を得るために借金をして、それが膨大な負債になったのです。

彼女は「宇宙が映画の完成を望む」と信じていたので、お金は自然に生まれると考えたのです。さらなる資金繰りに走るかたわら制作に追われ、借金の返済が間に合わず彼女の生活はめちゃめちゃになりました。ついにすべてが駄目になり、彼女は人生二度目の破産宣告をしました。今回の被害は金融機関だけでなく、彼女にお金を貸した友人や家族にも及びました。

負債を抱えることは大きな痛手になります。あなた方は常識を働かせ、思い込みをせず、セーフティーネットのないところで危険な真似さえしなければ蓄財の達人なのです。しかし何らかの理由でお金を尊重せず、不用意な使い方をしてしまうのです。意識的に考えなくても、過去に金銭管理の経験がないために無意識レベルでは大変不安を感じているのです。

お金を扱うときはとりわけ注意深く行動するべきだということに気づきさえすれば、責任感は自然に生まれます。しかし時々暴走して、後で支払いがあることを忘れて不要なものを買いに走るのです。前世でお金は気晴らしの道具でした。このため今生でも退屈すると、誰かが支払ってくれることを無意識に当てにして、当然の権利のように買い物に行きたい衝動に駆られるのです。理性的に考えればそれができないことをあなたは知っていますが、欲望に負けてしまうのです。

あなた方は財政が逼迫《ひっぱく》することに耐えられません。しかしこつこつ努力して蓄財と予算計画に責任を持てば、支払いの心配をせずに使うだけの資産を貯える力があるのです。しかし財産を貯えてからも使い方には責任を持たなくてはなりません。今生では考えなしにお金を扱ってはいけないのです。

〔癒しのテーマソング〕

音楽は何かに挑戦するとき、感情面でユニークな力を発揮します。
それぞれのドラゴンヘッドグループに合わせ、
エネルギーをプラスに転化する働きを持つ詩を作りました。

まず自分自身を探す

この詩のメッセージはドラゴンヘッドが牡牛座にある人々の目を自分自身に向け、そこにある豊かな受容と平和に気づいてほしいと願うものです。そして安心と自分の価値を認めるために求めている絆を自分の中に見出すために書かれました。

彼が病気になったので
私は看護婦になった
彼がそれを遠回りと言ったときがっかりした
そんなつもりじゃなかったのに
そして思い出す
天の王国でまず自分自身を探すこと

私の内側に目を向けると
心はすぐに強くなる
周りもよくなる
まず自分自身を探そう
天の王国は私の中にあるのだから

ドラゴンヘッド

双子座

第三ハウス

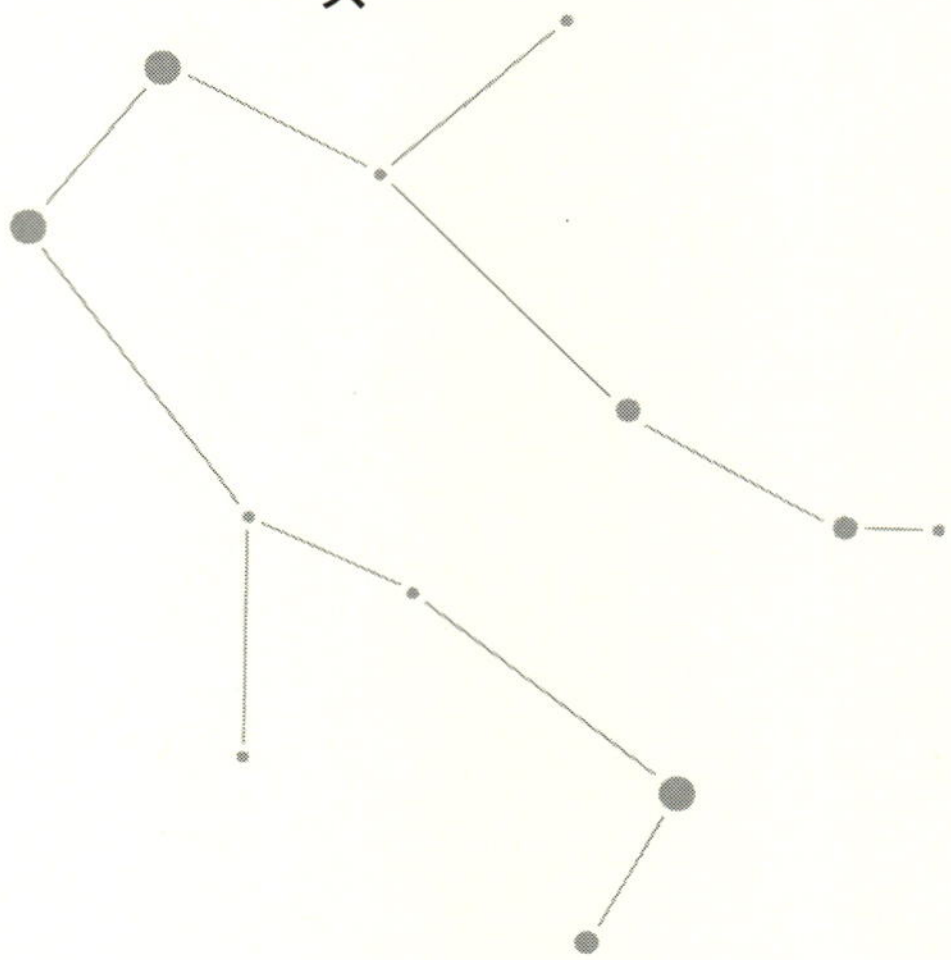

Gemini

総体運

●伸ばしたい長所

次の性質を伸ばすと、あなたの隠された能力が見つかります。

・健全な好奇心
・他人の考えを知るために質問をする
・双方の立場を理解する
・戦術
・論理
・心の二面性を表現する
・人生や他人に前向きの姿勢を保つ
・他人を元気づける
・意見を言うとき相手を威嚇しない
・人の話を聞くこと
・新しい考えや経験を受け入れる
・決断する前に事実に基づく情報を求める

●改めたい短所

次の性質を減らすようにすると人生が生きやすく、楽しくなります。

・独善性
・無関心
・他人が自分の立場を理解していると考える
・他人の話を真剣に聞かなくても理解できると考える
・いつでも自分は正しくあるべきだと考える
・他人を考慮せずに真実を信奉する
・思いつきによる行動
・近道を選ぶ
・自分や人生について深く考えすぎる
・事実を確認せずに直感で行動する
・自分の考えに合わないものを拒絶する
・過去に照らして現状を判断する

◆あなたの弱点／避けるべき罠／決心すべきこと

ドラゴンヘッドを双子座に持つ人々の弱点は独善的な態度です。「自分が正しいことを他人が認め、自分を尊重してくれれば、私は受け入れられたと感じることができる」という姿勢は、あなたを終わりのない真実追究の罠に陥れます（「すべてに正しい答えを持っていればみんなは私を評価してくれ、私は落ち着いた気持ちでみんなと折り合っていける」）。しかしこの考えは底のない落とし穴のようなもの。いつでも「正しい」と考えることは不可能で、あなたが自分を全面的に認めるようになることはありません。あなたが他人と議論し、相手に自分の正しさを納得させようとすると、相手はあなたを遠ざけようとするでしょう。

しかしあなたが謙虚に相手を受け入れる姿勢で、他人のさまざまな考えに（それがあなたの過去の経験と相容れないものであっても）耳を傾けると、相手を理解できるようになり相手との絆を感じることができるでしょう。あなたが決心すべきことは、あなたが固執している絶対的真実を手放し、ありのままの自分として他人と接し、他人の話に耳を傾けてそこから学ぼうという姿勢を持つことです。皮肉なことに、その公正で単純な行為を続けていると、真実は前よりずっと雄弁に伝わっていくのです。そしてあなたが相手にとって大切なことを注意深く聞くと、あなたは的確な返答をするようになり、相手を助けることができます。そこで人々はあなたを初めて尊重し、あなたと絆を築きたいと考えるのです。

◆あなたが一番求めるもの

あなたが心から求めているのは、自由に真実を追究し、冒険し、自発的に行動し、常に一〇〇%正しくあることです。あなたは心の真実と直感に従って話をしたいと望み、周りの人々があなたを完璧に理解し、あなたから学び、あなたの協力に感謝することを願っています。

この目標を達成するにはまず「自分の中の真実」というものに意識を集中させるのをやめ、周りの人々に目を向けることです。あなたの人生の中で彼らと共通する部分を見つけるべく彼らの話に耳を傾け、理解しようとする必要があるのです。あなたがこの姿勢で他人の話を聞くと「なるほど！」と思えるような洞察にたびたび出会い、それがまさに相手の望む考え方なのです。そして多くの場合、あなたの洞察は相手の問題の核心に触れるものなので、相手はあなたを感謝して受け入れるのです。

◆才能・職業

あなたは、聞く耳さえ持っていれば、他人の思考過程を見通して、その人がより広い視野でものを見ることができるような情報を提供してあげることができます。セールス、文筆、教授、コミュニケーションに関する職業なら何でもあなたに喜びを与え、物質的にも成功します。

哲学、宗教、また倫理や道徳に対する生まれつきの理解力を持っている人々です。その精神的、直感的な能力を使って、あなたは自分の真実を失うことなく他人の考えを理解することができるのです。しかし真実の追究そのものや宗教を最終目的とする職業につくと、やがて孤立してしまう運命を持っています。あなたはその能力を日常の中で他人と折り合っていくときに活用したほうが幸せになれるのです。

●あなたを癒す言葉●

「今生は人間がテーマ」

「自分の歩みを遅くすれば人々と触れ合うことができる」

「他人の考えに集中すると、何を言うべきかが分かる」

「他人の話を聞き、そこから学ぼうとするとうまくいく」

「理解できなかったら聞き返してもよい」

性格

◆前世

ドラゴンヘッドを双子座に持つ人々は、真実の追究という一つの共通項を持ちながら、幅広い前世経験を持っています。自分の中の真実を追い求めインドで放浪を続ける修行僧（サドゥ）だったり、砂漠をさまよう遊牧民や仙人、あるいは単身で大自然に挑戦し、地球の秘密を探る冒険者でもありました。あなた方はまた万人の理想としての真実を追究し、宗教組織に生涯を捧げた人でもあったのです。いずれにしても真実、精神性、倫理、そして悟りを求めることが生涯のテーマであり、社会や人間関係は二次的な価値を占めていたのです。

・哲学者

あなた方の前世の多くに、哲学者の王がいました。あなたは何代もの前世を仏教、ユダヤ教、イスラム教、あるいはキリスト教といった信条のもと、人々を真実へと導き続けたのです。この経験からあなたは今生でも人々から離れ、勝手に一人でどこかへ行ってしまうという行動を取るのです。あなたの前世経験を貫くものは、高い山を目指し、真実の頂点を極めたいという悟りへの道を進み続けることでした。しかし、これを何代も繰り返した末に、あなたはついに真実を発見したのです。ですから今生ではもう真実の追究の旅は終わりにしてよいのです。念願の山の頂上に達したあなたは孤独な寂しさにさいなまれました。そして今生でのチャレンジは、その真実を他人と分け合い、社会に再び帰って人々とともに過ごすことなのです。

あなたが人々と親しく接し、真の絆を感じるときに存在する愛と平和を自分のものにするために、一番の障害になっているのがあなたの独善的な態度です。前世で哲学者や僧侶だったあなたは、他人があなたの指導に従うことに慣れています。あなたは常に「正しい」人だと敬われ、権威を疑う人もなかったため、ある種の傲慢《ごうまん》さを持って今生に生まれたのも無理はありません。しかし他人はあなたの優越感を感じ取り、あなたの言うことに耳を傾けたくないと考えてしまうのです。人々があなたの話を聞いてくれないので、あなたは自分の知性を他人は過小評価していると感じているのです。これがあなたのコミュニケーションにおける問題の典型的な例といえるでしょう。

・コミュニケーションの問題点

前世で味わった孤独な立場から、あなたは何時間でも一人でしゃべっていられるような気がします。他人に対してありきたりの「最近はどうしてるの？」などという質問をすることは忘れないのですが、相手があなたに話を戻すと待ってましたとばかりに延々と自分の話に没頭してしまいます。あなたは今自分に起きていることや思い出話などを軽く十件ほども語り、ヒーローになろうとしますが、その間、聞き役の人は一言の相槌《あいづち》もさしはさむことができません。自分の話をすることも感想を言うことも許されない相手は、あなたへの関心を失っていきます。

一人で長い長い時間を過ごしてきた過去の人生の反動から、あなたは人に話をする欲求が尽きません。沈黙は孤独を思い出させるので、概して居心地が悪いのです。今生であなたは人々と親しくなりたいと願うため、会話の中に沈黙が生まれると、何か問題があるのかと思い、その隙間を埋めるために何でも話題を見つけてしゃべり続けるのです。

あなたは今生で、会話とは熟練を要するやりとりだということを学びます。それは一人の考え方を相手が理性的に聞き、それに反応するという過程で、双方は相手の考えにオープンである必要があります。あなたは会話の中でときには相手にスポットライトを当てることを忘れてはいけません。時折相手の生活についての質問を入れ、その意見を聞くこともあなたのためになるかもしれません。あなたが中心にいる会話をあまり長く続けると、相手が会話に注ぐエネルギーがどんどん弱まっていきます。相手のエネルギーが弱まっていくのを感じたら、それを合図に相手に話をしてもらうようにしましょう。会話は呼吸のようなもので、吸った息は吐かなくてはなりません。会話の焦点がどちら側にあったとしても、双方が参加してこそ会話が成り立つのだということをあなたは学んでいるのです。

たとえばあなたが同僚との対立について話しているとき「あなたはどう思う？　私のしたことは正しかったかしら」とたずねるようにしましょう。相手がそれに答えたら、「今日はどんなことをしていたの？　あなたの一日は平和だった？　それとも私みたいに誰かとぶつかった？」などと相手に水を向けるのです。相手が話したがらないようだったら「話したくないのならそれでもいいのだけれど、何か最近気になることがあるかしら？」とたずねてみましょう。会話の雰囲気を高めるためには、双方が活発に参加する必要があるのです。この戦術を覚えたら、あなたは会話の達人になれるでしょう。

あなた方は会話は好奇心（話相手のことをもっと知りたいという欲求）を満たす道具だということを学んでいます。相手の話と自分の考えや洞察力を合わせると一人では達しえない、さらに力強い真実が見つけられるのですから、会話の中で相手の意見を多く取り入れることは有意義なことなのです。

あなたは会話の中で時々戦闘的になります。何か大切な話をしたいとき、それが理解されないかもしれないと恐れるのです。このためあなたは大変な熱意とエネルギーを会話につぎ込み、相手に伝わるように計らいます。あなたの態度が激しく強引なため、相手は攻撃されているように感じ、自己防衛的になるのです。そして相手が会話に抵抗していると見たあなたはさらに決然と挑み、会話はついに不合理で感情的なものにエスカレートしてしまうのです。しかし相手が抵抗しているのはあなたの発言の仕方で、話している内容に反発しているのではないということを理解するべきなのです。

あなた方は大変ストレートに話をする傾向があります。あなたの意見は動かしようのない真実だとして発言するため、それについての意見はすぐに白熱した議論に発展します。あなたはこれを楽しむ傾向があり、すべては刺激的な意見交換だととらえるのですが、相手のほうは机上の空論の無意味な戦いだと考えます。激しい議論を嫌う友人は、しまいにあなたとの日常的な会話を避けるようになるでしょう。あなた方は一歩下がって相手の話にもっと注意深く耳を傾ける努力をするべきなのです。あなたの強みは明晰で静かな思考にあり、感情ではないと知るべきです。相手の質問に答えるときのあなたの洞察力には多くの場合存在感があり、正確な解決法を提示しています。そしてあなたが芝居がかった言い方でなく語り出すと、その考えの持つ力は相手に深く刻まれます。

あなた方は相手の知性を尊重し、相手にも真実をうわべだけでなく理解する能力があることを信じましょう。あなたが心から相手に自分の考えを伝え、彼らと親しい関係を築きたいと願うなら、いらいらするのをやめ、相手を尊重する気持ちをもつことの大切さを覚えましょう。

あなたが自分の考えを伝えることにこれほど熱中するもう一つの理由は、人々に自分の考える真実を正しいと認めてもらいたいという欲求です。そしてあなたの自尊心を満たし、相手に自分の考えが伝わったことであなたはゆったりとした気持ちになれるからです。しかし真実はそれだけで伝わるもので、あなたのエゴをもって推し進める必要はなく、ファンファーレで関心を引き、その正しさを示すこともないのです。実際真実は静かに語られるほど、相手は明断にその価値を感じ取ることができるものです。あなたの動機がどれほど高貴なものであっても、あなたは自分のエゴや好戦的なエネルギーを、自分の主張を通す道具にしてはいけません。他人がそれを認めることはありません。

・忍耐とフラストレーション

あなた方は自分と他人とのコミュニケーション上の欠点に耐えることを学んでいます。あなたは話すことに慣れていないのです。あなたは膨大な年月を山の頂上で過ごしてきたのですから、コミュニケーションのことはほとんど無知だと考えてもよいのです。それはまるで英語を話す人々の中で、一人でラテン語を話しているようなものです。あなたは忍耐力を発揮してゆっくりとしたペースを守り、じっくりと翻訳をして相手の言うことに全神経を集中させて聞く必要があるのです。

あなたの抱える問題のほとんどは、相手の言うことをしっかり聞かないために、不適切な反応をしていることに起因しています。ここに分かりやすい例を挙げましょう。あなたの友人は農産物フェアのブースで働いていて、彼女にはりんごを百個数えるという仕事がありました。彼女が六十七、六十八、六十九、七十、と数えている最中に訪問客がしょっちゅう来ては中断し、数がどこまでいったか忘れてしまいます。彼女が困っているのを見て「すべての答えを持っている」あなたはその場にスーパーマンのように現われます。彼女はあなたに「このりんごは農産物フェアに持っていくもので、私がしなくてはいけないのは……」と説明しますが、あなたは初めの部分しか聞きません。あなたは問題がどこにあるのか分かったつもりでいますが、ずれた行動を取るのです。相手が話すのをやめると「戻って」くるのですが、初めから話を中途半端にしか聞いていないので、とんちんかんなことを言ってしまいます。「心配ないよ。フェアの会場でりんごは二個で二十五セントで売られているからね」相手は本当に問題を抱えているのに、少しも解決できないのでいらいらし始めます。あなたはせっかく助けに入ったのに相手が喜んでいないので、やはりいらいらします。こうして双方が不満のまま終わるのです。

いらいらする代わりにあなたがするべきなのは、立ち止まってよく考えること。「待てよ。彼女は僕の返事を受けいれなかった。つまり僕は効果的に会話をしていなかったということだ。僕は問題をきちんと理解していなかったのかもしれない」そして彼女のところに戻って謝るのです。「ごめんごめん、問題をちゃんと聞いていなかったね。もう一度言ってくれる?」彼女はあなたが心配して戻ってきてくれたことに感謝し、再度説明します。「りんごをフェアに持っていくのに百個数えなければならないの」あなたは注意深く耳を傾け、問題を今度こそ理解します。そしてあなたは提言をします。「それじゃあ十個ずつの山を作るといいよ」彼女はすぐに喜んで「ありがとう。そういう答えを待っていたのよ」と言うでしょう。相手が喜んであなたを受け入れたら、双方にとって大変よい会話ができたと考えてよいでしょう。

・真実の信奉者

あなたは自分が伝えた言葉の威力を完全に理解していないことが少なくありません。先ほどの例で、友人はその晩家に帰り、突然こう考えるかもしれません。「そう、だから私の人生はうまくいかないんだわ。すべてぐちゃぐちゃにこんがらがっているから、私にできるのは取りあえず自分で処理できる程度の小さな山に仕分けしていくことなんだわ」あなた方はどんな話も取るに足りない話題だと決めつけてはいけません。相手が真摯《しんし》に関心を持ち、答えを求めているなら、あなたはいつでも相手に協力して答えを見つける手助けをしてあげる必要があるのです。あなたは真実を持っているのですから、他人の求める情報を一緒に探してあげる過程の中で、さらに大きな真実を見つけることが少なくないのです。

・「自由を唱えるテープ」

真実を見つけるには自由であることが必須条件のため、前世のあなたにとって自由でいることは重要な意味を持っていました。今も心にその声がこんなふうに録音された「テープ」のように流れているのです。「私は自由でなくてはならない。自由でなくてはならない」しかし今生のあなたにとって、このテープのメッセージは不適切だと言わざるを得ません。あなたが人間関係の中で心から相手の言うことを理解しようとしているときに「私は自由でなくてはならない」というテープが心に流れると、あなたはその関係から逃げ出してしまいます。あなたは一人になり、自由を感じると、そこには元の山の頂上の孤独が戻り「一体どうなってるんだ? ここにはエネルギーが全然ないじゃないか」と戸惑うことになります。

しかし元いたところに戻って「やっぱり考え直したよ」というのは間違いではありません。今生のあなたは間違いを犯してもよいことになっているのです。あなたと相手の意見の相違があっても、それに正直に反応する必要があります。たとえばあなたがある人間関係を維持したいと思うと同時に、それがあなたの目指すことを阻むことになるかもしれないと恐れるとします。その時点であなたは正直にその矛盾を伝えるべきなのです。「正直に言うとね。僕は二つのことをやりたいと願っているんだ。君との関係にとどまりたいという願いと、もう一つは君とあまり近くなってしまうと僕のしなくてはならないことができなくなってしまう恐れがあるんだ」あるいは子供たちに向かって「君の考えていることはよく分かる。自分のスペースが必要なことは理解できるけれど、家族としてはみんなが譲り合ってみんなが納得する方法を考えなくてはならないんだよ」あなたが両方の考えを認めると、答えは自ずから生まれます。相手はあなたの主張を理解し、協力的になります。

あなたが自由を唱えるテープを心に持っていることを知っているだけで、それは問題解決の大きな糸口になります。テープはさながら使い古されたあなたの無意識の筋肉で、今生では最も不適切なときにその存在を主張します。ですからその声がどこからくるのかを知った上で、あなたはその声に従うべきか否かを判断することが肝要なのです。

◆内なる葛藤

・疑惑と恐れ

前世の長きにわたり霊的な指導者やアドバイザーなどを務めてきたあなたは、人々が疑惑や恐れを訴えているときも確固たる態度を取っている必要がある立場にいました。あなたの無意識はあなたにこう言います。「お前はすべての答えを持っていることになっているんだぞ」あなたのゴールは微塵の疑いもない真実への帰依《きえ》と信頼でした。このため今生でもあなたの無意識は、心に浮かぶ疑惑や恐れを追放しようとするのです。

あなたは他人と比べることで自分の感情を否定し、それを正当化しようとします。たとえば「実は僕は今の仕事があまり好きじゃないんだ。しかしほかにさしあたりやりたいこともないし、第一仕事があるだけでも幸運なことかもしれない。仕事なんてもともと面白いものじゃないんだし」あなた方は他人に対し、すべて解明し終わったかのような姿勢で話します。間違っても「僕は自分の人生をどうしたいか見当もつかないんだ」などとは言わず、「法学部に進もうと考えているんだ」と言い、その理由を六つほど挙げてみせます。あなたはその悪い点すら伝えます。「悪い面もすでに考えた末のことなんだ。それでもそれが僕の進みたい方向なんだ」あなたがこうしてすべての解答を持っているように他人に話すと、それはコミュニケーションを誘発する代わりに遮断《しゃだん》し、相手が新しい考えや洞察を聞かせてくれるかもしれない可能性を閉ざしてしまいます。

あなたは自分の弱さを他人に見せたくないために、考えや意見を他人に伝えるのを躊躇することがあります。他人に、あなたが本当はすべての答えを持っているわけではないと悟られたくないのです。他人があなたの聞きたくないことを言うかもしれないと恐れ、知らず知らずのうちに相手が意見を差し挟む余地がないような話し方を選んでしまうのです。あなた方は真実のコミュニケーションが自分の深いところの実体を露呈《ろてい》し、それをきっかけにして恐れや疑惑、心の葛藤《かっとう》を誘発することを恐れるのです。

・社会に生きる

あなた方は社会には選択の自由があることを学んでいます。人にはそれぞれ違った規範があります。一人ひとりが自分の道を進む過程で、その道を不安に思ったり疑いを持ってもよく、そんなときは謙虚に他人の指示を仰ぐことがむしろ歓迎されるのです。他人に協力することで人は持てる能力を自ら表現し、夢を実現し、その成果はその人個人を超えて広く社会にも有益な結果をもたらすものです。

山の頂上であなたは一人だけでしたが、社会には多くの人がいて、それぞれに長所と短所を持っています。人々は集まって情報を交換します。パイプ修理屋は配管のこと、弁護士は法律に関する情報を提供するなどという具合です。しかしあなた方には協力を求める習慣がありません。そうすることは知性がないことを露呈するように感じるのです。しかし社会では誰もすべてのことを知っているものではないという前提に基づいているのです。私たちはみな同じ状況にいるのですから、あることに一番詳しい専門家の指示をあおぐのが一番効率がよいのです。

あなた方は友情や共存共栄という心地よい環境から自らを疎外してしまいがちです。なぜならあなたは他人から（あなたより真実を知らないと感じられる人からはとくに）意見されることを好まないからです。しかし今生でのあなたは社会に適応して生きる運命を持っていて、世の中にはあなたよりも豊富な知識を持つ人が山ほどいるのです。謙虚さはあなたに耳を傾けさせ、他人から学ぶ機会を与えるということを覚えておきましょう。あなたは自分自身でいることを守りつつ、社会の活動的な一員でいる方法を模索しています。さらに真実は宇宙のエネルギーであり、誰の下にもやってくるということ、だからこそあらゆる考え方に謙虚になり、聞く耳を持つことの重要性を知る必要があるのです。

・二面性

あなた方は二面性（他人の中の矛盾や自分の中の二面性）を受け入れる練習をしています。前世では真実だけを追い求めたためにあなたは人間らしい経験から孤立していました。今生でのあなたの使命は、人間性を一から学び直すことなのです。

地球上には陰と陽という二つのエネルギーがあり、昼と夜、寒いところと暑いところ、受動と能動、女性と男性など一見対立する二つのエネルギーが全体を動かしているのです。あなたが人々や人生、状況を理解するとき、そこにコインの裏表に似た性質を見出すと、よりよく理解できるでしょう。あなたはその両面を見つけ、受け入れ、両面に関心を持ち、「ただのコインじゃないか。大したことないさ」という姿勢を取るべきではありません。内的な葛藤を過小評価することなく、自分の抱える矛盾点を愛情を持って素直に受け止めると心が安らかになるということを学んでいるのです。従ってあなたは全体像が見えないからといって悩むことはないのです。知らなくても今生では構わないのです。実際今生のほうが前世よりもよい人生のはずです。自分はもう全部知っていると考えるとあなたは新しい考えから心を閉ざし、あなたの状況判断力を磨く機会を失ってしまうのです。

あなた方は、人は難しい真実について聞きたがらないと思っているので、他人にあまりいろいろ言うのを好みません。ですから人があなたに「仕事を辞めたんだ」「彼氏と別れたの」「法学部に行くのをやめたんだ」などと言うのを聞くと、あなたは「言いたくはなかったんだけど彼はあんまりいい奴には見えなかった」「法学部は君には向かないと思っていたんだ」などと返事をします。すると相手は「じゃあなんでそのときに言ってくれなかったんだ?」と抗議しますが、あなたは正直に真実を語ることでその人を傷つけたくなかったのです。心に浮かんだ時点でそのまま自分の考えを正直に伝えると、それが相手のためになるのだということをあなたは学んでいます。

しかし意見の背後にある動機により、相手の受け入れ方が違ってくるのです。あなたの動機が愛情と奉仕だった場合、相手はあなたの善意を感じ取り、喜んで参考にします。しかし自分が正しいということを証明するためだったり、批判するためだったとき、相手は自己防衛的な態度で応じます。あなたが心から相手に協力したいなら、会話は順調に進むのです。あなたは自分の意見を一つの選択肢、そしてある種の愛情表現として提供し、相手の置かれた状況の中でそれが正しいかどうかはその人が決めればよいことなのです。

・楽観主義

あなたにはむやみに楽観主義の傾向があり、情報を確認せずに行動に移すことがあります。直感的にある人があなたに対して不誠実だと感じても「すべては何とかなるものさ」という態度で疑惑を払拭し、素晴らしい結果を期待してしまうのです。この不均衡に気づいたら、あなたはもう一つの選択肢を真剣に検討する必要があるのです。それにより自信を取り戻すことができます。

あなたは自分が論理的に納得できる状況にいないと悟ると、自分の強さに頼ろうとします。しかしいつでも自力で解決できるわけではありません。あなたは現世においてあなたより上手な自己管理能力を持つ人々を妄信します。あなた方は信頼のおける人々なので、他人もあなたのように信頼できる人々だと勘違いし、これがさまざまな問題を起こします。

あなた方は他人に協力を仰ぐべきです。ただしやみくもはいけません。あなたの課題は周りの人々を理解することです。ほかに選択肢がないからといって、その恐れのために簡単に人を信じるのは危険です。あなたは大体において正直なので、他人の言う言葉を注意深く聞くと他人があなたに正直でいるかどうかが分かるのです。

◆高潔さ

あなた方は周りにいる人々がいつでもあなたに真実を語るわけではないと考えています。人には違った出発点があり、不正直なことがあってもよいし、白々しい嘘を言ったり、隠し財産を持ったりするのも構わないと思っています。あなた自身は決してそういうことをしないので、彼らはあなたほど高潔な価値観で行動していないと考えます。ここでもあなたの前世での厳しい倫理規定が顔を出し、現世の人々の不誠実さや駆け引きに頭を悩ませるのです。

あなた方は自分の役割は精神世界の倫理や真実を人々の心に再び注ぎ込むことだと考えています。他人が不道徳だからと言って「間違っている」と判断すると、罪人呼ばわりを好む人はいませんから、自然にあなたの考えに抵抗します。このためあなたは相手の日常を精神世界に通じるものへと高めてあげる方法で支える必要があるのです。同時にあなたは自分の立場を厳格に主張することなく、相手の視点も尊重し、受け入れられなくてはなりません。

あなたは一度口にした言葉はきちんと守ります。それはあなたにとって道徳を行使することなのです。そして相手も、双方が納得する規則に従って行動するものと考えます。このため誰かが何かをすると話していたにもかかわらず、何らかの理由で行動しなかったとき、あなたは大変動揺します。あなたは初めの同意に基づいて行動しないなら、約束の変更を知らせてくれるべきだと考えるのです。

たとえばあなたが誰かと屋根裏を掃除する約束をしたのですが、何かが起こるとあなたはこう言います。「今日一緒に屋根裏を掃除することになっていたんだけど、今日は時間が取れそうにないんだ。それでは困るという人はいるかな?」あなたは口にしたことを実行しないことが大嫌いなのです。しかしこれをどう他人に伝えればよいのか思案します。あなたは他人を動揺させたくないし、矛盾が起きていることを否定されるのも困るのです。このことはあなたにとって重大な混乱の原因になり得ます。

そういう矛盾が起きたとき、ほとんどは次の三つの理由に分類することができます。

1. 初めの段階で誤解が生じ、あなたはそれに納得がいかなかったにもかかわらず明確にしないまま時が経っている場合。過去のできごとを明確にする場合、事実に終始する必要があります。「昨日あなたは——と言ったけれど、今日あなたは——と言ったね。一体どっちが正しいの? あなたがどうしたいのか、もう一度説明してくれないか?」この会話の動機が相手の理解を深めるためで、相手の非を指摘してとがめるわけではない場合、スムーズに運ぶでしょう。そうでないと相手は不快感を感じ、自衛的になります。

2. 相手の言ったことが、あなたの聞いたことと違っている場合(あなたの人生には多くの行き違いがあります)、相手の言葉を覚えていたら、こう指摘することができます。「昨日あなたは——と言ったけど、それは——という意味だったの? それとも何か別の意味で言ったの?」

3. 相手が最初は強く感じていたのだけれど、時の経過とともに状況が変わり、他人の意見が加わり、考えが以前とまったく逆の方向に変わってしまった場合。社会に順応して生きることの中には、他人の意見により方向性を変えることもあります。人は意見を発表し、その反応によってその考えはそのまま進められたり修正されたりして目標に向かいます。たとえば雑誌Aに製品の広告を出すとよく売れるだろうとある人は考えます。そして広告の反応が悪いと雑誌Aは製品に合わない媒体だと考え、雑誌Bの広告に変更するか、全く違う広告媒体を考えるでしょう。

あなた方はこういう状況を矛盾ととらえますが、実際はそうではなく、環境に柔軟に対応している知的な順応の過程なのです。前世の宗教的な環境から、あなたは普遍的な真実、変わることのない絶対的な宇宙の法則に慣れ親しんでいます。しかし今生のあなたは社会環境の中で生き、その環境で通用している規範を謙虚に学ぶ運命にあるのです。その前提を持っていれば、あなたはもっと他人に対して寛容になれるでしょう。他人の反応を見ることで、その人が心からその状況に協力し、プラスのエネルギーを与えようとしているかどうかが分かるでしょう。

必要とするもの

◆受容と共有

あなた方は自分の意見が聞き入れられることに切迫した必要性を感じます。この切迫感の根底には、自分を受け入れてほしいという欲求があります。あなたがあるべき軌道にいるかを測る尺度として他人の受容が役に立ちます。他人があなたの言うことを受け入れていたら、あなたのコミュニケーションはうまくいっているという証拠です。しかし他人があなたの言うことを聞かなかったら、あなたは一歩下がり相手に分かるような話し方をもう一度検討する必要があるのです。

あなたにとって真実とは聖なる踏み石のようなもので、あなたの意識の根幹を成すものです。あなたは他人に、普通の人のようにお金儲けなど世俗的な関心を持つ代わりに真実のことばかり考えている、どこか頭のおかしい人間だと思われるのが怖くて、心の真実をあまり人に語りたがりません。あなたは自分本来の姿を明かしたいとは思うものの、聖なる真実には形がないため説明が難しく、聞いているほうは関心を失ってしまうことが多いのです。あなたは自分の哲学を短い言葉でどう表現したものか迷い、フラストレーションを感じます。

それはさながら歯の痛みを抱えて歯医者を訪れる患者と対面しているようなものです。患者は歯に詰め物をするのか、抜歯か、クラウンか、あるいは歯根治療をするのかを知りたいと願います。患者は歯医者が歯学部で経験したことなど聞きたいとは思いません。しかし歯医者が何年もかけて勉強したことが患者の歯をどのように治療するかの基盤になっているため、患者は歯医者の簡潔な事実の説明の背後にその知識の蓄積を感じるのです。これと同様に、あなた方は相手の切実なニーズに対して簡潔に答える訓練をする必要があります。哲学の全貌を一から話すのではなく、その場にふさわしい、単純な答えを出してあげるのです。それが今生のあなたに課せられた義務のようなものなのです。

真実はエネルギーであり、概念ではありません。あなた方が本当に求めているのは真実の持つエネルギーです。しかしそれは深く考え込むことで手に入れられるようなものではないのです。日常生活の中で他人と情報を交わしながら問題を解決しているうちに、あなたの求める真実に触れることができるのです。誰かが壁を乗り越えるのをあなたが手助けするとき、それがどんなに表面的な問題でも、単に誤解を解くということであっても、真実のエネルギーがそこに生まれ、当事者全員が平和な結末に喜びを感じます。今生のあなたは単純で日常的な、そして純粋な他人との関わりの中に真実を見つける運命にあるのです。

◆現在《いま》に生きる

・現在《いま》と此所《ここ》の解決法

あなた方は遠大な解決法にこだわるあまり、今、目の前にある喜びを享受しようとしない傾向があります。あなたは今でも普遍的な真実を追究しているのです。今生ではもう少し現在《いま》と此所《ここ》の解決法に視点を移し、幸せな今を感じることができたら、その一瞬の積み重ねとして幸せな人生を送ることができるということを知るべきなのです。

仕事の場面でも同様のことが言えます。あなたは仕事の全体の流れに気持ちが向いていて、取りあえず現状をどうするかということを重要視しません。スケジュールやプロジェクトの予算などを完成までの段階別にブロック化してとらえ、具体的な細かい心配が永遠に続くという感覚を捨てましょう。

私のクライアントに家族向けの住宅物件を貸している人がいました。テナントの一人が出ていったとき、ちょっとした配管の修理が発生しました。修理をしてまた貸す代わりに、彼はいい機会だと言って配管を全部取り替えたのです。ついでにこれもいい機会だと言って、大変な時間と資金を要する基礎工事にも着手したのです。彼には時間も資金もなかったにもかかわらず、徹底的に改築するには現在の基礎を修理しなくてはならないため、家を持ちあげての大工事になりました。（ドラゴンヘッドが双子座にある人はみな永遠という時間を考えるのですが）、彼もこの工事はいつかやらなくてはいけないと考えていたので、それなら今やってもよいだろうと考えたのです。彼には工事を迅速に済ませるだけの資金がなかったので、物件は空き家のまま何ヵ月も放置されました。上の階に住んでいた家族が引っ越したのを機に、そこもやはりいずれやらなくてはならないからと言って配管工事を拡大しました。建物全体が空き家となり九ヵ月が過ぎたとき、彼は私のところにやってきました。賃貸収入がなくなったために、建物全体を手放す危機に瀕していたからでした。

　あなた方は一時的にものごとを解決すること――問題が起きたらそれに集中し、あまり未来に影響するような抜本的な解決法を考えないこと――の大切さを学んでいます。でないとあなたは未来を安心して目指すための現在の基盤を失いかねないのです。地球上の暮らしは一時的なものです。永遠という時間は意識の中にしか存在しません。あなたは未来の展望を短く設定し、目の前の出来事を整理することを覚えましょう。大風呂敷を広げることなく状況の顕著な事実に注目し、論理を駆使して計画を整理してみましょう。

・目的意識

　あなたは人生の中で、ある分野には非常に忍耐強い反面、ある分野では近道をしようとするという二律背反《にりつはいはん》があります。理不尽な近道は結局遠回りになることが多く、あなたは元に戻り、歩みを遅くし、すべてをやり直すことになるのです。あなたは急いですべてのことを片づけ、周りの人々にも無理に協力してもらい、もっと大事な仕事をするための「自由」を得ようとします。あなたの心の落ち着きのなさは、喪失感と関係があるのです。実際、あなた方は人生に方向性を与える目的意識を求めているのです。しかし目的を選ぶのはあなたの自由で、そこには「真実の追究」以上のものが必要なのです。あなた方はそれぞれに社会とつながる個人的な当面の目標がありますが、その目的がはっきりと定義されるまで、あなたの心には喪失感が宿っているのです。このため、あなた方の多くは仕事を頻繁に替えるのです。現在の仕事があなたの心にある目的意識を満たすものでなかった場合、あなたは何の良心の呵責もなく辞め、何かまったく新しい仕事を見つけ、そこでうまくいくかやってみようと考えます。あなたはその天職を得るために必要と思えば、どんなに長く困難な教育でも投資する価値があると考えているのです。

　あなたを駆り立てる目的の探索は、真実を追究してきたあなたの前世の姿勢そのものです。しかし今生でのあなたの目的は、社会との絆を取り戻すことなのです。たとえばあなたが四人でテーブルを囲んでいると、あなたは会話をリードするのが非常に得意です。しかし同じ四人が毎日顔を合わせるとなると、あなたは神経質になっていきます。あなたはもう言うべきことはすべて言ってしまったと考えるのです。それはその通りなのですが、あなたはまだ後の三人の話を聞いて

ドラゴンヘッド　双子座　第三ハウス

いないのです。これがあなたの次のステップです。あなた方は他人の話を聞き、やり取りを続けることで友情を育てることを学ぶ必要があるのです。このような分かち合いが大きなエネルギーを生み、お互いに何かを発見するという新たな領域に達するようになるのです。同じ四人が新たな経験をすれば、みんなで新たな洞察を分かち合うことができます。

◆変化

あなた方は過去の幾多の人生を宗教的な組織の中で真実だけを見つめ、閉ざされた環境に生きてきたので、今生では何か一つのことだけに集中するのを敬遠します。あなた方は世俗的な冒険を渇望します。人生を味わい、いろんな人間関係を経験し、違った職業につき、いろんなところを訪問する。世界に生きる喜びを全部経験したいと願います。

しかし同時にあなた方は一つの仕事や結婚、生き方をずっと続けている人々をうらやましく感じます。あなた方は「すごいなあ。人生のすべてをたった一つのことに捧げるとはどんな感じがするだろう」と考えます。しかし心の底であなた方は、長い人生を一つのことだけのために生きるのはかなり退屈だということや、自分では決してできないということを知っているのです。今生のあなた方にはたくさんの選択肢があったほうが楽しい人生になり、それがエネルギーを生み出していくのです。

人生を常に冒険と考えることのマイナス面は、出会う人々と表面的にしか関われないということです。その人の深い部分、たどった人生、性格、現在までの経緯などに触れることなく、共に冒険を楽しみ、また次を目指していくのです。しかしそこで少し時間を取って相手のことを理解していくと、そこに人との絆や安らかな心が生まれるのです。このため歩幅を小さくして周りを忍耐強く観察し、人々と会話をしていくほうがあなた方の望む人々との絆が築けるのです。

・思いつき

あなた方は思いつきで行動すると気持ちが軽くなり、幸せになるため、好んでそういう行動をします。思いつきはプラスの効果がある反面、親密な関係ではマイナスにもなります。たとえばあなた方は好きな人と会う約束を直前にするため、会いたい人は都合がつかないことが多いのです。人々の多くは事前に立てた計画に基づいて行動しているということを考慮したほうがよさそうです。誰かに会いたいと思ったら、あらかじめ約束をしておく必要があるのです。あなた方は相手の都合がつかないと、「その日には会うべきではなかったのだ」と結論します。

あなたは何か月後、何年後の未来に、自分がまだその人と会っていたいか確信がもてないために、計画性よりその場の感覚を重視するのです。あなたは自由に行き先を決めたいと願い、どこでもエネルギーのあるところ、冒険の香りのするところに惹かれていくのです。しかしあなたの思いつきによる行動が通用しない場面に遭遇することもときにはあるのです。ビジネスも然り、また行き当たりばったりな行動を好まない人々に出会ったときも同様です。

・落ち着きのなさ

あなた方は何となく落ち着きがありません。しかし前世の影響から、どんな職業でも一〇〇%神経を集中させる能力(それが長続きしなくても)は持っています。あなたにとってこれは健全なことなのです。あなたは世界にあるたくさんの生き方をさまざまな経験から学んでいるため、一つのことを一生やっているわけにはいかないと考えます。

しかしときにあなたは一つの職業にはまってしまいます。成功し、物質的にも恵まれ、ある面では満足しているのです。しかし変化を起こすために最良のタイミングとは、自分に納得がいき、すべてが順調にいっているときなのだとあなたは心の中で知っています。今生のテーマは学びと成長、そして情報を集め、自分を鍛えることです。このためあなたはもし自分から変化を起こさなくても、人生が変化を起こしてくれるだろうと期待するのです。しかしあなた方には大胆さがないわけではありません。あなたは大体において自信や楽観的姿勢があり、人生をギャンブルのようにとらえ、自ら変化を起こします。

あなた方が変化を起こすとき、それは直感に基づいています。あなたは自分が経験すべき次の冒険を嗅ぎ取るのです。直感があなたを導いてはくれますが、同時に変化を起こしている論理的なものごとの流れや、他人の支援などにも注意を払うべきなのです。それがないとあなたの人生は不必要な困難に見舞われることになるでしょう。今生は「自力で何とかする」人生ではありません。あなたにはあなたより経験豊富な多くの人々の協力があり、彼らに支えてもらいながら自分の夢を実現していくべきなのです。

あなたには状況が求める以上に徹底した解決をしようとする傾向があるため、どこかで足をとられないよう常に注意する必要があります。前世で追求してきたような恒久的解決ではなく、一時的に解決することに満足することを学んでいるのです。社会は常に変化しています。大切なのは人生をプラスの方向に進め、周りの人々と足並みをそろえていくことなのです。人生が停滞すると、あなたはそこにエネルギーを呼び込むために周りの人々の論理的な提言に基づいてそこから脱する必要があるかもしれません。

前世では孤独があなたに快感をもたらしましたが、今生において孤独は望ましい姿ではないと、あなたは心の中で知っています。だからこそあなたは社会に戻ってきたのです。あなたが見つけた心の調和を人々と分かち合うために。あなたは人間関係の中でもその心の調和を維持し、自分の外に調和を拡大していくことを学んでいるのです。

しかし社会では引っ込み思案になっているあなたは、心の調和を表現する難しさに負けて自分の心の中だけで成長することを考えてしまいます。つまりあなたは他人と関わろうとする代わりに、前世から営々と紡いできた平和と調和の長い長い糸を、今生でも引き続き一人で紡いでいこうとするのです。

あなたは社会に戻り、心の平和を保ったままで人々と関わろうとしています。ですから一時的で表面的な人間関係があなたのためによいこともあるのです。浅く関わることにより、あなたは自分の心の調和を維持することができるのです。さまざまな表面的なレベルのつきあいでこれを習得したら、今度はもっと深く関わってみるのです。

◆歩調をゆるめる

あなた方はほかの人と分かち合うべき情報をあまりにたくさん持っているために、それらのメッセージを伝えることを負担に感じることがあります。しかし前世であなたが一人で生きていたころの人生のペースと、現在のそれは異なります。歩調を遅くする必要があるのです。今生は人と関わるための人生だということを忘れないで下さい。

あなたが近道を行こうとすると、結局元に戻らなくてはならなくなり、たどり着くのがかえって遅くなります。今いるところがあなたのいるべき場所で、あなたの目の前にいる人があなたのメッセージを受け取るべき人なのかもしれない、ということを心にとどめておきましょう。そう考えることであなたの気持ちはずっと楽になるはずです。しかしあなたが次の人に出会うために先を急ぐと、初めのメッセージがきちんと伝えられず、あなたの心の負担は軽くなりません。

あなたが感じるもう一つの問題は、誰かにあなたの伝えるべきメッセージを守備よく伝えるだけでなく、相手がきちんと理解したか確認する責任を感じていることです。ある意味でこれは正しい考えです。今生のあなたは教師で、その仕事は相手に分かるように伝えることなのです。しかしせっかちな性格が現れると、相手の言葉で理解させるのではなく、相手に強要してしまうことがあるのです。あなたは十二のメッセージを十二人に正確に伝えることは、何百というメッセージを伝えて誰にも理解されないことに勝ることを知るべきなのです。

・言葉を大切にする

ほかのどのドラゴンヘッドグループよりも多い確率で、あなた方は若い時代に吃音の問題を持ちます。あなたの心は敏捷すぎて、しかも多くの前世を孤独の中で過ごしてきたために話すことが苦手なのです。つまりあなたの心はあなたの言葉の能力より十倍早く進むので、ぎくしゃくしてしまうのです。社会から長く遮断されていたので、社会に戻れたことがうれしく、人と話したくてたまらないのに、どう接してよいか分からず、恐れを抱いてしまうのです。それらすべての要因から吃音が起こります。歩調をゆるめ、相手の波長に合わせることが効率よくあなたの伝えたいメッセージを伝える方法なのです。

吃音はプラスに活用することもできます。最初の言葉がうまく出てこないとき、あなたはすぐに別の言葉を探さなくてはならなくなります。これによりゆっくり話すことになり、自分の言いたいことを正確に言えるようになっていくのです。

そこであなたは言葉を尊重し、言いたいことを効果的に組み立てるという「芸術」を学ぶのです。最適な言葉を選ぶ技術を習得すると、あなたは心にある高度に創造的なエネルギーを人間関係の中に還元していくことができるようになります。

あなたの心には膨大なエネルギーが有り余っているため、言葉の威力を尊重しないと、焦燥感にとらわれるでしょう。あなたはものごとを曖昧なままにしておいてはいけません。時間をかけて正確に言葉を選択していると、エネルギーがそこに集まりあなたに必要な集中力が生まれます。あなたはどう表現したいか正確に知っているのですが、相手を理解させることは別の難しさをともないます。あなたはほかの人が効率よくコミュニケーションをしている姿を見て、どうして自分にはそれができないのか悩みます。事実、あなた方はウィットに富んだ興味深い会話の多い映画を好みますが、そうやって話し方を学んでいるのです。

あなたが覚えておくべき重要なことは歩調をゆるめるということ。あなたが放った言葉は、何となく連なる考えの固まりとしてでなく、一つ理解した上でその先を理解するという具合に、相手に完璧に理解されているか確認したいとあなたは考えています。たとえばあなたが「海外旅行ではあまり楽しい経験がない」と言ったとします。ここであなたは間を置いて相手の反応を見渡します。もし誰かがそんなことはないと言い出し、タヒチであなたがどれほど楽しい思いができるかについて語り始めたら、あなたはそこで前言について明確にしなくてはならないからです。

こう言うこともできるでしょう。「海外旅行はすべての人にとって不快なものだとは思いませんが、私にとって、海外は最も楽しい経験をするところではないようです」全員に当てはまると言っていない限り、他人の個人的な経験に反論する人はいません。最初の論点を話し終えたら、他の人の同様の経験からあなたも学ぶことができることを忘れてはいけません。「あなたにとっての海外旅行経験はどんなものですか」とたずねてもよいでしょう。あなた方が自分の視野を広げるために、他人の話を聞くことはとてもためになるのです。

・タイミング

あなた方は口に出す前にまず考えることを学んでいます。同時にある言葉を伝えるのに最適のタイミングを知ることも学んでいます。あなたがどれほど完璧な答えを相手に用意しても、相手に準備ができていなければ受け取めることができません。そして相手が受け入れる姿勢を持っていないときは、次の機会が自然に訪れるのを待つべきなのです。相手の受け入れる姿勢とあなたの善意に焦点を合わせ、あなたがその会話に個人的利害を持っていないときにのみ最適の機会が訪れるのです。相手にその会話を伝えることにあなたが利害意識を持っていると語気が強くなり、宗教的勧誘か、好戦的な態度となって相手の目に映ります。あなたは人を助けたいと考えているやさしい人なのですが、その姿勢がときに強すぎる意志となり、相手に理解されないこともあるのです。

人間関係

◆自由への渇望

あなた方は今生でも自由を求め続けます。この自由への衝動が新しい人に出会う行動を起こさせるなら、それは正しい方向であなたの人生に活気をもたらすものです。しかしそれが例の「自由を唱えるテープ」の声に導かれたものだった場合、あるいは人と関わることからの逃避だったとき、あなたは落ち着きをなくし、孤独に悩むことになります。

・人とつながる恐怖

誰かがあなたを怒らせると、あなたの最初の反応は一人になり「山頂」にたてこもることです。あなたは自分が人と関わるには弱すぎると感じ、心から人と通じ合うことに恐怖を感じてしまいます。また他人と真実を分かち合うことの難しさに勇気が萎えてしまうのです。あなたにとって真実はとても身近な存在ですが、それを他人が理解し、尊重できるように解説するのは非常に難しいと考えるのです。

あなた方は他人の話を聞く訓練をしているのですが、質問をたくさんすることはあなたにとって大変よいことです。上手な質問をして、相手の話に興味を持つことがよい聞き役になることのすべてです。あなたがこれをしている間、とても幸せで平和な気分でいられるはずです。あなたには深く純粋に誰かと通じ合うことへの恐怖がありますが、実際に行動を始めると受け入れられる感覚や全うする喜びもまた格別なのです。そして前世で達成した静寂に再び戻ることも可能です。

親密な相手とうまくやっていくには、あなたは隔離された「繭《まゆ》」の中にいたことを認めることから始めるとよいでしょう。あなたはまず恐怖を克服し、意志表示をします。繭から出て誰かと通じ合いたい。しかも望みや夢を共有するだけでなく、恐れや疑惑も分かち合いたいと。そして会話の中で自己表現をしていくうちに、あなたは心から正直に自分を出すことができるようになります。あなたと相手は前向きな明るい人生のあるべき姿についてだけでなく、日常生活の中での現実についても語り合い、それぞれの課題を分かち合います。相手を素直に受け入れることはあなたが一人ではとても不可能だった喜びを日々の暮らしにもたらしてくれます。

・真剣に取り組む

ほとんどの人は永続する忠実な結婚に留まりたいと願いますが、あなたの一部はそういう永続性に恐怖を感じます。あなたは自由に成長し、変化し、動き回り、違うことを試したいのです。自分と似たような性格の人と出会ったらその人と分かり合いたいし、そうすればお互いのベストを提供し合うことができると考えるのです。しかしあなたの自由を束縛する関係に入ってしまうと、大概の場合、うまくいきません。

あなた方は親密な関係で真剣に向き合うことが苦手です。あなたが真剣になっているのは真実と心の調和です。あなたは自分の哲学に邪魔が入っては困ると考え、その信条を固く守りつつ相手と深く関与することができるものか思案するのです。あなたは信条あってこそのあなただと考えているのです。信条が違っていてもお互いがオープンで相手の哲学を尊重している限り、二人の関係はうまくいくのです。

あなた方は自分の行動を制限するのを嫌います。あなた方は人とつながり、社会に再び組み込まれることを学んでいるのですが、その方法を学ぶにはたくさんの違った特徴を持つ人々と知り合う必要があります。あなたは真実の触感を人に伝え、心の調和を社会にもたらしたいと考え、あなたが紡いできた糸をほかの人々にもつなげていきたいと願います。あなたは違った状況で違った人々と交わっているうちに、次第に自分の心の調和を乱さずに人と関わる方法を身につけていきます。そしてあなたはさらに親密になっても、自分の調和は守れると考えられるようになります。

このように、あまりに早く、深く親密になってしまうと自分の心のバランスを失ってしまうため、あなたが親密な関係を築くには時間がかかるのです。結婚やそれに類似した関係はあなたがほかの人々と親しく交際することを制限するため、あなたの大きな目標とは両立しません。このためあなたのニーズを支援してともに社会に生きられるパートナーを探す必要があるのです。あなたには自分の能力を今生で発揮するためにたくさんの場面での経験が必要なのです。しかし決して一夫一婦制度があなたに向かないと言っているわけではありません。あなたは多くの人々と心理的に交流する必要があり、その機会を制限するのはよくないということです。

◆思惑で行動する

あなたの無意識に潜むさまざまな策略のうちで最も人間関係に悪影響を与えるのは、他人の考えを勝手に思い込むことです。情報収集をせずに、あるいは他人と共有せずに行動するとあなたは失望感に見舞われることになるでしょう。疑問があったらその人のところに行って、いろいろ判断する前にたずねることです。あることについて他人が「うまくいっている」と考えているだろうと思い込んでいると、たいてい失敗します。毎日状況を確認し、人々の様子を見たり、自分の状況を伝えたりしていると、ずっとよい結果が生まれます。あなたが人間関係を成功させるには常にコミュニケーションを取るように意識する必要があります。

・コミュニケーション不足

親密な関係であなたは、相手があなたの感じていることや経験していることを理解していると考えます。私のクライアントに、素敵な男性と類いまれな喜びにあふれる素晴らしい一夜を過ごした女性がいました。その後彼は二度と彼女に連絡を取らず、彼女は「恐らく彼はあの夜について違う感想を持っているのだろう」と想像していました。しかし彼女には本当のところは分からないのです。彼が電話をしない理由は百通りでも考えられます。彼女の電話番号をなくしてしまったのかもしれないし、ほかの誰かとの関係を清算できずにいるのかもしれません。あるいは何かが起こってそれを処理しているうちに時間が経ってしまい、電話をしそびれていることも考えられます。そして彼女の出した結論が正しいこともあるでしょう。しかし彼女は電話をかけて、どうしているかたずね、あの晩どれほど彼女が楽しかったかを伝え、電話をしなかった理由を聞き出すこともできるのです。あなた方はもっとプラスの結果を信じ、人生の中でそれを実現するための主体性を持つべきなのです。

あなたは親密な人間関係を続ける中で、相手に長い間連絡を取らないことがあります。何か否定的なことが起きているとき、あるいは何か結論を出せないものを抱えているとき、あなたは相手にこんなことを言いたくないのです。「実はね。ボーイフレンドに振られたの」とか「クレジットカードを盗まれたんだ」など。平静を取り戻すまで待って、明るい気持ちで話をしたいのです。自分がベストの状態でないときには会いたくないのです。

当然ながらこういったコミュニケーション不足を他人は関心のなさと受け取ります。あなた方はこういうコミュニケーションの至らなさから多くのロマンチックな関係を築く機会を逃しているはずです。相手はあなたに愛がなくなったと感じ、他の人を探してしまうからです。あなたが本当にある関係を続けたいと願っているなら、相手が「二人の関係はうまくいっている」と考えていると勝手に思わないことです。定期的に電話やカードで連絡を取り、コミュニケーションを断たないようにしましょう。あなたがある疑惑や不確実なものと直面しているときは「本当は電話したくなかったんだけど、今は君と会う準備ができていないんだ。ちょっと片づけなくてはならないことがあるんだけど、君のことを僕は考えているし、君がどうしているか知りたかったんだ」と率直に話せばよいのです。

二人の間で誤解が生じたとき、あなたのほうからそれを解く必要があります。あらかじめ相手に話しておくのもよいでしょう。「僕の心はいつもあちこちに飛んでいるから、時々人の話を聞いていないんだ。君ときちんとコミュニケーションを取っていたいから、僕が誤解していると思ったらすぐに教えてほしい」あなたは会話をしながらよくほかのことを考えていて、相手もそのことを考えていると勘違いするのです。そしてほかの人々があなたのようにものごとをとらえていないことを知ると、あなたはショックを感じます。あなたの場合他人の考えを何度もチェックし、あなたの考えていることを言葉に表現することを忘れてはいけません。あなたの心にある多彩な考えが上手に相手に伝わったら、二人の関係はさらに前向きになり、新たな段階に入ったことを感じるでしょう。

・感情を分かち合う

あなた方が時間をかけて正確にこれまでの経験を語り出すと、聞いている人は深く感動します。その結果、あなたは他人の受容と共感という喜びを感じます。あなたが「正しい」ことを言おうとか、相手に理解させようと考えず、自然に話をすると、その内容は人々の心の琴線に触れるのです。魂に触れようと思ったら、あなたの経験を正直に話すことが肝要です。

私のクライアントのガールフレンドがある日、ドレスショップで彼のクレジットカードを使って予定外の支払いをしました。彼は彼女と向き合い、それが彼女のドレスに使われたことを知っていながら、そのお金を何に使ったのか告白させました。彼女は「家庭雑貨よ」と答え、彼はむきになって彼女に正直に話すことを要求し、ついに二人の関係を壊してしまいました。あなた方は嘘が大嫌いで、嘘をつかれたと感じると独善的な怒りをぶつけてしまうのです。しかしこの場合、彼の反応も正直ではありませんでした。彼は「話したいことがあるんだけど、これは僕にとってとても大事なことなんだ。

僕のクレジットカードで僕の知らない支払いが発生していたから、間違いじゃないかと思って確認したんだよ。そうしたらドレスショップの支払いの記録が三枚あって、君の署名があったんだ。僕はいつも君に寛大で、君にきれいでいてほしいとも思っているけれど、僕に断わりなく買い物をされて、僕は傷ついたし、裏切られたような気がしたんだ」と言ってもよかったのです。

そして正直に打ち明けたことで、次にもう一つの真実が生まれます。事実を並べ、正直に感情を伝えたので、彼は心を開放して彼女の本当の性格を観察できるのです。彼女が改心して、彼に近い倫理観を持つようになるか、あるいは彼女が親密な関係を持つ相手としてふさわしくないと判断するかもしれません。あなたは相手が倫理的に成長する機会を与えてあげる必要があるのです。この機会を作る唯一の方法はあなた自身が相手に対して高潔な行動を取ることです。相手が忠実になるように仕向けるのではなく、あなたが正直に感情を伝えるのです。

・独善的態度

あなた方は他人が真実を言うと強く反発し、その人が身近な人ほど顕著にその傾向を表わします。このため周りの人々はあなたに嘘をつかなくてはならないと感じるのです。あなたは周りの人に何が起きているのかに、あまり関心がありません。しかし他人の話を聞きたがらないあなたの傾向は、身近な人に理解されないという悲しむべき結果を引き出します。

あなたは真実を求めていると語るにもかかわらず、他人が真実を提示すると動揺します。あなたが他人の真実に耳を傾けたくないということは、他人があなたに嘘をつくことを勧めているようなものです。自分を否定されてうれしい人はいません。あなたが独善的に誰が正しいとか正しくないという判断をしていると、あなたのそばに近寄りたくない人も出てきます。

あなた方は哲学的な真実の追究への欲求に勝る、人々との調和の喜びを学んでいます。これにも判断を保留することが求められます。あなたが他人を批判するとき、あなたはその人の倫理規定を考慮に入れていないのです。その人をよりよく理解するには、質問をする必要があります。「学校での専門は何だったのですか？　最初の仕事はどんなものでしたか？」あなた方は現在ある姿を見て、それまでも今と同じだったと想定してしまいがちですが、人がなぜ現在に至ったかについて語るとき、そこには信じられないようなドラマがあるものです。

あなたが相手から真実や正確な事実を聞きたいと願うなら、自分が何を求めているのかについて明確な意識を持っている必要があります。相手について知り、その人がその人自身を表現することに役立つか？　あるいは、相手の話を聞くことによりあなたが「正しい」と感じるためか？　あなたの動機が「聞く」ことにあるときはうまくいきますが、自分を正当化するためだった場合はうまくいきません。

　あなた方が正直なコミュニケーションを求めるなら、他人と自分は対等だと考える必要があります。正直さは進歩を促しますが、最初の何人かとのつきあいでそれが起きるとは限りません。相手が正直でいられるような寛大さをあなたが持ち合わせるようになると、二人の間に正直さや誠実さが自然に生まれるのです。個人的な関係においてあなたは相手に、正直であることがあなたにとって重要な意味を持つということを、相手を遠ざけないように、建設的な方法で知らせる必要があります。たとえばさりげなく、しかし明確に伝えるとよいでしょう。「お互いを騙《だま》そうとしているときより、正直に話し合っているときのほうがずっと楽しいね。正直でいると二人が親密になり、さらに受け入れられるようになるんだ」

・二面性を伝える

　相手の質問に対しあなたが迷っているにもかかわらず、イエスやノーと無理に答えるとき、あなたの中で答えが見つかっていないため、いずれにしても相手に嘘をついていることになります。ですからそんなときの正しいコミュニケーションの仕方は、あなたが両方の選択肢の間で、まだ心が定まらないと伝えることです。相手がこれを理解できれば、あなたはまず一つの選択肢を試し、それがうまく行かなければもうひとつに変更することができるでしょう。

　私のクライアントにオフィスに通勤するか、家で勤務するかという選択を与えられた人がいました。彼女は自宅で静かに一人で仕事をすることを望みましたが、もし家にいるとオフィスで働くほど効率よくできないのではないかと悩みました。彼女は上司に正直にこう言いました。「家で働きたいと思っているのですが、仕事の生産性は私にとって大変重要です。取りあえずは家でやってみますが、もし生産性が落ちたらオフィスに通勤したいと思います」

　今生で、あなたはいくらでも心変わりしてよいことになっています。前世ではこれが許されなかったため、「人生とはこんなものさ」という感覚を持っているのです。しかし今生であなたは無数の選択肢と出会いたくさんの情報を得ることができます。その新しい情報を生かして進路を変更してよいのです。

　ですからあなたがその（当面の）決断を発表するとき、あまり決然と発表せず、その後でまた気持ちが変わるかもしれないという余裕を残しておいたほうがよいのです。「これは正しくないし、評価が変わることはない」と断言する代わりに、「これは正しくない。考え方がまた変わるかもしれないけれど、少なくとも今はそう見える」と言っておいたほうが無難です。見方は変わるものですから、最終結論を出す必要はありません。

◆ロマンス

・バラエティー

あなたには多様な人材と出会うカルマがあります。インテリからペテン師、高校中退者から院卒まで種々雑多な人々と出会うことになるでしょう。ありとあらゆる種類の人と表面的に接していると、人のタイプの分類に迷うこともあるでしょう。彼らの精神的な自我に触れ、彼らの考え方を共有する能力が培われると、あなたはなぜ多様な人々と出会っているのかが分かるようになるでしょう。あなたの真実がたくさんの人々から表面のレベルで拒絶されると、自分の真実に対する多面的な見方が分かってきます。それにより自分の考えが正しいか検証され、多くの違った考え方に自分の考えが磨かれていく過程に喜びを感じるでしょう。

たとえばこういう疑問が湧くかもしれません。「貧しいとはどういうことだろう」そしてあなたは金銭的に貧しい人々に目を向け、そこに富裕な人々には見えない価値観で生きている素晴らしい人々に出会うかもしれません。あなたのわくわくするような発見は自らを開放し、自分の意見を外的環境と照らすところから生まれます。あなたの求める調和は、自分の真実と他人のそれを融合することで可能になるのです。あなたの課題は多様性を取り巻くエネルギーの存在を認めることです。

あなたが性的な経験をするようになると、多様な相手を求めるようになります。人の肌の温かみから何世代にもわたり遠ざかっていたあなた方は、お菓子屋に来た子供のような反応をします。全部食べてみたいのです。実際あなたの場合は度を超さない限り、とくに若いころは許されていることです。あなたはここでも真実の糸を我が身に保ったままこれを他人と共有し、つながることを学んでいます。多様な人と交流することは、あなたが真実を手放さずに共有するために必要な経験なのです。

あなた方は前世から磨かれてきた高潔さがあるため、他人を誤解させるような言動は決してしません。あなたは決して相手と寝るだけのために「僕は君を愛しているんだ。一生君を離さない」と言ったりしません。しかし前世での宗教上の訓練による罪悪感から、「僕は今よくないことをやっている。

一人の人を愛するべきなんだ」という声に悩まされます。ときにはその考えが正しいという状況もあるかもしれません。しかしそれは、あなたが独善的に自分の真実を維持しながら、その相手とともに過ごすときに限られます。さまざまな個性を持つ異性とデートを重ねていると、あなたは魅力的になり、相手との結びつきを維持しようと好感度の高い行動を取ります。その行動を一人の人と交際を続ける中で維持できれば、あなたはあるべき軌道にいると言えます。

もしあなたが今もいろんな人との交際を続けているなら、その動機が明確である必要があります。ただ誰かと一緒に過ごし、セックスをすることで寂しさを紛らしているのなら、その人といる間だけの一時的な満足しか得られないばかりか、翌日にはさらに深い空虚感に苛《さいな》まれることになるでしょう。そういう自己破壊的な悪循環を避けるには、肉体の親密さの基盤となる精神的な結びつきを強固なものにしていく努力が要るのです。肉体関係を結ぶ前に、感情面での結びつきを確かなものにしておく必要があります。そうすれば肉体の結びつきはその真実の表現方法として喜びに満ちたものになり、空虚感や罪悪感に苦しめられることはないでしょう。

・執着

あなた方は他人、特に恋やセックスの相手に対する異常なまでの執着を見せることがあります。あなたが一つの考えや一人の相手に過剰に執着したら、心の均衡を取り戻せるように、その対象から気をそらすようにする必要があります。ある考えに固執したら、偏った考えに陥らないように、違った見方をあえて取り入れるようにしましょう。あなたが一人の人に過度に執着したら、誰かプラトニックな関係の相手を見つけて一緒に過ごすことで、過熱した関係にバランスを取り入れるようにするのです。そのほうが本命との関係もうまくいくようになります。ほかにも選択肢があると自覚することがあなたには最良の解決手段なのです。

これと反対に、あなた方は極端な無関心にも陥ります。今生でもあなたは哲学の王になりたいと願うのです。しかしまた山の頂上に登っても、そこには誰が待っているでしょう? あなたの潜在的執着の中で最も恐るべきは、自分の考えに引きこもり、人間関係を二の次にしてしまうことです。あなたは自分の思考過程に没頭し、相手の存在にさえ気づかないことがあるのです。「僕の考えは正しい。実に意義深い」そう考えて他人の助言を一切排除するようになったとき、それはあなたにとって最悪の状況になります。あなたが他人の考えを遮断すると、あなたに必要な多様性にも心を閉ざしてしまうからです。

あなたが考える以上に、人間関係はあなたにとって重要だということを知りましょう。自分の目標を追いかけるよりも多くの時間とエネルギーを、人々とともにいることに使うべきなのです。あなたが考えすぎの癖をやめることができたら、身近にいる人々があなたの目標になることもあるでしょう。

・表面の達人

あなた方は初対面の応対が得意です。自己紹介のちょっとしたスピーチで魅力を十二分に発揮しますし、表面的なつながりが上手なのです。しかしあなた方はレストランにいるような「いらっしゃいませ」の専門家のようなものです。相手を気持ちよく歓迎し、誰にでも当てはまる軽妙な会話でにっこりとジェスチャーをする――しかしその後が続かないのです。ロマンチックな関係でも、ここまで来ると神経質になり一人でどこかに行ってしまったり、いきなり襲いかかってしまったりするのです。あなた方は体と心の結びつきが良好で、相手と体が触れ合うと安心します。しかし肉体関係の前に心が惹かれ合い、お互いを理解していないと、性的な関係は短時間で終わり、表面的な満足感しか得られません。それは深く充実した関係には発展しないのです。

あなた方は前世で多くの偉大な冒険をしてきました。あなたが真実を追い求め、どこかの山の頂上を目指していたとき、魅力的な異性が突然道に現われてセックスの冒険に誘い、二人は楽しい時を過ごします。しかしあなたはそこにとどまる気はなく、再び真実を求める旅に出るのです。充実した絆を誰かとの間に築くことやロマンチックな関係を深めることは、あなたの目標とは両立しなかったからです。今生であなたが前世でしたようにある関係から退いてしまうとあなたは孤立しますが、それでもあなたは人々と深く関わることに背を向けてしまうのです。あなたは他人と親密になりたいのですが、その方法を知らないのです。ロマンチックな関係ではとくに、そのぎこちなさがフラストレーションを引き起こします。

しかし一度関わり方を習得すると、あなた方には人との関係を築く素晴らしい才能が備わっているのです。その鍵は相手に純粋に関心を寄せ、相手に対する好奇心を持つことです。この人はどういう考えを持っているのだろう？　何を大切にしているのだろう？　何に興味を持っているのだろう？　この人は私にどんなメッセージを送ろうとしているのだろう。そして私はこの人にどんなメッセージを送ればいいのだろう？

◆意識的なつきあい

あなた方はストレートすぎる傾向があり、そのためにトラブルを起こす場合があります。本当に伝えたいと願っていることにもっと神経を使い、責任ある理性的な態度で他人と接する必要があるのです。

私のクライアントに、ドラゴンヘッドを双子座に持つ人と二十六年間の結婚生活を送っている人がいました。ある日夫が帰宅して、何の前触れもなくこう言ったのです。「僕のソウルメイトに出会ったんだ。離婚してくれないか」彼はその相手に二週間前に会ったばかりでした。この言葉に妻は完全に打ちのめされてしまいました。この二人は一年以上にわたる厳しい対立を続けていて、何が問題なのか議論に次ぐ議論をしていた末の、彼の宣言だったのです。実際彼の出会いは単なる「よそ見」で、彼が本当に望んでいたのは結婚生活を再び活性化することだったのです。二人はもともと強い愛情に結ばれたよい関係を持っていて、この本を書いている今も結婚生活を続けています。彼はあの宣言で求めるものを手に入れました。二人の関係が変化したのです。しかし彼女の心のショックは深く、今でも苦しみを与えた夫を完全に許すことができずにいます。

あなた方は放った言葉の重さを考えないで不用意に発言すると、相手を深く傷つけるということを学んでいます。あなたの言葉が真実を反映するものでなく、ただ相手を傷つけることや関心を引くために使われた場合はなおさら相手を傷つけるのです。言葉にする前に自分の心にどんな感情があるか確認してから、一番よい伝え方を考えるようにしましょう。関係を再活性させるためなのか、あるいは相手に罪の意識を感じさせるためか。あなたが非情な激しい言葉を使っているとき、多くの場合あなたの正直な気持ちを語っていないのです。問題を解決するときは、責任ある態度で言葉を選ぶようにしましょう。

先ほどの例のように、事前に何も考えず出し抜けに結論を言い放つ代わりに、彼はこう言ってもよかったのではないでしょうか。「ある女性に出会ってね。僕は彼女に惹かれているんだ。まだ彼女とは何の関係もないけれど、もっとよく知り合いたいと思っているんだ。だって君との関係で僕はとても不幸だから」真実を事実に基づいて論理的に説明すれば、彼が求めるもの——結婚生活を再び充実させること——は彼女を打ちのめすことなく手に入ったはずです。彼らは協力しながら二人の関係に存在する問題と取り組むこともできたのです。二人の結婚生活は今も続いていますが、彼女が味わったショックと不安はあまりに強く、現在も完全に癒されていないのです。

あなた方は相手の立場になって考え、相手が心地よくいられることを考えてから行動するべきです。相手を尊重した言葉はあなたと相手との結びつきを親密なものにします。幸せな関係を築くためにはこれが重要な鍵なのです。

ゴール

◆メッセージを交換する

あなた方は自分が伝えるべきことがらを伝え、相手から受け取るべきことがらを聞くことを学んでいます。これを最も効果的に行うには心のさまざまな機能を識別し、事実や論理に根ざした部分を強調するようにします。

・情報と直感

あなた方の前世の多くは自らの哲学を研鑽《けんさん》し、直感に依存することに費やされました。そのひっそりと孤独な真実への道で、ただ一つの道案内はあなた自身の直感だったのです。しかし社会の一員に戻った今、事実に基づく情報はあなたの心の平和を取り戻し、人々と接するのに役立ちます。あなたが直感を信じて行動すると、結果はほとんどいつでも孤立につながります。ある状況に不確かさや不安を感じたら、迷わず事実関係を整理して下さい。あなたは勘違いをしやすく、そのつもりがなくてもすぐに取り残されたような気がしてしまうのです。

しかし何かをしなくてはならないと強く直感した場合、こんなふうにゆっくりと自分と語り合い、気を静めるとよいでしょう。「僕の直感よ。君が主張していることは聞こえたよ。けれどなぜか僕はそれについて不安を感じる。だからもう少し情報を収集して、何が起きているのか調べてみることにするよ」あなた方の場合、いつでも情報を集めることはプラスに働き、それにより真実の裏づけとなる温かい感覚を得られるのです。

・論理性と思いつき

今生では思いつきの衝動に基づく決断は機能しない運命を持っています。たとえばあなたが衝動的に思い立ってペルー行きの飛行機に乗ろうとしたとき、あなたはそれを制止して論理的に考え直す必要があります。何かを信じることや途方もない願いからではなく、論理的な分析に基づいた決断は、長期的な意味でうまくいくのです。今生では、すべての事実を考慮せずに近道を選ぶことはできません。

あなたはまた論理を日常に応用することを学んでいます。たとえばあなたの真実の一つが「友情を大切にする」という信条だった場合、友情を築くという目標を心にとどめ、どんな行動が友情につながるか論理的に観察します。ちょっとした知り合いとの間でどうやって友情が育つのか？　厚い友情に共通する特徴は何だろう？　このような疑問に、論理的思考があなたに最適な友情の育て方を示してくれるでしょう。何よりも論理はあなたに快感をもたらすのです。論理はあなたがものごとをうまく進めるのに適した一連の過程を示してくれ、それがあなたの心を静めるのです。あなたが論理を展開すると、あなたは地に足がつき社会を上手に泳ぎ渡っていける気がしてきます。新しい状況に直面したとき、あなたは論理的に戦術を立てて計画を実施すると不安がなくなります。計画はあなたに必要な継続性をもたらしてくれるからです。

・聞くこと

あなた方は真実のエネルギーを社会に広めるために今生にやってきたのです。あなたが他人に崇高な真実を見せてあげることができないとき、それは多くの場合、その人の言うことをあなたが聞いていないことに起因しています。あなたの反応が適切でないのです。会話の中で相手がどういうスタンスでものを言っているのかを正確にとらえていれば、あなたは最適な言葉とタイミングで相手と理解を深め、相手が聞き取れるような形で真実を伝えることができるのです。あなたの反応が適切なら、ちぐはぐな感覚はすぐになくなりますが、あなたの側の努力が必要です。時間とエネルギーを費やすやり取りをするには、相手に対する適度な興味を持ち続けることも要求されます。

しかしあなた方はときとして、新たに出会った人が、自分の忍耐を乗り越えてでもつきあうに値する人材であるかどうか判断するのです。皮肉なことにあなたは出会うほとんどすべての人と真の絆を築く能力を持っています。あなたはあなたと同じように真実を求めてさまよう人を探していますが、今生ではあなたと同じ哲学者ばかりを選ぶことはできません。あなたは日常的に出会う人々――郵便配達の人や食料品店の販売員といった人々の声を聞く必要があるのです。あなたが心を通わせることのできる人々は限りなく多様で、その中からあなたのメッセージを伝えるべき人を探さなくてはなりません。

・外交

あなたの今生の使命は教えることです。他人が日常の中で真実の重みに気づいていなかったら、その機会を利用してあなたは自分の知っていることをやさしく教えてあげましょう。ここでのキーワードは「やさしく」です。そして「巧妙に」「愛を込めて」「外交的に」「調和を保ち」「社交的に」です。あなたの真実のメッセージを伝えるとき、相手が間違っているという印象を決して与えてはいけません。そうすれば相手が自己防衛的になることもなく、すんなりとメッセージを受け止めてくれるからです。

あなた方は生まれつき人助けが好きです。困っている人を見ると、真っ先に手を差し伸べるタイプなのです。しかしあなたの声の感じや態度はまるで「お説教」でもしているようで、自分では気づかないのですが確信に満ちた話し方はあなたの独善性が丸出しになっているのです。あなたは純粋に相手の問題を解決してあげたいと願います。しかしあなたが相手の問題の答えを持っていたとしても、相手があなたに反感を持ってしまうと聞く耳を持たないということを学んでいます。ちょうど子供に薬を飲ませるときのように、薬を糖衣錠にすれば飲みやすくなります。あなた方は人と接するとき、あなたの考えをどうしたら簡潔でためになる情報として、相手が飲み込みやすい形にまとめるかという命題に答える上手な方法を学ぶ必要があります。

・助言を求める

あなた方は自分に知らないことがあることが他人に知られることを恐れ、助言を求めることを好みません。しかもたずねた相手がどんなことを言うか、初めから分かっていると思っているのです。実際には、相手はあなたがまったく想像していない言葉を返したり、あなたがまさに求めている答えを提供してくれることもあるのです。あなたの周りにいる人々は、あなたに違った視点でものごとを見ることを教えてくれるだけでなく、新たな洞察をあなたにもたらしてくれるのです。

あなた方はいつも、自分の抱えている問題についてひと言も誰にも話していないのに、どうして周りの人は自分に何が起きているか分かっているのだろうと驚きます。あなた方は明るい顔をしてさえいれば、みんなは自分の状況はうまくいっていると考えるだろうと思っているのです。真実のところ、人々は案外あなたの感情の動きに敏感で、あなたに役立つ情報を持っていることもままあるのです。

◆拡散と統合

・教育

本格的な教育を受けることはあなた方にとってよいことで、新しい知識や情報はあなたに喜びを与えます。学際的な学習はあなたに幅広い視野を与え、社会のしくみや人の考え方をよく理解するのに役立ちます。組織立った考えに親しみ、さまざまな視点を学ぶと、自分の世界に浸ることがなくなるのです。読書もあなたにさまざまな人の人生観や考え方を見せてくれます。あなた方はさながらコンピューターの、何も書かれていないハードディスクのようなもので、知識や情報を渇望しています。あなたの読書のパターンは多岐にわたり、一つの分野に集中するとすぐに飽きてしまいます。読書は知識を広めるだけでなく、他人と話をするときの話題を提供してくれるので、人づきあいに自信が持てるようになるのです。

・新しい環境

さまざまな種類の人々と交わることはあなたにとって健全な環境といえます。一人ひとりがあなたに何か新しいことを教えてくれるからです。あなたはものごとを道徳や精神世界的にとらえるため、他人の話を重く受け止めます。新しい環境はあなたが誰で、何を信じているかを考える機会を与えてくれます。あなたは人と出会い、質問をし、読書をするべきなのです。つまり新しい環境で得られるすべてを吸収するということです。これもまたあなたがほかの人の視点で世界を観察するという訓練の一つなのです。

あなたがある時点でとどまり人間としての成長を避けようとすると、何か外的要因が起こり、新たな挑戦をせざるを得ない状況に追い込まれるでしょう。あらかじめ用意された運命のシナリオ通り、観念してあなたの直感が指し示す方向に進み、人生を切り拓いていったほうが賢い選択というものです。しかし運命が決めたレッスンにもあなた方はときとして頑固になります。その傾向を自覚し、意識して変化を歓迎するようにしましょう。そうすれば不必要な心理的、あるいは身体的苦痛をともなう運命からの「モーニングコール」に悩まされることはなくなります。あなたが変化を選択すると、新たな状況があなたを勇気づけ、生き生きとした人生に再び戻ることができるでしょう。

・文章を書く

あなたが求める心の完成を経験するためにお勧めしたい手段は、日記、書物、記事などを定期的に書くことです。ペンを執り、考えを文章にまとめていく過程はあなたに自信と安心感を与えます。書くことで心の落ち着きを取り戻し、緊張感や不安は平和な感覚で包まれます。

あなた方は非常に優れた文筆家なのですが、書きためた作品をずっと後になって読み返して初めてその才能に気づくのです。あなたは思考を整理し、分かりやすい文章に落とし込むのが得意で、文章の意味をはるかに超えたメッセージが読み手に伝わります。またあなたが自分の抱える問題や経験について書くと、無意識に考えていることが文章に反映され、探していた答えが形になるのです。

書くことであなたの心は限りなく癒されます。誰かとのことでつらい気持ちになっているとき、誤解されているとき、あなたの最良のセラピーはその相手に手紙を書くことです。それが投函されなくても、書くことによりあなたの心は静まるのです。こんなことを書いてもよいのです。「今日は大変な日だった。ひどく疲れている」その瞬間目についたことを書くという単純な行為は、激しく波打つ心のエネルギーを外に排出してくれるのです。こうしてあなたは重荷になっている心理的ストレスを癒し、あなたに平和をもたらすノートの上に心を解放することができるのです。

あなた方は書くことを職業にしても成功します。とても柔軟な生活ができ、成長を促すため、あなたが求める多様な機会をまとめて提供してくれるからです。組織に依存する必要がありません。あなたはどこに行ってもよく、あなたらしく、あなたに与えられた人生を生きられます。そしてそういう暮らしがあなたは好きなのです。

・話す

あなたは沈黙に親しんでいるため、たくさんの人のいるところでは恥ずかしがって発言したがらない傾向があります。しかしあなたには演説の才能があるのです。グループで何かの案を練っているとき、みんなの意見を聞いた後であなたには語られたことと、実際の状況の間にあるずれが見えるのです。その場合、あなたの気づいた事実関係を彼らに示すのがあなたの仕事なのです。自分の言っていることが正しいという確証が持てないというエネルギーを感じるかもしれませんが、何らかのひずみを正したいという欲求が心にあるなら、遠慮なくあなたの考えをみんなと分かち合うほうがよいのです。

この際の鍵は、まずあなたがみんなの意見を正しく聞き取ったかということ。そしてそれらの意見を前向きに受け止めることで彼らを尊重します（たとえば「あなたの話は誠実さにあふれていて、勇気を感じました」などと言う）。自分の意見の中に、彼らの言葉をそのまま引用することも、彼らとのつながりを作るよい方法です。あなたがまず相手の意見を尊重していることを示しさえすれば、相手もあなたの考えを尊重してくれるはずです。

・教える

今生でのあなたの使命は教えることです。あなたは真実、信条、そして倫理を日常に応用することを社会に啓蒙《けいもう》するために生まれてきたのです。あなたは宇宙の法則を理解し、それを人々の日常生活の中で応用する方法を教えたいと考えます。

あなたが学んでいるのは、「真実は人々の言葉の中に隠れていること」そして、人々からの質問を注意深く聞き取ることの大切さを学んでいます。自分の質問の掲げる真実について考えるのをやめて他人の話に意識を集中させると、あなたは相手の信じる価値観の世界にすんなり入ることができます。あなたの口から自動的に率直な質問や新しい情報という形で言葉が生まれ、双方にとって新たな真実を見つけることができるのです。

あなたが自分自身を哲学者としてでなく、教師としてとらえるとき、真実を分かち合うという行為が変化し、喜びそのものになります。教師としてならあなたは相手が自分のように知識を持っているとは期待しないため、メッセージを伝えるときに忍耐強くいられます。誰かがその人にとっての真実を見つける手助けをしているとき、あなたの心には調和が生まれ、真実が認識できたときに感じる温かさを分かち合えるのです。

教師としてのあなたは偏見に満ちた考えを捨て、相手の考えを自分と同じ価値観に近づけようとしたりせず相手が自由に思考を巡らせることを認めなくてはなりません。質問の仕方には真実の質問と、レトリックの質問があります。真実の質問に対する答えは、相手の心にある真実を反映したものになる一方で、レトリックの質問とはあらかじめ考えられた結論に相手を誘導するための作為的な質問です。あなたの場合、レトリックの質問を使うことはできません。真実に即した質問と論理こそが、周りの人々がより高次元の意識に到達するのを助けるという、あなたが持って生まれた才能を発揮するための道具なのです。あなたが真の教師として振る舞うと、そこにはみんなが幸せになれる調和が生まれます。

◆社会に順応する

あなた方は人間関係を大切にし、他人との日ごろのつきあいを大切にすることを学んでいます。あなたは自分の掲げる真実や目標を重視するあまり、それ以外のことや周りの人々を丁寧に扱うことを忘れる傾向があります。

霊的な真実に頼ってきた数え切れない前世での経験から、あなたは正直に自分を表わす心の対話の扉を開くことができるのです。あなたがそうするとき、時空を超えた感覚がその場にいる全員の心を包み、深い感銘を与えます。その場の雰囲気が変化して、魂同士の交流が起きるのです。その後で人々の心に浮かぶのは、「今夜はお祝いしよう。過去の話をして泣いて笑って過ごそう。未来の夢の計画を立てよう。ただここに一緒にいて、同じ時間を共有しよう」という洞察に満ちた考えです。あなたが自分を正しい行いをするヒーローのように見せようと考えることなく自分の内側を他人に見せるとき、あなたは周りの人々とまったく新しい次元の会話を始めることができるのです。

・質問

あなた方にとって質問は貴重な道具です。あなたには答えを出すよりも質問を考えるほうが重要なことなのです。あなたが相手とうまく一致できないとき、レトリックではない、心からの質問を投げかけ、誠実に相手の考えを探ってみます。すると相手はほとんどの場合つっかかりながらも質問に答え、自分の心の真実を語り出すのです。それはあなたが自分のエネルギー領域に真実を持っているせいなのです。

あなたの動機が相手と分かり合うことなら、相手に何をどう言えばよいのかという方法は自動的に心に浮かぶでしょう。それができるようになるまでは、意識的な努力を続ける必要があるのです。とにかく聞くことを意識して、たくさんの質問をするのです。その間自分の心の落ち着きのなさを制御するのは大きな課題となるでしょう。しかしあなたにとって質問により多くの情報を得るという過程は、大変重要なのです。話を聞いている間、あなたはその瞬間に生きていて、相手とのやり取りに集中しているからです。

会話には二通りあることが、あなたを苦しめる誤解の元になっています。一つは日ごろから人々が交わす通常の会話。そしてもう一つは魂の行方を探るような深い話題について語り合っているときにのみ生まれる、心と心のつながりを象徴する対話です。ほかの人と違ってあなた方は人の生死や哲学、大きな人生の決断などの話をすることなく、いきなり深い心のつながりの話に入ることができるのです。ほかの人々の思考回路との接点は、ちょっとした日ごろの会話からも生まれますが、あなたの場合、質問をすることが有効です。そうやって会話を進めていくと、あなたと話すことが喜びだと知った人々がいつでもあなたの周りに集まってくることに気づくでしょう。そしてあなたも多くの違った人々と共にいることで多種多様な経験を垣間見る喜びを味わうことができるのです。

しかしその過程で重要なのは相手や会話の行方をコントロールしないことです。あなたは気の利いた会話が得意ですが、友人にこういう質問をするとき、返事の見当がつきません。「どうしてシカゴに行くの？」あなた本人がたずねられても相手の目的など分からないからです。相手があなたに新しい情報を話すのですから、会話の行方は相手に委ねることになります。あなたにとってそれはあるレベルでは心地よいことなのですが、その次に何を言ってよいか分からないのが困るところなのです。しかし相手に話の流れを委ねると、次に言うことは自然に心に浮かび、それは正直で前向きな自分の表現になるのです。

あなたが勇気を出し、コントロールしようとせず、相手の人生について質問を投げかけ、絆を作ろうと心を解放すれば、心の結びつきは必ず生まれます。そして二人の間のエネルギーが変化したときも、宇宙はすべてを見通しているという持って生まれた信頼を頼りにするとよいのです。相手があなたに質問をするぶんには、あなたにとっては真実を分かち合うチャンスなのですから何の不都合も感じません。

あなた方は相手と高い次元での心の触れ合いをしたいと願っています。それぞれが到達したレベルを、触れ合うことによってさらに高めたいと考えるのです。それは相手と心から結びついたときに初めて新しい、より開けた考えや解決法が生まれるのです。

・礼儀作法

あなた方は山頂の暮らしをあまりに長く続けてきたので、人々の間でどう振る舞ったらよいかを忘れています。あなたは陶器の店に迷い込んだ牡牛のようなもので、周りの人々の繊細な感情をまったく考えに入れずに自分の目標をなりふり構わず実現しようと焦るのです。社会で人々は周りに支えられながら自分の願いを実現しているという経験をまったくしていないあなたは、社会の通念や礼儀作法というものを知りません。相手を思いやり、他人を疎外しないように時間をかけることはきわめて大切で、あなたは孤立すると自分の目的を達成する道に不要な障害物を呼び込むことになるのです。あなたは、礼儀作法を身につけることは社会の中で成長するために不可欠だということを学んでいるのです。

・ボディーランゲージ

他人の反応やボディーランゲージを観察することはあなたにプラスに働きます。あなたは自分のメッセージを伝えることに考えが集中し、あなたの言葉に対する相手の反応をないがしろにすることが少なくありません。あなたが何か言った後で、相手がショックを受けているという場面に遭遇することもあるでしょう。そんなときはほうっておいて次に進んだりせず、相手の考えを確認しましょう。「あなたは今ちょっと退いてしまったけれど、私が何かあなたを傷つけたり、反感を買うような言葉を言ったかしら？」相手がイエスと答えたら、あなたは「誤解しないでね。あなたを傷つけるつもりは全然なかったの。あなたは私がどういう意味で言ったと受け取ったの？」あなたの人間関係で起きる問題はほとんどの場合、あなたの不用意な言葉に端を発しているのです。

今生であなたは自分について、そして人間であることはどういうことなのかを学んでいます。さまざまな状況に置かれた自分を経験していくうちに、人間性に対する理解が深まっていきます。さらに多様な人生の経験があなた自身に対する洞察を与えてくれるでしょう。自分をより深く理解し、人間の経験とは矛盾を内包するものだと分かってくると、自分の多面的な性格が受け入れられるようになります。それにより他人の抱える矛盾に対する理解と受容が深まり、あなたは人類という家族の一員として歓迎されるようになるのです。

〔癒しのテーマソング〕

音楽は何かに挑戦するとき、感情面でユニークな力を発揮します。
それぞれのドラゴンヘッドグループに合わせ、
エネルギーをプラスに転化する働きを持つ詩を作りました。

あなたと私の間

この詩のメッセージはドラゴンヘッドが双子座にある人々の関心を自分の真実から周りの人々との絆に自然に向けるために書かれました。そこを基盤として喜びに満ちた相互理解や純粋な結びつきが可能になり、真実のエネルギーを初めて味わえるようになるのです。
あなたと私の間に信頼があったこともあれば
最後に裏切られたこともある
あなたと私の間には誤解があり
そこからさらに誤解が生まれるだろう
しかし二人の間には磁石のように惹き合うもの
がある
二人の間には道があり、約束がある
二人の間に共通する感情と絆がある
二人の間には、愛がある

ドラゴンヘッド

蟹座

第四ハウス

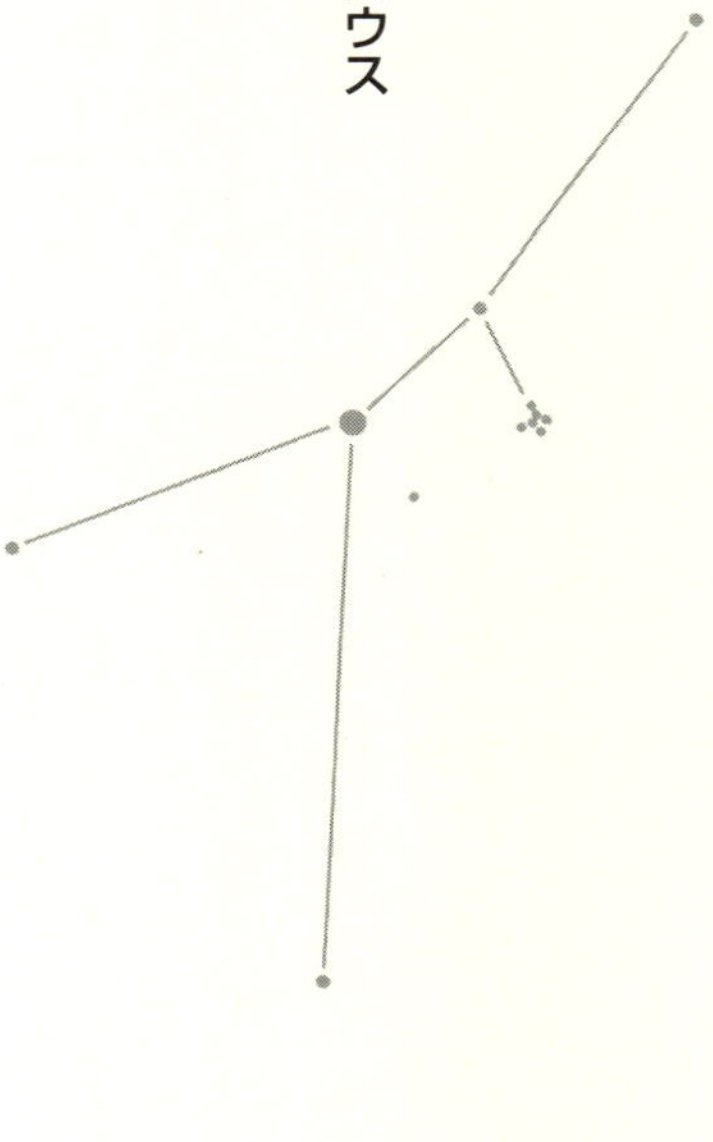

Cancer

総体運

●伸ばしたい長所

次の性質を伸ばすと、あなたの隠された能力が見つかります。

- ・感情を認識する
- ・共感
- ・他人を育てる
- ・自分の基盤と安全ゾーンを築く
- ・感情や不安を素直に表わす
- ・謙虚さ
- ・他人の欠点や感情の起伏を批判しない
- ・自分の感情を受け止める

●改めたい短所

次の性質を減らすようにすると人生が生きやすく、楽しくなります。

- ・人や状況をコントロールする
- ・早飲み込みをして仕切ろうとする
- ・目標を目指すあまり、途中過程をおろそかにする
- ・すべてに責任を感じる
- ・親密な相手に感情や恐怖を明かさない
- ・他人の尊敬や賞賛を得るために行動する
- ・他人の感情を考えて自分をないがしろにする
- ・正直であるより社会の承認を優先する
- ・大事なものを手に入れるのは難しいと考える

◆あなたの弱点／避けるべき罠／決心すべきこと

ドラゴンヘッドを蟹座に持つあなたの弱点は、人をコントロールしたいと考えること。「彼らのことを何とかできれば私は安心して自分のことに集中できる」しかしあなたが安心して自分のことに集中できるといえるほど人や状況をコントロールするのは不可能です。頼まれたわけでもないのに他人の面倒を見ようとすることは、あなたがその人の自己責任を取り上げているようなものです。

あなたが避けるべき罠は、周りの人々に自分を限りなく受容してほしいと願うこと。「みんなが私の貢献を尊敬の目で認めてくれさえすれば、私は自分が好きになれる」と考えることは底のない落とし穴のようなもの。他人の受容にあなたが十分に満足することはないのです。他人を支え、伸ばしてあげることの大切さをあなた自身が認めて初めてあなたは満足感を得るのです。

あなたが自分の弱さを出しても構わないと思えるほど「強く」なれることはありません。あなたはどこかで決心して、自分の本来の姿を周りに見せ、自分の不安感や拒絶されたり捨てられたりすることへの恐れ、自分の能力の限界などについて正直に語るべきなのです。不思議なことにあなたが本来の自分を隠さず他人に見せると、感情を外に現すことにより深いレベルで自分に責任を持てるようになり、安心感を得ることができるのです。

◆あなたが一番求めるもの

あなたが求めているのはいつでもすべての面で完璧に主導権を握っていること。あなたは自分に成功する能力があるといつでも考えていたいのです。求めるものを手にするためにあなたは自分の感情や不安感と向き合い、自分の本当の姿を他人に見せる必要があるのです。

自分の不安感を認めることにより、あなたは自分の感情を隠したり抑制したりする葛藤がなくなるので、外の世界で成功するための基盤ができるのです。それができたらあなたは安らぎと確信を持って自分の目標を達成できるでしょう。自分の心の情動を認めると、他人の感情に対しても理解を深めることができるようになります。他人を意識し協力を惜しまない姿勢を持っていれば、あなたに必要な協力を周りから得ることができるでしょう。

◆才能・職業

あなたは他人を育て、支えるという天分があるので、他人を身体的、心理的、感情的に慈しむ機会のある職業はすべて適職といえます。食品に関する職業（レストラン、ホテル、病院など）や、家屋の修理、家でする仕事などはとくに向いているでしょう。不動産売買や投資などの分野でも頭角を現わします。投資に関してはあなたの予感を信じ、本能に耳を傾ける必要があります。

あなた方はまたビジネスの的確なセンスを持っていて、巧妙な交渉術を身につけています。あなた方は本能的にものごとを達成する方法を知っていて、ビジネスでも成功します。しかし商才だけを必要とする職業では、潤いを感じられず満足を得られないでしょう。あなたのビジネスの本能を下敷きにして他人を実務レベルで育て、経済としても成立する職業を選ぶと成功します。

●あなたを癒す言葉●

「ものごとをコントロールしようとするとうまくいかない」

「感情を外に出すとうまくいく」

「他人が自分の力で処理する能力を認めるとうまくいく」

「感情を表わしても構わない」

「すべてを管理できなくても構わない」

「私の感情を否定することは誰にもできない」

性格

気軽で世俗的な人々との間に壁を築いています。あなた方は人生の喜びを先延ばしにすることに慣れ、中には一生否定し続ける人もいるでしょう。

あなた方には崇高な目標があり、それを実現するまではほかのすべてのものを後回しにするのです。この目標には正義を重んじる精神が含まれていて、その途上にいるあなたは人間的な誘惑に負けることを許しません。これに問題があるとすれば、あなたの目標が精神の高みを目指したいという無意識からの欲求で、それは永遠に終わりのないテーマだということです。しかしあなた方は目標達成への抑えられない使命感に駆られて精進するばかりで、パートナーを得る喜びやさまざまな楽しい経験、人間が生きるという自然な営みさえもないがしろにするのです。

あなた方は自分が掲げる崇高な目標から目をそらさないために、人生のさまざまな場面に対する情動的な反応を押し隠して前世のすべてを過ごしてきたのです。しかし心の中では

◆前世

・**抑制**

あなた方の多くはその前世を大きな修道院や尼僧院、また地域の厳格な宗教施設で過ごしました。あなた方は家族とともに生活する普通の世俗的体験から遮断されていたのです。人の感情とつきあったり、自分の人間的な欲求を満たしてもらったりという人々との共存共栄の経験が少ないため、ほかのドラゴンヘッドグループの人々が自然に身につけている家族の安らぎを知りません。

前世でのあなた方は自分の感情や本能、性欲、五感の喜びを抑える訓練を受けてきました。禁欲と自己制御を最も重視し、人間であることの喜びを抑えることが尊敬と昇進を左右する世界に住んでいたのです。このため今生でもあなた方は

外の人間とつながりたいという願いを持っています。あなたは愛する家族への帰属意識を持ち、共に過ごしたいと思いながらどこかぎこちない感覚に襲われます。あなた方は前世での厳格な修行の記憶から、自分の感情を出すことに恥じらいを持ち、その方法を知りません。あなたが他人に対して無神経に振る舞うのは、自分の感情に対して注意を払わないよう教えられた過去の知恵の裏返しなのです。今生ではこれとは反対に、自分の感情を崇高な目標のために抑圧することはあなたの魂が豊かに開花する方向に逆行する行為なのです。

・尊敬

前世であなたは社会的な権威や地位、名誉のある立場にいました。あなた方は封建社会の領主や政治家、商人、一族のリーダーでした。あなた方は組織の長として下の者を治め、社会の正義を体現する象徴としての責任を果たしてきました。

人々の注目を浴びる前世を繰り返し送ってきたため、あなた方は今生でも「観衆」を求めています。尊敬されることはあなた方にとって大切なことなのです。あなた方の行動の多くは他人の尊敬を集めるためなのです。あなた方は多大なる個人の犠牲を払い、自分の個人的ニーズを諦めて自分の信条を掲げようとするのですが、尊敬を得ることはできません。前世から慣れ親しんだ権威をあなたは掲げるのですが、他人があなたについてこないので疑問に思います。あなたは何が起きているのか理解できずいらいらし、それが続くとかたくなな態度を身につけてしまいます。

これが意味するのは、あなたが努力したことはあなたの糧となり、あなた自身が賞賛すべきことだということです。しかしあなたは心の奥底で自分の払った崇高な犠牲に対する承認を他人の中に求めているのです。この姿勢でいると、どんな仕事も必要以上に難しいものになります。他人に認められたいという欲求を諦めさえすれば、あなたは自分の目標を達成し、その過程を自ら楽しむことができるのです。

今生のあなたはいくら個人的な犠牲を払ってもそれに対する賞賛は得られないという運命を持っています。自分の道を確認するために他人の尊敬を尺度にすると、必ずと言ってよいほどあなたは道を誤ってしまいます。前世において他人の尊敬は確かにあなたの言動を計る物差しとして機能していました。しかしあなたは度重なる人生を公的立場の権威者として重責と禁欲の下に過ごしてきたため、周囲の社会から逸脱し、孤立してしまったのです。占星術によるあなたの誕生図では、あなた個人のさまざまなニーズを無視して目標の達成や賞賛、名誉などを得ることは許されないとされています。

あなた方は自分の長期目標と並行してもっと自分の個人的ニーズを満たすための人生を築いていく必要があります。今生ではもう他人の目に映る自分のイメージを気にする必要はありません。実際あなたがよい仕事をする喜びのために、また家族でも世界全体でも社会的に意義のある仕事だという熱意に駆られて目標の達成を目指していると、社会はあなたを認めてくれるのです。しかし行動の目的が社会的承認になってしまうとあなたは道を踏み外すのです。

あなたは今生でも何かを成し遂げる力を持っています。しかし達成の動機が他人の尊敬を集めることだった場合、尊敬を十分に集められたと満足することがないために、あなたは達成しても喜びを感じることができません。

皮肉なことにあなた方が心から満足するための鍵は、尊敬を欲しがるのではなく、他人に与えることにあるのです。成功が早い時期に得られると、あなた方は不遜になり自分が才能にあふれた存在だと思い込んでしまいます。そして不注意になり、知らず知らずのうちにあなたが最も求めている「他人の尊敬」を遠ざけてしまうのです。あなた方は成功したら、それを謙虚に感謝して受け入れなくてはなりません。それによりゆっくりと周りを見る余裕ができ、新たな始まりのエネルギーをつかむ機会を得られるのです。あなた方は先を急がずゆっくりと時間を取って新たな人間関係、新しい仕事、新しい機会、新しい仕事場に馴染むという最初の時期を、感性を解放して過ごす必要があるのです。これがあなたの成功の確かな基盤となるのです。歩みを遅くすることを覚えれば、あなた方は自然に正しい仕事の始め方を実践できるでしょう。

あなた方が意識的に高次元の存在、たとえば宇宙があなたに贈る機会、あなたを支えてくれる人々などといった「現象」に敬意を払い、丁重に受け止めると、あなたの姿勢に変化が起こり、あなたは違った態度で人と接するようになります。あなたはやさしく、注意深く、共感を持って、几帳面なまでの細やかさで人を扱うようになり、周りの人々全員が喜ぶような環境を作るのです。他人の尊敬を得ようとする代わりに、あなた方は他人に尊敬の目を向ける必要があるのです。もしそれができるようになるとあなたの人生は魔法のように、他人にも自分にも満足のいく方向に向かいます。

・ゴールを目指す

重要なゴールを目指すとき、あなた方は文句一つ言わずにどんな犠牲でも払います。勤勉はあなたの得意技なのです。あなた方は個人的な楽しみを諦め、リラックスするのをお預けにして、一日十二時間でも喜んで働き続けます。その上どれほど努力した後でも、その仕事が満足のいく内容に仕上がったか、自らの目で確認するのです。しかし権威の座に親しんできた習慣から、リーダーの地位に就くとすぐに細部を他人に任せようとするのです。細部の仕事を過小評価しているわけではありませんが、大きな目標に焦点を定めることが自分の仕事だと考えるのです。

あなた方は目標達成の達人です。その能力は深く潜在しているため、ほとんど無意識でも行動するのです。心に目標があると、あなたは常に機会をねらいます。あなたは目に入るすべてのものを成功に至るステップだと考えるのです。しかし熱中するゴールが心にないとその能力は発揮されず、他人をコントロールして現状を維持するという低い目標に終始することになります。

あなた方は潜在意識の中で他人を支配して自分のやりたくないことをしなくて済むように仕向けるという怠惰な行動を遠ざけるためにも、自分の達成したいことを意識して求めるようにするべきなのです。そのために、前世のゴールを目指す姿勢が役に立ちます。たとえばあなたが家を貸していて、家賃の滞納を避けたいとき、借り主にあなたの望みを伝えます。「あなたがここに快適に住めるようにどんなことでもしてあげますよ。でもたった一つだけ守ってほしいのは、毎月最初の日に家賃を支払うことです。その日に銀行に支払いができないと私たちみんなが困ることになるのです。そのために最初の日に必ず支払ってもらいたいのです。この約束を守れますか?」

仕事の環境で、社員の遅刻や怠慢をやめさせたいとき、「ねえみんな、僕らは全員で一つのチームなんだ。僕らが一生懸命仕事をしないと会社の利益が減って失業してしまうかもしれないよ。僕らみんなが充実した暮らしをするために、ゴール達成の計画を作ったんだ。まず遅刻をしないこと」などと話を持っていきます。

あなた方は前世で、目標達成の報酬として高い社会的地位を得てきたので、今生では意識下で自分が心から願う目標を選ぶ代わりに、名誉を得るための目標を選ぶ場合があり、それが問題を起こします。今生であなたは自分にとって何が一番大切なのかを再定義する必要があります。目標に人生を捧げるのはよいことですが、決して人間関係を犠牲にしてはいけません。でないと目標が手に入っても幸福感を得られないからです。誰かのために演じるのではなく、自分のニーズを満たすことを優先すべきなのはこのためです。自分のイメージを気にするのはやめましょう。他人からの尊敬を意識して自分と違う人格を演じることは自分の満足と豊かな感性を犠牲にします。

◆堅苦しさ

・生真面目さ

今生であなたはすべてを大真面目に受け止めます。前世で厳粛に重々しく生きてきたあなたは、双肩に大きな責任を背負って今生にやってきたのです。あなたは人々や状況に近づくと、自分が取りまとめたいという強い欲求を感じ、その場の全員の運命を一手に背負い込むような責任感を感じます。子供の頃にも両親のどちらか、多くの場合母親が満ち足りた生活をしているかに心を砕いたりします。生まれつき大人で、生真面目なあなたはジョークも真に受けるほどです。軽く受け流すほうが楽だということを学ぶのはずっと大きくなってからのことでしょう。

深刻そうな振る舞いから、あなたは我知らず他人からつきあいにくい人だと思われることもあるでしょう。これは前世でのあなたが実際に近寄り難い存在だったことからきていて、今生でもその態度を無意識ながら外に出しているのです。周りの人から見るとあなたは無関心でお高くとまっている印象を与え、ほかの人をまったく必要としないように見えます。しかし他人を寄せつけないあなたの態度の内側には、とても傷つきやすく、世俗的な一面があるのです。残念なことにあなた方の本来の姿を最も愛してくれそうな人々を、あなたは自らの冷淡な態度で遠ざけているのです。時々あなたは社会的地位ばかりを追い求める純粋さのない人々を引きつけ、彼らに利用されます。あなたは心の奥で、純粋に通じ合える人を強く求めているのですから、人々を遠ざける無関心な態度に気づき、改めるほうがあなたのためになるのです。

あなた方は今生で人生や自分自身をもっと簡単に考えることを学んでいますが、これはなかなか難しいことなのです。あなた方は目標を達成するために必要だと考える真剣な取り組み方を手放すことができないのです。実際あなたがそれほど真剣になっていないときのほうが仕事の効率はよいことに気づくと、あなたは驚くことでしょう。ものごとをもっと軽く、楽しく考え、何でもありという姿勢で生きていると、あなたのエネルギーのバランスがよくなり、効率も上がるのです。周りの人もあなた方についてきて、人生がもっと楽しくなっていきます。

・無神経

権威の座にいた前世の記憶から、あなたはどんな状況も取り仕切ることに慣れています。前世では畑を耕したり、ビジネスを効率よく進めるといった仕事をするにあたり、あなたの下にいる人々がそれぞれの目的を達成し、しっかり生きていけるよう目を光らせるのはあなたの役目だったのです。このためあなた方は権威の地位に座ろうとし、目標の達成方法を探り、作業をみんなに分担させますが、その際一人ひとりの役割をきちんと説明しないことがあります。

あなた方は目標の達成に心を奪われるあまり、真の成功とはそれが他人の目に成功と映ることや一定の収益が上がること以上のものだということを忘れています。協力した人々は成功するための道具ではないのです。あなた方は協力者の立場や心情を時間をかけて理解し、感情面で彼らと結ばれる必要があります。あなたが時間をかけて相手に関心を示すと、その人はあなたに協力を惜しまないようになるでしょう。たとえば部下が遅刻したからといって厳しく処分するよりも、その部下が家庭内に問題を抱えているかに目を向け、しょっちゅう遅刻せざるを得ない事情があるのかをたずねます。あなた方は常に相手の立場でものを考えることを意識し、あなたが他人にしてほしいと思うようなやさしい態度で接するべきなのです。

あなた方はすべてを自分が仕切っていると周りに感じさせないような振る舞いを心がけるべきですが、ときに感情が激したとき、それをどうしてよいか分からなくなることがあります。あなた方は仕事を進める際、感情は障害物だと考え、感情の大切さをないがしろにします。自分の感情が仕事の成果を上げる際の障害になると、あなたは自分を厳しく批判します。同様に誰かの感情の問題が仕事の遂行を妨げると、あなたは彼らをも厳しく批判するのです。しかしそれをするとあなたは情の薄い人だと思われ、人々から忌み嫌われるようになってしまいます。

あなた方は時々人々をどう対処してよいか分からなくなったとき、いらいらして怒りをぶちまけてしまうことがありますが、これをすると周り中の人を圧倒し、彼らの感情を否定することになります。あなたを怒らせることを恐れて、人々はあなたのそばで自分を素直に表現できなくなるでしょう。あなたが人の感情とつきあう新たな方法を見つけるまで、ほかの人はあなたとびくびくしながら接することになります。あなた方がすべきことは他人が感情を乱したとき、愛情を持って接してあげることで、それができれば自分の問題も解決しているのです。感情の問題を解決した後は、安心してその人に与えられた仕事を指導してあげることができます。

あなた方は自分や他人の感情に対して、安定した気配りを保つことができません。ときに過敏に反応したかと思うと、まったく無神経だったりするのです。あなたがもう少し安定した姿勢で他人と感情の調和を保つ努力をすれば、あなたが他人の感情を損ねるような言動をすることが減り、その結果あなたに降りかかる感情的なダメージも少なくなるのです。あなたは自分の持つパーソナリティーの一部である自分の感情を常に意識して飼い慣らす必要があるのです。

・抵抗

あなた方は他人の助言を嫌い、自分の思うことをしようとします。あなたはすべて知っていると考え、ちょっと高慢なところもあります。あなたに尊敬され、強い印象を与えるには、人はあなたがこれまで考えつかなかったことを提案しなくてはなりません。そしてあなたはついに見所のある人に出会ったと考えます。あなたが助言を取り入れる人は、その道で成功し、その方法をあなたに教えてくれる人です。あなたは行動できる人だけを尊敬し、口先ばかりの人を軽蔑します。このためあなた方はビジネスの世界で成功することができるのです。あなたは「簡単に儲ける方法」に乗らず、その言葉の裏にあるものを見通すことができるからです。

多分前世での宗教に対する価値観から、あなた方の中に強欲の人はいません。これもビジネスをするには最適の資質で、少ない投資で大きな利潤という誘惑にも惑わされないのです。あなた方は実務的で勤勉で、目標にたどり着くには一歩ずつ進まなくてはならないことを知っています。あなたは大きな目標というパズルのピースをつなぎ合わせる正確な本能と能力を持ち合わせているのです。

あなたにとって生きることは目標を目指すことなので、問題に直面するとそれをどう解決しようかと他人に相談する前に、自分の考えを整理します。そしてほとんどの場合一人で決定しています。あなたが結果の全責任を負うのだから自分で決断したいと考えるのです。あなたは他人は自分が検討しているすべての項目を知っているわけではないと考えるため、いっそう他人の意見を取り入れたがらないのです。しかし有能な管理者は他人からの意見を聞き、最終決断を下す前に当事者全員の考え方を要素として取り入れるものです。あなた方が一人ですべての可能性を見通すことはできないことを謙虚に受け止め、決定する前に他人の助言に耳を傾けることができると、あなた自身の人生がずっと楽になっていくのです。

◆信条

・職業倫理

あなた方の中には人を管理することが苦手な人もいます。あなたは仕事に厳しい倫理観を持っていて、それを他人にも強要します。問題は、自分を理想として掲げてしまうので、他人のよいところが引き出されないのです。人を杓子定規にとらえることは不可能です。あなたは目標のためならどんなことでもしますが、ほかの人はそうではないのです。彼らは初めからあなたに圧倒され、あなたの理想には従えないからと全力で協力することをやめてしまいます。

あなたは前世で権威を身につけていたため、今生でも他人に指図しようとする傾向が強くあります。あなたは規則や自己鍛練、目標を目指すことへの厳格な考えを持っています。このためあなたは孤立してしまいがちなのです。

「ボス」は大概孤独なもので、自分の悩みをほかの誰にも託すことができません。あなた方は前世でボスの役割を演じ続け、自分自身の人間性や、周りのみんなや世界への帰属意識を失っています。だからこそ今生でのあなたの一番大事なゴールは、孤立することなく社会や周りに溶け込むことなのです。

周りとのつながりを築く第一歩は、まず周りにいる部下や同僚の長所を引き出す努力をしてみることです。いろんなアプローチをすることができますが、一番大切なのはあなたが彼らの友人として意見を聞き、彼らの暮らしに関心を持ち、個人的に知り合いになる時間を作ることです。あなたには無駄なことのように思えるかもしれませんが、一緒に働いている人について知ることはビジネスの大切な基盤作りといえるでしょう。また、他人の欠点を少し大目に見てあげること。他人を承認し褒めてあげることにより、あなたは周りにプラスのエネルギーを注ぎます。また彼らの価値を正当に評価し、彼らなしでは仕事が進んでいかないということを知らせることも有効です。尊敬を持って扱われた社員は、あなたが何かしてほしいと考えたとき、協力的な態度で耳を傾け、従ってくれるものです。

・自分のやり方が一番

あなたは人はこうするべきだという理想を常に持っています。他人がこれに沿えないとき、あなたは相手を何とかなだめながらつきあう代わりに、その人を排除してしまいます。「弁解は聞きたくない。できないなら出ていけ」という強硬な態度です。あなたは他人がどうして自分のように考えないのか理解できません。あなた方はとくに仕事場において他人の感情に細かな気を配ることを学ぶ必要があります。あなた方は自分の厳格な行動規範のために感情を軽視する傾向があり、それを自覚しています。あなたは人々があなたの厳しい行動規範に従うべきだという考えを改め、他人には他人の行動規範があることを尊重しなくてはなりません。

あなたは時々状況をうまく収拾できなくなるといらいらして怒り、その場を立ち去ることがあります。普通は少し考えてから戻ってきて、修復を図ろうとします。あなたは「さっきは切れちゃってね。でももう大丈夫」などと言って謝ったり、ほかの方法を考えたりします。間違ったことをしたり、他人の感情を踏みにじるような言動をしたときには謝ることが最も健全で正しい修復の仕方です。謝ることはあなたに新たな謙虚さとその人とのつながりを築き、同時に相手にはあなたが鉄でできているわけではなく、間違うこともあるのだということが分かり、とてもよい効果を及ぼします。これにより周りの人はあなたを愛おしく思うようになるので、「ゴメンナサイ」はあらゆる場合によい結果が期待できると考えて下さい。

あなた方は前世で何をするにも「最終責任」を引き受けてきました。今生では他人に責任を引き受けてもらい、管理者としての能力を磨いてもらいましょう。これを実践するには仕事の遂行に困難のある人の役割を引き受け、その人を支えてあげるとよいでしょう。これはあなたにとってよい学習経験となります。

あなたが自分のやり方以外の選択肢として権威者の示す方法を採用しようとするのは、あなたが中道を選ぶという術を知らないからです。あなたはほかの選択肢にぎこちなさを感じ、うまくいくという確証を持てないのです。あなた方はゴールに向かっていく姿勢や達成方法を熟知しているのですから、今生ではその知恵をほかの人々に伝授していくことがあなたの使命なのです。その過程であなた自身のゴールを手中に収め、しかも幸福感を得ることができるのです。

・不屈の精神

ボスや恋人、スタッフ、友人など、あなたの立場が何であれ、あなたは自分の言ったことをきちんと守り、信頼の置ける人です。あなたはこうと決めたら揺るがない不屈の精神と責任感に誇りを持っています。しかし今生ではこの不屈の精神が極端なケースに走ることがあります。あなた方は不必要なところに不屈の精神を発揮し、状況が変わってもその姿勢を押し通そうとします。自分の面倒を見ることを怠ったり、心の安心感を失ってまでこの精神を守るのです。

たとえばある会合に参加するといったもののあなたは体調が悪く、行くとさらに悪化すると分かっている場合にでも出かけていくのです。あるいは結婚生活が悲惨な状況に陥っていても、最初の決断に忠実でありたいというだけの理由で、もっとあなたのためになる相手を探すことをせず、結婚生活を続けようとするのです。あなたの言葉は絆を意味し、ほかの人が同じように言葉を実行しないことが理解できません。このためあなたは、一度口に出すと、罠にはまってしまうことを恐れて他人との契約を躊躇することがあります。

有言実行は正しい考えですが、過度に尊重することはあなた自身の本能や、人の感情を満たし、豊かに成長させてくれるものごとの自然な展開から、自らを遮断することにほかなりません。あなた方は不屈の精神の美名の下に、自分の喜びを先送りにしてはいけません。自分の決めたことと周りの状況がしっくりいかないことに気づいたとき、よく考えてどちらが自分にとって貴重な経験かによって選びましょう。皮肉なことにあなた方は本能に従い、自分の心が求めるものに導かれると、最終的にその決断はほかの人々にとってもよい結果をもたらすのです。

必要とするもの

◆感情を認める

あなたは自分の感情を認め、感情の動きをもっと意識し、外に表現できるようにならなくてはなりません。あなた方は前世での習慣を今生に持ち込み、感情を抑制してしまうのです。幼いころの環境により、両親のどちらかがあなたの感情をほかの人に見せてはいけないと教えたことを無意識に理由として、そういう習慣を身につけた人もいるでしょう。アメリカの文化の特徴として、ほとんどの男の子はこう言われて育つのです。「男の子でしょ。泣いては駄目よ」しかしドラゴンヘッドを蟹座に持つ男の子はこれをとても重大に受け止めるのです。両親はほかにも何百という言葉で子供をしつけるのですが、この言葉が何より強く心に響いてしまうのです(これは前世のパターンがいかに今生に引き継がれ、同じ性格を持つに至るかを表わしています。だからこそこれを意識して矯正することによりバランスを取り戻す必要があるのです)。

・弱さを見せる

あなた方は自分の正直な心の欲望を無視したり、自分には感情がないというふりをしてはいけません。いくつもの人生にわたり感情を押し殺してきたあなたは、これ以上我慢できないというエネルギーの爆弾を抱えているようなものです。今生のあなたは、親密な人間関係の中で、相手を思いやり、また相手に大切にされるという心の交流を経験する運命をもっているのです。しかしこれまでの経験から、相手に自分の感情をさらすことが怖くてできないのです。「何だって？　自分の感情を他人に知らせる？ 冗談じゃない。どうしてわざわざ気持ちを知らせて相手に主導権を握らせる必要があるんだ」あなた方は状況をコントロールすることに慣れているためにこう言って態度をこわばらせます。しかし感情を素直に表わすことこそが今生のあなたに求められていることで、そうすると人生が生きやすくなるように運命づけられているのです。今生であなたの堅苦しい人格に丸みを持たせ、柔軟にするために、自分の感情を認めてあげる必要があるのです。

このまま感情を抑制し続けるとあなたはもっと頑固に、高圧的な人柄になっていくでしょう。感情表現を否定すればするほどあなたは人間として「不完全」になっていくのです。あなた方は感情をほかの資質と同じようにバランスよく外に表現することを今生で学んでいるのです。それをするにはあなたにとって圧倒されそうな恐ろしい状況をあえて経験し、そこで生まれる感情を素直に受け止めるとよいでしょう。自分の感情を意識する過程で、あなたの過剰に強硬な姿勢が和らいでいきます。

問題は、どんなことをしてでも感情的なことを避けて通ろうとするあなた方の本能的な姿勢が、あなた方の感情を「冷凍」してしまっていることです。対外的にどんな偉業を成し遂げたところで、その精神的な意義や心の満足が得られない人生は無味乾燥で退屈なものです。だからこそ、あなたが今生で挑戦すべき最大の課題の一つは、勇気を出して自分の感情と向き合い、他人と分かち合うことです。正直に、それを何とか加工しようとせず、ありのままの気持ちを表現するのです。こうするとあなたの感情は存在を認められ、バランスの取れた人格ができていきます。

感情を抑制してきた前世の影響からあなた方の多くは恥ずかしがり屋です。経験不足から、気持ちの面で他人と交流することが苦手です。しかし一度慣れてしまえば、あなた方はほかのどのグループよりも他人の感情に反応する感受性を持ち、それが人間関係を育て、強い絆を作るということに気づくでしょう。この分野でほんの少し努力をして慣れることができれば、あなたの人生は心地よいものに変化していきます。

・育成と情熱

前世での聖職者としての立場から、あなた方は情熱への非常に強い抵抗感と、大きくなりすぎた自制心を持っています。

あなたの頭には「決して自制心を失うな。我を忘れるな」という文字がインプットされているので、他人との情熱的な関係を持つこと自体あなたには大きな挑戦なのです。しかしその経験があなたを最終的に自由にするのです。あなた方は長い間自然な人間らしい衝動から遮断されてきたので、人の感情のうちで最も激しい、情熱を前にすると恐怖感を覚えるのです。自動的に「リセットボタン」を押して白紙に戻し、自制心を失わないように、見なかったことにしてしまうのです。

あなたの情熱を喚起《かんき》するような人と出会うと、それまで眠っていた情熱が目を覚まし、あなたの行動の舵を取ろうとします。それまであまりにも抑圧されていたため、それは不釣り合いに強いエネルギーとなってあなたを圧倒します。皮肉なことに、あなたが最も恐れるものこそが、あなたが求めてやまないものなのです。あなたは誰かとの深い結びつきから生まれる喜びや満足感を経験したいと願い、実際人生においてそれ以上の満足感はありません。遅かれ早かれあなたは自分を縛ることをやめ、誰かにその情熱を引き出してもらってそれまで経験しなかった人生の喜びを完結させることになるでしょう。情熱はあなたの最大の苦痛やフラストレーションになりえますが、同時に自己制御の限界を大きく超え、あなたが他人との間に築いた壁という名の心の痛みを癒す薬ともなるのです。

あなた方は自分が愛され、安心していられるための確かな基盤を強く求めます。あなたはいつでも帰っていけるところ（人の心や場所）があると感じていたいのです。心の奥であなたは自分と同じくらい強く、信頼できる誰かに愛され、守られたいと願っています。しかし守られて安心したいという欲求が強すぎるために、そういう人が現われると手元に置いておくために相手をコントロールするのです。そしてその行動が相手を逆に遠ざけてしまいます。

あなたが愛と心の安定を外部に求めている限り、失望させられることになるでしょう。だからこそあなたは自分の中に自分が求めるものに対する感受性を築く必要があるのです。あなたは他人が現われるのを待たずに自分自身を抱擁し、自らを慈しみ愛情を注ぐことが肝要なのです。「大丈夫。うまくいくから心配しないで。私が面倒を見てあげる」と自分自身に言い聞かせることです。外に向けられ、成功を目指していたあなたのエネルギーを自分の奥深くに向ける過程の中で、あなたは次第に自分に対する満足や慈しみを感じられるようになっていきます。

あなたのエネルギーが自分の中心に注がれるようになるということは自分の精神的ニーズを満たし、感情が安定することを意味し、他人にも繊細な気持ちで接するようになります。あなたが愛情を強く渇望することがなくなると、周りの人はあなたを愛することができるようになるでしょう。あなたが自分を安心させることができると、他人をコントロールしたり、自分のイメージを維持しようとしたり、あるいは何かをしなくてはならないと感じることなく静かに他人とともにいられる自信がついてきます。あなたがありのままの姿でただそこにいるだけで、あなたの存在の豊かさが周りの人によい刺激を与えます。

◆他人の承認

成功と他人の承認を欲しいままにしていた前世の影響から、あなた方は心の内に強いプライドを持っています。何かを成し遂げ、社会に承認され、それに誇りを持つあなたを周りの人々にも感じてほしいと願っているのです。しかしあなたが十分に満足するほどの承認を外から得ることは不可能です。あなたを幸せな気分にするのはいつでも次のゴールが達成されたときなのです。それを繰り返していても望むものは手に入りません。

今の段階で、あなたのプライドは周りとの壁を作り、あなたを孤立させています。あなたは目標を立て、その結果を出すことに長じているため、それができない人々を無意識に軽蔑しています。この優越感があなたを孤独な存在にするのです。今生のあなたの使命は、ほかの人々に目標を手にする喜びを教えてあげること。あなたがその使命に気づくと心に幸福感がみなぎってくるでしょう。

・問題を難しくする

あなた方は他人に尊敬されることを求めるために、無意識に何をするにも必要以上に難しいものにしてしまい、尊敬の代償として何らかの犠牲を払おうとするのです。あなたは価値のあるものを手にするにはそれなりの困難はつきものだと考えます。あなたは状況が大きく、手に負えないものになるまで自分自身に、これは大変な作業だと言い聞かせ続けます。これは自己破壊的な行為です。

真実を言えば、達成することはあなたにとって難しいことではないのです。あなたは子供のころ、あまりに簡単にゴールを手にしてきたため、他人からの承認は得られませんでした。そこであなたはもし達成の過程がもっと難しいものだったらほかの人々は注目し、同情し、承認してくれるかもしれないと考えたのです。大人になった今、あなたには自分の体重のことや絶ちがたい習慣、財政などという乗り越えられない問題があるかもしれません。あなた方は自分が全力を尽くしても達成できない困難な課題だと信じていて、その状況の犠牲になっているとさえ感じているかもしれません。

私のクライアントに四十代前半の女性がいます。彼女の減量問題は二十代から続いていますが、その時点までは食事のとり方に何の問題もありませんでした。ある失恋の後で十ポンド体重が増えた彼女は最初のダイエットを行い、規則に従って順調に体重を落としました。当時の彼女はそれが難しいものだとは考えていませんでした。ところが半年後、彼女が尊敬を得たいと考えている友人に自分のダイエットは誤りだったと聞き、その過程の難しさについて聞かされたのです。私のクライアントはすぐにリバウンドを起こして体重を十ポンド増やし、さらに二十ポンド、三十ポンドと体重が増えていき、彼女は若い世代を太ったままで過ごしました。長い間体重を減らすことはとても解決できない問題だと考え、ずっとフラストレーションを感じ続けてきたのです。

自分の目指すゴールが困難だととらえ、友人の尊敬を得たいと考えたとたんに、彼女は自分の問題解決能力を失ってしまったのです。カウンセリングの後、幸い彼女は三十ポンドの減量に成功し、そのまま二年以上もその体重を維持して現在に至っています。この問題について彼女は主体的に取り組む決心をして、理想の体重になることを一番の重要課題に掲げ、前世の問題解決能力をすべて動員して取り組んだのです。彼女はお金を貯めて休暇はダイエットプログラムに参加して過ごし、自宅に帰ってからも厳密に食餌療法を守りました。

あなた方には強い自己制御の能力があるため、意を決して何かをしようとすれば必ずその望みは叶います。難しく考える習慣を改め、問題に飲まれることなく着々と進めることはあなたにとってそれほど困難なことではないはず。他人があなたを尊敬するか、またあなたのやり方を支持するかといった点に惑わされず、ものごとを大袈裟に考えないでただ実行すればよいのです。その気になれば、あなたは達成を目指すマシンのようになり、ゴールに近づくために必要な人や考えをどんどん引き寄せて進んでいくのです。長い間困難だと考えていたゴールを達成することはあなたにとって大変よいことで、それを解決すればまた元気に次の目標に向かって進んでいけるのです。あなたに限って目指すべきゴールがなくなることはありません。

・境界線

あなた方にはとてもはっきりした自我の心の境界線があり、ほかの人が決して踏み込めない領域を持っています。あなた方の境界線は不当なものではありませんが、あなた方は自分が安心するために、ある一定の配慮を他人に求めるのです。問題は他人にはあなたの境界線が見えないため、知らずにあなたの領分を侵害することがあることです。

領分を侵害されたとき、あなたはその相手には沈黙を守り、周りの人々に不満を撒き散らします。自分の領分を侵害されたと感じたら、その相手に直接その不満を伝えるように自分を変えていくことが大切です。「ここから先は私の問題です」とはっきり伝えて、あなたの気持ちを知らせるのです。あなたには相手の感情的な反応への恐れがある上、相手が取り乱したらどう対処してよいか分からないという不安があるため、これは決してやさしいことではないでしょう。そこであなたは自分の感情を相手に分からせるという作業を回避するために、自分の心を正直に他人に伝えない傾向があるのです。しかしただひと言「そう言われると傷つくんだけど」とか、ビジネスの相手なら「私はあなたにこうしてほしいのです」と伝えればよいことなのです。

あなた方は今生で他人に自分の感情を傷つけられない方法を学んでいます。感情は個人的なものですから、どういう気持ちを感じているかは本人以外には分かりません。たとえば雑踏で爪先を何かにぶつけたとき、私は「あいた、爪先をぶつけちゃったわ。びりびりする」と言うでしょう。それについて別の人は「それほど痛くはないさ。僕も前にやったことがある」というかもしれません。しかしぶつけたのは私の爪先で、どんな感じがするかは私にしか分からないということが重要なのです。

同様に人の感情を他人がとやかく評価することはできません。ぶつけた爪先の痛みは私にしか分からないように、あなたの心が失望や傷心、不安、疎外感を感じたら、それを理解できるのはあなたしかいないのです。

◆安心感

・基盤

あなたは自分自身の心の基盤を常に感じている必要があります。そのことが深いレベルで人と分かち合う真実の経験をするための心のよりどころになるのです。自分の心の基盤を意識できれば、あなたは勇気を出して人と関わることができるようになります。相手のエネルギーが強すぎて揺らぎそうになったら、あなたは自分の心に立ち返ることができます。しかし帰るべきホームベースがないと、相手の心を基準として、その人をコントロールすることで関係のバランスを保とうとするでしょう。あなたが自分の心の基盤を自覚しているとき、あなたは不安を感じることなく人々の中にいることができるでしょう。

自分の心の基盤を強くするために、家を購入することも役に立ちます。物質的なものを作ることにより情動を静めることも可能なため、あなた方の場合は自分のよりどころとして自分の家を持つことは有効なのです。自分の家が頑丈で心地よいと、あなたは自信を持ってゴールを目指すことができるでしょう。自分の家を持つことはあなたの力になるのです。安心し、地に足がついた気がして、自分が自分のままでいられるようになるのです。

実際あなた方には不動産のカルマがあり、この分野でも成功する才能を持っています。ブローカーとして、セールス担当者として、よい物件を見つける本能を持ち、交渉をみんなが納得する形でまとめる才覚があるのです。ビジネスとして物件を客観的に見定め、「自分の家」に対して多くの人が持っている感情的な要素に惑わされることがありません。あなたは購入者に最低限必要な条件、たとえばよい学校に近いこと、予算に見合った物件であることなどを満たした物件を的確に選びます。そして購入者が何を求めているのかを感じることができるのです。初めは不可能に見える話でも、上手に交渉の段取りを構築し、購入が実現できるように進めることが得意です。

ビジネスや投資の面では、掘り出し物の物件を探し出し、修理してテナントに貸したりするのが上手です。こうしてビジネスを立ち上げ、あなたの望むペースで事業を成長させることができるのです。あなたは家屋が金融資産として活用できることを知っていて、大きな屋敷を複数のアパートメントにして貸し出したりという工夫にも長じています。しかしあなたの不動産のカルマは建物に関するもので、土地売買に関する能力を指すものではありません。

・帰属意識

あなた方は前世で自分以外の利益を守るために常に「外」に出て戦ってきました。このためあなたには定住するという発想が少ないのです。あなたはいつもどこかに向かっていて、次のゴールや仕事を目指していたのです。しかし心の奥では自分の属するところにとどまり、心地よくリラックスしていたいと願っているのです。しかしあなたが心からどこかに帰属すると考えることは難しく、家族といても自分だけどこか所在ない気持ちを感じてしまうのです。帰るところを見つける第一歩は、まず自分自身をよりどころとすること。それには自分の心に生まれる衝動に忠実に行動することです。

たとえばあなたが友人に関する心穏やかでない噂話を聞いたとします。そんなとき自分の本能を無視することなく、その情報は正しいと「感じる」か、また動揺する理由はどこにあるのかについて考えてみます。あなたの心が落ち着いていれば、その直感は多分正しいと見てよいでしょう。あなた方は自分を信じて本能に従っていると、自分への帰属意識が自然に生まれるのです。同時に他人と帰属意識を共有するには、あなたが傷つきやすい部分について相手に知らせることで可能になります。これをすると相手もあなたに対してオープンになり、あなたへの愛情を示してくれるようになります。

今生であなたの感情は自己主張をします。あなたは繊細で協力的な人々とともに過ごす必要があります。ぜひ覚えてほしいのは、あなたを心から大切に思い、感情を受け止めてくれる人々と、そうでない人々をはっきり区別すること。見分けるには相手が何かしたとき、正直に自分の気持ちを話し、その反応を注意深く見ることです。

たとえばあなたの友人がパーティーを企画して、あなたが呼ばれなかったとき、はっきりとたずねてみます。「パーティーに呼ばれなかった私はのけ者になった気分よ」状況を正当化したりコントロールしようとせず、ただ素直に感想を言うのです。もし友人が「あら、そんなことないでしょ。だって去年私はあなたを三回も呼んだじゃないの」と言ってあなたの感情を否定したとしたら、あなたの友人は心からあなたの気持ちを分かろうとしていないことが見えてくるでしょう。一方で友人が「あらごめんなさい。気持ちは分かるんだけど、今回のパーティーの目的はね……」と事情を説明してくれたら、この友人はあなたの感情を受け止めてくれる人なのだと分かるでしょう。

あなた方は親密な相手に自分の気持ちを見せないようにする傾向があります。皮肉なことにこの傾向が相手と親密になることを阻み、あなたが望むような満ち足りた関係を築けなくしてしまうのです。親密さは気持ちを伝え合い、理解し、受け入れ合った結果生まれるものです。感情は人生を満たされたものにし、あなたが心を解放し、深く個人的なレベルでいたわり合う喜びを経験することは、あなたに与えられた権利なのだということを覚えておいて下さい。

人間関係

◆コントロール

あなたが親密な人間関係を築くときに陥る一番大きな落とし穴は、あなたが相手をコントロールしようとすることです。それはほとんど自動的に起きるので自分でもそれと気づかないほどです。あなたはいつも二、三歩先を歩いていて、自分を相手の歩調に合わせようとするのです。たとえばあなたの相手が二人の関係に疲れ、去ろうとしていることを感じたら、すかさず距離をおいて相手にスペースを与え、思いとどまるよう仕向けます。あなたは相手が心地よくあなたのそばにいられるようにコントロールし、そのために自分の感情やニーズを喜んで犠牲にしてしまうのです。しかしそれによって二人とも駄目になってしまいます。

・自分をコントロールする

あなた方は自分や周りの人の感情にきわめて敏感です。他人はあなたを感情に鈍感な人だと勘違いしていますが、実はあなたは過敏なまでに繊細で、自分や他人に起きている感情をどう処理したらよいかという方法を知らないだけなのです。あなたが自信を持って、気軽に他人と感情を交換できるようになるまで、あなたの感情への反応は自分や相手をコントロールし、感情と向き合わずに済む方法を選ぶでしょう。あなたは相手を管理することで関係をコントロールしますが、それでは相手に対する愛情を表現するという大事な過程を飛び越えています。そして結局疎外感を味わうことになるのです。

あなたがとくに意識せずに人間関係を築くとき、その場の二人の会話や心の動きに即してその方向を探るというよりは、順調な人間関係の維持と自分の望みを叶えるという点を重視しています。状況をコントロールするために、相手が望むだろうという憶測を元にあなたは自分の言動に厳しい制限を設けることもあるでしょう。あなたは無意識にこう考えています。「僕は君にコントロールさせてあげているんだ。だから君は僕の望む人になってくれないと困る」あなたが目指しているのは不測の事態の起こらない、安定した信頼できる関係で、その代わりに二人の正直な感情の交換や絆、親密さを犠牲にしているのです。

あなた方はときとして感情を弱点ととらえます。誰かが感情的になるとあなたは心を閉ざし、気持ちが冷めていきます。これはどんな機会も自分に有利に活用したいというあなたの本能が目を覚ますからです。これが起きたとき、あなたが心するべきことは決してその状況を利用しようと考えないこと。ただそこにとどまり、状況をコントロールしようと思わないことです。そしてリラックスできたら、その状況を修復できる下心のない言動を、あなたは本能的に思いつくことができるはずです。

あなたは責任を引き受けることに慣れているので、人々の感情も自分の責任だと考える傾向があります。あなたはすべてが自分次第だと考えています。その考えがあなたの感情を抑制し、周りの人を動揺させないよう配慮する行動につながるのです。しかしあなたが本当の自分の姿や何を感じているかを隠すことで、喜ぶ人はどこにもいません。実際あなたの気持ちや恐れを隠すことは、その状況の全貌を見えなくするのです。あなたが今生で学ぶテーマの一つは、相手のために自分の感情を抑制してはいけないということです。

その逆に、あなた方は自分の気持ちが相手に伝わり、自分のニーズを満たしてあげるよう常に努力するべきなのです。自分のニーズを自分で満たしてあげないことには相手を思いやることができません。あなたが自分の幸せや満足感を自分の中に見つけるようになると、あなたは相手を自由にし、二人の関係は充実していきます。

・他人をコントロールする

あなた方は自分の感情のパターンを確立するまでは、他人の感情を自分の中に招き入れてしまいます。周りの人が動揺すると、あなたも一緒に動揺するのです。そこで自分の落ち着きを取り戻すために、相手の感情をコントロールしようとするのです。危機に陥ったとき、あなたはすぐに的確なアドバイスをして、その相手がリーダーシップを取って危機管理ができるようにしてあげられるのです。しかし、いつも自分の感情を抑制しているため、他人の感情も抑えてしまうのです。誰かが取り乱すと、あなたの最初の反応はその感情を否定して、その人が落ち着きと理性を取り戻すよう促すことです。あなた方は状況の全体像を把握するよりも先に、先頭に立って秩序を取り戻そうとする強迫観念のようなものがあるのです。助言を求められる前に相手を導こうとすることをやめ、周りの人と分かち合える気持ちのエネルギーに集中するように努めましょう。人の気持ちは揺れ動くものとして、大きな心で受け止めてあげることが大切です。

あなた方は侮辱されたりすると、怒りを爆発させることにより話を終わらせ、気持ちを隠そうとすることがあります。無意識にではありますが、あなたは自分の心の中にある感情が露出するのを隠すために怒りの爆発でカムフラージュするのです。逆上した後すぐに怒りは収まるのですが、周りの人々がおびえて逃げてしまうので、怒りの内側にある自分の感情を表わさずに済むのです。感情の爆発はあなたにとって状況をコントロールする方法の一つでもあります。周りの人は口論したくないのであなたと話すときは感情を逆立てないように注意深くなり、その結果としてあなたは何となく疎外感を感じるようになります。

感情をどう処理したらよいか分からないため、あなたは無意識に感情を遠ざけようとします。あなたが直面すべき課題は、自分の処理能力を超える事態に陥ったとき、怒りを抑えることです。それには接している相手の言動に対する忍耐力を培うこと。相手に関心を持ち、もっと知り合うことにより理解を深めることも大切です。細かい感情のやりとりの奥にある全体像が見えるようになると、あなた方は周りのみんなの感情を踏みにじることなく話し合いをまとめていけるようになります。あなたが相手の立場を理解することによりその人に対する抵抗感が和らぎ、相手も歩み寄り協力してくれるようになるのです。あなたの今生での仕事は、他人と心理ゲームをするのではなく感情面で触れ合うことなのですから、人とのつきあいにおいて、ゆっくりと時間をかける必要があるのです。周りの人が耳を傾けてくれるような提案をするにはまず感情面で人々と調和していることが不可欠です。そしてそれには時間がかかります。しかしあなたが気持ちを理解していると感じられるようになると、相手は心を開いてあなたの話を聞いてくれるでしょう。

あなた方は百戦錬磨の達成経験に基づき、素晴らしい助言をします。あなたが問題を見つけると、あなたが熟知している問題解決法や成功の仕方に照らし、すぐに的確なアドバイスができるのです。しかし皮肉なことに、あなたの周りに集まるそういう人々の問題の多くはあなた自身が取り組むべき問題でもあるのです。あなたが相手を成長させるために聞かせる助言に自らも耳を傾け、自分もまたそれに従うのです。これによりあなたの感情のバランスはさらによくなります。

あなたは相手に対するコントロールと思いやりという二者択一を迫られています。ある状況をコントロールしようという気持ちで臨むと、あなたの願う方向には向かいません。反対に関わっている人々に対する思いやりや、協力しようという意思を持っているとすべてうまく運ぶのです。従って、ちょっと心配な電話をかける前、あるいはある状況に割って入る前などには自分の動機がどちらにあるのか考えてみるとよいでしょう。こうしてあなたは自分がしっかりした基盤の上で行動しているかを確認できるのです。あなたが純粋に相手のことを考えて接すると、相手はそれを感じて気持ちを返してくるでしょう。

・ゴールを決定する

あなた方は自分がどれほど他人に対して支配的だと見られているかに気づきません。あなた方は今生に何かを成し遂げにきたと考えているので、そのためにするべきことに心を奪われ、周りの人の感情にまで気が回りません。そして誰かが取り乱すとあなたはそこに孤立してしまい、一体何が起きたのか理解できません。

私のクライアントに、コンドミニアムを購入した人がいました。彼女は地域に秩序をもたらしたいと願い、地域指導の役割を名乗り出ました。彼女の仕事は週に一回地域を見まわり、駐車禁止区域での駐車や、ラジオの音がうるさいなど、地域の規則を違反している人に警告書を配ることでした。彼女はこの仕事に力を入れていたので、周りに敵をたくさん作るのにさほど時間はかかりませんでした。彼女は役割に忠実なあまり、警告書をもらった人々の気持ちを考えることを忘れていたのです。あなた方の今生でのレッスンは、もし相手の立場になったら自分はどういう気持ちになるかを考えることです。これを繰り返すと人々とどう接したらよいかについて自信が生まれ、上手に人と共同作業をしていけるようになります。

前世で親しんだ権威のために、あなたはどんなときにもビジネスを片づけるように接する癖があります。これは双方にとって距離を感じさせる態度で、これでは心地よい親密さを築くことができません。問題はあなたがみんなも自分と同じように考えていると勘違いして、ゴールさえ達成できればあとはそれほど重要でないと考えてしまうことです。あなたには意外でも、ほかの人はそのように考えず、与えられたゴールという命題がどう自分の個人的な方向と関わるのか理解できないでいることもあります。そういうときにはあなたがゴールを目指すことの意義や、その背景という大局的な視野をみんなに説明する必要があります。ほかの人々はあなたほどゴール指向がなく、あなたには明々白々な戦略がまったく見えない場合すらあるのです。ですからあなた方はペースをゆるめ、人とのコミュニケーションに十分な時間を割き、ときには自分がすべての答えを得ようとしないことも重要です。

先ほどのコンドミニアムを購入した女性の例では、いきなり警告書を発行するのではなく、規則を破った人に規則を理解させ、住民のために規則を守ることの重要性を話し合うこともできたはずです。そして規則をこれからどうやって守っていけるかをたずねることもできたでしょう。あなた方は上から人を見下ろす態度を取ってはいけません。周りの人々の意見を聞いてあげる心の広さを持って下さい。先ほどの例で規則を破った人はこう言うかもしれません。「心配しないで。今すぐ車を動かすから警告書を書くには及びません。知らせてくれてありがとう」あなたが悟るべきなのは、どんな仕事にも「単に仕事を片づけること」以上のものがあるということ。仕事を通じて自分も相手も理解し合い、満足を得るという付加価値があるということです。

◆感情のリスク

あなたがパートナーに求めるのは、ありのままのあなたを愛してくれる人との、心から安心できる関係です。しかしあなたがまずありのままの自分自身を相手に見せなければ、この願いの実現は不可能です。あなたにとって一番大きな壁は自分が弱い存在であると認めることではないでしょうか。自分の感情を外に現すというリスクを負うと自分の感情面での個性が相手との関係の中で明確になりますが、あなたにとってはそれが圧倒的な恐怖感となり、瀬戸際に追いつめられたような気がしてしまうのです。しかしその過程こそがあなたが誰かと親密な関係を築き、安心していられる喜びに至るための道なのです。

・気持ちを伝える

あなた方は唯《ゆい》我《が》独尊《どくそん》のタイプです。あなたは自分の気持ちを認めるのが怖いため、他人を周りに寄せつけません。傷つくのが怖いからです。しかしあなたが今生で学んでいるのは、自分の感情の激しさに直面することより、傷つくことへの恐れのほうがずっと悪影響を及ぼすということです。あなたは自分の感情に慣れていないため何となく避けて通るのですが、少しずつ表面に出していくうちに自分の個性の幅が広がるだけでなく、心がずっと楽になり満ち足りた気分になっていきます。感情は暮らしを彩り、生きる充実感を与えてくれるのです。感情があってこそ完全な人生の喜びを味わえるし、感情のない人生は潤いがなく、単調でわびしいものになるでしょう。

あなたは感情を自由にすると自制心を忘れてしまうのではないかと恐れます。しかしあなたは本来無責任な人ではないので、感情にいつまでも溺れているという心配はありません。仮に否定的な感情に流されたとしても、あなたが生来持っている主体性を使って前向きに軌道修正することはいつでも可能です。感情というものは一時的な、潮の満ち干のようなものだという認識を持ちましょう。心に生まれた感情を意識し、外に出すと、さまざまな感情が出てくるようになり、多様な気分や感動を味わうことになるでしょう。

感情は人々との絆を作るもう一つの「次元」をあなたの中に築いてくれます。知り合いというだけで情のない関係は一番大切な絆のない関係といえます。今生であなたが学んでいるのは、相手の感情に気づき、それを尊重してあげるたびにその人の繊細な心の一面が明らかになり、さらに愛情が深まっていくということです。そして自分の気持ちを相手と分かち合うことで相手にあなたの人格をより深く理解してもらえ、相手はあなたに対する愛情をさらに強く感じるようになるのです。

たとえばあなたが誰かに愛情を感じていてもそれを表現しなかったら、そこに対話は生まれません。しかし好意を相手に示せば、二人が同じ波長で結びつく可能性だってあるのです。感情は言葉だけでなく、ボディーランゲージで伝わることもあります。あなたが誰かに愛情を感じたら、躊躇することなく抱きしめたいとか、手を握りたいという衝動に従うほうがよいのです。

あなたは無意識のうちに常に自分の行動を監視していて、正しい行動をしているかチェックしていますが、それは自分の感情を直視するという作業を延期しているに過ぎません。あなたは心の中で戦略的な考えを巡らします。「もしこうすると状況はこうなる。ああ言うとあんな具合になる」と、すべては戦略モードなのです。しかし策を弄しても現実はその通りに展開せず、あなたは感情に浸る喜びを見逃し、自分の気持ちに素直になることで二人の関係を導いていくことを学ぶことができません。

今生のあなたは、社会的に容認される行動を取ることよりも、自分の気持ちに正直であることを重視して行動することを学んでいるのです。感情を分かち合い、それに基づいた行動をしないと、幸せへと至る「無限の機会」は訪れません。感情が生まれたら、それは認められる権利があるのです。自分の感情を考慮に入れた行動を、あなた方はとくに忘れてはいけません。心に浮かんだ気持ちに常に正直でいることを多くの人が勧めるわけではないので、「いばらの道」と言えないこともありません。しかしあなた方は独立独歩、自分だけの道を行く運命にあるのです。

・親密さ

ドラゴンヘッドを蟹座に持つ人々はこういう質問を自らにするようにしましょう。「もし二人の関係が真の結びつきに基づいていなかったら、困難に直面したとき、それを乗り越えるにあたり二人で何ができるだろう」あなたは親密さを求めています。親密さは相手をコントロールするのではなく、自分の弱さを表現することから生まれます。よい感情を表わすのは簡単ですが、恐れや悲しみ、心配、苛立ち、怒り、そして不安などを正当化したり、放置することなく相手にさらし、それらの感情を解放する必要があることを忘れないで下さい。これらの否定的感情を心にため込んでいると、あなたにとってよいことはありません。

ほかのドラゴンヘッドグループの人々の多くは自分自身でいることに何の支障もなく、ほかの人に自分の気持ちを伝えられるのですが、あなた方の場合は大きな勇気を必要とするチャレンジなのです。あなたは正直な気持ちを他人に表現することでコミュニケーションを深める必要があるのです。自分のありのままの姿を見せるという以外の動機を何も持たず、気持ちを言葉で表現するのです。そして、もしそれを聞いた人があなたの感情を否定するようなことを言ったら、その人とあなたは共鳴できない関係だということが明らかになるのです。しかしこの方法であなたはともに成長できる温かく協力し合える関係を築ける相手を探すことができます。

前世でいつでも責任感を発揮していたあなたは、自分の言動を常に正当化する必要性を感じていました。そして言葉を発する前から考えられる反論について思いを巡らすことに疲れています。喜ぶべきなのはあなた方は今生で、もう何一つ正当化する必要はないということ。あなたは宇宙から、ただあるがままのあなたでいて、他人の反応を一切気にせずに自分の気持ちを打ち明けても構わないという許可が与えられているのです。自分がなぜある感情を抱いているのかということも究明する必要はありません。感情を相手に知らせる過程の中で、新たな自分に気づいたり、相手があなたのことをよりよく理解でき、さらに親密さを増すようなコミュニケーションにつながることもあります。

あなたがすべきことは、その時点で自分に分かっていることだけを相手と分かち合うこと。たとえば「今あなたが言ったことで私はとても不安を感じているの。でも理由は分からない」「君のその言葉はちょっと頭にきた。なぜかは分からないけど僕が怒っていることを伝えたかったんだ」「私は今とても神経質になっているから、なぜかやたらにしゃべりまくってしまうの」「二人でこう決めたはずなんだけど、状況が変わったから少し修正するべきじゃないかとちょっと不安を感じているの」などなど。あなたが結果を恐れず、こうして心に浮かんだことを素直に相手に伝えると、状況は二人にとってプラスに変化していくのです。前世のあなたはとても複雑な心理構造を持っていましたが、今生ではとても簡単で、あなたにとって「正しい行動」はただ気持ちを表わすことなのです。

◆協力と平等

・親の役割

あなたは他人を支えることにより自分の安心と自信を得るという明確な意識を持っています。相手を支える姿勢が相手と同じレベルに立っている場合、それは双方にとって大変よいことです。しかしあなたは前世で家庭環境にいた経験がないために、権威者、独裁者、父親という一つの役割にはまってしまう傾向があるのです。あなたは責任を持って組織を取りまとめ、コントロールすることに慣れていて、ほかの人にはあなたと同じような能力がないと考えがちです。このため緊急事態の兆しが少しでも見えると、あなたはすぐに飛んで入り、みんなを仕切り始めるのです。これはあなたの条件反射とでも呼べるものです。

あなたはいつも全体の動きに責任を負うという発想で行動するため、誰がどこに行って何をしているかを把握しようとするのです。しかしあなたは周りの人を支えることと、他人の自分の行動に対する責任を奪うことの違いを学ばなくてはなりません。あなたの課題は他人の欠点を、批判したり状況を繕ってあげることなしに理解することです。

父親の役割に陥らないために、あなたが男性でも女性でも、やさしく育てる母親の役割を演じることを覚えましょう。これまでの偏ったパターンを矯正するために、あなた方は女性の持つ、エネルギーを受け止め、心から純粋に行動するという姿勢を取り入れるべきなのです。これはあなた方を柔軟にし、あなたのエネルギーを他人が自然に受け止められるように変えていくでしょう。あなたは自分の権威の及ぶ対象としてではなく、自分が不安を抱く対象として他人と関わると、他人を恐れなくなり、仲間として接することができるようになります。

ここに父親と母親の役割の好対照例があります。人々が動揺しているとき、独裁的な父親であるあなたは否定的な感情を追い出すために有効な方法を指示します。それにより人々の感情を、意図しないまでも否定しています（こうしてあなたは自分の感情も否定します）。しかしこれにより人々は自分が理解されず、愛情を注がれなかったと感じます。あなた

ドラゴンヘッド 蟹座 第四ハウス

方の今生の課題の一つは他人との共感を育てること。あなたは他人の声を聞き、彼らの痛みを、母親が子供の痛みを理解するように――理解することで傷が治っていくような――共感を学んでいるのです。母親が子供に「ここにキスしてあげる。そうしたら痛みはなくなるのよ」と言うことは、「今度からはもう怪我をしないようにあそこに行ってはいけないよ」という父親の言葉より論理的ではないかもしれません。しかしそういう母親のやさしさを人々は求めているし、あなた自身にも必要なものなのです。相手が痛みを感じていたらまずそれを認めてあげること。そうすれば相手は自分が愛されていると感じ、そのあとに続く助言も素直に受け入れてくれるでしょう。

前世では周りの人があなたを認め、あなたの業績を高く評価していました。今生では役割を逆転させ、あなたが周りの人々を勇気づけ、支えてあげる番です。あなた方の使命はほかの人のニーズを満たしてあげることにもあるのです。そうすることにより自分も成長し、自分の中に安定感が育っていきます。他人を支えるために骨を折ると、自動的に自分の望みも叶えられていくのです。あなたは他人に愛情を注ぐ過程の中で自分も愛され、満たされていきます。

さまざまな感情にまつわる難しさの中で、あなたが最も苦手とするのが拒絶です。他人の感情に敏感になるように努力をしてはいても、あなたは依然として自分の感情に敏感すぎるという傾向があります。このため他人が少しでもあなたを拒絶するそぶりを見せただけで、すぐに狼狽してしまうのです。これを避けるには客観的視野を持つこと。自分に向けた焦点を少しずらし、相手が何を求めているのかに目を向けることで解消します。

私のクライアントにステーキハウスの元経営者がいました。お客さんが、ステーキの焼き方が足りないといってキッチンに戻してくると、彼はこう言ったものです。「私は正しい焼き加減でお出ししたのですが、あなたは一体何が気に入らないのですか?」あなた方は自分の能力が問われていると感じると、いつでも防御態勢を取ります。あなた方は自分のエゴを横に置いておいて、相手に対して自分がしてあげられることを中心に考える必要があるのです。相手が愛され、支えられていると感じることを願ってあなたがベストを尽くすと、あなたも相手も喜びを感じ、エネルギーが増大します。

感情は私たちの個性の重要な部分です。あなたが涙を流す理由はあなたの妹や友人が涙を流すときとはまったく違うでしょう。感情は個人的なものですから、あなたが感情を表現することはあなたの個性を表現することを意味します。あなた方は他人が自分を理解していないと思ったり、自分でいることを認めてくれないと感じることがあります。しかし実際のところそれはあなたが他人に自分を見せようとしていないためで、あなたが他人と違うかもしれないという恐れから来ているのです。驚くことに、あなたが自分の気持ちを素直に表現した結果仲間はずれになるかもしれないという恐怖を乗り越えて周りと接するようになると、あなたは彼らに心から受け入れられ、絆を築くことができるようになります。

あなたが心に湧き上がる情動をありのままに口にすると、その表現は相手に愛情を注ぎ、相手は心から共感し、協力をしてあげたいという気持ちになるのです。皮肉なことにあなたにとって最も個人的に感じられることが、実は最も個人からかけ離れたものなのです。つまりあなたはエゴが強いため、世間がどう見るかや、他人の目に自分がどう映るかといったことがあなたの最も個人的なことだと考えてしまうのです。

しかしあなたが自分の気持ちや勘、直感などを語るとき、そこにエゴの存在はありません。それは本能的なものですから、自分の価値を上げたり下げたりするものではないのです。それは思考過程で生まれるのではなく、正直な心の反射なのです。

ゴール

◆気持ちを信じる

・波長を合わせる

あなた方は前世の影響から完璧主義を貫きます。あなた方は心の中で起きている気持ちを表現し、他人と分かち合うということを素直に実践する必要があります。社会で重要な役割を持ち、他人の目に常にさらされてきた前世から、あなたは社会の期待に応えるために「ひとかどの人物」というイメージを保ち、いつでもしっかりしているふりをしてきたのです。しかしその延長で、今生のあなたは他人の承認を強く求めています。あなたは冷徹でビジネスマン的な印象を与えることがありますが、それは立派な人物として見られるように、無意識に感情を押し殺している結果なのです。感情に蓋をすることは、あなたにとって条件反射のように自然なことでしょう。しかし今生で幸せをつかむためには、自分の「反射系統」をプログラムし直す必要があるのです。

一つの方法はゆっくりと時間を取って自分を見つめること。一般にあなたは何らかの感情を感じるとそれを無視するか、正反対の行動を取りますが、その癖を徹底的に矯正する必要があります。気づいた感情をすぐに誰かに伝えなければと思うのではなく、十分に時間を取って、その感情を見つめてから表現することを考えるのです。これはあなたにとって、子供が歩き方や話し方を初めて学ぶときのように新しいことで、忍耐力を必要とします。実験をするうちに、周りの人々が魔法のようにあなたに協力的になっていくことを感じるでしょう。あなたの行動は他人を刺激し、他人はあなたがより身近に感じられるようになり、それまでの浅い関係からもっと親密な長期的な関係を作れるようになるのです。

自分の感情を抑制することで賞賛を受けていた前世の記憶から、あなたは感情を弱さとしてとらえる傾向があります。しかしそれは間違いで、感情は体からの純粋な反射なのです。あなたは「今私はとても幸せなんだけれど、それは私が弱いからなんだ」と言えるでしょうか?　いいえ、それは単に感情でしかないのです。

本能的なものがあなたを道から外すことはまずありません。あなたの情動的な反応は相手との協調を強め、何かが起こることへの正確な予知となることもあるでしょう。あなたは感情に支配されると制御能力を失い、間違った行動をすることを恐れます。しかしあなたは「今私はこういう意識を持っている。こういう気持ちを抱いている」と表現することを恐れてはいけません。あなたの本能はいつでも正しいのです。その上あなたが公に自分の気持ちを発表すると「よいカルマ」が育っていくのです。あなた方にとって感情はプラスの要素で、あなたを癒してくれるものです。感情を表わすことによりあなたは自分にも他人にも愛情を注ぎ、状況を癒すエネルギーを生み出すのです。

・コミュニケーション

あなたは本能的に達成を求めるので、それを活用してあなたにとって困難な課題、つまり自分の気持ちや恐れ、弱さを正直に表現することなどを克服するとよいでしょう。これは相手との共感という絆を得るためにはどうしてもクリアするべきものです。相手に伝えるのが恥ずかしいと感じたら、最初は手紙を書いてみましょう。あるいは、相手と向き合った瞬間に頭が真っ白になってしまいそうなら予防策としてメモを作っておいてもよいでしょう。

あなたの目的は感情を批判や責任とは無関係に正直に表現すること。たとえば「あなたが昨日電話すると言ったのに電話をくれなかったから、私は不安で苛立ってしまったのよ。電話を待っているとあなたに約束したから、私はほかの誘いを断わって電話を待っていたのよ」と。まず何が起きたのかをそのまま伝え、その結果起きた感情を伝えるのです。そして話をやめ、相手の言葉をじっと待つのです。時間をたっぷりと取り、すぐに結論を急ぐのではなく、二人が波長を合わせてから落ち着いて対話を始められるように配慮しましょう。

あなたはいつも相手に頼られ、自分が強い立場に立ってしまうと感じることが多いでしょう。あなたが誰かを必要としたとき、頼れる人がどこにもいないと不満を感じることもあるでしょう。あなたが常に人の上に立とうと意識すると、エゴが膨張し、孤立していくのです。相手を支えるのと同じように、自分も相手に支えられることを自らが受け入れることを学びましょう。

しかし、あなたが他人の協力を受け入れるとき、なぜかドラマチックになってしまうのです。「それじゃあ今日あなたの車を借りることにしよう。でも心配は要らないよ。二時間きっかり、一分たりとも遅れずに返しに来るからね」無意識にあなたは自分の責任感を強調し、相手に対する感謝の気持ちが言葉にならないのです。あなたは他人の協力を受け入れ、相手の思いやりに感謝と愛情で応えることを学んでいるのです。相互依存は弱点ではなく、帰属意識を高め、人生を深める働きがあるのです。

あなたが自分の不安を表現しない限り、相手はあなたを支えてあげる機会を与えられません。不安や自分に足りない部分を相手に伝えて初めてあなたに何が必要なのか、相手は気づくことができるのです。そして彼らはあなたを支え、愛情を注ぐという、今生のあなたに必要な経験を与えてくれるようになるのです。ほかのドラゴンヘッドグループの人々にとっては、他人に世話をしてもらうとエゴが膨張することになるのですが、あなたの場合はむしろ協力を受けつけないことがあなたのエゴの現われなのです。このパターンを変えると謙虚さを自分に取り入れ、他人と接するときにエネルギーを交換するという新たな経験ができるようになります。

他人の支えを受け入れることは、自分が自分の責任を果たしていないように感じる人もいるでしょう。しかし他人をあなたの意識に取り込み、支えを受け入れることは、あなたが他人の価値を認めてあげることを意味するのです。人は他人を喜んで支えるものだということにあなたが気づくと、あなたの世界観は変化していきます。

◆過程に焦点を合わせる

あなたは前世で常にゴールを目指してきたので、今生でもゴールに手が届くとすぐ次のゴールに向かうことを繰り返し、その過程を楽しむことを忘れているかもしれません。それではいくつゴールをクリアしても満足感を得られないでしょう。あなたはいわば「達成オタク」で、ゴールを目指す過程にふんだんにある喜びの瞬間を楽しむことすらお預けにして先を急いでしまうのです。

前世では達成し得る最高の頂点を極めてきたあなたに与えられた今生の運命は、ゴールそのものよりも、そこに至る過程に幸福感を見出すということなのです。今、何より大切なのは過程で、あなたの喜びはその道中に見つかるのです。最終地点ではなく、もっとスタート地点に注意を払い、自分や周りの人を育て、その成長を見守るのです。あなた方は今生でもほかの人には届かないようなゴールまでたどり着くことができますが、前世でしてきた方法ではなく、その過程を自分や周りの人と楽しみ、慈しみ合いながらゴールまで歩んでいくのです。

・結果と過程

今生は「勝てば官軍」の人生ではありません。あなた自身が安心感を持つためにも、ゴールばかりを仰ぎ見るのではなくその過程に集中する必要があるのです。これにより、不本意ながらでもあなたが他人の感情を傷つけたり、利用したり、踏みにじったりということを防ぐことができるのです。自分の心をコントロールしようとする本能は今生でもやはりあちこちで顔を出し、自己制御しようとするでしょう。しかしそのときに覚えていてほしいのは、その代償はあなたに痛みとなって降りかかるということです。

あなたが望む結果を得るために過程をおろそかにすると、エネルギー量が低下し、活気や素朴な喜びも失われてしまうのです。たとえば幸せな結婚を目標とするよりも、そういう結婚に至る過程を大事にするべきなのです。あなたのパートナーが二人の関係を楽しんでいるか、時間をかけて観察するのです。あなたのゴールはお互いの感情を分かち合い、お互いのありのままの姿を見せて親密さを楽しめ、相互に協力し合える結婚生活なのではないでしょうか。初めに描いた結婚というゴールはあなたの日々の過程の最終章なのです。

細かいことを一つ一つ片づけていると、大きなことは自然に片づいていくものだということをあなたは学んでいます。

ほかの人はあなたが過程の一つ一つのステップになぜそれほど真剣になっているのか理解できないかもしれません（彼らの中には長期目標を目指すことを学んでいる人々もいます）。しかし世俗的な達成に関しては頂点を極めているあなた方が考えるべきことは、自分に心から忠実になり、達成までの過程に注意を払うことです。あなたが細かいこと、たとえば感情を正直に伝えることや他人の気持ちに配慮すること、状況に対する自分の感情を見失わないこと、一つ一つの作業を心を込めて進めることなどをきちんとこなしていると、あなたは自然に「正しい行動」に導かれているのです。

あなたは自分のしていることが周りから理解され、認められているか、尊敬されているか、宇宙の摂理にかなっているかなどについて、意識しながら仕事を進める必要があります。自分の弱さを認めることの厳しさはあなたにしか分かりません。しかしそうやって自分に正直でいると、他人の意見に関わりなく自分の中に自尊心が育っていきます。そしてそれが力となり、あなたがそれまで知らなかった静かな勇気を持って世の中を渡っていけるようになります。あなたが一つ一つの過程を大切にすれば、その結果はあなたの予想をはるかに上回る情緒的な満足感に恵まれるものとなるでしょう。

・満足へのゴール

あなた方はゴール達成能力に優れているだけに、その多くのゴールの中でどれが自分のためのゴールで、どれが子供のころからの思い込みや、社会的によいとされるゴールなのかを見極める必要があります。ゴールを達成する過程そのものから、あなたは幸福感を得ることができます。焦燥感を幸福感に変えるための一つのゴールは「自分の手中にある一羽の鳥は、森にいる二羽に勝る」と言われるように、すでに手中にある幸せに目を向け、感謝することです。あなたは無意識に次のゴールを目指し、幸福は次のゴールの中にあるという条件づけをしてしまうのです。その結果現在あなたがどんなに幸福であるかを見落としてしまうのです。今自分が恵まれている多くのことを認め、感謝するとそれが次を目指すエネルギーとなり、その姿勢にも均整が取れてきます。

あなたに深い満足感を与えるもう一つのゴールは、人間関係に情動的なつながりや親密さを築くことです。これはあなたに力を与え、ペースを遅くすることで自分や周りの人々のことをよりよく観察する機会を与えます。そうすることにより、感情が人生を楽しくさせる重要な要素だということに気づくでしょう。

そのための一つの方法は、あなたのエネルギーを自分の中心に向けること（これにより経験したことのない状況下でも落ち着いていることができるようになります）。あなた方は通常、自分の生のエネルギーを肩の辺りから頭のてっぺんに向かってとどめているため、「頭でっかち」で体の中が空洞になっているような印象を与えます。上のほうに集中しているエネルギーを下腹部（おへその下）のほうまで分散させる必要があります。歩きながら自分のエネルギーの中心を体の中に感じるようにすると、そこには他人の意見の入る余地のない、絶えることのない愛情が体の中に意識でき、心のよりどころにできるようになるのです。あなたのエネルギーが下腹部にまで下がってくると、心身のバランスが整い、心が「開く」ようになるのです。

それができるとあなたは他人の感情のうっとうしさについてまったく新しい反応の仕方を発見するでしょう。あなたはいつでも否定的な感情に不快感を覚え、周りの人を心地よくさせてあげる方法を知りませんでした。最初の反応はその感情を無視したり抑制したりして、まっすぐゴールを目指すルートに戻るということ。そうやってあなたはまた「指揮官」に戻っていったのです。しかし不思議なことに、あなたがゴール設定を変えて相手の感情を認めてあげることや共感してあげることを目標にすると、それまでとは裏腹に肯定的な反応が返ってくるようになり、またそれにより相手は成長し、両者の間の絆が深まっていきます。

私のクライアントにある男性と交際をしている人がいました。彼らはともにニューヨークに住み、二人でシティライフを楽しんでいました。彼はある日、出張先のミネアポリスから退屈と疲労に襲われて彼女に電話をかけました。彼女は何といって元気づけたらよいか分からず、早めに電話を切ってしまいました。彼女が疲れた彼に言ってあげられたのは、「それは大変ね」のひと言。あなたが相手の感情を認め、共感すると次に何を言えばよいかは自然にあなたの頭に浮かんでくるのです。この場合では「それじゃあ今度の週末、私がそちらに飛んで一緒に過ごしましょうか」などと言えば、二人とも気分がよくなり、絆が深まります。しかしあなた方はまず相手の感情を見逃さず、しっかりと受け止められないと、感情がテーマになったとき何と言ってよいかいつも途方に暮れてしまうのです。

◆遺産

あなた方は人との心地よいつきあい方や、相手のためになるつきあい方を学んでいます。あなたは人々に、ときには相手を疑うことにより相手のよいところを伸ばす方法を教えてあげなくてはなりません。たとえば私のクライアントに、アメリカ南西部のある大きなレストランの共同経営者がいました。そのレストランのシェフは、採用されたときには分からなかったのですが、アルコール依存症だということが判明し、数ヵ月働いた後、三日間警察に拘留される事件を起こしました。釈放された後、シェフはレストランに復帰しました。腕のよいシェフはなかなか見つけるのが難しく、私のクライアントにはこのシェフが必要でした。共同経営者のほうは彼を熱烈に迎え「やあジョン、よく帰ってきてくれたね」と言いました。しかし私のクライアントは無関心でした。『また受け入れてやるんだから、どうして彼を持ち上げる必要があるんだ』と思ったのです。あなた方は人材を必要としているとき、どう対処するべきかを学んでいる最中なのです。

・教え

あなた方は現世でどうすれば成功するかに精通しています。何が必要か、世の中のしくみがどうなっているか、仕事をどう組織していくのかなどが自然に分かるので、ほかの人にもそれが見えると思っているのです。しかしどのドラゴンヘッドグループの人にも、ゴールを目指す方法（そのゴールがどんなものであれ）をあなたほど理解している人はいないのです。今生のあなたの使命は、この優れた能力をほかの人々に教えてあげることなのです。

この分野での豊富な前世経験から、あなたは人が無意識に怠惰《たいだ》に陥り、本人のためにならないことにふけったり、あるいは大して重要でないことに目を奪われているとき、それがすぐに分かるのです。同時にあなたにはそういう人々がどうすれば生活を立て直し、それぞれの問題に取り組んでいけるかが明確に見えます。彼らの求めるものを見出したとき、あなたは自分の持っている実戦的なゴール達成能力を生かし、彼らの夢の実現を支援してあげることができます。

あなたの周りの誰かが自分に「罰を与える」代わりに、本人にとってマイナスになることに心を奪われているのを見たとき、あなたはその人にやさしく接してその人の目標を目指すように指導してあげましょう。一番よい方法はその人のゴールを示してあげること。そして勇気を出して目指していくよう励ましてあげることです。こうして他人のニーズに敏感になっていくと、あなたの独裁者的、父親的役割が成長を見守る母親的な役割へと変化し、相手がずっと受け入れやすい姿勢になります。あなたが相手を理解し、愛情深く接すると、そこから生まれるあなたの自信が周りの人を大きく育てていくのです。

先ほどのシェフの例を挙げると、私のクライアントはもっとシェフのことを理解しようと努力すべきでした。なぜ彼はシェフになったのか。彼は何を目指しているのか。このレストランで働くことで彼は何を得ようとしているのか。もし彼の動機が妻と子供のためによい暮らしを支えるためだったら、そしてそのレストランを選んだのは自分の評価を高めるためだったとしたら、私のクライアントはシェフをやさしく導いていくことができたはずです。

忍耐は、あなたが取り組むべきもう一つの課題です。あなたの仕事は周りの人を元気づけ、自らが実践することで周りを導くこと。あなたは前世から実証済みの、何でも実現してしまう人なのですから、あなたが人のことを理解してあげられる教師の立場で接すると、あなたの言葉に耳を傾けない人はいないのです。

・**繊細さと分かち合うこと**

感情を抑制してきた前世経験から、あなたの心にある感情の領域は浄化されています。あなたの感情の動きには「隠された策略」がなく、あなたの感情は純粋で自然な反応なのです。あなたが自分の気持ちを表現すると、その場にいた人々がほっとするということが少なくありません。あなたの感情の領域は開かれていて、周りにいる人々の感情を汲み取っていることが多いのです。このためあなたが自分の感情を人と分かち合うことは健全な行為なのです。「今の状況で私は不安を感じている」「あなたの言葉はちょっとしっくり来ない」「それはみんなのためによいことではないような気がする」などなど。あなたがあえて心にある感覚を言葉に表現すると、周りの人は自分が言えずにいた気持ちをあなたが代弁してくれたと感じ、安らいでいくのです。集団の中で、人があなたに「あのときあなたがああ言ってくれてうれしかったわ。私もまったく同感だったのです」と言われることもあるでしょう。

最初にそうだったのですが、うまく言葉が出てこなかったのです」と言われることもあるでしょう。そういう時は宇宙があなたの感情をしっかり受け止めてくれたことを意味します。宇宙があなたに、今のあなたの行為、つまり相手を責めることなくはっきりと気持ちを表現したことこそが、あなたがゴールにたどり着くために必要な要素だったのですよ、と言っているのです。

人には感情があるということを認めなかった前世の生き方の影響で、あなた方は今生でも人間としての喜びから遮断されています。ある意味では、あなたは自分が人類の一員であることさえ感じないかもしれません。あなたは目的意識や達成、責任について熟知していますが、それらは何のためにあるのでしょうか？　人間としての経験を積んだご褒美、あるいはその真価はどこにあるのでしょうか？　それは感情の動物である人間らしさを味わい、豊かな情緒を楽しむことにあるのではないでしょうか。外的な経験は、心の中の情動的な動きの結果でなければ意味がありません。そしてその感情を他人と分かち合うことが、人間としての経験の中でも最も喜びに満ちた至福の経験なのです。

自分の感情とのつながりを断ち切った結果、あなた方は人類とともにある共感を意識し、それに基づく存在感の基盤である満足感や帰属意識からも疎外されています。あなた方には人類という家族の一員としての責任ではなく、そのメリットや喜びを自分のものにする権利があります。あなたの毎日をスローギアに入れ直し、感情を味わうという、人間に与えられた最も贅沢な報酬を楽しむことにしてはどうでしょう。

〔癒しのテーマソング〕

音楽は何かに挑戦するとき、感情面でユニークな力を発揮します。
それぞれのドラゴンヘッドグループに合わせ、
エネルギーをプラスに転化する働きを持つ詩を作りました。

途上にて

この詩のメッセージはドラゴンヘッドが蟹座にある人々に洞察と勇気を与え、自分の弱さを認め、気持ちを表わし、あなたの心が求める人間として人々と分かち合う喜びへと導くために書かれました。

しかしもう迷うことはない
成長とは、すでに知っていることを
乗り越えることだった
今私はみんなが待っている
家路に急いでいる

私の道を知る
ただひとつの方法
それは自分に正直であること
愛する人とともに
分かち合うとさらに見えてくる
心を開くと魔法が始まるということが
思えば遠い道程だった
今元いたところを目指し、歩き続ける

ドラゴンヘッド

獅子座

第五ハウス

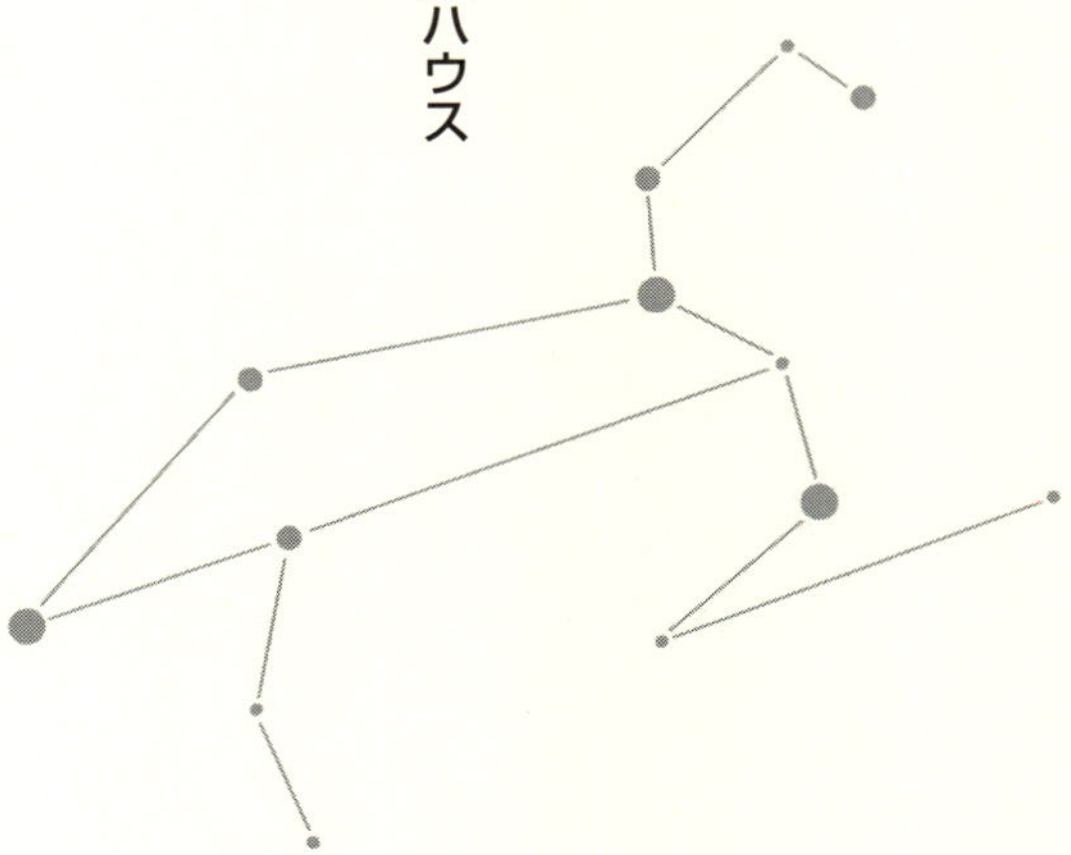

Leo

総体運

●伸ばしたい長所

次の性質を伸ばすと、あなたの隠された能力が見つかります。

・個性
・中心に立とうとすること
・心の欲求に従う
・意志を強くする
・熱意
・自信
・危険を冒す
・他人の子供っぽさを理解する
・人生を楽しむ
・人生をゲームととらえる
・自分次第と考える姿勢

●改めたい短所

次の性質を減らすようにすると人生が生きやすく、楽しくなります。

・帰属する集団に合わせて自分を曲げる
・感情を遮断する
・無関心
・自分の行動を他人に委ねる
・真相を見落とす
・行動する前に知識を集めすぎる
・過剰な夢想
・対立から逃げ出す

◆あなたの弱点／避けるべき罠／決心すべきこと

ドラゴンヘッドを獅子座に持つあなたの弱点は、友人に受け入れてほしいと考えすぎること（「私が人生に身を任せ、流れに沿っていれば友人は自動的に私を受け入れ、幸せにしてくれる」）。しかしこれは底のない落とし穴。友人はあなたが一人の人間として人生の喜びを享受するに足る支えになってくれることはありません。あなた自身が自分の最良の友になり、自分の幸せをつかむ勇気を与え続けるべきなのです。

避けるべき罠は、知識を無限に求めること（「十分知識を集めたら、自信を持って創造的な活動を始められる」）。創造的な活動を起こすに十分な知識が収集できたと思えるときというものはいくら待っても来ないので、あなたは幸せのほうがあなたを見つけてくれるのを待ちながら、流れに身を任せるのです。決心すべきことは、あなたの人生のどこかの時点で自分の幸せを見つけるために勇気を出して踏み出すこと。皮肉なことに、あなたが幸福を求めて行動を起こすと、成功するために必要な知識は自然にあなたの周りに集まってくるのです。

◆あなたが一番求めるもの

あなたが心から求めているのは愛を受け止めることです。他人の愛情のエネルギーを経験したいというあなたの願いは尽きることがありません。他人の愛情のエネルギーを受けるためにはまずあなたが他人を元気づけ、愛情を注ぐことです。あなたは他人にスポットライトを当てて喜ばせる方法をよく知っています。あなたの想像力を活用して周りの人々を幸せにし、彼らに聴衆を与え、また彼らを支える友人のグループを形成し、彼らを受け入れ、愛してあげるのです。あなたが進むべき道を歩んでいるかを確認するよい方法は、他人の賞賛や承認があるかということです。他人を幸せにする過程で、あなたが人道上正しいと思えることをしている限り、多くの人とともに生きていくという大きな流れの中であなたが重要な存在であると気づき、喜びに満たされるでしょう。

◆才能・職業

あなた方の適職は、個人的な創造活動が生かされる職業、たとえば歌や演劇などのエンタテイメント関係、起業家、あるいは何らかの形で舞台の中央に立つ職業です。あなたの豊かな創造エネルギーをある形に完成させ、発散することにより多くの人に喜びを与える仕事に向いています。そのほか子供たち、予想や投機、ゲーム、スポーツ関係などもよいでしょう。

あなたは客観性にも恵まれています。あなたは正確にものごとのルールを見抜く力があります。あなたが楽しみながら目標を目指すときにこの才能を下敷きにすると、客観的に行動できる能力が大きな支えとなるでしょう。しかし客観性を目的とする職業、たとえば科学者や発明家、エンジニア、技師などを選ぶと、あなたの人生は活気や喜びのないものになってしまいます。あなたの生来の客観性は想像活動を支える土台として活用されるべきものなのです。

●あなたを癒す言葉●

「私を幸せにできるのは私ただ一人だ」

「楽しいことをしているとき、私は正しい道にいる」

「心に住んでいる〝子供〟の声に従うと、うまくいく」

「積極的に目標を目指すとうまくいく」

「他人の中にある〝子供〟を受け止めると、みんながうまくいく」

「他人を幸せにすると、私もそこに帰属する」

性格

◆前世

あなた方は前世の多くを、ほかの人の行動を見守りながら過ごしてきました。あなたは科学者や、観察者として人道上必要な命題に取り組み、理想を実現する仕事のために自らの個性を犠牲にしてきました。あなたは自分の創造エネルギーを他人の夢や欲望のために使い、自分のニーズや欲望を後回しにすることに慣らされてきました。

このため前世のあなたは自分の中にいる無邪気な「子供」の活力を見失っていました。今生でもあなたは無意識に自分の心に住んでいる子供を否定するような環境を選び、この課題と取り組むことであなたの生のエネルギーと再びつながる運命を持っています。あなた方の中には、両親の行動を客観的に観察することが自分の死活問題となるような家庭内暴力のある環境に生まれる人もいます。あるいは両親または親のどちらかがアルコール依存症で、親の感情が予測できず、代わりの大人も信用できないため、自分の心を閉ざしてしまうことで身を守るしかないような環境に生まれた人もいるでしょう。また子供のころに親と死別し、年齢よりずっと早く重い責任を負わされ、子供らしい子供時代を送れなかった人もいるかもしれません。

前世の多くを客観的に科学的にものごとを見つめて過ごしてきたあなたは、何かの渦中に飛び込むことへの深い恐怖心があります。あなたは自分の客観性を失うことを恐れ、自分の身の安全を守ってきたのはひとえに客観的な姿勢だったと無意識に考えています。しかしあなたの今生でのテーマは渦中に飛び込み、遊ぶことを覚えることなのです。あなた方はあまりにも長い間、空気の沈滞した実験室で科学的なアプローチと取り組み、この世の楽しみとは無縁で生きてきたのです。だからこそ今生では思いきり楽しいことを経験するべきなのです。あなたが子供たちとともにいるとき、自分の中の子供心が蘇ってきます。子供が無心に遊ぶ姿を見ていると、あなたは何か楽しいことを始めたい気持ちになります。そしてそれがあなたの今生でのチャレンジ、生きる活力の中心に帰ることです。

前世で身についた科学的な姿勢から、あなたは今生でも「研究室の客観性」でただものごとを観察し続け、対象を変化させたり、データに手を加えることを考えません。この姿勢からあなたは状況をきわめて明確に把握することができます。しかしあなたがあまり「実力のある観察者」の役割を演じすぎると、あなたのエゴは膨張し、ふんぞり返って人々に審判を下すような尊大な人格に陥ります。

あなたはこんなことをするかもしれません。「ナンセンスなことを全部省略して、必要最低限のことだけやろう」と宣言したものの、周りの人のしらけた反応を見て、まずいことを言ったと感じます。しかし心であなたは考えます。「でももう言ってしまったから、そのまま押し切るしかないさ」そして厳格にそのスタンスを守ろうとします。しかし今生のあなたの役どころは他人に今何が起きているかをさりげなく伝え、彼らを笑わせたりしながら協力を得て、あなた自身のものの見方をもっと明るく気軽なものに変えていくことにあるのです。あなたは現状を把握するだけでなく、状況に積極的に参加して、自分自身を含めて関わる全員にとってよい方向に状況を変化させていく使命があるのです。今生のあなたのテーマは自分の望むものを、自らが深く関わることによって手に入れることです。

・観察と行動

あなたは時々他人の置かれた環境に飲み込まれ、何が起きているのかすっかり見えているにもかかわらず、ただそこに傍観者として力なくたたずんでいます。あなたは他人のことを、風を受けて進むヨットのように自在に方向を変えることができたり、変化する状況に柔軟に対応しながら状況をうまく利用していけるものと思っています。しかしあなたは風向きの変化を見て、波を読むことはできても、その動きを利用して行動を起こすことができないと思っています。

あなたはいわば創造という「振り子」の片方につかまって身動きが取れない状況に陥っているのです。夢を実現するには、観察と同時に行動が不可欠です。ときにはヨットのセールを操るロープをしっかりと引き寄せ、ヨットの傾きを元に戻し、行きたい方向に進めるために重りを配置し、ヨットに当て木をして来たるべき嵐に備えるといった体力を要する努力も必要なのです。そしてそれには大変なエネルギーを必要とします。創造的な行動をするにあたり全エネルギーを無駄なく効果的に使うために、状況の正確な判断は行動と同じくらい重要な要素です。あなたは観察のエキスパートですが、実社会において変化を起こすには行動がともなうものだということを忘れてはいけません。

・科学的方法と創造力

あなた方は時々死ぬほど考え抜くことがあります。すべてを分析し、最悪のシナリオをすべて想定し、周りの人々の気分も考慮に入れ、ありとあらゆる情報を収集して、行動を起こしたとき失敗しないように備えます。しかし考えることが無数に生まれ、あなたは圧倒され、身動きが取れなくなってしまうのです。情報を得ることによって不安を解消するという傾向は、あなたの活力を増大させてくれる大胆な行動を遠ざけ、停滞した受け身の姿勢に閉じ込めてしまいます。

あなたは論理的な戦略より自分の直感を信じ、もっと流動的になることを今生で学んでいます。あなたが基本的な前提としていることが間違っているときもあると考えることも必要でしょう。しかしあなたは自分の知識が自らの夢の実現を阻んでいてもそれに固執し、高い知識を持っているという自負を持ちます。「僕が心に従い、勇気を出して一つの結果を出すためにはX、Y、Zの条件をまず満たさなくてはならない」などと考えますが、それが正しいことはほとんどありません。あなた方は自分の夢を実現することについてすべてがコントロールできるという考えを捨てるべきなのです。人生があなたのパートナーであると知り、あなたの考えるコントロールを横において、その時々にあなたにできることをするようになると、少しずつ夢に近づいていくものなのです。もしあなたがそれをしようとせず「条件」も満たされないと、あなたは行動に起こすことをためらい続け、ついに実現の機会は遠くへ逃げていってしまいます。

あなた方は情報を収集し、それを検証していくという科学的方法の上を探り、真に創造的になることを学んでいます。創造力というものは計画通りに行かず、スケジュールも立てられません。それはそれぞれの瞬間に存在する直感とエネルギーを活用していく過程をたどります。そして方向を決定し、宇宙の流れに従いながら目標に迫っていくのです。最終的に得られたものは当初の予定と少し違うものになるかもしれませんが、そのエネルギー自体の持つ喜びや達成感は期待を上回るものになるでしょう。

あなたが目標にたどり着けるようにと宇宙から注がれるサポートに気づき、受け入れるように心がけましょう。あなたが宇宙に「私はこの問題の答えが欲しい」と問いかけ、宇宙がそれに答えるたびにあなたは「いいえ、それじゃなく別のものです」と、実際に行動に移すことなく自分の受け入れるべき答えを否定し続けるのです。あなたは堂々巡りをして自分の生のエネルギーからはぐれてしまいます。そうなったら、それは行動に出る合図だと考えて下さい。何かを始めて人生を前進させるのです。誰かに電話をかけたり、好きな人にプレゼントを贈ったり、あなたのエネルギーが回り始めるような活動やスポーツを始めたり……。自分のエネルギーを感じられるようになったら、頭が冴えてきて他人と情的にも知的にも接することができ、気分もよくなります。

◆流れに身を任せる

あなたは自分の人生に創造的な変化を起こす力を持っているという自覚がありません。あなたは宇宙の摂理がすべてを決定すると思っているため、自分の個人的な力を認めないのです。あなたは状況を打開する力がないと思っているため、虐待に近いことをされても、仕方がないと諦めてしまうことさえあります。あなたの今生での大切なレッスンの一つに、自分の力を信じることが挙げられます。あなたは自分の人生を包む大きな力に対する認識があり、それに基づいたプラスの変化を起こすという特別な力があなたには備わっているのです。

前世でのあなたは宇宙の摂理を認め、それに従い、上手に人生を過ごしてきました。今生では、自分の心に住んでいる「子供」の声を聞きながら、自分の夢を実現しようと行動している限り、前世のように宇宙の摂理に身を任せていても正しい方向に進んでいけるでしょう。しかし危険なのは、あなたが目指す目標とあなたの心が何となくつながらないと思えるときです。あなたの今生での運命は他人と創造的に関わることですから、他人のエネルギーのうねりを宇宙の摂理と勘違いしてしまうことがあるのです。そういうときは、まったく利己的な他人の欲求というエネルギーの流れに身を任せてしまう危険をはらんでいるのです。

あなたは他人を喜ばせるために、他人と同じ行動をしてしまうことがあります。それはあえて人間関係のあやに取り込まれ、感情的ないざこざを起こすことなく、周りの人々に受け入れてもらうための、あなた流のやり方なのです。あなたがそういう行動を取るとき問題になるのは、他人のわがままの片棒を担ぐだけに終わってしまうことです。流れに沿っていこうとするとき少しでも他人の欲望を感じたら、すぐに一歩下がってその状況に対する自分の気持ちを確かめ、自分の道を歩むことです。あなたのテーマは自分の中の「子供」を幸せにしてあげること。どうすればそれができるかがはっきりしてくると、自分が正しい方向を向いているか自ずから分かるようになるのです。

あなたが愛用してきた前世での尺度、万人に当てはまる科学的分析方法は今生のあなたにはあまり役に立ちません。あなたが使うべき物差しは自分の喜びの有無と心に住んでいる「子供」の声です。あなたがその方向に歩み出すと、自分の利益のためにあなたを頼りにしている人が傷つくこともあるでしょう。しかし大局的に見れば、その人の依存体質を断ち切ることこそが本人のためになるというものです。あなたには、人がそれぞれの人生で課題と取り組んでいることが分かりません。あなたにはっきり分かるのは自分の中の純粋な喜びで、それこそがあなたの将来を指し示す人生の灯台とも呼ぶべきものです。

あなたが心の求めるものに従わずに進んでいくと、あなたがこの世に生まれてきた理由である、幸せになるという経験から遠ざかっていきます。前世の多くを人類のために費やしてきたため、あなたの心に住んでいる「子供」は浄化されています。ですから心の「子供」を喜ばせるものは、真にあなたを幸せに導くものだと考えてよいのです。その声こそがあなたを他人の利己的な欲求という混乱から救い出し、自分の個性を謳歌するという光の世界へ誘ってくれるのです。

「よく遊び、楽しみなさい」という命令に、多くの人は喜んで従うでしょう。あなたは責任感の強い人なので、心おきなく遊び、楽しんでよいのです。あなたの道は自分の個性を追求し、他人に妨害されることなく自分の夢を実現することなのです。

・友人

あなた方は今生ではあまりよい「グループカルマ」に恵まれていません。つまり周りの人々のエネルギーに翻弄される運命を持っているということです。前世では常に人々とともにいたあなたですが、そのときのあなたは自分の個性を否定していたのです。今生では社会のさまざまな集団の中からいくつかを選び、そこに帰属しようとするでしょう。あなたはそのグループと同じような服装をし、同じ言葉づかい、同じ行動、同じ考え方をするように努めます。グループがあなたを受け入れたら、あなたは自動的に自分の個性を失っていきます。これでは人生を後退しているも同然です。つまり自分の個性を主張し、真に共鳴し合える友人を探すという生き方の代わりに心理的な策略により友人を選んでいることになるのです。子供時代も、あなた方は「先を行っている」友達のグループに入り、自分らしくないことをしているために不都合が生じたことがあるのではないでしょうか。

集団の状況の中で、あなたは自分の個性を主張するという大きな課題を背負っています。あなたは多くの場合、他人が考える「あなたにふさわしい」集団に属しますが、あなたが彼らと同じであるふりをしていることが決定的な形で露呈《ろてい》するのです。それはあなたが自分自身でいないことを周りの人が感じ取り、心からの信頼が築けないことが原因なのです。

集団に入る前に、その集団の本当の性質をよく理解することが肝要です。あなたが心から信頼できる集団というものは、個人がそれぞれにしっかりした価値観を持ち、独立した個人として自然に集まって形成している集団です。彼らが集まった動機は自発的で自然なものです。あなたにふさわしい集団を見つけるためには、あなた自身が心の声に忠実である必要があるのです。自分の個性を主張する過程で、あなたは他人の個性に気づき、尊重することを覚えるでしょう。友人や集団との絆は相手の意志や期待に合わせるのではなく、お互いのユニークな個性を認め、尊重し合うことから生まれます。

・夢想と実現

あなたは未来を夢想して我を忘れることが少なくありません。これはあなたが行動力を持っていないという悲しみから生まれるものです。あなたはあらゆることを夢想します。後で情勢がどう変わっていくか、また出会う人について、知っている誰かがどうなりうるか、実際にどうなっていくか、考え過ぎて夢と現実の境目がなくなるほどです。あまり夢想にエネルギーを使うとあなたの創造力の火が消えてしまいます。夢想に使うエネルギーを減らし、もっと行動のために費やしましょう。

今生でのあなたによいのは「さて私は何を創造したいのか。何をすると楽しめるか」と考えること。あなたにはいろんな考えが浮かび、心の中の「子供」は「ほら、あれをやろうよ！」と言うでしょう。しかしあなたは何年も何もせずにじっと考え続けてしまう傾向があるのです。あなたが自分の夢を実現せず、何年も無駄に過ごすとそれはあなたの心に深い悲しみを残します。

夢の実現はあなたにとって大変重要な課題です。あなたは今生で自分の運命を切り拓いていく力を持っていますが、その力を行使するか否かはあなたの決断次第なのです。あなたが心から共鳴できるような夢を一つ決めたら、それを実現するための一歩を踏み出してみましょう。その過程はときには疲れるものかもしれません。夢と現実のギャップが大きすぎて、その二つが近づいていくことが想像できないかもしれません。しかしどんな夢でも現実のものに変えていく力を、あなたは今生で確かに持っているのです。最初の一歩は夢の実現というゲームに参加することそのものが楽しく、満足のいく経験だということを理解すること。あなたは夢を創造していく過程を楽しみ、喜びを先延ばしにするべきではないのです。

あなたは夢を現実にする途中で忍耐力がなくなり、早く実現しようと焦ることがあります。夢と現状のギャップがあまりに大きすぎて、諦めてしまうこともあるでしょう。しかしその後でも心の中では同じ夢を見続けているので、実現できない不満が心に残ってしまうのです。つまずいたときは、歩みを遅くして創造的な展開が独りでに開かれるのを待てばよいのです。最初の一歩を踏み出したら、次の一歩が自然に見えてくるでしょう。行動に移す前に全体像を見極めようと構えていても、あなたが自信を持って行動する準備ができるほどの情報を集められることはありません。あなたにとっては行動という、ある種の「危険」を冒すところにこそ活力が潜んでいるのです。

・焦点と目移り

あなた方はゴールをいつも心に留めておくことを学んでいます。あなたは身の回りのさまざまな機会に簡単に心を奪われ、熱意を持って始めたゴール達成という使命を忘れてしまうのです。あなたはどんなに気持ちを惹かれるものや障害物が現れても強い意志を持って初志を貫徹する能力を開発しているのです。そしてそのためにはあなた自身を傍観者、オブザーバーではなくメインプレイヤーであるととらえ直す必要があるのです。

あなたの夢を体験する機会に出会うと、あなたは幸福なエネルギーに包まれ、すぐに夢の実現へ向けて歩き出します。しかしすぐにその道が真っ直ぐで簡単な道程でないと気がつくのです。歩みがぐらつき始め、思うように成果が上がらないとあなたは諦めるか、ほかのもっとやさしい、エネルギーを消費しない目標に変更してしまいます。

あなたが願う幸せにたどり着くことは、必ずしも容易な、分かりやすいルートではない、ということをあなたは今生で学んでいるのです。あなたが目標に向かって進んでいると、たいてい「第二の目標」が現われ、目標への道を妨害します。そこであなたは一歩退いてその妨害を乗り越え、より強い人格を形成することによって新たなレベルに達するのです。それはちょっとおとぎ話にも似ています。王子が「戦利品」である王女を手に入れる前に、怪物を退治することで人生の挑戦に打ち克つという筋書きのように。あなたを妨害する「第二の目標」は実はあなたの一部で、それまでにもあなたの成長を阻んできたのですが、第一の目標の前に立ちはだかることで初めてそれが明らかになるのです。第一の目標という戦利品を手に入れたかったら、自らの意志を強く持ち、自己鍛練から最大の恐怖に打ち克ち、人格の挑戦をクリアし、元の状態に後退しないという覚悟が不可欠なのです。

◆創造力

あなたの今生の運命の一つに、創造的な過程の喜びを経験するというものがあります。しかしあなたを困惑させるのは、あなたの夢と実際にあなたの周りにある現実との矛盾です。あなたは他人の作った波に身を任せる習慣がありますが、今生では自分の望む環境を自らの手で作らなくてはなりません。しかしあなたにはその術がありません。客観的なものの見方や参加しないという習性が身についた人が突然主体的に何かを作り出すのは確かに容易ではありません。どうやって始めたらよいのかさえ見当がつかないかもしれません。この知識がないという恐怖感があなたを情報収集に駆り立て、勇気を出して行動に移す条件としてまず情報で身を固めようとするのです。しかし究極的にあなたに必要なのは意志力なのです。あなたが創造したいものに一〇〇％心を集中させると、積極的な行動を取っているあなたの周りに必要な情報はちゃんと集まってきてくれるのです。あなたの今生での仕事は、自分の夢を今すぐに創造することです。

・知識と経験

あなたはいつでも行動の裏づけとなる知識を十分に集めたいと願います。しかしあなたが二百年生きようと、行動に必要な知識を収集できたと感じることはありません。行動を延期する弁解として知識の収集を挙げるのをやめ、ときには間違ってもよいのだと達観することです。実際間違うことによって実体のある知識を学び取り、私たちは現実に通用する方法を覚えていくのです。

　ある意味であなた方はしっかりした自信を身につけています。しかしあなたの自信の根拠は自分の「データベース」の信憑性《しんぴょう》なのです。あなたは自分が知っていると考えていることに絶対の自信を持っていますが、それは前世の経験と観察が基盤になっているのです。前世から引き継いだ情報基盤の感覚に基づいて判断すると、未来の無限の可能性を否定することになってしまいます。あなたへの課題は過去の「知識」を白紙に戻し、子供のように無邪気に実験をしてみようという姿勢です。ほかの人がまったく見向きもしないことであっても心の声に従って行動に移し、どうなるか試してみることが大切です。こういう行動はあなたの毎日を活気のあるものに変え、どうすればよいかをあらかじめ知らなくても、すぐに目の前に満足のいく結果を出せることに気づくでしょう。

　あなた方は間違いを犯すという「痛み」を避けたいために、情報を十分集めるまで行動を延期しようとします。しかしあなたの心の「子供」の持つ力を信じ、それがあなたをわくわくするような発見やロマンス、そして創造の喜びというまったく新しい、あなたの地図に載っていない領域に誘ってくれるのを受け入れるべきなのです。それをしないとあなたは不満を感じ、人生を逸脱し、あなたが選んだリーダーの作ったシナリオがなぜ自分に幸せをもたらしてくれないのか分からず、混乱することになるでしょう。行動の道標として知識や条件に頑固に固執すると、それ自体が障害に変わっていきます。私のクライアントに、過去二十二年間にわたり、妻と別れることにより新しい人生を始めようとしている人がいます。しかし離婚するには妻に慰謝料を渡さなくてはならないので、資金を作る必要があると彼は考えました。この二十二年間、お金を作るそばから使ってしまい、離婚の条件に欠かせないまとまったお金を作れずにいるのです。しかし彼の妻は創造力が豊かで、独立心もあり知的な人です。彼女自身が持つ力を信用せず、また自分で決めた条件に固執するあまり、彼は不幸な結婚に自らを封じ込めているのです。

自らの人生の活気と喜びを増殖させるには、知らない世界に飛び込み、経験から知識を得ようとすることが大切です。起こりうる結果を何も知らないまま行動に移すには自分への信頼が必要で、革新的な知識を得るには子供の無心な勇気が要るのです。あなた方は自分が本来持っている活力を信じる必要があります。ゴールをいつも心に留めていれば、その過程で微調整をしながら目指す方向に向けて歩き続ける力があなたにはあるのです。

・ゲームの達人

あなたはゲームの達人で、どんな役回りでもこなすことができます。あなたの客観性が抜群の戦略を思いつかせるのです。あなたがゴールを心にしっかりイメージできると、関わっている人々の中で自分がどういう役割を演じ、自分の目標を実現すればよいかが分かります。この能力はあなたが不安に思う分野ではとくに役に立ちます。現実の状況をゲームと考えると、あなたの役割分担の創造力がぱっと花開きます。

自分の役どころが見えると、勝つための戦術が浮かびます。状況が進化するにつれてあなたは複数の役割を演じることになるかもしれません。ある段階では「心を癒すヒーラーのジム」となり、次の段階では「夢を実現するジム」という具合に、その時々の状況で最もふさわしい役割をとことん演じきるのです。あなたはこういうことが得意で、同時にとても楽しい気分で演じられるのです。注意すべきはただ一つ、公正であることで、関わっている全員にとって適正な役割であることを考慮に入れておきましょう。

このようにある種のドラマを演じる能力を持つあなたには、それを活用して周りを啓蒙していくことができます。しかし

「長いものには巻かれろ」的な発想のある、他人にやさしいあなたを利用しようとする人々もいます。そんなときあなたは自分が正当に尊重されていないことに怒りを感じます。そしてあなたはたとえばこう言って立場をはっきりさせる必要があります。「これから大事な電話をかけなくてはならないので、今はあなたと話すことはできません。十五分で終わりますから」言葉の内容よりも、あなたの言い方が相手の注目を引くのです。あなたが天性の演技能力を日常で活用すると、さまざまな場所でものごとがスムーズに運ぶようになるでしょう。

あなた方は「勝つ」ことに対して我を忘れるような自意識過剰な人格でないことから、優秀なギャンブラーになる才覚もあります。運命の大きな流れにも気を配れるので、勝つためにはいつ勝負をかけるか、またいつ退くべきかというタイミングを外さないのです。あなたは今生で、自分の幸せを目指すという枠の中であれば間違った行動でさえ、行動を起こさないよりはずっとよいということを学んでいます。しかしこの行動をゲームだと考えることは不可欠です。勝つためには常に戦術を柔軟に調整し続けることも心にとどめておきましょう。

★必要とするもの

◆個人的成長

あなた方は承認のエネルギーを渇望しています。前世ではずっと自我意識を喪失させてきたために、自己主張することや自分自身でいることへの大きな抵抗感があるのです。大きな目標のために自分の個性を犠牲にしてきたので、自分が誰なのかを見失っているのです。あなたが優れた役者になれるのはこのためです。あなたは誰かの承認を得るためならどんな役柄だって演じてしまうのです。しかし、積極的に何かに参加することに対する賞賛や承認はあなたにとって非常によいことで、あなたの個性が活動的なものとして定着する足がかりとなるのです。

・エゴを築く

ここでいうエゴの機能とは自分の欲求を主張し、自分の願望を世の中という環境の中で実現しようとすることを指します。エゴは個人の行きたい方向を言葉で示す、意思決定の主体であり、意志を行動に移す司令塔でもあります。あなたは前世で「〜すべきだ」という指令を与えるスーパーエゴ（30頁参照）に支配され続け、社会や家族、宗教、そして人道的理想の美名の下に築かれた道徳観念に従って生きてきました。その結果としてあなたは個人のエゴ、さまざまなニーズや方向を目指す一人の個人としての意識とかけ離れてしまっているのです。あなたは自分の中にあるイド（自発的で本能的な自我）を意識でき、スーパーエゴも自覚していますが、この二つを仲裁する役目を持つエゴとのつながりを失っているのです。このため他人に迎合し人に振り回されるという極端な行動から、自分の領域を侵害された怒りを爆発させるというもう一方の極端な行動との間を行ったり来たりするのです。多くの場合自分では何が起きているのかに気づかず、怒りの理由を自分や他人に説明することができません。

適正な決断を下すために不可欠なエゴの調節機能がないと、あなたは非常に頑固になります。知識に基づいた理由、つまりこうするべきだという発想や道徳や精神的な心情に基づく動機のためにある状況から手を引けないとき、本能的に間違った行動だと知っていても、頑強にそこにとどまろうとします。この頑固さは、あなたが積極的にゴールを目指す原動力として活用できれば長所になりますが、停滞した、制限だらけの状況にとどまろうとするときは大きな障害となります。とどまろうという動機の背後にあるのは安定を求め、変化を恐れるあなたの心です。停滞した状況から脱するために、あなたは一般に自分が創造的だと感じられるような挑戦を現状の中から見つけ出し、前向きに行動を起こそうとします。しかしその行動に限界を感じると、その限界の中にとどまってしまうのです。タイムリミットを設けると、勇気を出してそこから抜け出そうとするかもしれません。あらかじめ決めた時間内に準備を済ませ、新しい人生に向かって飛び出していけるでしょう。決断を下し、ほかの選択肢を拒絶するとあなたの意志が活性化して、変化させるエネルギーが満ちてきます。

今生でのあなたは健全なエゴを育てるという使命を持っています。課題はエゴを認めることで強化し、スーパーエゴの立場との違いを言葉に表わして比較し、さらに自分が感じている本能の自我、イドとも比べてみます。たとえば「今日あなたは仕事でとても疲れているのだから、あなたに対して腹を立てるのはよいことではないわ。あなたは疲れていて、人のことなんか考えたくない心境でしょう。でもあなたが帰宅するなり新聞を取り、テレビの前にどっかり座り、私に声をかけようとしなかったことにはとても傷ついたのよ。二人の気持ちがいつも結ばれている感覚を保つために、夜は少しでも二人でいる時間を作りたいの」という具合に。

あなたが自分の心にある気持ちを分析することなく正直に言葉にすると、あなたのユニークな個性が次第に顔を出します。大変な勇気が要りますが、自分を活力と実体のあるレベルで安定させるにはこの方法しかありません。あなたのスーパーエゴとイドの主張を、愛情を込めて毅然とした態度で表現すると、創造的な解決方法が明らかになり、エゴが育ち、周りの人々はあなたの言うことに耳を傾けるようになります。自分の気持ちをはっきりと伝えなかったら、周りの人はあなたが何を考えているのか分からず、支援のしようがありません。

何かを成し遂げることにより意識的にエゴを磨くことで、あなたは正しい針路を確認できるだけでなく、周りの人々のスーパーエゴを思い出させてあげられるのです。ものごとの全体像を他人と分かち合い、あなたのイドを伝えることで、あなたは多くの人々のためになることを彼らに提示してあげられるのです。

・意志力を開発する

あなたは今生で意志の力――自分の中にある強さを見つけ、それを基盤として積極的に夢を追求する力――を開発するという使命を持っています。あなたが考えるよりも強い力をあなたは潜在的に持っているので、それを自覚して行動に反映させていくのです。その過程の一部として有効なのは、価値のあることを実現するにはそれなりの時間がかかるということを自覚すること。つまりあなたが夢を実現したいと思ったら、そのための時間を十分に割く必要があるということです。あなたの夢の実現に協力してくれる人があなたを理解する時間や、実際に行動に移していく際の準備などに時間がかかるのです。ですからあなたがまず長い時間をかけるという覚悟を持つ必要があるのです。

あなたが実現までの道程を各段階ごとにゆっくりと時間をかけ、一段進むたびに展開していく成り行きを見ながらいく意志があれば、夢は必ず実現するでしょう。ゴールを心にイメージし、それに結びつく幸せな気持ちを忘れずにいると、最後まで努力を続け、同時にそれを楽しむことのできるしっかりした個性を一段進むごとに築いていけるのです。内在する強さを意識するためには、自分を否定するような考えをすべて追い出すことが大切です。「もしも失敗したら、もしもできなかったらどうしよう」は禁句です。とにかく失敗という言葉を頭から追い出しましょう。そしてただやってみることです。あなたが自分の力を意識できるようになるまでには長い時間がかかるでしょう。しかし一度自覚できたら、あとは簡単です。

意志は自分の夢を実現するための道具です。あなたが求めている対象もまた、あなたを求めているということを認識すると、意志はさらに強くなります。またあなたが根気よく夢に向かって一歩ずつ進んでいると、対象がそれを認め、あなたを導いてくれるのです。

・自分を動機づける

自分にやる気を起こさせるには、ある方向に向けて自らにエンジンをかけてやる必要があります。人や状況からある推進力を感じ、それに引き寄せられていくとき、あなたは成功に至る道に立っていると感じるでしょう。しかし今生では常に自分の中にある動機を意識し続けている必要があり、しかも他人があなたに期待するものとは確実に違う動機が不可欠なのです。

あなた方の多くは冷めていて、活動的でないため、何かに積極的に参加しようという意欲がありません。そういう姿勢はあなたの配偶者やビジネスパートナーなど、あなたとともにある責任を負っている人々にとって、非常に困難を感じさせます。たとえば何か問題が起きたときあなたはふいにいなくなり、彼らに対処してもらおうとするからです。家族にある危機が生じたとき、自分は関係ないから何もしたくないという態度を取ることもあるでしょう。周りの人はあなたを突っつき、頭を引っぱたいたり脅してでも手伝ってほしいと願うでしょう。

それに応える代わりにあなたはさらに隠遁《いんとん》してしまいます。あなたは自分の周りに感情のエネルギーが充満していくのを感じ、どうしてよいか分からなくなるのです。あなたがすべきなのは、ほんの少しだけ一人になって、自分の心情を確かめることです。この状況がどう変化してほしいと感じるか。どうなったら自分はうれしいか。それが分かったら責任ある行動で、イメージした結果を導くのです。

心の命令に従っているとき、あなたは活動的にある方向を目指して動くので、誰もあなたに指示したり促したりする必要はありません。一人の人間として人間関係のある部分、危機管理のある部分を自分の担当とし、それ以上をこなそうと考えないことも一案です。関わる人々に対し公平に協力するために、あなたが積極的にサポートできる分野をみんなに示し、どういうときに自分を頼れるか、そして頼れないかを明確にすることもよいでしょう。たとえば子供と遊ぶことは好きだけれど、毎晩仕事から帰ってからすぐの一時間は一人で過ごしたいと配偶者に伝えるということです。配偶者の願いも考慮に入れ、互いに納得がいく方法を探ります。

あなたは自分が本来持っている個性を知り、何を望んでいるかを明確にするという課題を持っているので、心の声が求めるものや正しいと感じることだけを追求し、その意志を貫く必要があります。あるものをある段階まで進めていこうと決めたら、そこに着くまで考えを変えてはいけません。逆に何かに参加するのをやめようと思ったら、そのメンバーにそのことを正直に話しましょう。コミュニケーションを自分から取る過程の中で、次第に高いレベルの秩序が生まれ、自分にも周りにもよい影響が与えられます。

◆参加

あなた方は誰かからの愛情を受け身で待っています。誰かと気持ちや願望を共有しようとしても、すぐに相手からの反応がないとそこで諦めてしまいます。また元のように沈黙してしまうのです。しかしそこでエネルギーやドラマをコミュニケーションの中につぎ込んで、あなたにとって大切なものだということを相手に知らせる必要があるのです。自分のニーズをはっきりと伝えることができないと、相手も真剣に受け止めてくれないものです。ただし自分の思い通りにしたいという動機を伝えるのではなく、あなたという個人を主張することであなた自身の個性やエゴが確立していくのです。あなたの自己表現はあなたという個人の境界線を自然に築きます。心にあるものを正直にはっきりと示さないと、あなたは知らずにほかの人に対して不公平な態度を取ることになります。つまりあなたは周りの人があなたの本当の姿を認め、個性を尊重し、あなたのニーズを満たす機会を奪っているのです。

あなた方はほかの人を刺激して喜ばせる才覚に恵まれています。あなたはこの才能をビジネスにも私生活にも生かすことができるでしょう。伸ばしていくにはまずあなたが積極的に人の暮らしに参加し、頭脳と心の両面で関わっていく姿勢を持つことです。ある状況にあなたが失望し、引っ込んでしまうと周りの人も失望するでしょう。あなたが状況に興味を持ち、そこにエネルギーを注ぐようにすると、周りの人も喜ぶのです。

あなたは周りの人々の感情や意志を敏感に感じ取ります。あなたは周りの人が何を望んでいるかに気づき、それぞれの目指す方向性、そして何を創造しようとしているかが分かります。人々の感情のエネルギーに取り巻かれると、それをどう処理してよいものか、あなたは迷います。そんなとき、あなたは参加するよりも耳をふさぐほうを選んでしまうのです。しかしあなたは人々の感情や意志と向き合う能力を、本当は誰よりも持っているのです。あなたには利己的な主張がないので、それぞれの人のさまざまな方向を向いている欲求をみんなが納得する一つの結論に結びつける客観性を身につけているのです。目と耳を閉じるのは、状況を自分の中で整理するまでの短い間にして、そのあとはあなたの能力を発揮して状況改善への道を探っていきましょう。そうすることであなたの感情エネルギーを人のために生かすという役割を確立できるのです。

あなたはものごとの渦中に入り、人と楽しく過ごす時間を増やすべきです。それによりあなたはそこにプラスのエネルギーを注ぎ、人々の雑多な希望を取りまとめ、公平で調和の取れた環境を作っていけるのです。自分の意志を創造的に生かしながら人々の活動に関わっていくことがあなたの客観性の最良の活用法といえるでしょう。しかしみんなの希望を取りまとめる過程で、あなた自身の望みも含めて進めないと、この役割を長く続けることができません。

あなたは自意識が過剰になると、気持ちが弱ってきます。あなたは関心が外に向いていて、周りの人々を楽しませているときが一番幸せで自信に満ちているのです。しかしあなたが自省的になり、不安に駆られるとあなたのエネルギーは外に向かずに、ぐるぐると内向きに回り始めます。つまり外の活動に参加することが、あなたの幸福感と元気の源だといえるのです。

◆真剣に向き合う

あなたにはものごとに真剣に向き合うことについて問題があります。それはあなたが親密な関係を築こうとしているときなど、真剣に何かに熱中しているときに起きるのです。ある日突然とても魅力的な人があなたの前に現われるとあなたは「よし、勇気を出して行動を起こそう」と心から思います。ロマンスのエネルギーはあなたの生の活力を刺激し、生き生きと生きる意志を与え、喜びをもたらすのであなたにとってよいエネルギーなのです。そしてあなたは突進し、刺激を受けた感情エネルギーの真っ只中に立つのです。

相手の感情を敏感に受け止めるあなたですから、たいていの場合、相手の望む役割にすんなりと入ります。あなたは相手を魅了し、相手が聞きたいことをささやきます。二人は幸福感に満ちたロマンチックなエネルギーを作り、相手はあなたに愛情を返してきます。二人は幸せで、しばらくはそのままうまくいきます。そのうちに相手は本性を現し、自己主張と強い意志をあなたに向けてくるでしょう。あなたはそれに困り、もし自分が理想のパートナーを演じ続けなくてはならないなら、相手も同様の努力をしてほしいものだと考えるのです。相手が自分自身でいることを主張するようになるとあなたは取り乱し、関係から手を引き、長続きするようなしっかりした二人の関係の基盤を作ろうと真剣に向き合うことをやめてしまうのです。

あなたがただうまく折り合っていくという人間関係の先を目指すには、もう少し対象と真剣に向き合う必要があります。途中で心を閉ざしたり、または実際にいなくなるというあなたの姿勢はあなたと愛情を交わし、あなたに正直に自分の弱さを見せ、向き合おうとした相手を傷つける、失礼な仕打ちと言わざるを得ません。あなたは公平感を持ち合わせているのですから、慎重に関係を見つめ、創造力を発揮して続けていくよう努力をするべきなのです。

鍵となるのは、あなたがはっきりと描いている未来像と、相手が描くイメージとの擦り合わせです。初めの一歩は相手の飾らない姿を見極めること。その人の理想、夢、ゴールは何か。人生で大切にしているのはどんな経験や対象か。またあなたのどんなニーズのために理解を示してくれるのか。二人が将来にわたり仲良くやっていけるかどうか、これらのことを確認していくのです。もしあなたが相手の価値観や願望に合わせられるなら、二人が互いに築いていく関係が成り立ちます。二人で一緒に同じゴールを目指して進んでいく態勢ができるのです。ロマンスは必ずしも初めから同じ理想や価値観を持つ二人だけに生まれるものではない、ということをあなたは理解するべきでしょう。実際は二つの異なった個性によって愛の炎が生まれることが多く、それぞれの個性を生かすことでロマンスがさらに育っていくのです。

・責任を引き受ける

あなたは身の回りのさまざまなものに気が散りやすいため、自分に起きていることへの注意が散漫になりがちです。一番の問題は、状況のある部分を見落とすとそれが自分にどういう影響を与えるかに注意を払わなくなることです。そしてよくわからない不快なものとして蓋《ふた》をしてしまうのです。あなたはその状況に責任を負わなくなり、遠慮なく不快感を発散させます。あなたが正直で明確な態度を取らなかったために、気まずいままになったという状況もあるのではないでしょうか。この傾向の最悪のシナリオは親密な関係の中で起こります。あなたが相手の願望を見落とし、相手が失望し取り乱すと、相手の激しい感情に圧倒されながらもその理由に気づかないのです。あなたは相手にひるみつつ、どうしてそんなに怒るのだろうと考えます。つまりあなたは周りの環境や人々を初めから無視して自分の世界にいただけなのです。

しかし振り返ってみると、多くの場合自分の感情を表現しておけばよかった、そして相手に正直に伝えて返事を聞けばよかったと考えるのです。

このような後悔をしないために、相手が本当は何を望んでいるのか、一見して分かる望みばかりでなく、パートナーである相手の真価や夢を理解した上で分かってあげるよう努める必要があります。それは心を解放し、人格に責任を持つ訓練の一環なのです。

・信頼

あなたの「責任」を巡る問題は信頼と深く関わっています。あなたはわざとでなく、また気づきもせずに他人の信頼を傷つけることがあります。あなたに対し、他人が過剰反応することがあるのはこのためです。あなたが他人の中にある子供の部分を見つけることができれば、人々は自分の言葉に責任を持つというある一定の信頼関係の下に行動していることに気づくでしょう。この基本的な信頼関係を乱したり犯したりすると、それなりの反動が返ってくるのです。あなたはいったん口にしたことを――子供との約束は守らなくてはならないように――必ず守ることによりあなた自身の信頼を維持するように努めましょう。あなたが計画を変更したら関わっている人にあらかじめ状況を伝え、一人で進めてしまうことは避けなくてはなりません。

あなたはまた周りの人に、あなたがある「ゲーム」をしていて、そのルールを知っているという印象を与えていることがあります。あなたがルールに合意したら、また合意したと他人に思わせたら、そのルールに従って行動しなくてはなりません。簡単な例で言えば夫婦関係のルールとして一夫一婦制度を採用すれば、重婚をしてはならないということです。大勢の流れに任せて気の迷いを許し、違う方向に向かうのは禁物です。言葉を不用意に使わず、いったん何かをすると口にしたら最後までそれを実践することが大切です。

あなた方は他人との関係が希薄な前世経験を持つため、他の人々がどれほどあなたに親密さを感じているかが分かりません。あなたが不注意な言動を取ると、相手は激しく反応します。ほかのドラゴンヘッドグループの人々の中には、ものごとをあなたよりずっと感情的で繊細にとらえる人もいるのだということを学んでいるのです。

・厳格さと活力

あなた方は自分の「知識」に縛られる傾向があります。いくつかの事例を取り上げて、あなた自身の認識や経験、目標やニーズに基づいてある結論を引き出します。そして多くの場合、あなたはこの結論に厳格に従い、微動だにしません。

そして客観的で、打ち消すことのできない真実だという確信に基づいて未来の計画を立てるのです。

ここでの問題は、あなたが自分の「知識」や「決断」を、それに関わる人々と共有することなく進めることです。周りの人の言うことを聞くことは聞くのですが、それらを自分の「知識」に照らして考え、その人と向き合って話し合い、新たな結論を導こうとしません。あなたの気持ちや恐れ、自分で決めた結論を周りの人に告げ、解放された姿勢で他人の意見を取り入れる意欲が望まれます。

ほかの人の心情に気を配る姿勢があれば、あなたに対する周りの人の抵抗はなくなるでしょう。周りの人があなたに対して感じていることをあらかじめ理解し、その人の立場で考えることができれば、あなたの出した結論を周りの人はすんなりと受け入れてくれるでしょう。あなたが論理を通すことよりも自分や周りの人の感情や熱意に神経を使うことができると、あなたにも周りにも最良となる計画を作っていく方法が自然に身についていくのです。

たとえばあなたがある人とデートをしていて、愛情が冷めてしまったり、あるいは初めからそれほどの愛情を感じていなかった場合、あなたは相手に説明もせず、不意に関係を終わらせようとするでしょう。これは相手の気持ちをひどく傷つけ、混乱させ、異性に対する信頼や自分に対する尊厳さえ失わせる場合もあるのです。あなたは時々相手に対してどれほど不公平で、ひどい仕打ちをしているかに気づかないことがあります。あなたが個人として進もうとしている方向について、オープンに周りの人にきちんと伝えることはあなたにも他人にも力を与える行為なのです。「もう君といても愛情がわかないんだ。だからそろそろ二人の関係を終わりにしたほうがいいのではないかと思う。自分の気持ちを君に知ってほしいから僕は正直に言っているんだ。僕がいなくなれば、君にもっとふさわしい相手が現われて、君を幸せにしてあげられるんじゃないかな」

あなた方にはムードを盛り上げ、相手の感情を高揚させる才覚があるのです。あなたが相手の熱意を引き出す話し方をすると、そこに生まれるエネルギーを利用してあなたは行動を始めることができます。他人の気持ちや感情エネルギーはあなたのエネルギー源なのです。あなたの動機に推進力を与え、夢を追いかける行動へと駆り立てます。ですから人の気持ちを見落としたり無視したりすることなく、相手を分かってあげることにより、感情エネルギーと上手につきあう方法を築いて下さい。

人間関係

◆力学

・参加

あなたは戦うことが嫌いです。あなたは戦いの原因を作るのは得意ですが、感情を切り刻むような、心身ともに疲れる実戦が始まると逃げ出してしまいます。黙って座り、相手がそこにいないかのように振る舞ったり（これは相手を逆上させます）、その場から立ち去り、取り組むことを拒否するのです。あなたはダチョウのように頭を砂の中に埋め、問題が静まるのを待つのです。あなたは自分が参加していないところで起きているのだから、関係が悪化しても自分に責任はないと考えるのです。しかしあなたの参加しようとしない態度はあなたを愛したいと思っているパートナーを深く悲しませます。

ある状況から逃げ出したあなたとコミュニケーションをとることは不可能です。そしてあなたは感情の嵐が収まったと思うと戻ってきて、あたかも何も起きなかったかのように振る舞うのです。そんなことを繰り返しているうちに、あなたは周りの人々の間に悪い評判を作ってしまいます。未解決の問題が累積し、二人の関係に残るストレスから、相手はいつかあなたから心を閉ざし、あなたの元を去っていくでしょう。あなたが相手の感情的なニーズに応える寛大さを欠いているため、相手はあなたのことなんかどうでもよいと考えるようになってしまいます。

こういうことが起きる原因の一つに、あなたが二人の関係はこうあるべきだと考えることが関係しています。「事件が起きたわけではないのだから話すことも解決すべきこともない。関係はうまくいっているのだ」危機は二人の距離を縮め、理解と共感を高めるという大きな働きをすることに、あなたは気づきません。相手が動揺し、苛立っているときにその気持ちを受け止めて支えてあげることは、二人の愛情を高め献身と忠誠心を高めるまたとない機会なのです。二人の人間が真剣に向き合い、深いところで与え、受け止め合い、困難な状況から前向きな結論を引き出していくところに人の心の錬金術があるのです。あなたが状況から逃げ出し、惨めな関係を維持するのに使っていたエネルギーを、相手と積極的に向き合い幸せを生むことに使うと、二人の現実と未来が明るくなるのは言うまでもありません。

・公平さ

あなたが人間関係で冷めているのは、公平さに対する潜在的なこだわりにも起因しています。あなたは個人の権利を認め、それを侵害したり干渉したりすることを嫌います。しかし今生では、自分の境界線を意識し、ノーと言うことを学んでいるのです。「あなたのその言葉に私はとても傷ついたわ。今度言ったらお別れするしかなくなるのよ」こう言うことであなたは自分の運命を自分で決め、相手に変わる機会を与えるのです。この簡単で正直な自分の気持ちの表現のほうが、黙って消えてしまうよりずっと健全なことなのです。

あなたにはどうすれば相手が喜ぶか分かってしまうという特技があるため、相手も自分と同じように、どうすれば自分が喜ぶか分かるだろうと考えます。このため相手があなたを喜ばせるというお返しをしてくれないとき、不公平感を感じて一人の世界にこもってしまうのです。本当のところは、相手があなたのように客観的で観察力のある人ではなく、あなたが教えてあげないと、どうすればあなたが喜ぶか分からないのです。

あなたは前世で自分の願望だけでなく相手の願望もよく理解していたため、自分の願望を満たすとき、相手にとってもよいことになるように仕向けていく体制が確立していました。私たちはみな、他人を自分と同類だと考える傾向があるので、他人もあなた同様、あなたの願望を斟酌《しんしゃく》しながらそれぞれの願望を叶えていくものとあなたは考えています。しかし実際はそうではありません。他人は一般に自分の願いを叶えるとき、他人に対して公平であるかを考えず、多くの場合それは利己的で短絡的なものなのです。ですからあなたが他人の望みを叶えることに加担すると、あなたは喪失感に見舞われ、自分に対する配慮のなさに怒りを感じることになります。あなたは今生で自分のことを考える習慣を身につけようとしています。そして公平でないと感じる状況に出会ったら、率直にあなたの気持ちを相手に伝えるべきなのです。

・感情エネルギーとつきあう

あなたは激しい感情と向き合うことが苦手です。直面することを避けるために、その場から逃げ出すこともあります。たとえばある関係を終わらせようと決めたとき、あなたはすぐに実行に移します。相手に連絡さえしないので、相手は取り残され、何が起こって突然あなたが消えたのか理解できません。

心の中では相手の感情が手に取るように理解できるだけに、自分の気持ちをどう表現したらよいか分からないのです。そんなとき、状況の全体像に目を向け、その中にある自分の感情を意識できると、相手に伝える方法が見えてきます。あなたは多くを語ることなく相手にどこがうまくいっていないのか知らせる能力を持っています。あなたはそれにより相手がショックを受けるのではないかと心配しますが、あなたが正直に伝えると相手も客観的に状況をとらえ直すことができるものなのです。

しかしすべてはその動機次第で、明確にあなたの意思がなければなりません。もしあなたの動機が純粋に二人のことを考え、愛情を持って相手の言動について語ろうとするとき、相手はあなたの愛情を感じ取ります。しかしあなたが相手に対する怒りを動機として話をするとき、当然ながら問題は解決しません。あなたの客観的な考えから相手は多くを学ぶ可能性があります。しかしあなたが相手の言葉に耳を傾けず、かたくなに自分が正しいと主張するとき、せっかくの宝物が台無しになるのです。

あなたは人間関係にエネルギーを使わない傾向があります。あなたは実際に何が起きていても、見て見ぬふりをする習性があるのです。二人の関係で虐待に近い行為が起きても、「夫婦とはこんなもの。みんなが経験することなんだわ」などと自分を納得させてしまうのです。あなたは二人の関係の理想や夢、二人の間にあってほしいことを考え続け、それを実現するための努力をせず、ある日大きな幻滅を感じて諦めてしまうのです。そして自分のスイッチを切り、立ち去るのです。そうならないために、あなたは自分の創造的なエネルギーを活用して、現状を打開するために行動を起こすことが必要なのです。

あなたがロマンスや遊び、愛を与えることに価値を見出さないと、人生の無数の素晴らしい機会を見逃すことになります。あなた方は生涯を周りの人々に愛されて過ごすこともできるのに、愛を感じないまま一生を終えてしまうこともあるのです。あなたが愛情やロマンスを諦めるとき、その原因の多くは自分がその関係を改善するために努力をしなかったことにあるのです。

あなたにとって、愛情を手にするための鍵は真剣に向き合うこと。とくに関係を築く初期の段階で一〇〇%のエネルギーを費やしてあなたと相手の理想を擦り合わせる努力をするべきなのです。相手の望みを知ったら、あなたも自分の願いを言葉にしてきちんと伝えなくてはなりません。ロマンチックな関係ではとくに相手にとって理想の相手とはどんな人なのかについて知る必要があります。そしてそういう人に自分がなれるかを判断するのです。もしなれると判断できたら、あなたの幸せを作る能力に全幅の信頼を持って前進することができるでしょう。

・子供

あなたは子供たちの扱いが上手で、子供に関する「よいカルマ」を持っています。子供たちといるとき、あなたは自分の中にいる「子供」の存在を意識します。実際、あなたの今生の使命の一つは、自分の中にいる「子供」と触れ合い、その「子供」の意志に従って自由に遊び、自己表現をすることなのです。遊びを通じて感じる喜びや活力はあなたの中で脈打ち、子供と共鳴し、子供は大人であるあなたと遊ぶことに無上の喜びを感じるでしょう。

あなた方は子供一人ひとりの個性や、外の刺激に反応している様子がよく分かります。あなたは子供を一人の人間として尊重し、個性を育てながら厳しさを学ばせることができます。あなたは子供たちに対して特殊な力を持っているのです。あなたが子供について知っていることをスピーチや文章で表わしたり、子供に関する職業を選ぶと、それは社会のためになるでしょう。あなたはほかの人々に子供たちとのつきあい方を教え、それによりみんなが少しずつ幸せになるのです。

◆献身と受容

あなた方は無関心のように見えますが、本当は情熱的な恋愛をして生き生きと暮らしたいのです。恋愛は与えることが基本。お互いに献身し合って炎が強く燃え上がるのです。与えるものはいろいろありますが、褒め言葉、励ましの言葉、プレゼント、承認、理解、そして元気づけてあげるなど、大小さまざまな無数の与え方があります。あなた方は相手に何をどうやって与えるのがよいかに精通しています。とくに愛する誰かのために何かをしてあげようと考えるとき、あなたにはその方法が分かるのです。

・点数を稼ぐ

あなたにとっては動機が最も大切なことです。あなたが純粋に相手に貢献したいと願い、エネルギーを注いだ結果なら、その「贈り物」は二人を幸せな気分にするでしょう。しかしその動機が何かを帳消しにするためや、点数を稼ぐ目的だった場合、そこには失望が生まれるでしょう。

あなた方は贈り物や協力を他人から受け入れるのが得意です。あなたは前世で、愛と協力を感謝しながら受け入れてきたという経験があるのです。しかしこれを繰り返してきたためにマイナス面が生まれました。あなたはいつでも受け取るパターンにはまり、与えられすぎて、自分も他人に愛を与えようという意志を失い、与える側に立って得られる活気や感動、創造力を忘れてしまったのです。今生であなたは失われた創造力を取り戻す運命を持っています。そしてそれはあなたに大きなエネルギーをもたらす、与えるという行為を通じて可能になるのです。

見返りを期待しないで与えるという行為は、あなたの発想にはありません。しかしそう考えられるようになると「見返り」はむしろ増えていくのです。どんな状況でも相手に自分ができるベストの愛情表現として何かを差し出すと、その行為自体が、予想をはるかに超えたお返しがもらえるための道を拓いているのです。これに反してある見返りを期待して与えるとき、予想を上回るお返しがもらえることはありません。

相手からの見返りに対する期待を強く持っていると、相手はあなたに無限に与えなくてはならないことになるのですが、あなたはそれに気づきません。たとえばあなたが友人を夕食に誘ったとします。一ヵ月後、あなたは気を悪くして、その友人は何時間もかけてあなたをなだめ、あなたの見方を変えようと苦心します。しかし相手の費やす時間とエネルギーについて理解できないと、あなたは依然として友人が夕食に誘ってくれるのを期待し続け、それが叶わないと傷つくのです。

反対に、見返りを何も期待しないで与えると、予想もしないところから人生の喜びがやってくる機会を解放することになるのです。あなたは相手のしてくれた小さなことにも感謝を感じるようにもなるでしょう。

あなた方はまた相手があなたの贈り物を受け取る際、しぶしぶと与える傾向があります。大袈裟に与えると、それが大変な贈り物のように見えるし、あなたは相手に大変な感謝をしてほしいと考えるのです。あなたは人に何かを与える奉仕の精神を磨き、多くの場合一番意義が深いのはちょっとしたさりげない気配りの表現だということを今生で学びます。

あなたが他人にどれほど多くのものを与えてきたかを数え、その過程であなたも機嫌よく楽しい気分になっていたことを考慮に入れないと、あなたはまるで殉教者のような気分になります。あなたは自分が愛情や物を与えていることだけを意識するとき、その行為は純粋な自己表現からエゴの主張に変わります。相手に何かを与えるとき、時々あなたは大きなエネルギーを費やして相手を喜ばせようとしている気がします。そのときのあなたの行為は単なる「点数稼ぎ」です。これらの問題の原点は、あなたが人から何かを受け取ったとき、あなたは喜びや感動を感じないということなのです。あなたが心から喜びを感じられるのは与えるという行為であり、その結果相手があなたに愛と感謝を返してくれることがあなたの幸福感につながるということです。そしてそれによりあなたは大きなエネルギーを自分に感じられるようになるのです。あなたは人に何かを与えるという才能を自分のために発揮し、相手の感謝を喜びとし、支え合う喜びと満ち足りた気持ちで日々を送ることができるようになるでしょう。

・他人を認める

他人があなたに協力を申し出るとき、あなたは冷めた反応をすることがあります。あなたは他人の能力を過小評価する傾向があり、自分の目標達成に欠かせない協力でさえ断わってしまうときがあります。他人はその協力が感謝も認識もされないと知ったら、すぐにやめてしまうでしょう。あなたは宇宙の摂理を知っていて、あなたに必要なものはすべて宇宙が贈ってくれると考えがちなので、周りの人々の貢献を軽視しがちなのです。

あなた方は相手の好意を受けても、その返礼をしないという意味で欲が深いといえます。相手に何かしてもらったらそれを認め、素直に感謝の意を表わすべきです。それがないと相手との絆《きずな》が希薄になり、今度また協力が必要になったとき、相手がそこにいてくれることはないでしょう。相手があなたにしてくれないことについて数え上げる代わりに、毎日意識して周りの人があなたにしてくれたことについて考えることで、バランスを取ってみるとよいでしょう。たとえばあなたのために誰かがドアを押さえてくれたといった些細な親切や、よい一日を過ごせるよう願うこと、あるいはちょっとした微笑みも含みます。何が自分に与えられているかについて考えるようになると、あなたの気持ちはもっと楽しくなり人間関係が愛情に満ちてくるでしょう。

あなた方は自分のエネルギーを引き出してくれる人々のありがたみを感じず、あなたの基本的な姿勢に合わせられる人となら誰でもある絆を感じることができると考えがちです。あなたは他人との間に作られる、普遍的というよりは「特別な」心のつながりを今生で築く運命にあります。この特別な絆を意識できると、あなた自身もまた特別な存在であると感じられるようになります。

あなたにとって大切な人々を過小評価する傾向は、恋愛の対象についても発揮されます。あなたは異性は誰でも同じようなものだと考え、誰と一緒にいても大差はないと感じるのです。そしてあなたに活力を与えてくれる相手とのつきあいをないがしろにして、近距離に住んでいる人や、共通点の多い人を選ぶ傾向があります。

しかしその反対にあなたが一〇〇％のエネルギーを投下してある関係がうまくいくように集中すると、今度は勢いが強すぎて相手を圧倒してしまいます。相手はあなたとの恋に落ちても、あなたの存在を当然のように考え、あなたがどれほどのエネルギーを使っているかに気づきません。あなた方は相手から感謝のエネルギーを受け取ることで自分の努力を認めてもらい、そこから創造力や活力が生まれるという構造を持っています。

◆ロマンス

あなたにとってロマンスはとても大切で健全な行為です。しかしあなたの活力と喜びの元になるような刺激を一人の人に求めることは不可能です。さまざまな創造的関心や活動を自分で見つけ、自分でそれを推し進め、幸せを見出す努力が必要です。子供たちと過ごすことや演劇、絵画、彫刻、音楽など、創造的で楽しいことなら何でもよい刺激になります。あなたの無上の喜びは、それが何かを実際に作ることであれセックスであれ、何かを積極的に創造する過程から生まれるのです。

客観性と観察力に終始した過去の人生の影響から、あなたは何が自分を喜ばせ、あなたのそばにやってきた人々とどのように心を通わせるかについてよく知っています。あなたは恋愛の対象となる人がすぐに分かります。深い縁がありそうな人と出会うと、頭と別行動して心が躍り出し、自分でもそれがよく分かります。あなたはある種の命のきらめきに惹かれます。あなたは生来「この人だ」という直感を持っているため、出会ったとき相手も同じ気持ちでいると思うのですが、実はそうではありません。

あなたは心を惹かれる人と出会うと、その人が同じように自分に惹かれているかを気にしますが、たいていの場合あなたには本当のところが分かりません。相手はあなたほど強く絆を感じていないことが多く、初めのうちはそれほど関心がないようにも見えます。相手があなたに惹かれるようになる前にあなたが諦めてしまうと、二人はそれだけの関係で終わります。このため、あなたが真実の愛を感知する能力を信じて、相手があなたに愛情を感じるようになるまで時間をかけて待つことが大切なのです。一番よいのは相手に脅威を与えない、友情を育てる姿勢で純粋なつきあいを続けることです。

あなたは恋愛が好きで、それは自分の活力や創造力の糧となります。あなたは恋愛ゲームが得意で、恋心に火をつけ楽しい時を過ごす方法を知っています。問題は二人の関係が安定したとき、その熱が続かなくなることです。相手に気を使い、いつでも何かを与える役割を演じることに疲れ、飽きてくるのです。あなたは相手の特別な魅力を意識しすぎて、自分の魅力を引き出していくことを忘れてしまいます。相手をいつも中心において、自分もまた大切にしてほしいというニーズを無視するのです。

あなたの恋愛行動において、相手をかけがえのない存在として尊重し、愛すると同時に、自分もその特別な存在感を認められ、愛されるという相互の関係を築くように仕向けることが肝要です。自分のニーズを相手に伝えないと、関係が均衡を失います。もしも二人の関係がいつでも相手を中心に回り、相手からエネルギーが流れてこないと、あなたはやがて関心をなくしていくでしょう。もっと悪いのは当初は愛らしかった相手を怪物にしてしまい、膨れ上がったエゴから横柄な態度を取る人に変えてしまうことすらあるのです。

私のクライアントに、自分の愛する彼氏のために何でもやってあげる女性がいました。彼女は彼にどんな女性が好きなのかたずね、自分の個性を彼の好みに合わせていたのです。彼は彼女をとても愛していましたが、彼女は自分の与えたエネルギーが返ってこないため、次第に関心をそがれていきました。そこで彼女は関係から手を引く代わりに、自分が幸せを感じるために必要なことを少しずつ相手に伝えるように行動を起こしたのです。

彼女はロマンチックなつきあいを求めていたので、「アイラブユーを伝える一〇一の方法」という本を彼にプレゼントしました。彼女は彼に、やさしいメッセージを書いたカードや花の贈り物は恋愛を続けるために必要なのだと告げました。彼女が落ち込んでいるときに、彼がどう対処すればよいのかも教えました。「何かで笑わせてくれたらすぐに元気になるわ」彼女は事実上、彼女が喜びを感じるための「取り扱いマニュアル」を渡したのです。彼女は自分が幸せになるための最短距離を取ったのです。この二人の場合、彼が彼女のニーズを理解せず、最終的には別れてしまいました。しかし彼女は自分のすべきことをした満足感があり、初めてきちんと別れることができたと感じられたのです。

・選択をする

幸せな結婚の要素の半分は正しい相手を選ぶことだとあなたは考えています。問題は相手を見つけるとき、あなたは心の直感的な結びつきよりも心理的計算を重視することです。これによりあなたは長い間結婚をしなかったり、頭で考え出した結論に従って不幸な結婚に一人で終止符を打ち、相手は取り残されるということもあるでしょう。あなたは自分にこう言います。「この人は社会的な地位もあるし、金銭的にも恵まれている。私が相手に望む資質をこの人は持っていて、外見もよい。この人はよい父親（母親）になれるだろう。年齢、背格好、体重も自分の好みに合っている。話すことも理に叶っている」これなら完璧だとばかりにあなたはその人と結婚します。あなたがこうした論理を基準にして個人的な関係を選ぶとき、たいていの場合、長い間には幸福が得られません。

人生の後半になるにつれ、あなた方はもう少し柔軟な考え方をするようになり、相手と一緒にいて幸せを感じられるかで判断します。しかしそういう相手はあなたが求めていた人とは大きく違う場合もあるでしょうが、そういう人があなたの心を躍らせ、歌わせる力を持っているのです。

あなたが求めるロマンチックな関係は、あなたが論理ではなく心から相手と通じ合うことができ、あなたの創造の炎を燃え立たせてくれる相手とともにいれば、永遠に続かせることができます。また相手の魅力に体が反応できるような関係だとロマンチックな気持ちはずっと続き、人生の喜びを謳歌《おうか》できるでしょう。

心の奥深くであなたは何が喜びで何が苦痛になるか知っているのですが、何が自分の幸せにつながるかについての決まったイメージを抱くことをやめ、自分が実際に経験することで感じる真実を取り入れるようにするべきなのです。あなたが勇気を出して自分を幸せにする何かを追求していくと、周りの人の反応が気になり、初めはちょっと不安を感じます。しかし周りの人もやがてあなたを理解し、支援してくれるようになります。

◆友情

あなたの前世で、友情は非常に大切な要素でした。前世での友人関係にはほとんどの場合、共存共栄関係が築かれていました。相手と非常に親密な友情を築く過程で、あなたは自分自身を失っていったのです。今生で、自分と同様な関心を持つ友人の助けを借りる際、そこに適当な人はいないのです。これはあなたが自分の自我と創造力を犠牲にして友情に依存してはいけないという宇宙からの警告なのです。

あなたが自分自身を見つける過程の中で、友人はあなたの財産より障害になりうるのです。たとえばあなたが恋愛の問題を抱え、友人の助言を求めても、友人はあなたにとってよくない助言をするのです。それは友人があなたに不幸になってほしいと思っているわけではなく、人は多くの場合主観的にしか考えられないことから来ているのです。つまり自分だったらこうするだろうという考えに終始して、あなたにとって最良の決断を探っているわけではないのです。あなた方は他人の助言を当てにしないことを学んでいます。あなたは人間関係の戦略に長じているので、自分の本能に従えば間違うことはありません。

あなたが友人に頼り、がっかりさせられたり利用されたとき、それは宇宙が「それをやってはいけません。妥協してはいけないのですよ。あなた自身であることが一番大切なのです」と言っているのです。あなたは友情をとても大切にし、友情の範疇《はんちゅう》を超えたレベルまで相手に尽くしてしまうのです。そして相手にも同様の献身を求め、返ってこないと失望します。あなたは友情にも境界線があることを学んでいます。自分の強さやエネルギーの限界を超えない程度の献身を、見返りを期待せずに与えるということを。自分の個性が確立してくると自分の創造力を表現し、自立するようになるため、信頼のおける友人が自然に周りに集まります。

あなたが今生で学ぶ最も大切なものの一つに、人は自らの力で人生に勝利を呼び込むことができると信じ、その力を尊重する、ということがあります。これが分かるとあなたに必要以上に依存する人を引き寄せるという罠に陥らなくなります。あなたがいないと人はうまく人生を渡っていけないと考えると、あなたのエゴが膨らんでいきます。しかしあなたが他人の中に個性や強さ、自信を認めると、あなたにも自分の能力に対する自信が湧き、内なる子供に導かれて夢を追求できるようになるのです。集団の圧力や仲間の承認はさておき、あなたはそういう姿勢を伸ばしていくべきなのです。

★ゴール

◆自分で決める

今生であなたは他人の夢のために働きません。あなたは自分自身の夢を作り、まったくあなた次第でそれを実現するのです。他人の協力を当てにできないという意味ではありませんが、あなた以外の誰も舵を取る人はいないということです。

あなたはものごとの成り行きや、どうなる運命かが自然に見える才能を持っていて、ほかの人にもそれが分かると考えますが、見えているのはあなただけなのです。人々は自分のことに夢中で、自分や周りの人に不運が降りかかるまで、ものごとの展開するパターンが見えないものなのです。ですからあなたが主導権を握り、行動すればそれはみんなのためになるのです。あなたの未来を見通す特殊な才能は、それを翻訳することにより優れたリーダーシップに代わります。ものごとの展開に不穏な影が見えたら、後ろに構えてじっとしているのはやめて、積極的に参加することにより喜びを感じられる結末を導きましょう。

・自分を受け入れる

あなたは今生で自分を受け入れることを学んでいます。自分の本来の姿である、心の中に住む子供を抱きしめてあげるということを。あなた自身にもさまざまな欲求があることを認め、幸せを追い求めることを自らが認めてあげる必要があるのです。人間らしい欲求を持つ人格として自分をとらえ直すと、周りの人はあなたを理解するようになり、協力してくれるように変化していきます。

あなたはこの先どうなるか見えても、どうすればよいものかまったく準備ができていないような気がするとき、自分を責める傾向があります。しかし準備ができていないのはあなたのせいではありません。新しい状況で完璧に準備を整えることは不可能であり、しかも生きていく上での感動や喜び、熱意はそういう状況から生まれるものです。慣れない環境に適応していく経験からこそ、人は多くを学ぶことができるのではないでしょうか。人生の途上に起きる、出会ったことのない状況は、自分の強さや応用力が試される絶好の機会ともなるのです。

・他人の賛同を得る

あなたが進むべき方向を定めたら、後はあなたについて来る仲間を集めるだけです。一番よいのは率直に方角を示し、決断した理由を仲間に説明することで参加を募るというやり方です。たとえば「大局的に見ると、多分こういうことになっていく。だから僕らはこういう方向に進むといいと思うんだ。僕らに与えられた条件は今こういう感じなんだが、僕と一緒にやってみたいと思う？　それとも君は自分で決めた方向を目指したい？」

私のクライアントに事業のコンピュータ管理化を進める仕事をしている人がいました。その仕事で彼は工場長たちの賛同を得る必要がありました。そして彼は各工場を訪問し、時代はすでにコンピュータなしでは過ごせないところまで来ているので、コンピュータを導入する以外に道はないと説得をしました。彼らは総論として賛成しましたが、実際にコンピュータを導入し、これまでの作業の処理方法をすべて作り直す段になると、工場長たちはあれこれと反対をして、今まで通りのやり方を通そうとしました。私のクライアントは何かするたびに反対に遭い、八方ふさがりの状態でした。

彼はコンピュータの時代について説明するよりも、自分の意志を伝えることを優先させるべきでした。「コンピュータなしで仕事がはかどらないのはもう皆さんご存じのことと思います。従ってここの工場も来年の六月までに完全にコンピュータ稼動体制に変えることになりました。ついてはこの計画に協力していただけるマネージャーの方々を集めたいのです。あなたはこの新しいシステムを取り入れ、順応していけるとお考えですか？　あなたは我々の計画に協力して、これまで通り指導的立場で働いていただけますか？」こういう順序で話せば、工場長たちも初めから彼の意向を支持する姿勢で協力し、反対意見は出なかったのではないでしょうか。

・未来への展望

あなたには何かが起きる前にそれを察知する特殊な能力があります。絵画などが大きな評判を集める前に、その可能性を見抜く力、ほかの人が思いつく前によい不動産物件を探す力、大ブレークするトレンドを見つける力。あなたの課題はその能力を活用することです。あなたはいつもよいタイミングに恵まれ、ものごとの展開が見られるところにいるのです。そのときあなたが自分のあるべき体制を維持できていれば、その波を自分のものにして成功することができるのです。

しかし気後《きおく》れして引っ込んでしまおうとするあなたの傾向は、そういうときの大きな障害になります。機会はあなたにやる気を起こさせますが、それが見かけ倒しだったり、参加する仲間の動機が不純だったりという理由でやる気が萎《な》えてしまうのです。あなたが今生で覚えようとしているのは、あなたにしか見えない「ゲーム」の兆しは、あなたにほんの一瞬の間だけ与えられた貴重なチャンスだということです。そしてあなたが参加すると倫理的で明確な仕事の進め方が可能になり、関わる全員にとってよい結果が生まれるのです。

あなたの今生はリーダーシップを磨くためのものです。あなたがすべきことは、まずは参加して健全なリーダーシップを発揮することによりグループの中の不公平をなくすことです。状況を見てあなたはこう言います。「ゲームはこう展開するんだ。僕がこういう動きに出ると、相手はこっちから、そしてこっちからも切り込んでくるだろう」何かが始まるのが見えたらそれを見送ることなく、その兆しと人々の間に入っていき、自分の強さを行動で表わすことをあなたは学んでいます。

◆創造力を発揮する

・演技でエネルギーを送る

あなた方は生まれついての男優、女優なのです。あなたにはもともと強い個性がないので、どんな役柄にも平等に抵抗なく入っていけるのです。あなたは持ち前の客観性を生かし、演じる役柄の目立つ特徴をふんだんに取り入れて生き生きと描き出していきます。あなたは演じている人になりきることができます。それが仕事であれ趣味であれ、何かを演じることはあなたに安らぎを与え、「観衆」にとっても楽しく豊かな経験になります。

人前で演じることなら何でも、あなたにプラスの影響を与えます。あなたは生まれつきのエンターテイナーなのです。ステージに上がると、あなたの体中が沸き立つような気がします。人を喜ばせることから生まれるエネルギーが、あなたにはたまらないほど快感なのです。実際、あなたの今生での使命は、さまざまな場面で人々に愛を届けることなのです。エンターテイナーと観衆の関係は個人的なものですから、こういう環境はあなたが幸福を感じられる場所といえます。

あなたが何らかの形で中心に立つようになると、あなたにも周りの人にもよい環境が整っていきます。しかしあなたは愚かなことをするのを恐れ、また他人がどう思うかを気にして中心に立ちたがらないかもしれません。あなたは前世の多くの時間を、他人が中心になって動いていく様子を眺めて過ごしました。今生のあなたが成功することに恐れを感じるのは、自分の力で成功したという実績がないからです。どの道誰かがスポットライトを浴び、賞賛を受けるのなら、あなたが中心に立ったほうが関わる全員のためによい結果になるのです。今生はあなたがスポットライトを浴びるように作られているのです。そしてその理由は、あなたが自我を育成する必要があるということ。あなたは舞台の中央に立ち、そこで得られるエネルギーで自分のバランスを取り戻します。それをしないことはあなたが自分自身の自我の育成を阻止する行為にほかなりません。

あなたが舞台の上から観客に送り込む感情のエネルギーは、観客の心を揺さぶる力を持っています。あなたは観客のエネルギーを感知し、彼らにあなたのエネルギーを感じさせる能力を備えています。あなたの心にあるものを、観客の心に届けることができるのです。まるで観客の心があなたに結びついているかのように、あなたは観客の心の動きをつかみ、観客の感情を操り、新しい方向に向かわせることができます。それは制御と力の感覚で、熱意や共感、感情の連帯感を呼ぶ前向きな力なのです。この過程であなたは非常に大きなエネルギーを得ることができます。あとで疲れることはあっても、生きているという実感が湧くのです。あなたのこういう感情的な経験をほかの人に伝えると、双方が元気になり、二人の間の絆から癒しの効果が生まれます。

この能力を身近なところ、あなたの子供たちや配偶者との間で発揮すると、やはり同じようにうまくいくでしょう。日常生活の中でも、あなたは他人を元気づける役割を上手に果たし、インスピレーションやユーモアを駆使して人々の心の重荷を軽くしてあげることができるのです。しかし時々あなた方は自分のそういう才能を過小評価します。たとえて言うなら、あなたは舞台に上る歌手よりもその楽曲を作った人のほうが功績が高いと考えるのですが、どの歌を観客のために選び、歌ってあげるかにより観客は感動するもので、あなたはその優れた能力を持っているのです。あなたが前向きなエネルギーと熱意を他人の心に植えつけるとき、あなたもわくわくし、幸福感を味わうのです。

◆高次元の意識：天使との結びつき

あなたは天使に守られるという幸運に恵まれています。あなたの夢が実現する未来へと導いてくれる高次元の意識があなたと結ばれているのです。ある考えが突然浮かび、未来がどう展開するか、そして自分に何が作れるかが見えるのは、あなたが明断で客観的な未来像を描けるからです。そしてあなたは一つの選択肢を選び、決断しながら先を目指すのです。

決断を下すと、それを成功させるための考えが次々に浮かびます。正しい考えが一つのレベルをクリアするたびに、それぞれ最適な時期に訪れるのです。そのタイミングはまさに奇跡というしかありません。一段クリアするたびに新たな扉が開かれ、成功への絶好の機会が提示されるのです。しかしこの天使の協力を生かすも殺すもあなた次第なのです。

その過程はサーフィンに似ています。サーファーは静かな、視界の広いところからパドリングを始めます。そして大きな波が少しずつやってきます。サーファーは波に乗るかどうかを、波が来る直前に判断します。ちょうどよいタイミングで決断し、波に乗れれば、悠々と波を制し、この上ない喜びに浸ります。悪い波を選んでしまうと、あまりスムーズなライディングにはならないものの、それなりの冒険を実感することはできます。しかしサーフボードに乗ったまま一日中波を待っていると、見逃した波乗りの機会の記憶でいっぱいの、安全で退屈な経験になります。

あなたには明断な展望がありますが、訪れた機会を利用して波に乗るかどうかはあなた次第です。機会をうまく生かせるだけの度量と技術があなたにはあるでしょうか？　それは実際にリスクを冒してみなければ分かりません。その上あなたには、波に乗ったときに初めて発揮される予想もしない創造力が潜んでいるのです。あなたは激しいチャレンジを要する状況に自ら飛び込んでいくべきなのです。危険、興奮、恋などの状況で勇気を出して自分の創造的な能力を表現するとき、あなた方は一番生きている喜びを感じるのです。

すべての波を我がものにしたとしても、あなたには自分一人の人生を超える信条や理想が必要です。あなたは自分のゴールを創造的に目指す過程で、天の星のような精神的目標から力をもらい、導かれる必要があるのです。この理想や価値観は、あなたのすべての行動を取りまとめる目標であるべきなのです。たとえばそれはどんなに怖くても不安でも、常に「至福の感覚に従う」こと、他人の反応を気にすることなくいつでも自分に正直でいること、あるいは人権、世界平和、環境保護などへの貢献など、さまざまな目標があるでしょう。あなたの選んだゴールは、悲しみや、歯を食いしばるような忍耐力を必要とするものであってはなりません。心情的に快活になるようなゴールでなくてはならないのです。個人的な生活のレベルを超えた大いなる目標に照準を合わせると、あなた自身も個人のレベルから大きく成長し、リスクを平然と冒し、変化を現実のものとすることができるようになります。

あなたは自分の想像力、あなたの天使との「コミュニケーション」から来るイメージ力を活用し、何かを作り出す大きな潜在能力を秘めています。あなたが望みさえすれば、その力があなたに必要な協力者や状況をあなたの周りに引き寄せるのです。あなたが心から決意すると、あなたの善なる願いであれば、宇宙はあなたの望むものを届けてくれるのです。突然人生のコースが変わり、新しい人々や環境と出会い、新たな期待に導かれて今までと違った夢を実現できる人生が展開するのです。あなたの仕事はただ差し出された新しい機会を受け入れるだけ。それを分析したり判断したりしていると、タイミングを逃します。あなたは自分の夢に近づいていくこと――危険をあえて冒し、あなたの創造的なエネルギーをつぎ込んで、その先に何があるかを知らなくても前進すること――を今生で学ぶのです。

あなたは気持ちをゴールに集中させ、前にも触れた「第二の目標」の誘惑（これも創造の過程の一つなのですが）に迷うことなく前進することが待たれています。無気力は許すと永遠に居座るものです。何か新しい、活気に満ちたものを創造するとき、無気力はその前に立ちはだかります。第二の目標の誘惑を打ち破り、それまでの無気力な生活習慣を断ち切るのに、ときには激しい集中力を必要とします。それには自分に対する厳しさや、どんなに困難でも克服しようという強い意志力を要します。困難に打ち勝って新たな環境を築いていくことであなたは大きな力を手に入れ、夢が実現した時の喜びがさらに大きく感じられます。

心に描く夢を現実のものにすることは決して簡単ではありません。だからこそ私たちは夢を見るのです。夢は私たちの限界を乗り越えるための活力源であり、それがあればこそ私たちは元気を出して自分の枠を超えて成長していけるのです。自己満足のぬるま湯と自己中心主義を脱ぎ捨て、心に描く高貴な夢の実現へと向かうとき、私たちは成長し、自由を手にします。究極的にあなたが求めているのは自由と活力なのです。想像力を駆使して夢を実現させる道をたどれば、その願いも叶えられるでしょう。

◆活力

あなた方は命というエネルギーの構成要素である、生きる喜びや活力と再び一つになりたいと願っています。あなたは生きているという実感を求め、宇宙はあなたの願いに応えてあなたの命が刺激され、活気に満たされるような状況を提示します。あなたがその機会を受け入れ、その道を進むとあなたは成長し、活気と喜びが手に入るでしょう。生きる喜びに到達する道をあなたは本能的に指向するのですが、往々にしてあなたの心理操作が割って入り、創造的な衝動を否定してしまうのです。今生では、頭で考えた論理に従わず、心に住んでいる内なる子供の胸の高鳴りに歩調を合わせたほうがよいのです。

・決断を下す

あなた方の場合、その知識体系の命令するところと、心の指示するところがまったく異なります。その選択基準は結局のところ、「創造への熱意」と「安全への執着」とのせめぎ合いなのですが、創造への熱意を選ぶとうまくいき、安全を求めると失望することになります。これまでの人生を振り返ると、それが思い当たる経験がいくつかあるはずです。その理由は、あなた方の「知識」とは自分の過去の経験に基づいた論理的な未来予想だからです。実際は、未来の選択肢は無数にあり、現在の自分の置かれた状況から未来へと移行する過程に責任を持ちさえすれば多様な広がりと可能性があるのです。

決断を下すとき、あなたの知識に基づいたその決断があなたに多くの活気をもたらすか否かを自問してみましょう。あなたが自分の知識に照らして正しいと思った決断でも、あなたの活力が衰えるようなものなら、何年もそれに時間を費やしたあとで後悔しないために、すぐに考え直してみることです。あなた本来のありようを認め、そこから来る偽りのない評価に基づいて行動することがあなたの幸せの鍵です。それはつまりあなたが自らの情熱を信じることが、あなたの存在を確かなものにし、未来の人生を築いていくエネルギーを支えていく原動力になるということです。

私は以前ある老人ホームの近くに住んでいて、そこの住人たちにいろいろな質問をしたことがあります。「振り返ると、何が一番大切なことだったと思いますか?」「もう一度やり直せるとしたら人生のどこを変えたいですか?」との問いに、人はそれぞれ違ったことを答え、願いました。しかしみんなが同様に話していたのは、自分が信じて行動したことは、たとえ結果が悪くても決して後悔はしないということでした。後悔するのは、やりたいと思いながらも行動に移さなかったことについて。せっかくの機会を見送ったことが責念の思いにつながるのです。あなた方は今生でそういう機会を生かすことを学んでいます。

これは決して無責任な人生を送るよう促しているのではありません。あなたのエネルギーの示す方向に決断を下し、ほかの人々への考慮も加え、効率的に行動に移していくのです。たとえば「子供たちのために」という理由で、破綻した結婚にしがみつくのは正しい決断とは言えません。それは子供たちに「私は苦痛を我慢できる。不幸な人生で構わない」と言っているようなものです。その代わりに慎重に、責任感を持って離婚を進め(たとえば子供たちに両親の結婚に問題があることを告げ)、子供たちにもショックを与えないよう配慮するほうが賢明な手段だといえます。周りの人々の感情に配慮した計画に創造的で責任ある姿勢で取り組むことが、あなたの成功の鍵です。

・行動に移す

あなたにとって最大の難関は、自分の幸せのために行動を起こすことかもしれません。あなたはみんなの面倒を見ることに忙しく、自分の内なる子供の喜びを後回しにしてしまいます。今生であなたはあなた自身のために行動を起こすことを学んでいます。

皮肉なことに、あなたが自分一人で行動していると、誰かが現われて協力してくれるのです。ところが準備が万全に整うまで行動を起こすことを恐れ、躊躇《ちゅうちょ》していると、その計画が実現することはありません。周りの人に理解されなくても、あなたの行動が心の喜びに裏づけられたものであれば、周りのサポートがあってもなくても実践すべきなのです。

あなた方の前世で蓄積された知識はすべて、あなたの内なる子供が受け継いでいるのです。だからこそこの子供の意志に従うと、そこには喜びが待っているのです。反対に安全な道を求めて知識を集めていると、行動に必要なエネルギーがいつまで経っても生まれず、結局チャンスを逃してしまいます。内なる子供は楽しさや遊び心、幸せを求めてリスクをいとわない行動を象徴しています。たとえばあるとき突然に、「うわあ。今日は泳ぎに行きたい気分だ」とわくわくした気持ちになったら、内なる子供の声を聞き、そのまま実行するのです。この楽しさや興奮する感覚が生まれたら、内なる子供が「今だ」といったときにいつでも実行に移す――。そのたびにあなたは自分の価値を認め、強さを感じていくのです。いつも心の子供と交信し、正しい方向に向かっているかを確認することが、あなたの成功の秘訣です。

〔癒しのテーマソング〕

音楽は何かに挑戦するとき、感情面でユニークな力を発揮します。
それぞれのドラゴンヘッドグループに合わせ、
エネルギーをプラスに転化する働きを持つ詩を作りました。

子供に帰ろう

この詩のメッセージは、ドラゴンヘッドが獅子座にある人々が心の中に住む子供の自分を意識し、自分の運命を切り拓いていくために必要な自信と刺激を得られるように願って作られました。

子供に帰ろう、子供に戻ろう

時々私は考える。生まれたときに自分の運命を
はっきりと見ることができたら、と
時々私は考える。答えを世界に求める前に
自分の中に見出すことができたら、と

子供に帰ろう、子供に戻ろう
世界に騙される前に
世界が教えることは真実ではないのだから

ドラゴンヘッド

乙女座

第六ハウス

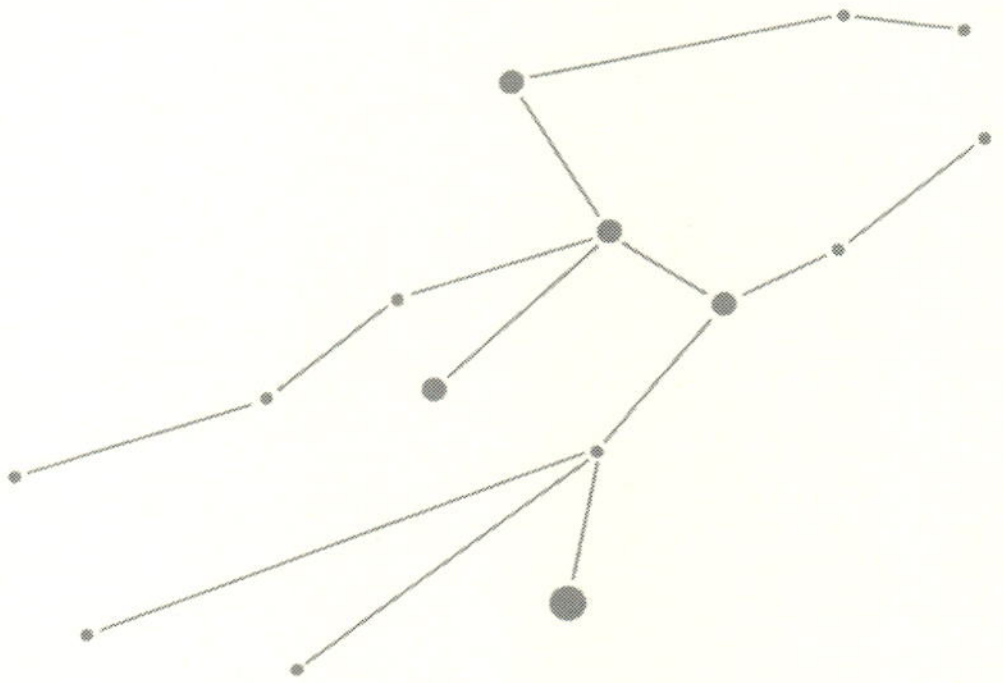

Virgo

総体運

●伸ばしたい長所

次の性質を伸ばすと、あなたの隠された能力が見つかります。

- 参加
- 混沌《カオス》から秩序を生む
- 毎日の日課をつくる
- 「現在《いま》」と「此所《ここ》」に集中する
- 慈悲の心に基づく行動
- 他人に奉仕する
- 分析と類型化
- 経験から自信を築く
- 中庸
- 恐怖に打ち克ちリスクを冒す
- 些末なことの価値を認める

●改めたい短所

次の性質を減らすようにすると人生が生きやすく、楽しくなります。

- 被害者になる（被害者意識を持つ）
- 混乱と迷走
- 計画を立てない
- 逃避・依存症傾向（薬物、アルコール、睡眠、夢想など）
- 極端に走る
- 過敏症
- 自分を疑う
- 不足を感じる
- 隠遁
- 曖昧さ（踏み出さないこと）・不活発
- 諦め

◆あなたの弱点／避けるべき罠／決心すべきこと

ドラゴンヘッドが乙女座にある人々の弱点は被害者意識です。「他人の慈悲深い理解が常に私に向けられていないと、私は誰かに利用されてしまう」と考えることがあなたの罠です。他人がどんなに努力してもあなたを無力感やパニック症状から救うことはできません。あなたが自分の心と向き合うことにより、強さと目的意識を身につけるために取るべき態勢が見えてきます。

あなたが避けるべき罠はあなたが盲従し、無条件降伏するための救い主や心の師を際限なく求めること。「私が従順になれば、神の導きによりすべて解決する」しかし内に向かって降伏することで外的環境が秩序を持ち、生産的にならないことは経験上あなたにもお分かりでしょう。あなたの目標を達成する唯一の方法は、自分が安心でき、強くなれる環境を自ら作ることです。

「これだけ自信があれば世界に飛び出し、何かを成し遂げることができる」と言えるほどの自信は、いくら待ってもやってくることはありません。つまりある時点で決心し、積極的な路線を自ら選ぶ必要があるということです。不思議なことに積極的に人生を生き、試行錯誤《しこうさくご》をするうちに、あなたが求める自信は自然に培われていくのです。

◆あなたが一番求めるもの

あなたが一番求めているのは宇宙の懐で柔らかく暖かい毛布にくるまっていることです。あなたは自分より大きな何かに身を任せ、自我意識をそこに同化させて守ってもらいたいと考える傾向があります。あなたは常に平和な一体感を渇望しています。しかしそれを得るには外の世界に出ていき、他人に奉仕する必要があるのです。自分の内なる恐れから現在《いま》と此所《ここ》に意識を転換させると、混沌《カオス》の中に秩序を呼び戻す方法が見えてきます。

◆才能・職業

あなた方は優秀な医者、歯医者、看護婦、医療アシスタントなどになれる才能を持っています。これらの職業はあなたの人を癒《いや》す能力を生かし、実用的な方法で人に奉仕するという意味であなたに最適の職業といえます。心理学者、ヒーラー、栄養士、会計士、組織を作る人や職人などにも向いています。あなたは仕事に「よいカルマ」を持っていて、仕事仲間や部下とうまくやっていけるのです。あなたはほかの人が五時間かけて仕上げる仕事を一時間でできるほどの処理能力を持っているため、時給で働くより仕事の効率や内容が評価される職業に向いていています。

人を癒す職業があなたに最適なもう一つの理由は、そういう職業が人生の具体的な要素に直面する機会を与えてくれるからです。詳細に気を配ることが仕事の成功に結びつく職業につくと、あなた方は現在《いま》に集中せざるを得ません。体を動かす仕事をこなしていく過程が、あなた方の心理的ストレスを和らげるのです。

あなた方は慈悲深く、自分を包む大きな世界をよく理解しています。精神世界に対する知識という前世からの遺産は、あなたが積極的に何らかの結果を出そうとするときに役立ちます。しかし精神世界の意識や包容力を得ることを最終目的とする職業につくと、あなたが求める強さや満足感を得られません。

●あなたを癒す言葉●

「この状況に秩序をもたらせるのは自分だけ。ならば全力を尽くそう」

「この人生で私は被害者ではない」

「投げ出してしまったら私の負けだ。積極的に結果を目指すとき、私は成功する」

「計画を立ててそれに集中すると、宇宙が成功の扉を開ける」

性格

◆前世

あなた方は精神世界のことをよく理解していて、高次元の、より幸福感のある天上の世界を自分の中に持っています。あなた方は非常に敏感で傷つきやすく、他人を傷つけないように細心の注意を払います。あまりに繊細なため、他人の苦しみを本人以上に気にかけることがあります。

・エゴの消失

あなた方は過去の多くの人生で、エゴの消失を経験しています。瞑想や霊的探求、薬物やアルコールへの耽溺《たんでき》、僧院や刑務所、道場など俗世間から隔離された環境で、あるいは音楽、詩歌、芸術などに没頭することにより自我が融解《ゆうかい》しているのです。どんな過程であったとしても、あなたは今生でその影響と向き合わなくてはなりません。もしそれが霊的な探求だった場合、前世での信条に似通った霊的な目標を見つけるまで混乱が続くでしょう。薬物やアルコールによるものだった場合、今生でもあなたはそれらの依存症傾向を持ち、それらの問題から脱するために精神世界の知恵（アルコール依存症から立ち直る十二段階等）を必要とするかもしれません。詩や音楽、芸術の才能を発揮した人は今生でもそれらを介在させて崇高な心のよりどころとするでしょう。

あなた方は過去の人生で多くの霊妙な経験をしているため、高次元のエネルギーと同化するにあたり自分自身の個性を少しずつ融解させてきました。しかしそれは前世までのこと。これ以上自我を消失させると、今生ではマイナスの効果を生んでしまいます。もう十分自分の心にある風景に身を委ねる経験を積んできました。これからは現実の中で、あなたの描く世界観を実現してみて下さい。

ドラゴンヘッド　乙女座　第六ハウス

・謙虚さ

前世であなた方は自分の行動の動機を自問し、自分に欠けている徳について反省することにより魂を浄化してきました。これが今生のあなたが他人を偏見のない目で見ることのできる能力と深い洞察力を支えています。今生のあなたは自分が他人より優れているとはどんな状況でも考えないでしょう。内省的な前世での経験が真の謙虚さを築いているからです。

前世でのあなたはあまりに頻繁《ひんぱん》に犠牲者にされてきたため、ものごとを簡単に諦めてしまう傾向を持っています。何かに真っ正面から向き合うことや競争が苦手ですが、それらを強く否定することもできません。あなた方の精神は大変繊細なため、人生はときに厳しいものに感じられます。一般にあなた方は物質的なものが増えることで幸せになると考えることはありません。あなた方にとって人生の目的はモノの豊かさの追求ではないため、それを得るために過酷な挑戦を強いられたとき、あなた方はすぐに諦めてしまいます。

何かにつけて他人に利用されてきた前世での体験から、あなたは何かを創作しても無償で一般に公開したり、誰かに作者としての手柄も報酬も持っていかれるということが少なくありません。そして多くの場合、それに心を痛めることはありません。創作活動が完成した時点で、当初の目的は達成されたと考えるからです。前世で聖職者でもあった経験の影響で清貧を旨とする信条を持ち、富を貯えることに罪の意識を感じることもあります。無意識に金銭を蓄積することは何となく不純なことだと考えるのです。金銭は労働の副産物であり、あなたが労働に参加したことの意義のあかしだと捉えるようにするとよいでしょう。

ドラゴンヘッドが乙女座にある人々は大変慈悲深く、心の底から人を助けようと考えます。今生ではしっかりした物質面での基盤を築き、人生を安定させるとさらに幅広く人助けができるようになると理解して下さい。今生のあなたは被害者になってはいけません。この傾向を払拭《ふっしょく》することがよりよい人生の道へと続きます。

◆拡散と集中

あなた方は前世の多くを社会に背を向けて生きてきたため、世の中で生きるということに慣れていません。誰かが鳴らす鐘の合図で起床、瞑想、お祈り、運動、食事、労働、そして睡眠を規則正しく繰り返す僧院の生活を、いくつもの人生で経験し続けることを想像してみて下さい。そういう生活はあなたに時間や形の感覚を失わせ、世俗的な日常の奥にある根源的な流れを教えました。それは僧院の中では貴重な知識ですが、今のあなたは現世で生きる術を学んでいるのです。

まず自分の予定を知らせる「鐘」を自分で鳴らす習慣を作りましょう。決まったスケジュールに従うことに慣れているあなた方の中には、時間にルーズな人もいるかもしれません。しかし社会の規範をきちんと守ろうという意志を持てば、あなた方は世間を渡っていくために十分な強さと自信を身につけることができるでしょう。そのためにもあなた方は約束の時間を必ず守る必要があるのです。規範に基づいて行動することはあなたの暮らしに秩序と安定をもたらし、あなたの人生をより豊かに支えてくれます。

世間から隔絶された前世のゆえに、あなた方は自分の心や想像力を使って自分を楽しませる方法を知っています。しかし物質界である現世において有意義で実用的な結果を残すよう運命づけられている今生のあなた方には、前世でうまくいったことは有害でさえあるのです。このため今生において、あらゆる現実逃避は避けるべきことなのです。夢想、薬物、アルコール、長い間一人で過ごすこと、過度の睡眠など、活動的な生活からの逃避はあなた方の自信を失わせていきます。

といっても、ときには日常生活から解放され、休暇を取ってリラックスするといった余暇活動が悪いというわけではありません。ほどほどの範囲を超え、依存症にならないように人一倍気を配る必要があるということです。

・想像、白昼夢、幻想

あなたは霊的で非現実の世界に造詣が深いため、今生でその能力が正しい方向に導かれなかった場合、それは弱さとなってパニックや恐怖感、不安の要因となってしまいます。しかしあなたが目的に向かって進み始めるとき、あなたの霊的な才能は仕事を効率よくこなすための道具となります。創造的な夢想を何らかの目的に活用し、他人に奉仕するような活動に向けると、あなたの抽象的な視覚能力は驚くべき財産に変わるのです。

あなたはその創造的才能を心の中にとどめ、一人で漫然と考えるのではなく、外界に向けて発信し、他人への奉仕という目に見える結果を導くようにするべきなのです。あなたは情報を集め、プロジェクトを組織し、得られた成果を分配するところまで、自分の描いた目的を実現するべく努力をする必要があります。今生であなたは、目標さえ設定できれば仕事をこなすことは簡単で楽しいものだと感じられるでしょう。

白昼の夢想と幻想に浸ることは避けて下さい。白昼夢が始まるとあなたは繊細でふわりとした天上の意識の領域に入ってしまい、波打つような至福のドラッグでハイになっている状態に陥ります。その状態は現世で生きていくための能力を弱めてしまうのです。

現状に満足できないとき、あなたは現状を打開するよりも現実逃避して自分の世界に閉じこもってしまう傾向がありま す。夢想能力を適度に活用できれば、あなたの目指すものをより明確にすることができます。しかし夢想に走ろうとする誘惑を断ち切るには相当な自制心を必要とします。その依存傾向が非常に強いため、あなたの場合は幻想から自分を遠ざけておいたほうがよいのです。幻想の世界の幸福感への誘惑はあまりに強く、「現実の幸福感」を得るために必要な日常での生活の秩序を守り、役割を果たすことを忘れてしまうのです。たとえばあなた方はあまりにも家族に関する幻想に心を奪われすぎて、現実に充実した家族関係を維持するために必要な努力を怠ってしまうのです。

四十八歳のある男性クライアントは、理想の女性に対する幻想を抱いていて、その想像力のたくましさゆえに、幻想の中のその女性は現実にいると思えるほどでした。彼は何人もの女性とつきあいましたが、彼の幻想にぴったり合う女性は一人もいなかったため、どれも長くは続きませんでした。それが三十年も続き、彼は現在も独身で孤独な毎日を送っています。残念なことに彼はつきあっている女性に対して自分が実際に感じるものに意識を向けられず、実りある異性関係を築く機会を自分から奪ってしまっていたのです。幻想はこのようにあなた方が建設的な行動を起こし、現実の世界で夢を実現することを阻むのです。

・**混乱とカウンセリング**

あなた方はときたま意識が混乱状態に陥ることがあります。多くの人々にとって混乱は新たな秩序の前段階であり、決して悪いことではありません。しかしあなた方にとって混乱は道を外れたことを意味します。あなたが混乱すると自分のしていることをすべて疑い始め、現在進めていることがバラバラになってしまうのです。あなた方の場合はまず混乱のエネルギーを遠ざけ、混乱を引き起こした外界の状況をもう一度見つめ直してから、改めて「現場」に戻って秩序を立て直して下さい。

たとえばあなたが処理するべき書類の山を前にして混乱をきたしたとします。そんなときは落ち着いて書類の内容を一つ一つ確認し、作業ができるように書類を整理し、秩序を与えるのです。同僚の行動について混乱したときは、その人と実際に向き合って、何が問題なのかを見つけることにより解決すべきなのです。

問題に直面したときはセラピストや友人に相談すると、会話の中で現実のよりよい把握ができるため、プラスの結果が得られるでしょう。あなた方の想像力はとても活発で、問題が起きるとそれを誇張して、とても解決できないようなものに作り上げてしまう傾向があるのです。想像の世界から生まれた恐怖感があなたを麻痺させ、状況を立て直すに必要な行動が取れなくなってしまうのです。このためあなたの恐怖感が現実に即したものか、あるいはあなたの幻想にすぎないのかを知るために他人からのフィードバックがとても重要なのです。現実の世界でどうすればうまくいくのかについて積極的に実験をするほうが、あなたの頭の中でシミュレーションするよりずっと効果的なのだと覚えておいて下さい。

あなたがパートナーとの関係の中で境界線を見失い、相手にそれが伝えられないというフラストレーションを感じたら、第三者に入ってもらうことをお勧めします。あなたは相手を傷つけたくないと思うあまり、解決に導くための道筋を避けてしまうからです。相手はあなたからこんな言葉を聞く必要があるかもしれません。「もうやめて。そんなことに私は耐えられません。これ以上続けるともう私はあなたの元を去ることになってしまいます」結婚カウンセラーを間に立てることも有効な手段です。

あなた方自身も優秀なカウンセラーの才能を持っていて、職業としても、また友人のカウンセリングにも力を発揮するでしょう。相手はあなたの親身な姿勢を感じ、すぐに信頼するでしょう。あなた方は周りの人々に何かを打ち明けたい気持ちにさせるエネルギーを漂わせているのです。あなた方はものごとを分析し、明快で実用的な助言をする、そして直感力と常識を融合させる才能にあふれているのです。

・曖昧さと細部

あなた方は自分を取り巻く全体像を常に意識しているため、現在此所《いまここ》にある細々としたことを簡単に見逃してしまいます。この傾向があなたを面倒なことに巻き込む場合があります。しかしどの状況でも目の前のさまざまなことから目をそらさなければ、だまされることはめったにありません。

ぼんやりとした意識の中で過ごしていると、訳もなく不安に襲われることがあります。そうなると無力感の中で他人に対してひどく懐疑的になったり、恐れを抱いたりします。そんなときあなたの周りにある風景の細部、たとえば誰かの着ている服や店のウインドウディスプレイ、また顔を撫でる風の温度などに注意を向けてみて下さい。あなたは落ち着きを取り戻し、不安は消えているでしょう。

・前世からの恐怖、現在《いま》と此所《ここ》

あなたは前世で法律や掟を破ることの結果を身に染みて知っているため、正しいこととそうでないことに対する厳しい判断をし、法を犯すことに対する絶対的な恐怖感を持っています。あなた方は前世で迷信を信じ、恐ろしい罰から逃れるために無数の不吉な印について研究していました。しかし不吉の前兆を探してばかりいると現世での常識的なことを見逃してしまいます。前世での経験の中であなた方は無数に天からの「メッセージ」を受け取ってきたため、今生でも天からの予言を待ち、現世での実際の生活を軽視する傾向があります。不吉の前兆を探すより、今生のあなた方は自分の実生活に目を向け、周りの人々からのフィードバックにより自分の社会生活を確認することが大切なのです。何かがちょっとバランスを失っていると思ったら、自分の世界に引きこもるよりむしろ一歩外に踏み出して状況に参加し、他人の協力を仰ぎ、恐怖と向き合い、最悪の事態を避けるよう環境の立て直しに奔走するべきなのです。簡単な例を挙げれば、電話回線を切られることを恐れるより、毎月の電話代をきちんと払うことを考えるということです。

あなた方は現在《いま》と此所《ここ》に集中できる仕事に長じています。家計簿などは、自分の財政状況が時系列的にいつでも把握できるのでつけるとよいでしょう。去年の記録をひも解き、今年と比較することはあなた方に力を与えるのです。あなた方が地に足をつけて立ち、自信をつけることにつながります。

あなたが心を傾けた対象に、あなたは愛情を持って接します。仕事もその一つ。もしあなたが現在の自分の仕事を愛せないようなら、転職を考えたほうがよいでしょう。コンピューターはあなたが現在に集中するための道具となるため、あなたに最適なのです。あなたにとって、詳細に気を配ることが成功に結びつくような仕事は適職で、しかもその仕事に大きな喜びを感じるでしょう。

◆自己懐疑と不安、信念と行動

あなたには大変内向的で内省的な面があります。不安を感じると一人の世界に閉じこもり慰めと理解を求めるのです。残念ながら内面の世界と外界が通じる回路はなく、あなたの内面の不安や疑惑はどこまでいっても解消されません。あなた方は一人になって人生を振り返り、どこで道を間違えたか深く内省することがあります。しかしそこで突き当たる大きな敗北感は客観的事実をはるかに凌駕《りょうが》しているのです。あなた方は人々から離れて内省し、ものごとをきちんと理解しようとしますが、これはあなた方によい結果を生みません。あなた方はどんなことがあっても自分を疑ってはいけないのです。

あなた方が最も避けるべきなのは自分の目標の純粋さを疑うことです。あなたが自分の目標をはっきり意識できる頃には、もうすでに長い時間をかけてその純粋さや害のなさ、他人に対する利益などについて十分検討してあるはずです。今生であなたは自分の描いたイメージが実社会でどう機能するかを学んでいます。試行錯誤をすることは、物質の世界での法則を確認する意味でとても健全なことです。

あなたは混沌とした状況に陥ると、内面的に解決することが外面の解決につながると信じています。しかしそれを実行すると、あなたが積極的に問題解決に乗り出すものと思っている周りの人々は苛立ちます。あなたが急に内にこもってしまうことが彼らには理解できないのです。周りから理解されず、自分の方法がなぜうまくいかないのか悩むことになり、あなた自身にとってもフラストレーションとなります。いずれにしても今生では内面的な問題解決はできない運命にあることを覚えておいて下さい。占星術上では、あなたに起きる問題は外的要因、つまり実際に行動を起こすことによってしか解決できないことに決まっているのです。

あなたは自分の能力が不十分であると考えがちですが、それはあなたに悪循環をもたらします。時々あなたは直感的に問題を先取りしたり、人間関係やある状況について取り越し苦労をします。あなたが心配ごとに集中すると、想像力が働いて最悪のシナリオをたちまち作り上げ、それに結びつくような外的要素を選択的に見つけてはパニックになる理由を正当化してしまいます。そうなると心のバランスを取り戻し、恐怖を打ち消すために今度は自分の直感を疑うのです。心の想像力で恐怖を正当化するのも、否定するのもあなたにとってよい方法ではありません。うまくいく唯一の方法は、外界に出て客観的な情報を集めることです。

実際あなた方の直感はたいていの場合当たっています。たとえば仕事に出かけた後に窓を開けっ放しにしてきたことに気づきます（あなた方は普段こういうことをあまり気に留めませんが、視野の片隅に映った開いた窓が記憶に残ったのです）。突然雨が降り出し、あなたは窓が気になり、泥棒が入る姿や火事になる様子を思い浮かべ、いても立ってもいられなくなります。あなたは家のことで漠然とした恐怖に駆られるのです。そんなときはすぐに家に帰り、開けっ放しの窓から雨が降り込んでいるところを自分で確認することです。恐怖を感じた状況自体は間違いではありません。客観的に状況を見極めることで、あなた方は窓を閉めるという行動によってすべての問題を解決できるのです。直感を否定するのも、恐怖感に浸るのもやめ、状況に直面し、事実関係を分析し、必要な情報を得ることに専念して下さい。

あなたはもっと自分のしたいことや自分自身に対する信念を持つべきで、あなたの場合信念は行動することから生まれるのです。あなたは信念を前世からの遺産として持っています。あなたは過去の人生で、高次元の存在に対して完全に身を委ねることにより日常生活の一瞬一瞬の中に信念を見出すという経験をしてきました。今生でも「すべてはうまくいっている」という感覚を持っていて、前世での信念を思い出すことにより心の平安と自信が得られます。

私のクライアントに失業した女性がいました。彼女は不安をばねにして行動を起こしました。次の仕事を探すまで三ヵ月の余裕がありましたが、彼女は直ちに就職活動を始めたのです。すぐに二つの仕事を見つけましたが、都市部に通うより彼女の理想の暮らしに近い近郊の会社を選びました。十日ほど勤めてからその選択が間違いだったことに気づき、彼女は都市部にあるもう一つの会社に就職を願い出ました。その会社は時間をかけて考慮した結果彼女を雇うことにしましたが、彼女はその経験をしてよかったと私に話しました。「もし私が初めから市内のクリニックに勤めていたら、近郊のほうがよかったかしら、と迷ったでしょう。両方経験したからこっちに換えてよかったと心から思えるの」すべては究極的に自分にプラスの方向に動いている、と考えられる根拠にはこんな信念があります。「人生は私の味方で、すべては私の最高の幸せに続く方向に展開している」

◆「奉仕するか苦しむか」という人生

ドラゴンヘッドが乙女座にある人々にとって奉仕は心の苦しみを癒す解毒剤のようなものです。あなたには人類全体と一体化した意識があり、人々の苦しみに深く胸を痛めます。一人がもう一人を傷つけたとしても、あなたには両方の立場が理解できます。あなたは本質的に人を批判せず、他人の苦しみに深い慈悲の心を示すのです。

今生でのあなたの課題は、その慈悲の心を体現することです。あなたは恐らく、人に奉仕するためにこの世に生まれてきたという使命感をすでに持っているでしょう。しかしそれを実行に移すとき、思いがぐらつきます。不安が生じたら、あなたの目的の純粋さ――奉仕して秩序を取り戻すことだけを願っていることを思い出して下さい。相手と、あなたがその人にできることだけを考えると穏やかな自信に包まれるでしょう。あなたが幸福感を味わうには、常に何かを「修復」している必要があるのです。ボランティアをはじめ家族や友人の手助けはあなたの存在価値を高め、満ち足りるための行動となります。あなたの場合、外に向かう行動がたくさんあるほどよいのです。

あなた方は本来、世界から飢餓をなくし、世界平和を実現する、あるいは環境を保護する、などという抽象的な考えを広めようという意志はありません。あなたはただ人を救いたいのです。誰かが「お腹がすいている」とか「家庭環境がうまくいっていないんだ」などと言うとあなたはそれを無視できません。誰かがあなたの個人的環境に入ってきて心に触れると、あなたには泉のように人に手を差し伸べる喜びがわいてきます。しかし慈悲の泉の水がうまく流れるためには、相手とのコミュニケーションが不可欠です。

時々あなたは自分の願望を実現することに集中します。そんなときあなたは一人の世界に夢中になり、いくつかの問題が発生します。自分の願望を実現することに心を奪われて、その行動が周りの人に与える影響に注意がいかなくなります。たとえばオフィスで誰かが腹を立てたとき、あなたは「どうしたら彼を静められるだろう」と考える代わりに「彼は一体私にどうしろというんだ」と考えてしまいます。あなたは、人はみな自分がしていることを理解しているものと思い、こうつぶやきます。「私は弱い立場にいる。彼らのほうが私より賢く強く、世事にも通じているのだから私がどんなに繊細か分かるだろう。だから彼らは私にもっと歩み寄ってくれてもいいはずだ」しかしあなたが人より劣っていると考えるのは間違いです。それどころか前世で無数の自己浄化を経験してきたため、あなた方のほうがほかの人々よりずっと魂が洗練されているのです。

他人があなたに優位な態度を示しても、彼らが自分のしていることが分かっているとは限りません。あなたがどれほど繊細かを知っているのに、彼らがあなたを傷つけた、と思ったとしたら、それは間違った考えです。多くの人々はあなたの繊細さが理解できず、自分が粗野であることにも気づいていません。あなたは自分を見つめることをやめ、ほかの人に関心を移すべきです。あなたの才能を生かして周りの状況をよりよくすることに努めましょう。あなたの心地よい癒しのエネルギーを必要としている人々はたくさんいるのです。

時々あなたは自分が「他人より劣っている」という考えと逆の意識を持つことがあります。そしてあなたのほうが他人に対して歩み寄る必要性を感じます。あなたは自分のほうが優れていると感じているとき、親切になれます。自分が劣っていると感じると、他人の親切を求めてしまうからです。しかしどちらの考えも極端で、しかも考えの中心にあるのは奉仕ではなく「自分」なのでうまくいきません。

あなたは奉仕とは義務ではなく慈悲の心から起こるものだということを学んでいます。愛情から何かをするとき、あなたはその行為に霊的な要素を加えることができ、あなたの望む宇宙との一体化が強まります。義務感から奉仕をするときあなたは頭だけで考えて行動しています。愛と慈悲からの行動は心から発しています。もしあなたが誰かを助けなければならないと考えているなら、そこには何か間違いが生じています。奉仕への純粋な欲求は自然に起こるもので、自分と自分の気持ちが見えていれば自ずから生まれるのです。それがあなたの人間性に洞察を与え、周りの人々との家族のような絆を作り、すべての人類が一つに結ばれる感覚を呼び起こすのです。あなたがこの霊的な慈悲の心を感じているとき、魔法のように人を癒すパワーが周りの人々を包みます。

・奉仕と消耗

あなた方は繊細で傷つきやすく、思いやりがあって慈悲深く、他人を許せる人なので、他人に利用されてしまうことが少なくありません。

人間関係において相手と接するとき、あなたの中にエネルギーを感じるか、あるいは逆に流出するかによって、あなたは相手を正しく判断をすることができます。周りの人々はあなたの慈悲の心を感じると光に集まる蛾のごとく引き寄せられてきます。あなたは相手を批判することなく共感を持って彼らの話を聞くため、多くの場合とても消耗します。ここでのレッスンは、本当に答えを見つけようとしている人と、単によりかかれる肩を必要としている人の区別です。あなたが助けるべき人々は、純粋に問題の解決を考えている人々だけです。その人々は今生のあなたが豊かに持っている問題解決能力に自信を与えてくれます。解決法を求める人々にあなたの考えを分けることで、双方にとってよい結果をもたらすのです。

しかしあなたの共感だけを求め、あなたにしてもらいたいことの長いリストを突きつけるだけの人々と接していると、あなたはエネルギーを消耗し自信を失っていきます。相手は一時的にすっかりいい気分になってあなたの元を去っていきますが、あなたは前向きな解決法を提示できなかったことでとても憔悴し、ベッドに体を運ぶことすら大儀なほど疲れきってしまうのです。そして本当にあなたの助けを必要としている人々を助ける力も尽きてしまいます。こういう形であなたが他人に利用されると、関わった全員にとって悪い結果になるのです。

あなたのエネルギーが消耗するのを許すと相手にはこういう考えが浮かびます。「相手の気分を悪くさせても自分の気分がよくなれば他人を利用しても構わない」しかしそれを許さなければ、相手が自分のしていることを反省し、「もっと他人に対して思いやりを持つべきだ」と考える機会を与えます。

あなた方の中には相手に虐待されたいという隠された願望を持つ人がいます。前世の多くの人生で苦しみや自己否定、苦痛を味わっているため、誰も自分がどんな経験をしてきたか分かっていないとあなたは思っています。無意識の中であなたは自分の味わった苦しみを他人に理解してほしいと願い、他人があなたに問題を押しつけるままにさせて自分がいつかその不安や苦しみについて語れる機会を待っているのです。

しかし他人はあなたに語る機会を与えてはくれないでしょう。万が一聞いてくれる人が現われたとしても、語ることによって恐れと不安は増すばかりか、聞き役の人を道連れにしてしまいます。自分の、あるいは他人の解決できない問題に頭を悩ますことは今生のあなたの禁じ手です。前世での痛みや自己犠牲、苦しみはすべて「パンドラの箱」にしまい、封をして、決して蓋を開けてはいけません。

・愛を奉仕に変える

前世であなたはたくさんのことを体得し、愛情を培ってきたので、今生でそれを人と分かち合おうとします。このため今生では気持ちを拡散させることなくさまざまな活動に参加し、あなたの知恵を与えやすい環境を作るべきなのです。あなた方のレッスンは愛を奉仕の形に変えること――そして自分の心を無限の愛と慈悲で満たすことです。

あなたは大いなる信念の力を持っているため、波長さえ合えばヒーリングの才能を発揮します。このグループの人には、人生の中で奇跡的なヒーリングの経験をする人が少なくありません。あなたは人が病気になるとき、その裏には精神的な根拠や霊的要因があることを本能的に知っています。身体的症状の背後にある霊的な原因が分かると、あなたはそれを自然に癒すことができるのです。それはあなたの信念の力と宇宙を包む大いなる存在への認識が、あなたの癒しのパワーとなって結集されるからです。あなた方はよい看護婦や医師になり、他人から信奉される対象となれるでしょう。

あなた方は他人を癒すヒーリングハンドの持ち主でもあります。ものやペット、人々に触り、エネルギーを与えることができるため、あなたには生活の細かいことに参加するほうがよいのです。物質界にしっかりと根を下ろしたとき、あなたの霊的精神的能力もまた開花します。

一瞬一瞬に集中し、エネルギー（気）の流れに注目し、相手の反応を見ることで人を癒し始めると、あなたの霊的能力の扉が開き、どこに手をかざせば最大の効果が得られるかが自然に見えてきます。このヒーリングをすると、あなたには相手のどの部分でエネルギーが遮断されているか分かります。エネルギーの流れをスムーズにすることでその人が健全な体を意識できるようになることをあなたは心から望みます。

深い内省と自己批判を通じ、あなた方は他人を一切批判しない人になりました。あなたには人々が限られた能力の限りを尽くし、精いっぱい生きているという人間のありようを深く理解しています。この理解力があなたの慈悲と受容の根幹をなしています。しかし批判をしないという行為は道徳界でのことで、実社会での判断力とは異なることを心にとどめる必要があります。慈悲や癒しの心から、実社会においてあなた方は多くの場合自己主張の強い人々に道を譲ってしまいます。

私のクライアントに、九ヵ月もの間職場でのいじめに遭った人がいました。彼女は准看護婦で、病院の中である男性との問題を抱えていました。彼女は無言の愛を彼に送り続け状況の改善を祈りましたが、彼女にとって意外なことに事態はまったく改善されませんでした。彼女は悩み抜き、愛していた職場を去る決心をしました。そしてある晩その男性が彼女を脅し、ついに彼女は他人に問題を打ち明けました。結果その男性のほうが職を失いましたが、彼女は九ヵ月間も苦しみ続けたのです。

これは今生のあなたにとって何が必要なのかを如実《にょじつ》に表わす例といえます。この女性は実用的な方法で問題を解決する代わりに九ヵ月もその男性の犠牲になりながら、ひっそりと侵略者に対して光と慈悲と理解と愛を送り続けたのです。前世ではうまくいったそういう方法も今生では効果がありません。人に愛の光を送ることはとてもよいことですが、あなたがもっと心がけるべきことは実際に行動を起こし、あなたにとって不利な状況を打開することなのです。

必要とするもの

◆自信

あなたは今生で自信を取り戻す必要があります。あなたの敏感な性質上、心にいつも無力感と傷つきやすさを漂わせているのです。これでは簡単に周りにある不安を取り込んでしまいます。そういう感情を追い出すには目標を定めることが肝要です。方向が定まると、あなたの漠《ばく》とした不安には現実味がないことに気づき、また不安を誘発する状況に陥らない方法を見つけることができます。この過程はカウンセラーや友人の協力があるとさらにスムーズにいきます。第三者の意見は、あなたが内面に向かう傾向を外に向けてくれるのです。

私のクライアントに、魅力ある仕事を引き受けるとき大きな不安に襲われる人がいました。その仕事はまさに彼が待ち望んでいたもので、勧めてくれた人は彼に素晴らしい条件を出しました。しかし意味もなく彼は不安におののいていました。私に説明しながら彼はかつて同じ地方で仕事をしていたときの甘くて苦い経験を語りました。そのとき彼は大金を得ましたが、彼の暮らしに対する強い偏見から社会的に孤立してしまいました。現在の彼にとって、経済的成功と同様社会的生活も重要だったのです。自分の不安の出所を理解し、現実の状況を分析した彼は自信を持ってその仕事を断わることができました。

自信はあなたが生まれつき持っている資質ではありません。現実社会での経験不足から、現世に生きることに強い不安感を抱いているのです。自信は成功の経験とともに生まれるものであり、前世であなた方は自分の能力を確信できるに十分な経験を持っていません。しかし今生でいろんなことに挑戦するたびに着実に自信をつけていく能力を貯えているのです。あなたが感情を横において目標に迫る能力を発揮すると、どうすれば成功に導けるかの判断力が冴え、驚くほど短時間で目指す目標に到達できるのです。考えがまとまったら、あなたの向かうところ敵なしなのです。

・世俗的経験から自信を築く

あなたはこれまでの前世において世俗的な成功の記憶がないため、世俗的なことは得意ではありません。あなたは自分が何か間違ったことをすると、自分の望むものが手に入らないのではないかと恐れます。それは確かに事実ですが、あなたの場合は道徳や倫理の問題ではなく、単に実務的な問題なのです。あなた方に向いているのは実際に行動するという方法です。試行錯誤、実験といった、自分でやってみてどうすればよいか探るという方法がよいのです。あなた方はもとより書物や究極の権威に頼るような論理的な人ではなく、むしろ実用的な結果を求める人です。自分の考えを実行に移し、実社会で形にしたいと願うという、あなたにしかできないことがあるのです。

あなたは正しいことをするとき「自分は正しい」という不《ふ》遜《そん》な考えがついてこないため、ある目標に向かって方法を探るとき間違いを犯すことを恐れません。失敗は何かを学ぶ時にはなくてはならない要素ですから、あなたの自然な開放的姿勢と謙虚さはここではプラスに働きます。成功はあなたの取った手段と方向が正しかったという証しであり、失敗はあなたが道を外れたことを指すのです。あなた方はすばやく経験を会得し、あまりいつまでも試行錯誤をしているタイプではありません。

道場で過ごした前世経験もあなたのカルマに強い影響を与えています。このため今生でもあなたは正気を失ったり発狂したりすることへの恐怖があり、以前に精神のバランスを失った経験を示唆しているのです。仕事は今生でのあなたにとって最良の「解毒剤」の効果があります。仕事に集中し、よい結果を得ようと努めると、仕事を処理する必要に迫られてバランスを失っていたあなたの精神は態勢を取り戻します。

人生のできごとに積極的に参加することで得られる自信を確立するためには、どんなに大きく見えるリスクでも甘んじて受け入れなくてはなりません。たとえば仕事を探すにあたり、あらゆる不安があったとします。しかし一歩足を前に踏み出すだけでそれらの不安感は雲散《うんさん》霧消《むしょう》するでしょう。不安を解消する薬は心のどこを探しても見つかりません。自信のなさを解消するには行動あるのみなのです。

・傷つきやすさ
あなた方は神経が過敏で、他人もあなた同様繊細だと考える傾向があります。あなたがよく見ると相手の外見の奥にある真の姿、その動機、願望や不安などが見えてきます。それはあなたが他人を批判しない姿勢を持っているためで、その結果起こる慈悲の心が人々の内なる世界の扉を開けるのです。


あなたはこの能力をほかの人も持っているものと思ってしまうため、人といると、とても傷つきやすく感じるのです。しかしあなたがくぐり抜けてきた、人の外見の奥にある真実を厳しい目で見つめる自己浄化の過程を乗り越えていない彼らには外見しか見えません。あなたは他人に評価されることを恐れますが、既成概念を持つ彼らには評価する能力が失われているのです。このことを理解するとあなた方は大変自由を覚え、大きな自信に支えられて行動することができ、しかも周りはそれを信じてくれるでしょう。

あなたが人を見るとき、その魂まで見透かすことができ、それゆえに深い慈悲の心が生まれるのです。しかし他人があなたを見るとき、彼らは自分が描いた自画像をあなたに重ねているに過ぎないのです。お分かりのようにあなた方は自分の置かれた状況を的確に判断でき、行動の前線に立つことができる人々なのです。

あなた方はまた他人があなたの繊細さを知り、どれほどあなたが他人に道を譲り、他人を傷つけまいとしているかを理解していると思っています。しかしこれも違います。だからこそあなたは自我の境界線をきちんと作り、自分が傷つけられたときには相手に知らせる必要があるのです。悲しみに暮れて諦めるのではなく、何が起きているのか冷静に分析し、それを相手と共有することで正しい方向に導くための方策を探るべきなのです。

◆外に向かう：参加

あなた方は強く内面に向かう傾向があります。私のクライアントがよくこう言っていました。「一人になって考えれば解決法は見つかるのです」これに対し私はいつもこう言ったものです。「いいえ。状況に秩序をもたらすために行動を起こしなさい」

あなた方の本能はまず隠遁《いんとん》を指向するため、あなた方の心に何が起きているのか探るのは至難のわざです。他人にとっても難しいことだけに、あなた方の心情はときに考慮に入れてもらえないことがあります。いろんな活動に積極的に参加するにあたり、あなたは自分がその状況をどう見るか感じるか、そしてどうしたいのかを見極める必要があります。それらがはっきりし、その結果何を作りたいかが分かったら、あなたは自然に行動に移せるでしょう。

あなたの内面指向は社会生活に適していません。人と話している最中に自分のことに没頭してしまうと、相手は苛立ってその場を立ち去ってしまうでしょう。今生のあなたのテーマは他人への奉仕です。他人に意識を集中させ、自分に何ができるかを考えるとき、あなたは進むべき道を歩んでいるのでそこから自信が湧いてきます。しかし自分の目標を自問し始めたり、なぜその人に出会ったかを考えたりすると意識は自分に向かい、不安に襲われます。

今生での鍵は人とつながり、ともに問題解決を図るということです。積極的に人助けをすることで体制に秩序を与え、それがあなたを向上させます。自分の目的は奉仕だということを忘れない限り、あなたは自信と喜びに満ちて活動できるでしょう。いずれにしても奉仕が行動の背景にありさえすれば、あなたは何も失うことはありません。それを知っていることはあなたに大きな力を与えます。相手に神経を集中させ、秩序を取り戻すことにより問題を解決すると、あなたの集中力は明るい結末を招きます。

あなた方は宇宙の流れを整然とした形に翻訳して表現することに長じています。あなたが具体的なゴールを目指すと、すべてのものがそこに向かって整然と動き出します。鍵は集中すること。ただひたすら目的に集中するだけで、そこに至る最も効率のよいルートが完璧な形で目の前に開けていきます。困難な状況で、ある部分に不規則な乱れを感じるとあなたはそこにエネルギーをつぎ込むことでより安定した体制を築き、あとで問題が起きるのを未然に防ぐことができます。

あなたは実社会でものごとを最後までやり遂げる能力を生まれつき持っていて、それは宇宙のどこを探してもあなたに優る人はいないほどです。しかしこれは実績の浅い資質のため、まだ自覚していない人が多いのです。あなたの能力であ る秩序を回復する、分析する、現世に精神世界の知恵を取り入れるなどの「部屋」のほかに、もう一つ新しい能力の部屋を発見したような感覚でしょうか。この新しい部屋の扉を開けることができたら、あなたは心に描いている至高の愛と秩序を、今あなたがいる環境の中で実現することができるでしょう。

・区別

前世であなた方は霊的なものへの理解を極めました。あなたの知識のほとんどは正しいものですが、中には不正確で不完全なものもあります。それらを識別するには、実際に物質的に試してみてうまくいくかどうか検証することです。たとえばすべての生き物に慈悲深い心を持つことは真実だと前世で教えられてきたとします。しかしそれを実際に現実世界で、自分や誰かを傷つけることなく実践する具体的な方法までは、教わっていないといった具合です。その方法を学ぶかどうかはあなた次第。実験と応用は、それがあなたの仕事だと感じさえすれば、あなたはその道の専門家といえるほど堪能になれるのですから。

あなたは人生のあらゆる面において明晰さと区別のしかたを学んでいます。どこまでが現実でどこからが幻想なのか、どれが有益でどれが破壊的か、どの人があなたの協力を必要としていて、どの人がただ同情してほしいだけなのか、そして奉仕をしているのか、はたまた犠牲になっているだけなのか、などなど。意識を明確にして自分の人生に効率、強さ、安定、そして自信を取り込むために、それらの識別は不可欠です。

あなた方の直感力は概して正確なのですが、自分がそれを裏づける情報を得るまではそれを信頼しない傾向があります。この過程は「選択視覚」、つまり自分の直感を裏づけるものだけを選別して取り入れてしまうのです。たとえばある人はこういう人だとあなたが考えると、しまいにその人はその推論を裏づけるような行動を取るのです。しかしすべてはあなたの心が作為的に行っていることなのです。

一方であなたが誰かに対して不安を感じつつも、その人を冷静に観察することができたら、実際に何がどうなっているのか正確に把握することができるでしょう。しかしその際客観的であることが肝要です。たとえばある人が常にあなたを困らせていると考えたとき、一番よいのは一歩退いてその人が他人にどういう態度で接しているのか観察することです。ほかの人にも同じことをしていればあなたの感情は正しかったことになります。

・行動に移すことと諦めること

あなたは諦めの誘惑と戦わなくてはなりません。敵を克服することはあなたが内面の強さと自信を構築する上で必要な経験なのです。誰しも経験のないところに自信は存在しません。あなたがほかの人々と違う点は、彼らは敵に直面してもすぐに降伏しないということです。今生であなたは諦めない訓練を積んでいるのです。

内にこもり、降伏する習慣を絶つには、そうしても自分の人生はちっともよくならないということを自覚する必要があります。それが分かるまで宇宙は何度でも同じ状況をあなたの前に提示するでしょう。手を替え品を替えながら、あなたがいつかこの壁を克服し、力強く人生を生きられるようになるのを待っているのです。あなた方と関わりを持つ人々は、あなた方が一人引きこもったからといって傷ついているわけではないと知る必要があります。ときにはあなたのパートナーは、無理にでも一人閉じこもっているあなたを外に引っ張り出す必要もあるのです。しかしそれも高圧的に強要するのではなく、受容と愛を込めてやさしく行わなくてはなりません。あなたにはそういう行為が効果を表わす場合もあります。

危機が発生したとき、あなたは関わりたくないという欲求と戦い、建設的に参加するように気持ちを向かわせましょう。そしてあなたは状況に打ち克ち、周りの人にもよい結果が生まれます。私のクライアントに五年の間パートナーと心から愛し合っている女性がいました。完璧なカップルだと思われたのですが、彼女のほうが七歳年上だったことが彼を悩ませ、それを彼女は知りませんでした。ある日彼は彼女に対し苦渋の選択を打ち明け、年齢差がただ一つの問題なのだと説明しました。彼女は打ちひしがれましたが何の反論もせず、彼は去っていきました。彼はヨーロッパに渡り彼女より若い女性と結ばれ、子供をもうけました。彼は出張でアメリカに帰り、彼女を夕食に誘いました。彼は惨めな結婚生活を送っていて、まだ彼女を愛していましたがすでに取り返しがつかなかったのです。あのとき彼女はただ身を引く代わりに、こう言って自分の望む状況を生み出すために行動に移すべきだったのかもしれません。「ちょっと待って。何とかなるわ」そして結果は二人の素晴らしい未来に続くものだったかもしれません。

・極端と中庸

あなたは時々相手を過度に信用したり逆に必要以上に疑ったり、あるいは人を足蹴にするほど見下すかと思うと高貴な人として崇めたりなど、集中力の過剰と欠如のため、人に対して極端な反応を示します。あなたは感情的にとても激しくなることがあるのです。そういう問題を起こさないために、現状を真っ直ぐに見極め、関わっている人々を正確に分析した上で、ほどよい感情エネルギーに調節して建設的な行動をとりましょう。

極端に走るのは、あなたが変わり行く現状の細かな要素に注意を払わないで夢想にふけるためです。たとえばある人間関係であなたが傷ついているとき、現状を把握するのにあなたは長い時間を必要とします。あなたはその人間関係について夢想にふけり、実際に何が起きているのかに目を向けないからです。あなたがふと我に返り、よくないことが起きていることに気づくと一人の世界に逃げ込んでしまいます。しかし一人の世界は現状からあまりにかけ離れ、しかも長いこと遠ざかってしまうため、人間関係があなたの望む方向に変化したことに気づくことができません。こうしてあなたは意図せずに自分に関する間違った情報を相手に送ってしまいます。まずあなたが無抵抗に利用されても何も言わない存在だというイメージ、そして次にはまったく意思の疎通もできないという正反対のイメージを周りに植えつけてしまうのです。変化する状況とともにいれば、あなた方は目の前で起きるできごとに柔軟に順応し、もっと親密な人間関係を築くことができるのです。

あなた方はあらゆる面で中道であることを学んでいます。状況を客観的に見ることができれば、それは難しいことではありません。外界の刺激に対して自分だけの世界に入って反応するときにだけ、あなたは極端な行動を取ります。中道とはほかの人を考慮に入れ、目の前で展開するできごとから目を離さず、できるところから具体的な打開策に着手することを指します。あなた方のテーマは生活を具体的なレベルで意識し、ゴールを常に目指していることです。

たとえばあなたがある会社を経営していて、社員に対して困っていることがあったら、慈悲の心で細かいことを見逃してあげたり、自己犠牲の精神で自らが仕事の鬼になって肩代わりをしたり、あるいはその社員に対して怒りを爆発させたりしてはいけません。客観的に事実を観察し、規則を作って労働環境の中で遵守《じゅんしゅ》させましょう。それが守れる社員だけがあなたの会社にとどまることができるのです。実際あなた方は素晴らしい仕事のカルマを持っていて、あなたの部下も同僚もみな喜んであなたとともに働きます。しかし他人に利用されないために、あなたの職務上の責任の境界線を文書に記しておきましょう。それにより社員一人ひとりが自分に与えられた仕事を意識し、共通の目標に向かって働くことができるのです。

◆秩序

・混沌《カオス》から秩序を生む

あなたはなぜか、問題を解決するための行動に迫られる場面に引き寄せられていきます。混沌とした、あるいは見捨てられた状況で問題を解決する能力を持っているあなたの仕事は、現実の世界に参加して秩序を立て直し、正しい方向を見つけることです。周りに混沌《カオス》を見つけると、あなたが前世から引き継いでいる最初の反応はそれに背を向けることで、それをすると事態はバラバラに壊れていきます。今生で何か問題を見つけたらあなた方は腕まくりをしてその状況の中に飛び込んでいかなくてはなりません。あなたが諦めると、あなたを（無意識にでも）頼りにしている周りの人全員が困ります。問題が発覚したらそれは宇宙があなたにこう言っているのです。「おい、下界で問題が起きているぞ。君が行って助けてやりなさい」

あなたにとって仕事場でも家庭でも秩序ある環境を保つことはとても重要です。秩序があり、組織だって整理された環境にいるとあなたは頭が明晰になり、自分に力を感じます。あなた方はほかのどんな人々よりも日常生活における秩序を築いておく必要があるのです。

心理的なレベルでも混沌《カオス》と混乱はとくに有害です。これらは現実の社会で生きていこうとするあなたの自信を揺るがします。秩序のある日常を送ることはあなたに心理的な秩序を与え、自信を持って機能するための力となります。

環境にある規範を与える過程はあなたにとって大変プラスになります。あなたが男性でも女性でも、心の中に不安を感じたら掃除機を手にとって部屋を掃除することが解決法になることもあるでしょう。書類を整理したり、食器を洗ったり埃を払ったりという住環境を整える簡単な作業が、あなたには有効なセラピーになるのです。体を動かして有意義な仕事をすることにより、心の不安を生活の生産的活動に転化させられるからです。

・構造と計画

何かの計画を立てるとき、あなた方は時々極端に走ります。長い時間をかけて人生を設計して、それを実行に移すことを忘れるのです。それは過度に良心的になったり、仕事に没頭するという形で現われます。そしてあなたはもう計画を立てるのをやめようと思い、力を失い境界線のないもやもやとした世界に引っ込んでしまいます。それはコインの裏表のような関係で、何らかの活動に、あるいは漠とした形のない世界に埋もれてしまいたいという願望と、生活にバランスを与えるような形を築くという責任から逃れたいという願望です。これは前世からの影響で、前世ではほかの人があなたの生活の秩序を管理していたためです。しかし今生ではあなたが秩序を作る番なのです。

自分の生活にある規範と意味を与えるために、あなたは常に目標を立て、時間を有効に配分する必要があります。お勧めしたいのは毎朝三十分、あるいは週に二時間という具合に時間を決めて自分のスケジュールを定期的に見直すことです。たとえば仕事、運動、社交、余暇、恋愛、瞑想、音楽などの時間を割り振ります。あなたの生活の中にあるさまざまな活動をリストアップし、その優先順位に従って時間割りを構成していくこともよいでしょう。そうすることによりあなたの生活はバランスのある充実したものになるでしょう。

具体的な生活が規律正しくなってきたら、あなたはほかのどこへ行っても自分が今いるところをはっきりと意識できるようになるでしょう。私のクライアントに自分の証券担当者に漠とした疑惑を抱いている人がいました。彼女はその不安を解決するために、その担当者に代わってからの証券取引をすべて記録し、その結果彼女がいくらの利潤を得たか、そして担当者がいくらの取引手数料を得たかを計算しました。具体的な数字を前にして実際の状況を冷静に判断した彼女は、その担当者に対する疑惑を払拭することができたのです。

人間関係

今生のあなたは犠牲者として生まれたのではありません。あなたは他人にノーと言うタイミングや人間関係の中で被害者にならないようにする方法を学んでいます。時々あなたはノーと言いますが、その言い方があまりにやさしくてあなたを苦しめている人には聞き取れません。しかしあなた方は不釣り合いに相手に与えすぎているとき、もっと助けてほしいとき、その人から離れてしまう前にきちんと相手に伝えるべきなのです。もしも相手に伝わらなかったら、ほかの方法で伝える必要があるということです。私たちの敏感さは千差万別です。何も言わなくてもわかる繊細な人もいれば、頭を叩かれるまで気づかない人もいます。あなたの苦痛が続いたら、相手が分かるまでノーというメッセージの「音量」を上げ続ける必要があるのです。

◆恋愛関係

恋愛関係においてもあなたは完全な無関心による不参加か、相手に従属する関係になるかという極端な態度に走りがちです。ここでも中道を進むことがうまくいかせる鍵なのです。中道を見つけるための障害となるのは、心惹《ひ》かれる人に出会ったとたんにあなたがその人に尽くし始め、我を忘れて身も心も捧げてしまうことです。あなたが好きになった恋の相手があなたの望むものを与えてくれなかった場合、あなたは自分の至らなさを振り返るのです。「ひょっとして自分の態度が厳格すぎるせいかもしれない」そうして混乱の中であなたは自分の立場を主張することなく、その状況に流されてしまうのです。単なる友人関係ではこういうことは起きません。友人を失うことと恋人を失うことではその重さが違うためです。友人とうまくいかないことがあなたの健康を害したり、精神的負担になったりすればあなたは決心して自分の道を進むことができるのです。しかしそれが親密で個人的なパートナーシップであるがゆえに、あなたはその人を失うことをとても恐れるのです。

もう一つの落とし穴は自尊心を失うこと。あなたは好きになった相手を自分以上に大切に思ってしまうのです。相手を自分の中心に据え、自分を見失ってしまいます。恋愛を成就させるには、相手よりも相手との関係を大切にするという考え方で生きましょう。

あなたが恋に落ちると、あなたが望む二人の世界をいろいろと想像し、その中に浸っていきます。そしてそれはあなたの中心に相手がいる結果なのです。あなたの霊的な資質と活発な想像力により至福の空間を作り、自分一人の心の中で恋愛経験を進めていくのです。しかしこの幻想がいよいよ現実とかけ離れていくと破綻がやってきます。相手に関する事実を幻想の中に取り込んでいかないとギャップは広がり、大きな失望を味わうことになります。

あなたは幻想にある種の歯止めをかける必要があるのです。たとえば「五分間だけ夢想にふけろう。そして次のことをしよう」といった具合に。「次のこと」とは、幻想とは対極の具体的な仕事、たとえば小切手の整理や請求書の支払いなど数字を扱うもの、食器を洗い、掃除をするといった体を動かすこと、あるいは何か緻密で客観的な考えを要することなど

ドラゴンヘッド　乙女座　第六ハウス

です。それをすることによりあなたの幻想に向かうエネルギーを断ち切り、日常生活のバランスを取り戻すことができます。

恋愛関係であなたは継続的に二人の関係を観察する必要があります。関係にエネルギーを使いすぎていないか、あるいはその逆ではないか。「奉仕」と「報酬」のバランスが偏っていないか。二人が会うことで自分は自信を強めているか、それとも自分の不十分なところが見えてきているか。自分と相手との境界線を、相手にも知らせることが大切です。それは相手があなたを尊重する姿勢を促し、二人で同じ方向を目指して進んでいく喜びの基盤となるものです。お互いに真剣になったら、それぞれが二人の将来に求めるもののリストを作るとよいでしょう。これから先に求めるものが具体的に見えると、成功の確率はそれだけ高くなります。目標は二人の関係の変化に合わせて見直しをしていきます。

結婚では、お互いの協力という項目を二人の共通の目標の中に入れておきましょう。月に二回、おしゃれなレストランでディナーをする、それぞれの目標を支援する、金銭処理を二人で楽しくやる、お互いに自信を与える、結婚生活がうまくいっているか確認するため年に一回結婚カウンセラーと会う、など。目標を文字にすることで実際の生活の輪郭が見えてきます。

二人の関係であなたが混乱しているとき、多くの場合それはあなたの望む関係と現実の関係のギャップが原因になっています。そんなときはまず自分の考える目標を明確にして、二人の関係に必要なものを洗い出します。そして意を決して力強く、また自分の限界を心にとどめつつ、相手との対話に臨み、一つ一つ明らかにしていきましょう。

この対話では最初にあなたの目標や限界を伝えるのではなく、まずは相手が二人の関係についてどう思っているかに熱心に耳を傾けるほうが得策です。そうすればあなたはその人がふさわしい相手か判断することができます。初めから自分の目標の話に入ってしまうと、徒労になったり、ごまかされたり、あるいはなだめられたりして相手のペースにはまってしまう可能性があるのです。

あなたが「この人だ」と確信できたとき（相手の目指すものがあなたのそれと完全に一致したとき）、あなたは自分の限界を意識しながら相手とのやり取りを始めます。しかしパートナーにふさわしくないと判断したときは、心を鬼にして別れる決心をするか、あるいは友人として接するようにするなど関係を再考する必要があります。あなたは幻想に向かいがちなので、いつか問題が解決していくことを夢想し、あなたが相手を変えられることを願います。しかしこれはきわめて危険なことです。時間とエネルギーの無駄になるばかりか、失望と傷心の結果に終わります。

あなたが誰かと恋に落ちたら、最初の二、三週間での二人のやり取りにとくに注意を払いましょう。二人が積極的に会っているにもかかわらず、あなたがうまくいかないと気づいたら、すぐに撤退するようにしましょう。関係が自分の望むものではないということから目を背けず、自分の限界を考慮した上で現実的に解決できるものかどうかを冷静に判断することが大切です。現実から逃げ出さない――どの場面でもこのことがうまくいくキーワードです。「幻想に生きないこと」があなたにはとても重要なのです。

・魅力

あなたは自分の持っていない資質、たとえば強さ、積極性、決断力などを備えた人に魅力を感じます。その人のそばにいて、同化することによっていつか自分もそういう資質を身につけたいと願うのです。自分でそういう人格を身につけようと願うのでなく、強くそういう人を求めてしまうのです。親密な関係を築くとき、あなたは自分のそういう傾向を覚えておきましょう。あなたのこの傾向の結果として、時々あなたは相手があなたにひどいことをしても許してしまうのです。自分の中に欠けている資質が作られるまで、あなたは相手と対等に向かい合うことができず、相手を失うというリスクを抱え続けます。

あなたが相手のどこに惹かれているのかを知ることで、意識的にその資質を相手ではなく自分との関係の中に育てる努力をしていきましょう。それができるとあなたは客観性を取り戻し、感情面でも自分の個性を保つに十分な距離を持つことができます。これが二人の関係がスムーズに育ち、お互いに対して正直でいるためのベースになります。また自分がどこまで一人の人に与えられるかを常に意識していることも大切です。あなたを豊かにする友情の芽はもちろん、喜びをもたらす仕事も、そして満ち足りた関係に至る恋愛関係の芽も周りにはたくさんあるのです。もし今の関係があなたにとってプラスの方向に向かっていないと感じたら、あなたはいつでも次を目指せるということを覚えておきましょう。

・幻想と現実

職業人としてのあなたは実務的で現実的です。仕事をするときのように恋愛でも実務的でいられたら、あなたの私生活はもっと順調で実りあるものになるでしょう。しかしあなた方は幻想の世界に生き、あなたの旺盛な想像力を最終的にあなたを失望させる方向に使ってしまうのです。あなたが恋愛の対象と思える人に出会ったとき、あなたはすぐにその人のイメージを幻想の中に作り上げます。あなたは幻想だけででできたその人を現実と交錯させて相手に接します。実際に会っている間、あなたの関心はその相手がどれほど自分の幻想に近いかに向けられ、たいていの場合失望します。実際あなたは相手と向き合っていても本当の意味で相手のありのままの姿を見たことがないといえるかもしれません。あなたの想像上の人よりも現実の相手のほうがあなたと相性がよいかもしれないのに、幻想と現実のギャップが大きいと、ただそれだけであなた方は退散してしまうのです。あなたは退いていき、会話も途切れがちになります。相手はあなたがなぜ急に心を閉ざしてしまったのか理解できません。そしてあなたは混乱と失望を、相手は怒りと挑発を感じます。

　このジレンマを解消するにはこうしてみましょう。相手のありのままの姿をじっくり観察できるようになるまで決然と幻想を抱かないことを誓うのです。相手の価値観、態度、心情などを客観的に分析し、相手があなたの現実にどのような影響を与えているかを見ることです。長い目で見ればどんな幻想が束になってかかっても、一握りの現実のほうがあなたに満足感を与えてくれるのです。

・ロマンスの霧、賞賛、盲従

　あなたは人を好きになるとき薔薇色のサングラスをかけています。あなたは二人の間に横たわっているかもしれない厳しい現実から隔離されたロマンスの霧の中にいます。そういう「欠陥」はほかの人全員に見えても、あなた方には見えません。相手を理想化し、その偶像に恋い焦がれ、「めでたしめでたし」の結末を夢想するのです。あなたの白昼夢や幻想はとても現実味を帯びていて、具体的な計画を立てるときに参考にしたりしますが、それも現実とのギャップが膨大なものになるまでのことです。何か事件が起こり、そこで厳然たる事実を突きつけられ、あなたの幻想は氷解します。

　たとえばあなたと相手との関係が順調に進んでいると見たとき、当然の帰結として結婚を意識します。相手はそれにはっきりと異議を唱えることもなく、結婚の話を聞き流し、自分からは何のコメントもしなかったとします。やがてあなたにとっては青天の霹靂《へきれき》のように、相手が「誰とも結婚する気はない」と宣言するのです。あなたはショックを受け、当惑し、自分を疑い始めます。このことはあなたの心に育っていた自信を完膚《かんぷ》なきまでに打ち砕き、立ち直るのに何年も要することさえあるでしょう。

　そんな悲劇を避けるには、現実から気持ちをそらさず、関係が進むにつれて明らかになる細々としたことをもらさず観察し、気づいたときに路線変更を柔軟にしていくことです。二人の関係が現実的でしっかりした基盤の上に育った後で、ロマンチックな夢想にふけることは構いません。しかしロマンチックな夢想の「無責任」な側面に惑わされ、相手に盲従《もうじゅう》していく体制ができてしまうことは避けなければなりません。

あなた方は自分の心に描くものを現実の世界に構築する、つまり夢を実現する素晴らしい能力を持っています。その能力を職業にも、また恋愛にも応用できるのです。ひたすら現実の世界にとどまり、目標を目指せばよいのです。

・交際の実用的戦略

恋に溺れる前に、自分と相手の人生の目標を明確にしましょう。まず限界を作ること。「自分は何を求めているか。何を受容できるか、できないか」など。現実に即した適正な自問をする中で、意図しなかったにしても自分の心をだますようなことは極力避けて下さい。相手は現在誰かと結婚、あるいは同棲しているか。結婚経験があるか。どうして離婚に至ったのか。相手はパートナーに忠実であることをどう考えているか。関係が進むにつれて答えが変わる質問もあるので、折りに触れて確認をすることです。

あなた方には自分のスペースを十分に持つことが絶対条件です。世間を離れ、ただ一人だけで過ごす、一人の時間を持つことで自分の力やエネルギー、世界観を取り戻すのです。あなた方にはそれが必要だと分かっていてもうまく説明ができなくて、パートナーや親密な関係の人々に理解してもらうのに苦労します。何とか一人になる必要性を説明すると相手によっては「それはよくないことだ」と説得したり、あなたの自我の境界線を尊重しない行動を取ったりします。そうなるとあなたはもう説明することを諦め、黙ってどこかにこもってしまいます。そんな行動は孤立を引き起こすばかりでなく、何が起きているのか理解できない相手を怒らせることになります。上手な方法はスケジュールを立てること。どのくらい一人の時間が必要で、いつ相手の元に戻れるかを決め、具体的な提案として相手に提示します。

こんな実用的な方法があります。

1．世界観を共有する……「二人の未来にこんなものがほしい。お互いのことを見つめ合い、二人の時間を楽しむ」

2．生活のニーズを知らせる……「あなたと時間を過ごす前にしておくべきことがあるのです。買い物や家族との時間、そしてあなたに会う前に一人で充電する時間」

3．計画を伝える……「これをするために三日間必要です。木曜日に電話するから金曜日に会いましょう」

こういう会話をするにあたり、あなたは毅然とした態度で臨んで下さい。あなたは計画を立てるのが得意です。細かい事情を調整し、関わる全員が喜ぶような計画を立てられるのです。無力感とは対極の、積極的な姿勢でいるあなたに、周りの人はついてくるでしょう。

あまりにするべきことが多すぎて圧倒されたとき、あなたは自分が状況をはっきり観察し、効率よく処理できるようになるまでちょっとその場から隠れることがあります。しかしあなたがどのくらい「隠れている」のか周りの人にあらかじめ知らせておかないと、信頼関係が失われてしまいます。それがあなたにとってどんなに難しいことでも、計画を事前に当事者に知らせることが健全な人間関係には不可欠です。

前世で経験した隠者の暮らしの結果として、あなた方には長期的な人間関係を築くための知識がありません。聖職者として他人の個人的生活の悩みを告白されても、個人の実際の暮らしぶりについては知る機会がなかったのです。このため人間関係がもつれると、あなたは喧嘩や強い感情を持つことを避けるのです。その緊迫した状況は相手があなたに対し、混沌の中に秩序をもたらす能力を使ってもっと近づいてほしいという願望を表わすものだということに気づかないのです。

あなた方は腕まくりをして混沌の中に飛び込み、事態の改善に着手するべきなのです。人間関係における混沌は、日常生活の具体的な事柄についてもっと主体的に効率的に関わり、相手とより親密な関係になることを促す合図だと理解して下さい。実用的な解決方法を考え出し、実践しようという意思が一〇〇%あれば、あなたは問題解決のエキスパートなのです。

ゴール

◆自己開発

あなたは人との交流の中で幸せで前向きな経験が得られるよう、自分自身の内部構造を再構成することを学んでいます。

あなた方は分析や技術を要する自己開発プログラムが好きで上手にこなします。あなたは一人で進める仕事に特別な才能を持っていて、あなたのそういう姿が周りによい影響を与えます。あなたは、精神世界のレベルでの心理学への造詣が深く、それが自分自身を変化させる原動力となります。この能力を開発することで自分自身の中に秩序を構築できると、あなたは活力にあふれ、幸せで前向きになります。

自分の殻から出てくるために、自分の中に寛大さを育てていく必要があります。あなたは生来他人に対し、世界にはある大きな構造が存在していて、誰でもそれを見ることができるのだと教えてあげる能力を持っているのです。

◆自己充足

あなたは健全で相互にプラスになる人間関係を築くための自信を貯えるために、自己充足を目指す必要があります。生きるために大きな組織に身を委ね、無力感と依存が心を満たしていた時代が前世では多すぎました。

自己充足を習得するにあたり、あなたは傷つきやすさをある均衡の中で背負っていく強さを築きます。自分が快適な暮らしや経済的安定などを得るために誰かに依存していると、その関係はすぐに完全降伏の形を取るでしょう。あなたが自然に賞賛と献身に向かう傾向もときには問題になります。あなたが修道院にいたころには、神の理想への献身は望ましいことでした。しかし今生において、崇高でもない人への献身は堕落につながります。だからこそあなた方は献身の対象を厳密に識別する必要があるのです。正しい方向に献身すれば理解され、感謝されますが、誤った対象に献身するとあなたは被害者になります。

あなた方は自分自身でいるためにほかの人々に依存する傾向があります。人々の真の姿をしっかりと見極めてから、明らかにその人の本質と思われる部分に関して「依存」するようにすることが肝要です。たとえばある人が一夫一婦制の信奉者だった場合、あなたもそれを信じることができるでしょう。ある人が有言実行の人だったら、あなたはその人の言葉を信じるのです。またある人が鈍感だったら、あなたはその性格はずっと続くと考えてよいのです。

あなた方は自己充足できている限り、完全な姿をしているといえます。あなたは欠陥のない完全な人間として、どんな人間関係でも持つことができるでしょう。あなたにとって自己充足とは他人に依存しない関係ではなく、あなたが来てほしいと思ったときに他人が来てくれなくてもバラバラに壊れてしまわないということなのです。

◆日常の規則を作る

あなたのスケジュールのすべてを他人が管理してきた過去の人生の遺産として、あなた方は自分の生活を整然とした予定に収めていくことに慣れていません。今生では自分の時間を有効に使う計画に習熟しなくてはなりません。もうあなたは自由です。自分で自分の予定を作り、自分の自由意志でそれに従うのです。

漫然とした生活はあなたに無限の恐れや不安を抱かせるので、規則正しい生活は必ず実行する必要があります。自分の生活の管理者として、自分に必要なことを時間に割り振って実現していくことが大事です。

・食事

あなたにとって食事と健康はとても大切です。前世では修道院や組織の食事担当者がバランスのよい食生活を考慮していましたが、今生ではあなたの仕事です。あなたは食事の変化にとても敏感で、影響を受けてしまいます。食物があなたの体に与える影響について知識を持ち、それに従って節制しましょう。

今生では大地に根を下ろしていないものはあなたにとってよいものではありません。あなたは自分がしっかりと大地に立ち、自信を感じるもとになる食物を選ぶべきなのです。たとえば砂糖は不安を引き起こし、曖昧な気分にさせると気づいたら、甘いものを避けるべきでしょう。また定期的な運動も必要です。自信が定着するように身体的な安定も同時に確保するのです。

ほかのどのグループの人々よりも切実な弱点として、アルコールや薬物への依存には警戒して下さい。あなた方の心はそれらの助けを借りなくてもすでにぼんやりとしていて、薬物やアルコールはそれを助長し、悪化させるのです。

・秩序ある環境

秩序のある環境はあなたにとって不可欠です。混沌《カオス》の中であなたはうまく機能しません。あなたのオフィスや生活空間を清潔に整頓しておくことは大変重要です。背後にあるのはやはり自信の問題なのです。自分の環境がきれいで整頓されていると、外的環境を整える自分の能力に自信と強さを感じられるからです。

・請求書の支払い

請求書を期日までに支払うこともあなたの重要課題です。日常の些末なことをきちんと処理できることはあなたが自分に自信を持ち、社会の中で心安らかにしているために必要なことなのです。あなた方は発電機のようにパワフルで、ほかの人が五時間かかってする仕事もあなたなら一時間で済ませてしまうほど効率がよいのです。問題は能力の欠如ではなく、世界に立ち向かい、チャレンジしようという心理状態を作れるかということなのです。

・リストを作る

あなたの考えを整理する小道具としてリストを作ることはとてもよい方法です。計画を立てることによりあなたは心のエネルギーを集中させ、現実世界に主体的に参加できる強さを感じることができます。決断に迷ったとき、メリットとデメリットのバランスシートを作ると、するべきことが明確になっていきます。

あなた方はその日にするべきことを計画表にしたり、一つ一つの作業を効率よく整理することが得意です。小さな仕事を処理していくことで、あなたの心にあるものを現実世界に当てはめていく行動力に自信がつきます。

・運動

定期的な運動はあなたにとって非常に大切なことです。週に三回スポーツクラブに通い、体を動かすことは大したことではないように感じられますが、あなたの場合、その習慣が確かな自尊心と快適な暮らしの基盤となるのです。定期的な運動を自主的に行うと、あなたの感情的、精神的、霊的、また身体的エネルギーが向上します。

・ペット

ペットはあなたに大変プラスになります。ペットはあなたに仕事を与え、実務的なレベルで世話をする対象となります。同時にペットは無条件の愛を限りなく受け止めてくれる対象でもあります（あなたには愛を注ぐ対象が必要です）。ペットを相手にあなたは無条件に愛を注ぐことと躾の厳しさを均衡させることができるでしょう。これが人間との関係に応用できれば、ペットのおかげであなたは大きく成長し幸せで健全な人間同士の関係を学べるでしょう。

・時間の厳守

時間を自分で管理してこなかった前世の習慣から、あなた方は時間を守るのが苦手です。しかし今は時間を守る習慣をつけることはとても大切です。なぜならやはりこれもあなたの自信につながる行為なのです。あなたは約束に遅れると罪の意識を感じ、それにより自分は他人より劣っているという感覚を持ってしまいます。自信を確立するにはどんなに細かいことでも自分の役割をきちんと果たすことです。時間通りに来ていれば規則を主体的に守り、何があってもその時点からすぐに落ち着いて行動ができますが、遅れると、それだけであなたの一日はバランスを失い、何となく不安がつきまとう一日になってしまいます。

　永遠という時間の中で過ごしてきた記憶のために、あなたがある時間までにある場所に行かなくてはならないとき、強く意識して何時にはそこを去らなければならないと決める必要があるのです。でないと無限にずれていってしまうのです。時間は守らなければならないと肝に銘じましょう。

　よい方法としては、余裕を持って約束の時間に間に合うためにはどのくらいかかるか計算し、予定の所要時間にもう十分加えます。何時に家を出るかを決め、それを弾力的に解釈することなく守りましょう。「遅くとも五時七分までに家を出る」という具合に。

　反対の例として、あなた方の中には約束の時間より極端に早く現われる人もいます。行き先に約束の時間より早く着いていなくてはならないという重圧感がそうさせるのです。あまり意識しすぎると神経によくありません。また約束をした相手が時間を守らない場合、我慢ができなかったり、批判をする行動に出る人もいます。ここでも中庸を選ぶ賢さが求められます。

〔癒しのテーマソング〕

音楽は何かに挑戦するとき、感情面でユニークな力を発揮します。
それぞれのドラゴンヘッドグループに合わせ、
エネルギーをプラスに転化する働きを持つ詩を作りました。

手元にあるもので

この詩のメッセージはドラゴンヘッドが乙女座にある人々を身の回りの細かい仕事に自然に目を向けることで、現実の世界に根をはれるよう導くために書かれました。これによりあなたは自信を強め、現在《いま》と此所《ここ》で行動を起こすためのよりどころを作れるでしょう。

何があってもがっかりすることはない
自分の家に帰るのだから
宇宙はいつでも必要なものを与えてくれる
諦めて苦しむか
あるいは乗り越えて自由になるか
そしてあなたも
今そこにあるものを使いなさい

あなたは住むべきところにいて、道具もある
あなたでも私でもなく
ただ一つの真実を見なさい
そして次の階段を昇ったら
あなたは自由になれる

ドラゴンヘッド

天秤座

第七ハウス

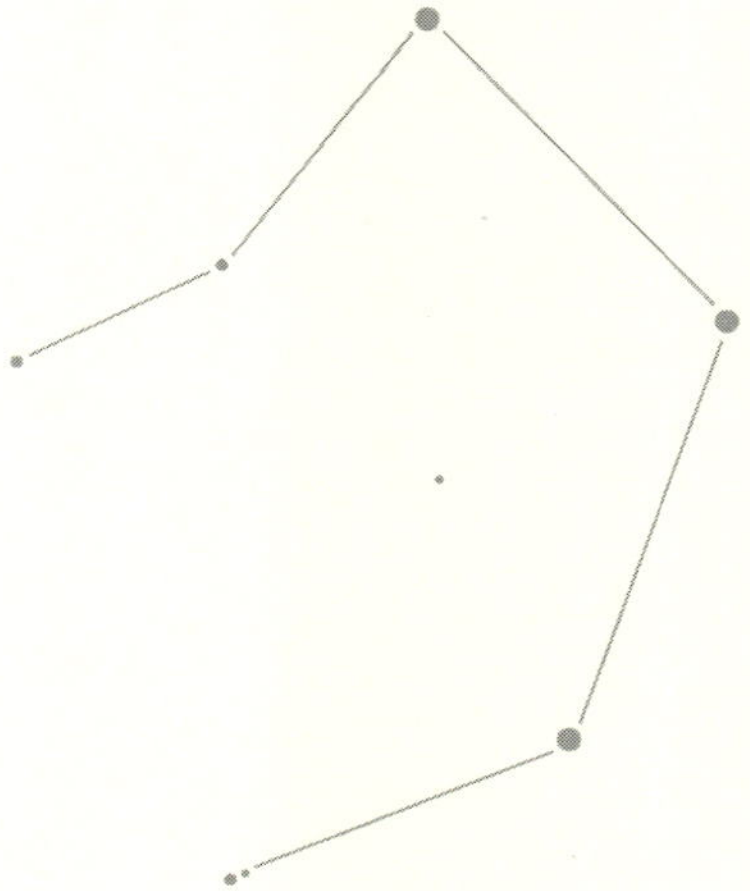

Libra

総体運

●伸ばしたい長所

次の性質を伸ばすと、あなたの隠された能力が見つかります。

・協力
・外交と戦略
・他人のニーズを知る
・無私の精神：見返りを期待しない奉仕
・全員にとってよい状況を作る
・分かち合うこと
・他人の視点で見る
・自己表現

●改めたい短所

次の性質を減らすようにすると人生が生きやすく、楽しくなります。

・衝動
・思慮のない自己主張
・他人が協力を求めても気づかない
・自己中心主義
・利己主義
・金銭面での判断の誤り
・他人を自分と同様に考える
・他人の目に映る自分への無関心
・妥協しないこと
・怒りの爆発
・生きのびることへの過剰な心配

◆あなたの弱点／避けるべき罠／決心すべきこと

ドラゴンヘッドが天秤座にあるあなた方の弱点は、自己中心的なところです（「一番大事なのは自分のこと。他人の考えとは関係なく、みんなは私の求めるものを与えてくれるべきだ」）。しかしこの考えはあなたを底のない落とし穴に追い込みます。あなたが安心するために他人があなたに必要なものを常に用意してくれることを期待していては、あなたは自分が平静を保つためにいつでも他人の関心とエネルギーを際限なく求めることになります。あなたは奉仕できる相手を見つけ、その相手があなたからエネルギーをもらい、あなたに感謝することであなたの気持ちを満たしてくれるような関係を見つけることが必要です。満足感とは、ありのままのあなたを受け入れ、尊重し、あなたの奉仕に報いてくれる人との絆から生まれます。

あなたが避けるべき罠は無限に自立を目指すこと（「自分で自分を支えられるようになれば、自信を持って他人と接することができ、孤独感に悩むこともないだろう」）。あなたの今生での経験から、何かを達成したり独立したりすることで自分が完成した気持ちになれないことはお分かりでしょう。あなたが決心すべきことは、どこかに帰属するために強くなろうと考えるのをやめること。どこかで決心して他人を助けるために自らを犠牲にするリスクを受け入れることが肝要です。皮肉なことにあなたが自分の利益を度外視して他人に奉仕し始めると、本来のあなたが輝き始め、そこに喜びと勝利感が宿るのです。

◆あなたが一番求めるもの

あなたが心から求めているのは自分自身になり切り、注目の的になり、さまざまな人生の状況を経験し、いつでも自分にエネルギーをくれる人々に囲まれることです。そういう環境を得るためにあなたは関心を自分に向けるのをやめ、あなたのそばに集まってくる人々を観察するようにしましょう。どういう人があなたを賞賛し協力してくれるのかを見極め、あなたがその人々に自分のエネルギーを注ぐようになると、その人々から返されるエネルギーがあなたの望んでいる環境を作り出していきます。

◆才能・職業

あなた方は有能なカウンセラーや外交官、仲裁者です。あなたはAさんの個性やニーズを明確にBさんに伝え（そしてその逆も）、双方の相互理解を深め公正で調和の取れた妥協点を見つけることに長じています。あなたはまた美や芸術に関する分野でも能力を発揮し、観衆を奮い立たせ、力と自信を与えるという目標を持ったとき、優れたエンターテイナーや講演者としても成功します。あなたは他人を支える役に回ったとき、物質的にも個人的にも最も潜在能力を活用でき、成功できるのです。

あなた方は生まれつき自分を独立した個人としてとらえているため、自立心とリーダーシップに恵まれています。前世で培った自信を生かして仲裁活動をしたり、他人の正義を守る仕事をすると、それはよい結果をもたらします。しかし自分の自立を目標とする職業に就くと満足感が得られず、目指すゴールに到達することはありません。あなたの強い自我意識を他人の協力に生かすと、あなたは心に満足感と達成感を得ることができるのです。

●あなたを癒す言葉●

「人を助けることに集中していると自信が生まれる」

「他人が自信を持てるようにしてあげると、双方がうまくいく」

「グループ全体が成功すると、私も成功できる」

「他人と分かち合うと、私の得るものが多くなる」

性格

◆前世

・戦士の性格

あなたは個人的成功、自立、単独行動に象徴される人生を送ってきた結果、チームワークやパートナーシップを忘れてしまっています。ドラゴンヘッドを天秤座に持つ人々は前世の大半を戦士として過ごしてきたのです。戦場にいる戦士は自分のことしか考えず、自らの命を守り、敵を倒すことばかりに集中してきたのです。同志を気づかっていると、自分の身が危険にさらされることもあるのです。このためあなたの意識のすべては自分自身、自分の体、戦闘能力、生き延びるための態勢作りに向けられていました。

この影響からあなたは生き延びる欲望が過剰に開発され、自分対他人として考える習慣が染みついていて、それ以外のことに無知なのです。あなたは競争が好きで、ゴールを意識し、戦術にも長じていて、自分の行動によりどんな結果が出るか、また状況に自分がどう影響されるかを常に意識しています。あなたは他人とともにいることを求め、他人を愛し、愛されたいと願うのですが、その方法を知りません。あなたはいつ「戦争」が始まるか分からないという緊張感からいつでも強く、防御姿勢を保っていたいと願うため、強い自我意識の鎧《よろい》を外すことに不安を抱くのです。

しかし今生のあなたは戦士の人生を送るようには作られていません。あなたを傷つけたり、所有物を奪いに来る人はどこにもいないのです。今生のあなたの場合、周り中に同志がいるということを理解する必要があります。あなたの今生での役割は他人が戦いに勝つことを支援すること。そしてその過程であなたもまた勝利の美酒を味わうのです。

戦士としての前世を通じ、あなた方は愛情や、他人と協力し合う能力から遮断されてきました。このためあなたは人と協力し合うことや人と接することに対するぎこちなさを持って今生に生まれてきたのです。しかし心配は無用です。あなたの占星術の誕生図を見ると、一生を通じて人々と接することがテーマになっているのです。あなたがどこに向かっているかを明確に意識している限り、古い習慣が障害になることはありません。事実今生のテーマはパートナーシップであり、結婚相手やそれ以外のパートナーに巡り合う機会には困らないため、あなたはこれを深く追求することができるでしょう。

・大袈裟な訓練

戦士だった前世の習慣から、あなた方は「質問は受けつけない。文句を言うな」というタイプの訓練に親しんでいますが、これはほかのドラゴンヘッドグループにはまったく理解できないものです。軍隊では服装や個人の所有物に一定の秩序を保つことが要求されるため、今生でもあなたは環境や自分の生活で規律を重視します。あなたは厳しい訓練や過酷な限界によく耐え、他人も自分が味わったのと同じくらいの罰や欠乏に耐えるべきだと考えます。あなたが受け入れる抑制や犠牲を他人が拒絶するとき、あなたにはそれが理解できません。これがあなたの人間関係を危機に陥れることがあります。

十二種類のドラゴンヘッドグループの中で、厳しい訓練や物資が不足した環境下で前向きな行動を起こせる人々はあなた方をおいてありません。実際あなた方は逆境の中で存続が危機に瀕するとき、生き生きと乗り越えていけるのです。逆境があなたのアドレナリンを活性化するのです。個人を犠牲にして資源を拡充し、前線に向かうことにより勝利を手にするという緊張感あふれるドラマを演じることは、あなたに自尊心を植えつけます。

あなた方は非常に強い自我意識があるため、他人にも同じように強い自我があると考え、無意識に自分と同じように強いパートナーを求めています。見つけた相手が自分と同じように強くないことが分かると大変失望し、苛立ちます。

あなたが今生で学ぶレッスンの一つに、世の中に存在する多様で美しい個性の違いがあります。あなたの人格やあなたが他人に奉仕できるものと、相手の人格や相手が奉仕できるものとはまったく違うことが多いのです。大切なのは個性の違いに注目し、相手が持っている長所を人間関係に生かすことを感謝して受け止めることです。そうするために、あなたはまず「強さ」の定義を再検討する必要があります。

戦士の心を持って何代もの前世を過ごしてきたため、あなたの「強さ」に対する定義は勇気、たゆまぬ努力、犠牲的精神、欠乏に耐えること、一〇〇％目標を達成するまで退かないこと、すぐに結果を出すこと、自己鍛練、ヒーロー意識

（飛び込んでいく衝動）、高いテンション、自ら危険に飛び込む勇気などです。

しかしあなたのパートナーが持っていて、あなたにない強さもあるのです。それは目標に至る過程を大切にする能力（これはあなたのペースをゆるめ、とどまる力を与えます）、コミュニケーション能力（これは相互理解を高めます）、共感（これはあなたに長年欠けていた帰属意識を与えます）、遊び心（これはゴールを目指す過程を楽しいものにします）、分析能力や細部に注意しながら仕事をする力、折衝《せっしょう》能力、相手のニーズへの敏感さ、相乗効果を生む能力（これは双方の力を倍増させます）、冒険心、経営能力、創造力や発明力、そして慈悲の心（これがあなたの心を癒すのです）などです。

今生であなたは成功や充実感を得るためにパートナーを見つける必要があるのです。パートナーシップから何かを得るためには、相手があなたと違うことをプラスにとらえなくてはなりません。

・感情の爆発

あなた方には怒りを爆発させるという非常に強い傾向があり、これは直す必要があります。あなたは子供のような感情を持っていて、自分の思い通りにならないと、きかん坊に豹変して周りの人を無理矢理自分に従わせようとします。相手が抵抗すると、あなたはいよいよ暴れて思い通りになるまで収まりません。

しかし自分だけわがままを通して相手に我慢をさせるというシナリオは、今生のあなたには運命づけられていないのです。長期的にこういう行動はあなたが最もそばにいてほしい人々を遠ざける結果を招きます。相手を犠牲にして自分のほしいものを勝ち得ても、後で必ずしっぺ返しがあるのです。相手はあなたを拒絶し接触を断ち、二度と暴力的なあなたのやり方の犠牲になりたくないと考えるでしょう。ほしいものを手に入れたあなたは笑顔さえ見せて、あなたが相手に与えた仕打ちにまったく気づかないこともあるのです。あなたは自分がほしいものを手に入れたことで、相手も喜んでいるだろうと考えます。相手を威嚇したり、自分が逆上したりすることで何かを手に入れても、結局誰のためにもならないと悟るまで、あなたは苦い体験をくり返します。相手を攻撃して得た勝利の結果、負けたほうは二度とあなたとは関わり合いになりたくないと願い、あなたが求める友達づきあいやお互いを元気づけたり認め合ったりという交流がすべて消えてしまうのです。

・決断を下す

あなた方はすばやい決断を下します。すぐに行動に移す習慣がついているので自分自身と自分のゴールしか考慮に入れません。あなた方は普通、自分が周りに与える影響に気づかないため、知らずに他人を自分の目標達成の道具にしてしまうことがあります。道具にされた人にひどい苦痛を与えるため、この行為も後で強い反発を受けることになります。

周りの意見を聞かずに一人で決断をするとき、あなたは他人のエネルギーや考えの恩恵を受けることを期待していないため、最後まで遂行できないかもしれません。あなたが他人を考慮に入れたがらない理由の一つには、前世で親しんだ戦場感覚から周りの人は敵だという認識があります。この誤った姿勢は正しいコミュニケーションを取る方法――双方が気持ちよく接することができるように相手を気づかうこと――を学ぶことにより改善されます。私のクライアントがある日私にこう言いました。「私は一人で結婚をうまくいかせようとあれこれやっていて夫に会う時間がなく、話すこともできないの。彼が誰だかも分からなくなってきたわ」夫と連絡を取り、様子を聞くことのほうがずっと大切なはずです。

決断をするときに思慮が欠けていると、あなたは不必要な苦痛をたくさん生むことになります。あなたはものごとが自分の思い通りにならないことを恐れ、自分の目標を話す際に非情な態度を取ることもあるでしょう。計画を立てる過程にうっかり他人を入れてしまうと、その人が計画を台無しにしてしまうかもしれないと恐れることもあります。あなたに見えていないのは、他人を仲間に入れるからといってあなたの計画を諦めなくてはならなくなるわけではないということ。それは他人の意見を尊重し、双方が納得する計画を妥協しながら作っていくことを意味するのです。

私のクライアントにドラゴンヘッドを天秤座に持つボーイフレンドとつきあっている人がいました。二人は一年ほど相思相愛で一緒に暮らしていました。ある日彼は突然出かけると言い出し、帰りは夜遅くなると彼女に言いました。彼女はとても直感的な人で、すぐにあるイメージが浮かんだのでこう言いました。「デイビッド、これから誰かとセックスをするのね」彼は怒りました(ドラゴンヘッドを天秤座に持つ人々は簡単に嘘をつかず、嘘がばれると怒る傾向があるのです)。彼女は状況を把握しようといろいろと質問したのですが、彼は自分の計画を頑固に実行しようとしていて、彼女には取り合わなかったのです。彼は別の女性との約束に遅れたくなかったので、事態を収拾することなく家を出ました。何時間か経ってから彼は彼女に電話をかけ、平謝りに謝りました。彼は間違いを犯し、彼女を愛していると言い、彼女がただ一人の愛する女性だと言ったのです。しかしすでに遅すぎました。彼女は心を閉ざし、別れる決心をしていました。

彼女によれば、決心を促したのは彼が他の女性と会ったことではなく、彼の対処の仕方だったと言います。彼女の気持ちを少しでも理解して、説明しようという思いやりのなさが許せなかったのです。あなた方がパートナーの言い分を無視すると、双方にとって悪い結果を呼ぶのです。

・生き延びる

あなた方は生き延びることに過剰にこだわる傾向がありますが、今生ではあまり意味のない心配だと言わざるを得ません。あなたは生き延びる訓練を十分積んできたので、今生では他人にあなたのエネルギーや自信を注ぎ込み、その人々を強くするという活動がテーマなのです。与えることにより、あなたは大きな自信と平和な心を受け取ることができるでしょう。

あなた方は前世で戦士として学んだすべてのことを応用して、他人との人間関係に生かすことを学んでいます。それは武器を捨て、周りを見渡して同志に思いやりを持つということです。目の前にいる人が戦場に向かう前に、肩をたたいて元気づけてやる必要があるかもしれません。あなたの仕事は他人に力を与え、他人が勝利を手にするのを支援することなのです。そしてその仕事にあなたほど適任者はいないのです。

◆ナルシスト

あなた方は自己陶酔の傾向を自制する必要があります。あなたはいつでもきちんとしていて、他人が賞賛するような性格であることを重視します。他人に褒められるといい気分になりますが、心の奥ではいつも本当の自分の姿や、自分の好きなものが、他人の目に映る自分と違っていることを恐れています。あなたは時々、自分のイメージに合った人々を周りに集めようとするのです。たとえば私のクライアントのガールフレンドは大変体重の重い人でした。他人にからかわれることがいやで、彼はガールフレンドのことを誰にも言わなかったのです。彼が自分の選んだ相手を秘密にしたのは、自分が他人に示したいイメージと実際の彼女が一致していなかったからです。

あなた方は他人に外見を褒められるのが大好きです。このためあなたは自分の理想の外見のイメージ通りに行動し、他人にそれを認めてもらい自己顕示欲を満足させようとします。他人の目に魅力的に映りたいために、自分のイメージを調整して相手が気に入りそうな人を演じようとします。しかしこういうことをしていると、他人がありのままのあなたを受容し、愛してくれることから生まれる心からの自信を築くことができません。あなたが勇気を出して本当の自分を明らかにしない限り、本当の自信がつくことはありません。

あなた方は自己愛に耽溺《たんでき》する危険を内包しています。そしてそれはあなたを心底から安心させてくれる他人を排除してしまうという危険をはらんでいます。人生の最良の人々やものを勝ち取るために、自分自身を絶好のコンディションにしておきたいと考えることなどに代表されるように、あなたは虚栄心に心を奪われたり、自分の幸せだけに関心を寄せる傾向があります。あなたの価値観は幼稚なまでに表面的です。しかし今生でのあなたのシナリオは、あなたが自分を愛するのと同じくらい深く他人を愛することで、自らの魂の包容力を拡大することにあるのです。

・自分が一番

あなたが自分を見つめるようになるまでは、あなたの基本的な行動は自分に対する非常に強い関心、自己充足、そして自己保存によって動機づけられています。世の中には自分以外にも気を配るべき人々がいることを知りましょう。あなたは自分のことばかり考えることに慣れているため、周りの人々が誰なのかさえ知らないことが少なくありません。あなたが「自分が一番大事」という考えを外に現すたびに、周りの人はあなたから遠ざかります。しかしあなたは、自分ばかりに意識を集中する姿勢から、他人を支えることのできる人格へ移行するために天から与えられた能力――カウンセリング能力を持ち、そのために人々はあなたに心を開こうとします。他人の問題に耳を傾けていると、あなたはだんだん自分が損をしているような気がしてくるのです。そうでなかったらあなたは彼らに利用されていると考えてしまうのです。そして怒りを感じ、彼らを遠ざけてしまいます。

すべてはあなたが他人の話を聞くときの動機によります。相手が危機を脱し、あなたが早く自分のほうに注意を引き戻すためにやっているのか。あるいは他人の話を聞くことで相手を癒してあげられるという歓び以外何も見返りを期待せず、純粋に相手を助けようという動機からなのか。

あなたの人生がうまくいくためには、深いところで社会と調和する感覚を持っている必要があり、それを基盤として自分を第一に考える習慣を抑え、他人に協力できる人格を育てることができるのです。

・自意識

あなた方は痛いほど自意識が強く、あなたの定義による「短所」について厳しい批判精神を持っています。このためあなたは自分に意識の焦点を当てると、エネルギーが低下するのです。あなたが自分に見出すのは「受け入れ難い性格」

ばかりで、あなたはそれを隠そうと神経を集中させます。しかしそのために他人はあなたに親しみを感じられません。あなたが何を隠しているのか分からないため、他人はあなたを信用できず、離れていくのです。そしてあなたは他人の反応を見て自分の何かが問題なのだと気づくのですが、それはあなたが初めから恐れていたことなのです。

自分の欠点を隠していると、他人に対して自分を完全に解放できず、その結果誰ともしっかりと向き合うことができません。あなたは他人が本当の自分の姿を見たら、厳しい批判を浴びせて去っていくのではないかと恐れ、自己防御の鎧《よろい》をはずすことができないのです。意識を自分ではなく他人に向け、その人の長所を伸ばすための協力をすると、あなたの自我は相手が受容できるように解放されていくのです。

自己批判をやめて、ただ自分らしく振る舞おうとするほうがあなたにはずっとよいのです。あなたに「正しい」とは言えない性格上の欠点があれば、他人はそれを指摘してくれるでしょう。あなたはもともと戦士だったのですから、社会のルールについては知らなくても仕方がないのです。過去に習得した経験のないものは新たに学ぶしかありません。あなたは多くの前世を社会で過ごしてきた人々から社会通念や社会の規範を学ぶ必要があります。あなたが自己変革を学び、人々と心から接することにより建設的な人間関係を築くにはまず、あなたが自分に正直になることから始まります。あなたが意識を集中すべきなのはあなた自身ではなく、世界や周りの人々です。あなたが自分自身に関心を寄せ、人々があなたにしてくれることを考えていると、あなたは自分の不完全な部分ばかりが目につき、自信を喪失していきます。しかし他人を支え癒すことを考えるとき、あなたは自分に向けられていた意識が消えていくのを感じます。あなたが自分のエネルギーを他人に注ぐようになると、他人に受容されるだけでなく、あなたに必要なエネルギーが入ってくるのを感じるでしょう。あなたが自信を持つための鍵は他人の自信と熱意を刺激することにあるのです。

◆一人合点

あなた方は周りの人々の間に何が起きているか分かっていると考えるため、コミュニケーションを省略してすぐに行動に移そうとします。これはその人々との信頼関係を奪いますが、あなたの前世の多くが軍隊という特殊な環境にあったことから理解できないことではありません。あなた方は敵（今生では他人）を一定の距離を置いて観察するように訓練されているのです。あなた方は敵の行動を観察しますが、戦争になるまでは決して敵と直接対面することはありません。今、あなたは他人をある距離を保ったまま観察し、彼らの個性や行動パターン、好きなものや嫌いなものなどを観察しています。あなたにとって真実とは自分の目に見えるものなのです。あなたは他人を見て彼らの「真実」を想定し、それに基づいて行動します。あなたは他人の意見を聞き入れません。他人の行動を見て、もし自分がそういう行動を取るときどう考えるかということに照らして解釈するのです。

他人があなたのようなやり方でてきぱきと問題を解決しなかったり、目標を達成しなかったりすると、あなたはその人に厳しい批判の目を向けます。他人があなたのやり方でものごとを処理しないとあなたはこう考えるのです。「彼らは僕が教えた通りにやっていない。彼らは仕事に責任を持って真剣に取り組んでいない」しかし彼らは彼らなりの方法で真剣に取り組んでいるかもしれないのです。そしてあなたのほうが、彼らが何をしているのかに注意を払っていないだけかもしれないのです。

あなたは他人に傷つけられると、その人を厳しく批判します。あなたは他人があなたの利益にならないことをするとき、それが理解できません。あなたは他人がなぜいつでも平静を保つような自己制御ができないのか、仕事を片づけられないのか、あるいは自分のいる環境に秩序を維持できないのか理解できません。あなたは言葉より行動を大切にするため、人々がまだ実行に移していないというだけで人の問題解決能力を過小評価することが少なくありません。

あなた方は、どんな人にも個性があり、ユニークな生き方があるということを学んでいます。あなたは単純で、自分の目標達成を唯一のテーマとするため、他人を見るときも自分と同じ心理構造を持っていると想定します。そして他人に目標を最短距離で、早く達成する方法を教えようとします。他人があなたの教えた通りに実行しないと、あなたは批判的態度を取ります。その人にはその人の行動計画があり、最短距離で目標を達成すること以外にも大切なものがあることに、あなたは気がつかないのです。

他人に対して批判的になったり我慢できない思いをするのではなく、今生のあなたは自分の弱さの投影を他人の中に発見することが大切なのです。誰かが「私にはできません」とあなたに言ったら、あなたはしばし考え、自分の人生の中でもできないことがあったことを思い出してみましょう。そうするとあなたは相手にもっと慈悲深く接することができるようになります。今生のあなたは他人と深く交流し、その人の人生がうまくいくように示唆を与え、力を与えることを学んでいるのです。しかしそれをするためには相手の人生の指針、価値観、仕事の進め方を理解する必要があるのです。

◆規則

あなた方は独自の価値体系を築いていて、それがあなたにとってよいものだというだけの理由で他人もこれを尊重し、従うべきだと考えます。これがあなたにとっての「パンドラの箱」なのです。あなたが厳格に規則に当てはめようとすると、否定的なことばかりが露呈するのです。他人があなたの決めた規則に従わないとき、あなたは失望します。そして他人があなたの規則に反発すると、あなたは怒りを感じます。そして他人はあなたの規則がよいか悪いかについて意見を述べる機会が与えられていないこと、そしてその規則の存在すら知らされていないことにあなたは気づいていません。

あなたが他人に対して不公平感を持つとき、それは他人があなたの決めた「見えない規則」に従っていないときなのです。しかしあなたの公平感はもともと自分で作った規則に基づいているので、公平と言っても基本的には利己的なものなのです。あなた方は世の中にはほかの規則もあることを認識しなくてはいけません。あなた自身の規則の重要性は、ほかの誰かの決めた規則と何ら変わりはないのです。

あなたの名誉のために言えば、あなたの作る規則に関する問題点はあなたの落ち度ではありません。あなたは無意識の世界で今も軍隊に属していて、そこにいる限り誰もが自分を制御し、そこで決められた規則や礼儀、行動を守ることが要求されているのです。あなたの目から見た軍隊のよいところは、それが個人的でないところです。軍隊であなたが何かを伝えるとき、それは命令であり、個人の権利を侵害することにはならないのです。他人があなたに協力しないとあなたはこう感じます。「そうか、君はチームプレイヤーではないのだな」

誰にでも規則——基準や考え方、価値体系があります。世の中の大半の人は自分の考えは世にある多くの考えの中の一つであり、絶対の真実だとは考えません。しかしあなた方にとって自分の規則は自分の行動の規範であるだけではなく、みんなが守るべき「法律」なのです。周りの人々もまた自分の基準や規則に従って行動していますが、彼らが他人の考えを排除することはありません。あなた方の問題は自分流のものの見方以外、目に入らないことです。

その結果どんなに痛ましいことが起こりうるか、あるクライアントの父親（ドラゴンヘッドを天秤座に持つ）の例でお話ししましょう。私のクライアントの結婚式の日、彼女の父親はヴァージンロードを歩くのは、彼女の祖父がふさわしいと考えました。彼女は幼いころに虐待を受けたため、この祖父が大嫌いでした。しかし父親は娘の気持ちよりも自分の規則を重んじ、祖父を家族の中で尊重するために祖父を彼女のエスコートに決めたのです。彼にとってそれは「規則」なので、とやかく議論することはないのです。彼の前世から組み込まれた軍隊思考が、娘の結婚式の日に娘の気持ちを踏みにじるような行為を引き起こしたのです。

あなた方は周りの人々やパートナーとじっくり時間をかけて、双方が満足できるような規則を編み出す必要があります。双方が合意した内容に基づいた規則が作られて初めて、あなたは他人が遵守することを期待できるのです。あなたが提示した規則に対して相手が示す反応は二人の関係と、その規則の正当性について多くを教えてくれるでしょう。

他人の基準や規則の存在に気づくことで、あなたは自分の価値体系を見直し、向上させることができるでしょう。実際それはあなたの心の自由を拡大する能力に大きく関わってきます。人間関係で双方が合意した規則を持つと、そのチームは力強く、効率的で個人的にも快感をともなうものになります。そしてその関係は永続する基盤の上に成り立つようになるでしょう。

◆投影

あなた方は自己主張でがんじがらめになっているため、人間関係の中で自分がどういう人と対峙《たいじ》しているのかに気づかないことがあります。自分の個性を相手に投影させ、そこから関係を築こうとするあなたの方法はうまくいきそうですが、実はそうではありません。

人があなたの想像したような人でないと気づくとき、あなたは驚きます。あなたは相手の役割を思い描き、相手がその通りに行動しないと取り乱すのです。あなたは相手が自分に対して「不公平」に振る舞っていると感じるのですが、それはつまり相手があなたの決めた役割を演じていないということを指します。ここでもあなたは自分の前世の軍隊経験――つまり人が人として尊重されず、どれほど忠実に与えられた機能を遂行しているかによって判断される価値観――に基づいて人と関わろうとしているのです。

あなた方は他人に対し、自分が認めた役割以外のものをその人から見出すことが苦手です。私のクライアントに、二十三年の結婚生活の末、自分の夫が血のつながった娘を数年にわたり性的に虐待していたことに気づいた人がいました。彼女は何が起きていたのか、娘がセラピーを受け始めるまでまったく気がつきませんでした。このように現実が見られないという現象にはいくつかの理由があります。しかしドラゴンヘッドを天秤座に持つ人々の場合、その人の人格について一度も真剣に考えたことがないというケースがほとんどなのです。

自分の個性を相手に投影する結果の一部として、あなたは相手が自分と同じように強く寛大で、自信に満ち、自己制御ができると想定するため、相手がそうでないということが発覚すると、騙されたような感覚に襲われるのです。あなたがすべきことは、相手の立場になって考えるということ。それによって相手がどの程度の強さや寛大さ、自信、そして自己制御能力を持っているかを知り、現実に即した期待を持つことができるようになります。またあなた方の人間関係に貢献してくれるような相手の長所（とくにあなた方にはない、その人の長所）も発見していけるのです。あなた方が学んでいるのは、人にはさまざまな個性があり、そこに私たち一人ひとりが予想もしない方向に向かって成長する機会があるということです。

必要とするもの

◆承認

あなた方は他人の承認を渇望し、相手のエネルギー領域に入ることを望みます。あなたは周りの人があなたを愛してくれると気持ちが楽になり、幸福感を覚えます。そしてそれは健全な願望です。今生では他人の愛があなたに精神の均衡をもたらすのです。

問題はあなたが他人から愛やエネルギーを得る方法です。これを獲得するために、あなたは競争や過剰達成、そして他人を考慮に入れずに強引に進めるなどといった行動に出るのです。あなたが死ぬほど手に入れたい相手の関心や愛情のエネルギーを得るために、あなたは自分をひけらかし、自分を実物以上によく見せようとします。あなたは自己顕示欲が強いため、他人が話をしているときに自分の話をすることで話題の中心を自分に持っていこうとします。あなたはそこにいる人々と波長を合わせず、自分が欲している愛情や承認のことばかり考えているのです。こういう傾向があるために、協力し合ったほうがあなたのためになる状況でも、他人に対して競争意識を持ってしまうことになるのです。

これを解決するにはあなたの方針を、「自分をよく見せる」ことから「他人をよい気分にさせる」ことへ変化させることです。あなたがその場に調和し、相手の気持ちを考えると、双方が望むような目標に向けて進んでいくことができるようになるのです。あなた方が周りの人々を喜ばせることができると、すぐにあなたに向けられた温かいエネルギーを感じるでしょう。他人からエネルギーを絞り取る必要はないのです。受容や愛、承認はあなたに向かって流れ込んでくるでしょう。それは他人を幸せな気持ちにしようと、自分にできることをするという繊細な心配りをする過程から自然に生まれるものなのです。あなたが求めるエネルギーは、あなたが他人をあるがままの人として認めたときに感じるエネルギーと同じものです。

◆人間関係における自信

あなた方は前世で人とのパートナーシップや分かち合う経験をしてこなかったため、人間関係に自信が持てません。また自分にあまりに多くのエネルギーを費やすことにより、かえって自信を失うこともあるのです。たとえば人間関係で誤解が生じたとき、相手が何を考え、感じているのか確かめる代わりに、あなたはすぐに自分自身に意識を集中させ、自分が傷ついたことや、自分が犯した間違いなどについて考えるのです。相手との関係において現状を把握するにあたり、あなたは自分の考えの及ぶ領域がどうしても自分の外に出ないのです。そしてそれが人間関係でのあなたの自信を失わせるのです。あなたは相手があなたのどこかが嫌いなのだろうと結論するのですが、それを許すことができません。あるいは相手を厳しく批判し、あなたとうまくやっていける人はこの世界にほとんどいないことに思い至るのです。

あなた方は潜在的に大きな自信を持っているのですが、社会生活の中で他人と共有できるようになるまでは、それを自分のものとしてとらえることができません。あなた方が他人の中に自信を与えることに神経を集中させると、あなた方もまた自分に自信を持てるようになるのです。実はあなたは人間関係での能力に恵まれているのですが、自分ではそれに気づかないのです。人間関係がうまくいかないと、あなたはがっかりし自信を失います。あなたが求めるものが間違っているのではなく、その方法が見当違いなのです。人間関係を上手にこなすことができる部分を持ちながら活用できないあなたの様子は、素晴らしい人間関係を築くために必要な道具を詰め込んだ部屋を持っていながら、そのドアを開ける方法を知らないようなものです。

・他人を支える

あなた方は生まれつき人の才能を他人に売り込むことが得意です。たとえばジョニーが空気から排気ガスによる大気汚染源を除去する機械を発明したものの、それをどう生かせばよいか分からなかったとします。ある人は「ジョニー。それを売ってはどうだい。君はお金が儲かるし、環境を改善できれば社会貢献にもなる」と提案します。しかしジョニーには決断を延期する理由が無数にあり、「まだ完成しているわけじゃないんだ」などと煮え切らないことを言っています。そこへあなたがやってきて、ジョニーに助言します。その言葉の魅力に心を動かされたジョニーは行動を起こそうと重い腰を上げるのです。

あなた方は他人を戦士に仕立てる素晴らしい能力を持っています。相手に自信と力を与え、決然と立ち向かっていく意欲を与えるのです。しかしあなたは他人があなたに依存するようになることを恐れます。あなたは他人に自分のエネルギーや考え、生きる力を当てにされたくないのです。実際は相手があなたに返してくれるのですが、あなたの課題は他人が差し出す贈り物をあなたが受け取れるかどうかにあります。これには謙虚さと、あなたがすべてを自分で調達できるわけではないということを認めることが要求されるのです。これは与えることと、受け取ることの勉強の一環であり、チームプレイの基本でもあります。

・共有と無私の精神

共有はあなたにとって大変重要な観念です。あなたは前世の多くを孤独の中で過ごし、親しい友人を持つ喜びを知らずに生きてきました。このため今生のあなたがパートナーを求める欲求は切実です。あなたはパートナーから自分が完全な存在であると感じさせてもらい、愛情で満たしてほしいと願います。何が返ってくるかという期待をしない無償の愛が、あなたの心を満たす親密さと調和を手に入れる鍵です。そして相手が強さを身につけると、その人の幸せがあなたに浸透しあなたもまた幸福感に浸れるようになるのです。

あなたは人生に対する強い愛情があり、今生ではその愛の対象の範疇《はんちゅう》に他人を取り込むことを学んでいるのです。あなたは他人を考慮に入れ、彼らの限界を知り、歩み寄ることで経験を共有する必要があるのです。忘れてはいけないのは、一人の大切な人と共有体験を持つことは、自分の夢を叶えること以上にあなたに喜びを与えてくれるものだということです。

あなた方は無私の精神の美しさ——自分の感情を横に置き、

誰かを助けてあげることの尊さ——を学んでいます。見返りを期待せずに他人に奉仕するとき、あなたは奉仕という行為の道具になっています。あなたがこうしてエネルギーを他人に注ぎ込むと、宇宙はあなたに多くのエネルギーを注いでくれるようになるのです。自分の利益を考えずに奉仕をしていると、その行為はあなたのパートナー、そして人生や宇宙があなたに奉仕をしてくれるための回路を開くことになるのです。ギブアンドテイクが公正に行われるか、監視する必要などないのです。あなたが他人に奉仕しているとき、あなたは同時に自分にも大きな奉仕をしているのですから。

◆受容

・自己防衛

前世の多くを戦士として過ごした経緯から、あなたは他人に対して取りつく島がないような印象を与えます。あなたは自分のイメージについて大変厳しい基準を設け、他人がそれと違った印象を持つと気分を害します。あなたは他人があなたを見る目をコントロールしようとします。「どうして僕についてあんなことを言えるのだろう。僕は自分についてまったくそういう見方をしていないのに」このような自己防衛的な態度が周りの人を近づきにくくしているのです。

あなた方は他人に自分の全容を知られたくないために、わざと自分のイメージにはない行動を取ることがあります。これはきわめて戦略的な行動です。他人があなたをつまらない人間だと思わないように、常に彼らの知らない自分がいるのだということを顕示するのです。またあなた方は他人も自分と同類だと考えがちなので、自分は他人とは違うことを示したいと願うのです。自分の感情を表わしたり、人の顔色をうかがったりすると一般人と同等になってしまい、他人と何ら違わない、つまらない人間として扱われるのではないかと恐れるのです。

・独立と共存共栄

あなたの中の戦士は毅然とした考えや独立を重んじ、意志が完全に支配できるよう感情を他人と分かち合うことを認めません。精神的には、あなたの独立心は前世で過剰に酷使されてきたため、今生では最も不適当な状況に顔を出し、あなたに必要な人間関係を築こうとしているときに、それをぶち壊しにやってきます。

相手の様子を伺い、奉仕をすることはあなたにとって気の進まないことかもしれません。あなたは他人に奉仕すると、自分がその人の責任を負わなくてはならないと考え、それは戦士の思考回路では軌道を外れた行為なのです。無意識に、あなたは縛られることを嫌うのです。

あなた方の今生は人々とともにあるということをいつも心にとどめておいて下さい。あなたにとって至上の幸福は共存共栄からこそ生まれ、一人ぼっちの独立からは生まれないのです。あなたは前世で極端な自立を経験してきました。これを繰り返すことは、あなたが渇望する人々との心のつながりを失うことにほかなりません。あなたが恐れを克服して他人に奉仕するとき、その人との間に絆が生まれ、あなたが求める承認と感謝を相手から受け取ることができるでしょう。純粋に相手を思いやる気持ちから奉仕をすることにより、あなたは孤独感から解放されるのです。

あなたが他人に奉仕をすると、あなたは自動的に彼らに力を与えているのです。つまり実際には、彼らの中に依存体質を作っているのではなく、相手がより高いレベルで自己充足できるよう支援しているのです。しかしときにあなたは怒りにとらわれ、こう考えます。「なぜ彼らは自分と同じように自立できないのだろう。世の中の人が全部自分のような人間だったら、世の中は平和だろうに」あなたは自分がうぬぼれているとは考えていませんが、前世の戦士としての厳格な考え方が色濃く反映され、なかなか抜け出せません。

あなた方は何世代もの前世にわたり、社会から遠く離れ、平和で温かく満ち足りた人間関係から疎外されてきたため、社会や人々の間に入っていく行為自体が恐ろしく、考えただけでもしり込みをしたくなってしまうのです。しかしあなた方は社会に順応する方法を知らないわけではありません。決心さえすれば、あなたに達成できないものはないのです。飛び込んでしまえば自分にもよい人間関係を築く能力があるということに気づくでしょう。しかしまず意識しなくてはならないのは、孤立よりも共存共栄を目指すことが自分の向上に結びつくという今生での約束ごとです。

◆調和

あなた方は今生では戦うことに疲れ、平和な人間関係に身を委ねたいと願っているのです。しかしあなたは激しく感情が戦わされる緊張感を要する人間関係を持ち、あなたのコミュニケーションの至らなさが、その激しさに火を注ぐのです。あなたは次のレベル——もっと思いやりに満ち、共生関係を保ち、慈愛に満ちた関係を持つというレベル——に上がる準備をしています。あなたは平和を選択し、楯を片づけ、自分の弱さを見せられるような関係に身を置く必要があるのです。

・忍耐

今生であなた方は忍耐を学んでいます。地球上にはたくさんの人が住んでいて、あなた方の人生の計画に彼らを加えると、あなたの人生がとても楽しくなるのです。わがままの爆発はあなたに忍耐力がないあかしです。あなたは自分の思い通りにならないと、すぐにその場を立ち去りますが、そこにもう少し忍耐力があれば最も楽しいはずの状況であることが少なくありません。

あなた方には衝動的なエネルギーが有り余っています。前世では、あなたの性急さは勇気とみなされ、成功と自画自賛に結びつき、あなたは自らをヒーローのように考えていました。しかしこのヒロイズムは優越感となり、他人の中で孤立する状況を生むのです。今生のあなたの衝動的な傾向は勝利ではなく敗北を生む運命にあります。あなたが衝動的に行動すると、自分の目標を叶える過程で他人の感情を踏みつけにして、他人のあなたへの善良な心遣いをひどく傷つける結果を招きます。

衝動的な行動を控えられるよう忍耐力を培い、ある計画が実現するためには一連の過程を踏む必要があることを理解することが大切です。あなたは一直線にゴールを目指して突進するため、すぐにゴールに至らないことに耐え難さを感じます。あなたはトップスピードで行動しますが、もうここは戦場ではありません。歩調をゆるめ、ゆっくりと態勢を整えながら進むのが今生のあなたのあるべき姿であり、そうやってあなたの心は満足感を得るのです。

衝動的な傾向が邪魔をして、あなたが何かを求めるときなぜ自分にそれが必要なのかじっくり考えないことがあります。少し我慢して立ち止まることができれば、あなたを取り巻く状況の全体像を把握することができるはずです。そして関わりのある人々に自分の計画を説明し、その過程を踏むことで多くの問題は解決していきます。周りの人々はあなたを理解し、あなたに協力する機会が与えられるからです。

・敏感さと配慮

あなた方は非常に敏感でありながら鈍感でもあります。あなたは自分のことについては深く広く感じる力があるにもかかわらず、他人の気持ちのこととなると非常に浅い理解しかできません。あなたが傷つくとき、それは深く心に刻まれます。その激しい感情の働きのため、あなたは周りの全員のこともすっかり理解できると勘違いしています。しかしあなたが他人を理解する過程は、その人の性格を考慮するところまで至らず、あなたの言動が他人の不利益になるかどうかという配慮まで行かずに「完了」してしまうのです。あなたの人間関係で生じる誤解の大半はここから発しています。あなた方は他人をさらに深く理解し、絆を作る方法を積極的に探る必要があります。

誰かに意識を向けるということは一時的に関心を自分からそらすことを意味します。たとえばそれはラジオで音楽を聴くときのようなものです。音楽をしっかり聴くためには心で鳴っているハミングを止めなくてはなりません。これと同様に自分に向けられている思考をいったん止めて、他人の音楽に耳を傾ける必要があるのです。他人の感情や意識を聞き取ったら、その人の音楽と自分のそれがハーモニーをなすことができるか考えるのです。

あなたは他人にもニーズがあり、感情があるということを常に自分に言い聞かせている必要があります。たとえば二人の友人同士が道を歩いているとします。一人が両手に重い荷物を持ち、もう一人は手ぶらでした。言うまでもなく手ぶらで歩いているのがあなたです。ドラゴンヘッドグループの中で、あなたほど他人のニーズに無頓着な人はいないのです。誰の目にも明らかなのに、あなただけ気づかないということが多いのです。あなたは他人を痛めつけようとしているわけではないのですが、ただ自己中心的な行動を取ることがどれほど他人に被害を与えるかに考えが至らないのです。今生であなたが喜びに満ちた幸せな人間関係を築きたいと願うなら、自分のことより他人のことを考える姿勢を意識して作り、他人が何を必要としているか、どんな気持ちでいるのかに目を向ける努力をするべきなのです。

人間関係

戦士は町にとどまって家族を持ったりすることはありません。戦場から戦場へと移動し、次の戦いに備えるのです。あなた方の暮らしは典型的な「その場限り」のつきあいの連続で、戦場で出会い、そこが済むとまた次を目指すのです。あなたにとって恋愛やセックスは競争して勝ち取るものなのです。あなたはロマンスのゲームを楽しみます。あなたがこれに「成功」し、相手があなたに「捕らえられる」と、あなたは次のチャレンジを求めます。それがあなたの知っているパターンなのです。しかしライフスタイルとしては、このように早く展開し、しかも表面的な人間関係はあなたを空虚な気分にさせるでしょう。

皮肉なことにあなたが一度人間関係のしくみを理解すると、あなたはその達人になる潜在能力を持っているのです。あなたは敏感さや外交的な潜在資質を持っていて、その資質を理解し、応用の仕方を覚えればそれらが発揮できるのです。あなたの今生の目的は他人とのパートナーシップを経験すること

◆経験不足

・戦士の人生——ただ自分あるのみ

軍隊の環境に終始した前世の影響から、あなた方は個人としての人間関係の経験を持ちません。軍隊での人間関係は肩書きや地位、そして厳格で客観的な規則があり、全員がそれらを理解し遵守していました。厳しい規則の外の世界に出ると、あなた方は戸惑ってしまうのです。分かち合い、助け合う、理解し合うといった簡単な人間同士の接し方は、普通の人々には当たり前のことですが、あなた方にはまったく新しい発見なのです。あなたが人間関係で間違いを犯すとき、それは意図的なものでも悪意でもなく、単に人々の慣習よりも決められた規則に従う習慣に慣れすぎたことから起こることなのです。

とにより前世とのバランスを取ることですから、あなたは人々と接する機会には恵まれる運命にあります。

愛を分かち合った経験がないため、あなた方の中には愛することを怖がる人もいます。今生での初期の恋愛は、経験不足が災いして失敗に終わるでしょう。その結果あなた方の中には感情を表現することをやめてしまう人もいるでしょう。しかし世の中にはあなたが持って生まれた個性や精神を好きになってくれる人もいるし、そうでない人もいるということを次第に理解するようになります。蓼《たで》食う虫も好き好きなのです。あなたへの相手の反応は、あなたが自分をどのように他人に見せるかだけでなく、相手の性格にもよります。あなたは自分に正直に振る舞い、他人に本当の姿を見せるべきなのです。それができれば誰があなたの本来の姿を好んでいるかの判断に自信を持つことができ、ありのままのあなたを受容しない人々に対しては一〇〇%さらけ出してしまわないよう注意することもできるのです。

・**区別……自分以外に誰かいるんですか?**

あなた方は対等な立場で自分と喜びを分かち合い、自分を賞賛してくれる相手を求めています。しかし相手からエネルギーが返ってくるためには、然るべき相手を選ぶ必要があります。よい人間関係を築く基本は人を区別すること。パートナー候補の真の姿を見極め、単に自分のニーズを満たしてくれるという「用途」の先に目を向けることです。

時々、自分の性格を相手に投影する傾向が強く出すぎて、周りの人はあなたと過ごすことに居心地の悪さを感じるでしょう。あなたは自分が理解されず、正当に扱われないなら、こんなところにいる理由はないと思ってしまいます。こう開き直ってしまうと、いよいよ親密な関係は作れなくなります。

ここにドラゴンヘッドを天秤座に持つ女性の娘である、私のクライアントの例があります。私のクライアントはある日昇進し、管理職にふさわしい高級なスーツを購入しました。彼女は母親がその金額について文句を言うだろうと予想していました。彼女は母親に気分を害されたくなかったので、後でこっそり部屋に持ち込もうと、買ったスーツを入り口のクロゼットに隠したのです。こうすることで母と娘でともに新しいスーツを見るという楽しさを味わう機会が奪われ、それにより二人がさらに親密になる機会も奪われたのです。

あなたが人間関係で判断を誤るもう一つのパターンは、相手の性格の中でもあなたの好きな部分しか見ないことです。相手のすべてを気に入ることは少ないので、好きな部分だけを見て、ほかの部分を閉ざしてしまうため、その人の中で何が起きているのかが見えなくなってしまいます。

上手な人間関係の第一歩は、相手に関心を持つことです。

この人の人生の目標や理想は自分のそれと似通っているか？　この人の目標達成を自分が支えてあげることができるか？　この人は他人に奉仕する人か、他人を利用する人か？　どんな価値観を持っているか？　どんな人格形成を目指しているか？　あなた方は謙虚になり、自分の性格を相手に投影することなく純粋に相手の個性について知りたいという関心を持つ必要があります。相手の価値観を知るにはまず自分の個性を横に置き、相手に質問し、自分に対する関心を一時的に追い出して相手に神経を集中させることが肝要です。

一般的には、相手に質問をしてから自分の立場を説明する順序のほうがうまくいきます。あなたの本来の傾向ではまず自分の要求を相手に「私はね。子供を作らず二人でお金をたくさん稼ぐ夫婦を目指しているのよ。それについてあなたはどう思う？」とやってしまいます。あなたを喜ばせたいと相手が考えたとき、相手はそれに沿うような意見をあなたに言うでしょう。

しかしそこで問題が起こります。あなたの自己主張が強すぎるため、相手はあなたに反対の意見を言うと、そこで関係が終わってしまうことを恐れて曖昧な反応をすることがあるのです。相手は自分の立場を守ろうとして、あるいはあなたの望みに逆らいたくないという理由であなたに譲るでしょう。

私のクライアントの例がこれを明確に説明しています。二度目の結婚をしたとき、彼は十二歳年下の妻を深く愛していました。彼には最初の結婚からの子供が一人いて、今度の結婚では子供を作らないと二人で決めていたのです。これは彼の考えでしたが、彼女は彼に対する愛情のために従ったのです。二人が合意に達した（彼は双方が合意したと考えました）ので、彼は去勢手術を受けました。初めの四年ほどは順調で幸せな結婚生活を送っていた彼らがあるとき、悲劇的な終末を迎えたのです。妻が子供がほしいので離婚してほしいと告げたのです。結婚は彼の条件を満たしていましたが、彼女のほうは我慢を余儀なくされていたのです。彼は絶望し、この経験から立ち直るのに何年もかかりました。彼が初めにもっと時間をかけて彼女の願いを真摯《しんし》に聞き取ろうとしていれば、双方がこれほど傷つくことは避けられたのではないでしょうか。そして彼が妻を深く愛していたなら、当初の自分の希望を変更し、彼女の希望する子供を作るという妥協もまたできたのではないでしょうか。

あなた方はパートナー選びに関し、心に感じる幸福感を信じるとうまくいきます。あなた方は論理に頼ることはできませんが、相手に惹かれる気持ちや愛情の感覚に導かれるようにすると正確な判断ができるでしょう。あなたにふさわしいパートナーを見つけ、つきあいが始まったら、あなたの課題は相手のニーズの変化に注意を払うことです。あなたが相手を時々チェックして、気持ちが触れ合っているようにする習慣を身につけると、あなたはパートナーに愛情を感じ、その結果非常に愛情豊かな関係を築くことができるのです。

・期待……彼らは私の一部ではないの？

あなた方は相手のニーズや考え、思考やタイミングについて正確に知らないまま相手に期待するので、失望させられることが少なくありません。あなた方はゴールに到達するのは自分の努力次第だと考えます。人間関係であなたは、相手と共通の目標を達成するために必要な情報を求めます。そしてあなたの考える相手の性格やニーズや願望に基づいて、一人で計画の戦術を練ります。ここでの問題は、相手に一度も意見を求めないことです。

あなた方はよく他人の行動を裏づける性格パターンを知っていると考えます。しかしそれが外れると、双方に手痛い誤解を残すことになるのです。相手が本来のあなたの姿を尊重しないといってあなたは激怒することもあるでしょう。あなたは自分の能力がどれほど相手の人生にプラスになり、人生が向上するかに相手が気づくことを期待します。あなたはときには傲慢《ごうまん》になり、あなたがどれほど多くのものをその人に与えられるかに気づかない相手を、知性のない人として蔑《さげす》むこともあります。あなたは怒り、相手を批判することで高い壁を作り、その結果あなたは孤立してしまいます。

あなた方はコミュニケーションを通じて、もっと客観的な視点を持てるよう、視野を広げる努力が要ります。他人があなたを尊重してくれないと感じたとき、あなたは多くの場合他人のニーズを理解していません。孤立や裏切りの感覚を味わわなくて済むためには、相手に自分自身を定義してもらうと、相手本人と相手の考えとを区別して考えられるようになるでしょう。これによりあなたは相手をよりよく理解することができ、それまでよりずっと現実的な期待を抱くことになるでしょう。

・自覚の欠如……他人への思いやりですって？

あなた方は非情に不親切な人に見られます。ある決断を下すとき、相手の反応や願望、ニーズを考慮に入れないからです。

私のクライアントの夫はドラゴンヘッドを天秤座に持つ人でした。彼らが休暇に出たとき、夫はずっと観光や冒険をして過ごしたいと考えました。妻のほうはそれだけでなくゆっくり過ごす時間も取り入れてほしいと願いました。しかし休暇から帰ると、彼女は楽しそうに休暇中に見聞したさまざまなことについて友人に話すのです。妻のそういう行動を見て、夫は自分の望むように旅をすることが彼女にとってもよいことなのだと考えていました。夫は自分流の旅がどれほど妻を喜ばせるかについて知っているつもりで、妻の抗議に真剣に取り合いませんでした。ドラゴンヘッドを天秤座に持つ人々は、相手の示す信号や反応にかかわらず、何が相手に必要か一人よがりに考える傾向が強いのです。

皮肉なことにあなた方は相手に必要なものが分かることが多いのですが、その知識と相手のフィードバックとの両方を取り入れる必要があるのです。先ほどの例で言えば、妻の抗議を聞き、妻の不満について質問をするべきだったのです。妻の気持ちをしっかりと理解できれば、夫は妻が主張したニーズを取り入れた計画を立て、妻に感謝されることで二人の関係はさらに向上するでしょう。あなた方にとってはこれがチームワークを機能させる最良の方法なのです。

・タイミング……彼らにもニーズがあるの?

奉仕にあたり、あなた方は相手のタイミングに注意を払う必要があります。相手があなたに頼みごとをしたときが、最良のタイミングなのです。それまで手がけていたものをすべて横において、相手の言葉に耳を傾けましょう。あなたがすぐに行動に移さず、準備ができてから与えようと考えていると、タイミングを逃してしまいます。

たとえば相手があるプロジェクトに力を貸してほしいと頼んだとします。あなたはこう答えます。「何を言っているんだ。そんなことなら君一人でできるだろう」あなたは自分のエネルギーを他人のために使うのが嫌いで、相手の問題のために自分の時間を邪魔されたくないのです。本能的な利己主義が人間関係に微妙に、しかし破壊的な影響を与えていきます。あなた方は相手にも何かを返すことなしに、パートナーシップのメリットを享受することはできません。あなたが一緒にいたいと思える相手に出会い、その人を失いたくないと思うなら、その人が出すタイミングの合図に合わせてニーズを満たしてあげることです。あなたの今生は人間関係がテーマなのです。あなたにとって一番基本になる人間関係を大切にすると、すべてがうまく運ぶようになるでしょう。

◆恐怖

・感情面で醜態をさらすのがこわい

あなたは今生でパートナーを切望する反面、あなたの一部はそれを恐れます。あなたは恥ずかしい思いをしたくないのです。しかしあなたは誰かとの特別な関係を心から求めているのですから、あえてその危険を冒す以外に手に入れる道はありません。あなたの恐怖の一つは、誤った選択をして身動きが取れなくなること。あなたは完璧主義者なので、あなたのパートナーとの関係も非の打ち所のないものでないと納得がいかないのです。誤った相手を選び、関係がうまくいかなくなったら、問題があることを認めなくてはなりません。要するにこう考えているのです。「相手との関係がうまくいかなかったら自分もほかの人と同じように馬鹿な奴みたいに見られるのがいやだから、初めからつきあうのもいやなんだ」

他人の目に「よく見られる」ことが非常に大切なあなた方は自分のパートナーも自分のように「よく見られる」ことにこだわります。あなたがパートナーの中に何か不十分なものを見つけると、あなたは相手を変えようとして文句を言い始めます。誰の目にも魅力的なパートナーを連れていることで自分が他人に「よく見られたい」という動機の下に、こういうことをしてもうまくいくことはありません。動機はここでも自分中心なのです。しかし相手自身が変わりたいと考え、あなたもそれに協力したいと思うとき、双方にとってよい結果が得られるでしょう。

あなたが自分の強さや自己制御能力を、他人の弱点を克服することに使えるようになるまでは、そのツケはあなたのパートナーに降りかかります。たとえばあなたのパートナーの体重が増え、それを彼が気にしているようだったら、あなたがまずすべきなのは彼にどうしたいかたずねることです。

「ねえ、このごろあなたは体重を気にしているようだけど、食生活は相変わらず食べすぎよね。何か心配ごとでもあるの？　あなたが何を考えているのか私は知りたいし、できるだけのことをしたいと思っているのよ」などと話を持っていきます。相手を思いやり、よりよく相手を理解する過程で、あなたは相手が問題を解決していくのを助けることができるでしょう。あなた方は自分のイメージを守ることよりも、自分の人間関係を大切にすることを学んでいかなくてはなりません。

あなた方は他人がぞんざいに扱われてなぜ平気でいられるのか理解できません。あなたは人がどれほど深く他人を愛せるかが理解できず、その情熱や絆を恐れるのです。あなたはもし誰かを本当に愛してしまったら、自分の行きたくない環境に行くことになってしまうかもしれないと考え、恐れを抱きます。しかしあなたが誰かと愛し合うとき、健全な人間関係を築くことができると信じることが肝要です。今生のあなたは自分に対する愛情の喜びを拡大し、他人のことも同様に愛せるようになることがテーマなのです。

・共依存への恐怖

あなた方は共依存関係を恐れます。しかし皮肉なことに、いつでも受け取る側にいたいと願うため、あなたは相手の奉仕に常に依存することになるのです。相手はあなたから何も返ってこないため、あなたに依存することはできません。相手が心を閉ざしたり、実際にあなたの元を去ると、あなたは打ちのめされ、なぜ相手が去っていったのか理解できません。

あなたが人間関係で真の自立を望むなら、常にあなたが受け取った以上のものを相手に返すことを考えなくてはなりません。そうすればあなたは「強い」立場を保ち、相手に捨てられる恐怖を感じることなく自分の弱さを見せ、自立した関係を楽しむことができるでしょう。あなたが相手にとって頼りになる存在になるために、またその関係に奉仕するよう意識的な努力をすることは大変重要です。あなたは相手にふんだんに与えると自分が失われるのではないかと恐れて出し惜しみをするのです。しかし心配は要りません。あなたの自我は頑丈で壊れることなどありません。

あなた方は人間関係に積極的でないことの理由として、自分が自立する必要があると主張するとき、十分注意する必要があります。あなたが自立を要求するとき、多くの場合タイミングが悪く唐突に見え、相手に対する配慮に欠けているために相手を遠ざけてしまいます。このためパートナーはあなたに大切にされていないと感じ、その結果双方が相手に対する思いやりを持たなくなってしまうのです。当然ながら相手は自分だけが弱い立場に立たされることを好まないため、気持ちが次第にあなたから離れていきます。一人で過ごす時間が要ることは親密な関係にはマイナスの影響を与えることがあります。上手に扱われないと、あなたの身近な人々は愛され、尊重され、守られる喜びをあなたから感じられず、長期的な関係を充実させるという課題を乗り越えるために必要な、共同体意識があなたには欠落していると感じるのです。

あなた方は独立独歩で秘密主義に慣れているため、相手があなたを真剣に見つめると恥ずかしさを感じます。相手に自分の弱さを見せると、立場が弱くなることを恐れるのです。あなたは常に自立を望み、同時に親密な人間関係もほしいと願います。しかしこれらは両立しないのです。あなたがリーダーシップを取っているとき、あなたは自分に関心を集中させ、気分がよいのです。しかし誰かがリーダーシップを取ると、自分の役割が分からなくなり、ぎこちない思いをするのです。人々はあなたが相手の様子に目を向け、コミュニケーションを取っていれば、たいていの場合あなたが主導権を持つことを許すのだということを知るべきです。相手はあなたのようにいつでも主導権を握っていたいと願っているわけではありません。ただ自分の感情をまったく無視されたまま、命令されることを嫌がるだけなのです。

あなた方は自立に至上の価値を見出しますが、あなたのパートナーの自立にも協力的でなければ公平とはいえません。

あなたは「みんなが規則を守れば公平さは保てる」と考えます。しかしあなたの生活の優先順位が変化すれば規則も変わり、あなたは周りがそれに合わせることを要求します。あなたは前世で相手の優位に立つことに慣れすぎているため、今生でも相手より高い立場にいる使命があると感じています。しかし今生のあなたの使命は、相手が成長してリーダーになることを見守り支えることなのです。

・妥協と変化を恐れる

妥協は幸福な人間関係には不可欠なものです。相手の個人的ニーズを自分のニーズ同様に尊重し、理解して初めて双方にプラスの人間関係が築けるのです。あなたが自分の願望だけを考えて行動すると、そこにはあなたが得をし、相手が損をする人間関係ができます。損な立場に立たされた相手は最終的にいなくなり、もっと対等につきあえる人のところへ行ってしまいます。あなたがまず考えるべきなのは、相手の人格を尊重し、相手にも願望や不安があると認めてあげることです。

しかしあなた方は妥協することが嫌いです。あなたは時間を取って相手を明確に理解することをしたがりません。もしあなたが相手の立場を理解すると、自分の願望を犠牲にしなくてはならないかもしれないと恐れるからです。しかしこういう妥協の必要性を拒否することは相手の重要性を否定することになり、またあなたが孤立する種をまくことになるのです。相手を気づかうことは必要不可欠なのです。相手が不安を訴えたら、あなたはそのとき手がけていることをすべて中断し、二人の心の調和を築くことに集中するべきだということを覚えていて下さい。

◆心から与えることと点数を稼ぐこと

・目には目をのゲーム

あなたは「目には目を」、やられたらやり返すという意識を持つ傾向があります。あなたはすべてにおいて平等を望み、あなたが負うべき犠牲をパートナーにも負わせることを望みます。たとえばあなたが朝五時に起きなくてはならないとき、相手も一緒に起きてほしいのです。相手が睡眠をとり、心身の調和を維持する必要があることを理解する代わりに、あなたは相手が起きてあなたに朝食を作り、あなたの身の回りのことを助けてくれることが、あなたと相手とのバランスを保つことだと考えるのです。しかし本当のバランスというものは、お互いが自力で心の均衡を保ち、幸せを感じることができるように全力で支えてあげることにより生まれるものなのです。親密な関係での幸福感は、その自然な副産物なのです。あなたが二人の生活のすべてにおいて自分と相手が「公平」であることを要求しなくなると、二人の関係は改善されるでしょう。

あなたが奉仕するとき、「ラッパを吹き鳴らすように」大袈裟にやってはいけません。あなたは他人に何かを与えるとき、厳密にどのくらい与えたのか記録をつけて、同等のものが返ってくることを期待します。最悪の場合でもあなたが与えたことを相手が認識し、無数の感謝の言葉を返してくることを期待します。それが返ってこないと相手に自分がどれほど多くのことをしてあげたか知らせようとするのです。もちろん、与えたことに対する認識を要求した時点で、あなたは与えるという行為を単なるギブアンドテイクの交渉にしてしまう、戦士流の行為に変えてしまっています。与えることの秘儀は、受け取るための回路を開くことなのです。あなたの奉仕が見返りを期待しない純粋な行為だったら、他人はいつでもあなたの想像をはるかに超えるものを返してくれるのです。あなたが自分のエネルギーを相手に向けると、その結果生まれる相手の喜びはあなたの心を満たし、あなたも一緒に幸福感を味わうことができるのです。

あなたはいつでも接していられるパートナーを持つ喜びを味わいたいと願い、二人で重荷を背負う喜びを求めています。問題は、あなたの考えでは二人で均等に五〇%ずつの重荷を背負うべきだと考えることです。相手は分野によってはあなたより強かったり、また弱いこともあるということにあなたは気づかないのです。すべてにきっちり五〇%ずつという決まりを設けることは二人の関係を損なっていきます。必要ならあなたが一〇〇%背負ってあげたら、相手もあなたが必要とするところで一〇〇%背負ってくれることに気づくでしょう。自分で考える割合以上に与えることを惜しまない姿勢は、長期的にはあなたの想像を超えた割合で必ず見返りを生むのです。

・競争心

あなた方は前世の戦士としての意識から競争することに親しんでいます。しかし今生であなたの競争心はあなたの求めるものを得る道を妨害します。あなたは競争することに慣れているため、すべてが戦いのようなものだと考えます。敵のいないところに敵を作り、相手は自分に反抗するものだと想定することで、わざわざあなたの望まない敵意を相手に植えつけます。たとえば相手にひと言も言わずに衝動的に冒険に出かけ、相手に心配させ、否定的な感情を起こさせます。親密な関係を損なうあなたの行為はそのほかにも不注意や性急さ、自己防衛からくる感情の爆発、コミュニケーションの欠如や、あなたが自分の思い通りにするために相手を打ち負かさなければならないと考えることから引き起こされる大小の戦略などが挙げられます。

　あなた方は、相手は問題を起こすものだという認識を改め、相手はあなたを支えたいと願うものだと定義しなおすことを学んでいます。これには他人も自分と同じだと考える発想の転換が必要で、相手はあなたの味方で協力したいと願っていると考えなくてはなりません。特別な関係とは、その定義上深いところで相手を受け入れ、弱く親密な立場からさまざまなものを共有するものなのです。それがパートナーシップの極意です。一人では乗り越えられない障害を二人で力を合わせて克服していくのです。

・相互性
　親密な関係は相互に平等で、蓄積されるべきものです。一人がもう一人の幸せに貢献し続け、相手からの見返りを何も期待しなかったら、受け取る側にいる人は相手の意志の純粋さを感じ、相手に対して親切な態度を取るようになります。感謝の気持ちから、受け取った人は自発的に相手に好意を返したいと願います。それは自然な過程であり、相手に奉仕を強要することは、相手からの愛情を強要するのと同じくらい不可能なことです。心からの奉仕は人が私たちに与える愛に満ちた前向きの反応なのです。

　奉仕のための奉仕ではなく、あなた方は本当にいつでもギブアンドテイクをしています。「君がこれをするのを許したら、君も僕がこれをすることに同意してほしい」相手は与えてもらうのではなく、必ず対価を払わされるのです。これでは奉仕の恩恵や美しさの感覚のかけらもなくなってしまいます。しかしあなたが二人の関係を大切にし、純粋に相手を助けようとしたとき、双方が相手に心から奉仕しようという願いを持つようになります。

・無私の精神
　聖書にもあるように、あなた方は「神の祝福は何かを受け取るときより与える時にこそ訪れる」ということを学んでいます。神の祝福だけではありません。そのほうがずっと賢い方法なのです。人が誰かに与えると、そこには空白が生まれます。宇宙はその空白を見逃せません。宇宙はすぐに新しいエネルギーを送り、その空白を埋めようとするのです。あなたの問題は、何かを与えるといつも何らかの形で返してもらうことを期待することです。

　私のクライアントは、離婚しようとしている友人を元気づけようとわざわざ慰めに出かけました。彼女はその友人を二度夕食に誘い、何時間も彼女の心のカウンセリングをし、勇気づけ、自信を取り戻すよう話し合いました。二年後、私のクライアントは引っ越しをして、一週間ほど住むところが必要になったのです。彼女は例の友人に連絡したのですが、その人は彼女に住むところを提供することができませんでした。彼女は絶望しました。これまで自分が捧げた親切の数々をすべて覚えていた彼女は、その友人からの見返りを期待したのです。彼女はそういうギブアンドテイクによる「協力」の形しか知らないため、人生が彼女に用意してくれるたくさんの支援の形を見逃してしまうのです。

あなた方が個人的な関係の中でどれほど相手に奉仕したかを数えている間は、協力を求めるあなたの視野は自分が奉仕をしたことのある相手に限られ、自分がかつて与えた分だけしか期待することができないのです。時々あなたは心の中で奉仕を楽しんでいながら途中でやめることがあります。心の声に従うより、点数表を優先しているからです。こうしてあなたは相手からのお返しが来る直前に、相手に対する協力をやめることもあるでしょう。あなたが奉仕の過程に喜びを感じたら、何をおいてもその幸福感に従うべきなのです。

相手から何を返してほしいか具体的な考えを持つことにより、あなたは人間関係の自然な副産物である報酬を受け取り損ねるのです。自らに幸福を呼び込むために、あなた方は予期しない贈り物を感謝して受け取ることを学ばなくてはなりません。

◆カルマで結ばれたパートナー

あなた方は大きな潜在能力を持ちながら、それを形ある何かに変える自信を持たない人と出会うことが少なくありません。この人たちの多くはあなたが前世で恩を受け、今生でその恩を返すべき人々なのです。彼らは自分を犠牲にしてあなたを何らかの形で支えてくれた過去を持ちますが、今生であなたがその恩に報いるかはあなた次第です。

あるレベルであなたは今生が人間関係のための一生だと理解していて、積極的にパートナーを探しています。しかし自分よりも弱い人ばかりを惹きつける結果になり、あなたは怒りを感じます。度重なる戦士としての前世のため、あなたは自己制御や単一思考、そして効率よくゴールを達成することに慣れていて、ほかの人も自分と同じであるべきだと考えます。あなた方は他人の弱さを軽蔑し、自己制御のなさを非難し、あなたの価値観から見て勇気のない人を馬鹿にするのです。今生であなたが自分そっくりの戦士を伴侶として選ぶと、今生は平和や分かち合いどころか、また一つの戦場で競争を繰り返す人生になってしまうということに気づくべきなのです。

実際あなた方はそのオーラに非常に強い自我意識をみなぎらせているので、他人の目にはそれが障壁に映るのです。あなた方はこの力の領域を消す努力が要り、その最もよい方法が、あなたのエネルギーを必要とする人に与えることなのです。あなたは自分の自我の周りにある余分なエネルギーを排出し、自我意識を築く必要のある人々が周りに集まれるような環境を作らなくてはならないのです。相手は自信の源を充電してもらい、あなたは放出して楽になります。これで双方が心地よくなるのです。結果はあなたのオーラに窓が開かれ、そこから他人の愛とエネルギーを受け取れるようになるのです。

◆共存共栄

他人との充実した接し方を学ぶことは、あなたの今生における最大のテーマです。あなたの人生のどの部分でも、うまくいっているところには必ず誰かとの強いパートナーシップがあるはずです。人生を見回し、仕事でもプライベートでもうまくいっていないところでは、成功に導く人間関係の極意をあなたがまだ習得していないことを表わしているのです。

いずれにしてもあなたは自分の計画の中に他人のエネルギーを取り込む価値を学ぶ運命にあるのです。戦いや失望を繰り返すという長く遠い学びの道を選ぶこともできますが、人生の教訓を実践することで早く簡単に習得することも可能です。孤軍奮闘しているとき、あなたはゴールに達することができなかったり、ゴールに着いてみたらそこには何もなく失望する結果になったりするでしょう。あなたが学んでいるのは「やあ。地球上には自分以外にも人がたくさんいるんだね。君は誰なの？」という姿勢です。あなたはまた、自分の幸せを維持し、目標を達成するには他人のエネルギーが必要なのだということも学んでいるのです。

・同志か恋人か

あなた方は他人を支援し、力づける能力を持っていることから、長続きしない人間関係を繰り返す傾向があります。あなたの身近にいた人が強さを身につけ、さまざまな理由からあなたの元を離れていきます。こういうことが起きる理由の一つに、無意識にあなたはその人が完全に自立し対等になることを目指し、チームを築くことを想定していないことが挙げられます。あなたは相手のどこに自信が欠落しているかが見え、あなたはそこを補強します。相手が自己充足できるようになると、その人はもうあなたを必要としないのです。お互いの自律性を目指しているため、当然の成りゆきとして双方がそれぞれの道を歩んでいくのです。しかしあなたはそこでがっかりします。相手が強くなったと思ったら逃げていってしまうのはずるいと考えるのです。

あなたにとって人間関係の基本としてはいけないのは二人の完全に自立した戦士がそれぞれの個性や自我を維持したまま経験を共有するという考えです。このシステムは物々交換や貿易、五〇%ずつの出資、そして自分に対してのみの配慮の下に成り立っているものです。そこには限りない満足感を与える長期的な人間関係を生む情緒的な感性という要素が欠落しているのです。

情緒的なつながり――つまり相手の感性への感受性と相手を喜ばせたいという願望――が欠けていると、あなたのパートナーはあなたの元を去っていきます。パートナーにとってあなたとの関係は期待、報酬、要求、そしてフェアプレイだけの愛のない乾いた関係に見え、もっと潤いのある関係を築ける相手を求めて出ていくのです。

あなたにとっての鍵は相手が助けを必要としているときにすぐに手を差し伸べることです。そうすると相手はあなたとの心の絆を感じて関係にとどまり、あなたはたくさんの幸福なエネルギーを受け取ることができるでしょう。これが双方にとって理想の関係なのです。

・聞くことと敏感さ

あなたが実りある人間関係を望むなら、相手の様子を常に観察し、思いやりを持つことを何よりも優先させることが肝要です。折りに触れてコミュニケーションを取り、相手を理解する過程は、あなたが思うよりずっと長い時間を要します（普段のあなたは自分のことしか考慮しないのでほとんど時間がかからないのです）。しかしあなたが長続きする人間関係を望むなら、相手のニーズに対して敏感になり、相手の話に耳を傾けることを覚えなくてはなりません。

あなたは相手を身体的、心理的、感情的に傷つけないように十分気をつける必要もあります。あなたのパートナーはあなたほど多くを要求しないかもしれませんが、だからといって相手の要求を無視してはいけません。それまであなたに合わせていたように見えた相手が突然あなたの元を去ると、あなたは大変驚きます。あなたは相手の性格の特徴やニーズを理解していないからです。

チームとは二人の個人がお互いをいたわり合い、お互いの様子に敏感で、それぞれの強さと弱さを補い合い、頼まれなくても本能的に相手を支えようとするものです。たとえば私が足の爪先を痛めたら、私は絆創膏《ばんそうこう》を貼ります。何も考えず、こうたずねることもありません。「私の足の爪先は最近私に何をしてくれたかしら?」また私の足の爪先が私に対して、絆創膏を貼ってくれるなんて、なんてやさしい人かしら、と喜んでほしいとも思いません。傷ついた足を本能的にいたわるのです。チームワークについても同じことが言えるのです。あなたはパートナーの感覚に敏感で、何か問題があればすぐにかけよって本能的に対処しようとする——なぜならパートナーはあなたの一部だからです。

あなた方は相手の不安に敏感になり、ときには相手の恐怖感を静めるための行動を取れなくてはなりません。質問というものはすべてが正確な事実を求めるために投げかけられるわけではありません。親密なパートナーシップの中で人は背中を押してほしかったり、親密さを感じるために質問をすることもあるのです。たとえばある新婚の人が「僕らがいつでもこうやって愛し合っていると思いますか?」と質問したら、彼はこんな答えを期待しているでしょうか。「そうだといいですね。でも本当のところは誰にも分かりませんね」(これはあなた方の反応を表わす典型的な言葉と言えます)。彼はこういう答えを期待しているのです。「もちろんそうでしょうとも!」

ゴール

◆挑戦的姿勢

あなた方は利己的です。あなたは衝動的に行動し、相手の置かれた状況を考慮に入れません。あなたは自分の目指すゴールに思うように近づけないと、唐突に他人を押しのけて前面に出ていきます。相手の気持ちをたずねたり、考慮することなく勝手に想像して行動を続けます。その場のみんなのためになるようにという動機を持っていたとしても、人々はその過程に組み込まれていないため無力感や憤りを感じるのです。あなたにとって鍵になる信頼というものが、人間関係の双方から失われているのです。

相手の様子を確認することで多くの問題が解決するにもかかわらず、あなた方はそれを恐れるのです。あなたの中の声が「もし相手を気づかうと、相手は信用されていないと考えるかもしれない」と言うのです。実際のところ、相手があなたに信用されていないと感じるのは、あなたが相手を気づかうからではありません。そしてあなたは孤独感に苛まれ、理解されず、感謝もされないと悩むことになるのです。

私のクライアントにレストラン事業をやっている人がいました。典型的な戦士の命令口調で彼はマネージャーにさまざまな指示を与えました。「特別なパーティーがあるからテーブルセッティングを七時までに完了してくれ」。そしてテーブルセッティングの準備がまだ始まっていない六時四十分にお客が到着し始めました。私のクライアントは「しまった。あいつの準備は間に合わない」と慌てて自分でセッティングを始めたのです。後でマネージャーが現われ、代わりにテーブルセッティングを済ませた彼に感謝するどころか「私を信用していないのですね」と抗議したとき、彼はショックを受け、怒りをあらわにしていました。年老いた戦士は結果を焦るあまりタイミングを誤り、マネージャーの気持ちを慮《おもんぱか》ることにも失敗したのです。

あなた方はコミュニケーションに十分時間を取り、強引にものごとを推し進めないよう心に命じる必要があります。私のクライアントはマネージャーにあらかじめこう言っておいてもよかったのではないでしょうか。「スタン、このテーブルが間に合うかちょっと心配なんだ。準備はできるかな？もし助けが要るなら手伝おうか？」マネージャーを気づかう姿勢があれば、彼は仕事が守備よく片づくことを確信し、あなたが切望するチームワークの絆を勝ち取ることもできたのです。あなたが時間をかけて相手を気づかうことさえできれば、あなたには外交手腕があり双方が愛情を持って接する関係を築きつつ目標を達成できるのです。

あなた方は他人に命令を与えるときに、相手を気づかう必要があります。ただ事実の羅列を伝えるだけでは十分でなく、相手はあなたのエネルギーを受け取った上で行動に移す必要があるのです。あなたは相手になぜその命令が遂行されなくてはならないのかを全体像とともに説明し、相手がうまくその仕事がこなせるよう自信を与えてあげるのです。あなたは簡単な命令なのだから誰にでもできると考えがちですが、あなたには簡単でも大変な困難を要する人も中にはいるのです。

命令を下す前に相手の感情を観察することも大切です。たとえば相手が混乱していて、それ以上の指示を与えると感情が爆発してしまうかもしれないという状況もあるでしょう。確実なのは指示を出す前に相手の様子を認め、感情的な弱さも認識しておくことです。時間をかけてあらかじめ確かな信頼関係を築いておけば、相手は命令の遂行も楽しくできるようになり、仕事が確実に完了することをさらに確実にすることにもなるのです。

目標を達成するという状況の中でもう一つお勧めしたいのがこう言うことです。「僕らはここを目指しているんだ。これが僕が求めているもの。しかし君ならどうやる？　違う考えがあったら教えてくれないか？」

・個性の違いを認識する

あなた方は自由と創造力を生活に生かすことが苦手です。あなたが好きなのは直接的で規律のあるもので、人の流れに何となく従うことはありません。あなたが困難に出合う理由の一つに、あなたの「運命に挑戦する」姿勢が挙げられます。心のあるレベルであなたは「自分が世界の中心にいる。誰も僕には近づけない」と考えています。一般にあなた方はリスクの高い状況でも傷つくことはなく、この挑戦的な生き方はあなた方に合っているのです。しかし問題はほかの人も同じやり方でものごとを進めるべきだとあなたが考えるときに起こります。あなたが他人に勧めるのは「限界に挑戦しなさい」ということ。しかしあなたにはよい信条でも、ほかの人にはそうとは限りません。あなたの仕事はその人なりのやり方を尊重した上で、その人が目標を達成するための支援をしてあげることなのです。

◆拡大自我を経験する

・相乗効果

あなたの人生がうまくいくための鍵は一貫してパートナーシップです。個人的な目標を達成するときでも、あなたがパートナーとともにゴールを目指せば、必ず到達できるのです。たとえばあなたが体重を二十ポンド落とそうと四苦八苦しているとします。そこで同じように体重の問題を抱えている人とともに努力をすれば、それは一人のときよりずっと楽に実現できるのです。相手がダイエットや運動プログラムをすることを支援する過程で、あなたの体重も落ちていくというわけです。これと同様にどんなに困難な目標でも、誰か一緒に目指す人を見つけることができれば、二人一緒に願いを叶えることができるでしょう。

あなた方は人に勇気を植えつけ、あなたがそばにいなくても自発的に行動（それまで考えもしなかったようなことでも）を起こす自信を与える能力を持っています。あなたが他人の個性を評価するとき、本人もその気になるほど自信たっぷりに表現することができるのです。このためあなた方はビジネスコンサルタントや心理学者、教師、コーチなど他人に自信と勇気を与える職業に向いているのです。

しかしそこにあなたの個人的な動機が入るとどこかでしっぺ返しがやってきます。従って、客観的であることが不可欠になるのです。つまりあなたは他人のゴールに意識を向ける必要があるのです。

・親密さと弱さ

あなた方は自分の弱さを認めることを学ぶ必要があります。あなたは今生で他人を気づかい、その感情やものの見方を受け止める訓練をしています。他人がその人らしさを発揮するとき、それを尊重し、彼らの感情や恐れを共有する訓練をしているのです。あなた方は他人に弱さを見せることに強い抵抗があります。強いあなたを作っている心が「決して他人に弱みを見せるな」と言い聞かせるのです。しかし弱さも強さになりうるということをあなたは今生で学んでいます。実際優れた戦士はいつ戦い、いつ外交手段により和平を持ちかけるかを知っているものです。しかし相手のことを知らないと、その判断もできません。

あなたの人間関係が長期的なものになるためには、親しいつきあい方を学ぶ必要があります。親密さとは相手の不安に敏感に反応し、自分の弱さを相手に見せることにより培われるものなのです。あなたが相手に対して親密になれると、あなたは成長します。しかしそれができないとあなたは他人を寄せつけず、成長する機会もないのです。

あなたが傷つけられると、最初の反応は誰もいないところに引っ込んで、あなたが傷ついていることを誰にも悟られないようにすることです。今生であなたは自分を解放し、他人に面倒を見てもらうことの価値を学んでいます。弱さを共有すると、あなたがそれまで恥だと思っていたことが何か祝うべきもののように見えてくるでしょう。そしてそこに相手との絆が着実に生まれるのを経験できるのです。そうなればあなたはもう自分のイメージを相手に植えつけるのではなく、本当の自分をその人に見せてよいのです。あなた方は本来正直で勇気があり、ストレートな人々なのです。自分の弱さを他人に見せられるようになれば、自己発見という飛躍は目の前です。

あなた方はもし弱さを見せて、取り乱している姿を悟られると、あなたがいいところを見せたいと思っている人々に逃げられてしまうのではないかと恐れます。しかし実際はその逆で、弱さを見せることは逆に他人に親密に感じてもらえるものなのです。そのうえ他人があなたのニーズを理解し、あなたに自信を与えてくれることにつながります。あなたの人生に他人を招き入れ、深く結びつくと、あなたはその人に受容されていきます。そうなればずっと持ち続けてきた孤独感は消えていくでしょう。

あなたが自分の恐れを他人と共有すると、あなたが持って生まれた勇気が周りの人に伝わり、そこに結束が生まれます。あなたは他人もまた似たような状況をくぐり抜け、もっと大きな間違いを犯してきたのだということが分かるでしょう。間違いを犯し、学び、そこから成長することは人間であることのあかしで、あなたが前世で生きてきた戦争マシンの生き方とはまったく異なるものです。あなた方にとって自分と他人を隔てる壁を取り去ることは、戦士が楯を下ろすようなものので、恐怖をともなうのです。しかし充実した人生を受け入れるためには楯を下ろし、弱さを表現することが不可欠なのです。

◆チームワーク

あなたはチームワークの感覚が分かりません。前世でまったく経験がないからです。戦士としてあなたはすべての任務を一人でやってきました。このため誰かがあなたと責任を分け合おうとすると迷惑な気がします。あなたは誰かと一緒に仕事をやると、その人が失敗したり、怠ったりした結果目標が達成できなくなることを恐れ、すべて一人でやりたいと思うのです。また、あなたが一日でできる仕事を相手が二、三日かけて終える間じっと我慢して待つことができないのです。

しかし今生のあなたの運命はすべての任務を一人で片づけることにはありません。それはもう前世で実証済みなのです。あなたは短期目標を達成することに関しては大変な自信を持っています。しかし今生で、自分一人の力で目標を達成してもなぜか以前のような喜びがありません。今生でのあなたの仕事は誰かとチームを組んで、自信のないメンバーに自信を与えながらともにゴールを目指すことです。

あなたは六人とチームを組んで仕事をするとしたら、このチームは全部で七人からなることを覚えておきます。あなたにはチームの六人のそれぞれがどこに自信が必要なのかが見え、彼らに力を与える能力を持っています。それぞれの欠陥のあるところが自信のないところなので、欠陥を見つけるとあなたはそこに自信を吹き込み、それによってあなたはチームになくてはならない、愛すべきメンバーになるのです。

あなたは常にチームにとって最良のことを考えなくてはなりません。コミュニケーションが行き届かないメンバーがいてはチームワークが発揮できません。感覚を育てるために、あなたはチームの全員と手間をかけてコミュニケーションを取ることが大切です。この目的のために、メンバーは自分のニーズを客観的にほかのメンバーに伝えなくてはなりません。そのニーズとは何かに対する怒りや抗議でも仕返しでもない、自分に欠けているものを率直に示すためのものでなくてはならず、それによりチームが機能的に行動できるための方策を探るのです。ニーズをほかのメンバーにさらすことは自分の弱さを見せるもう一つの形です。

◆パートナーシップ

あなたの性格の中の強い部分は、あなたの人間関係に貢献できる部分です。相手は何か別の特徴、あなたに欠けている部分を二人の関係に貢献してくれるでしょう。パートナーシップを通じ、あなたは他人と均衡を保つことを覚え、それにより、それまで強い部分に隠れて見えなかった自分のほかの性格に光を当てることができるようになります。パートナーと一緒なら人生は単調で疲れる毎日の連続ではなく、二人がそれぞれに新たな自分を発見し、自己実現をすることが軽やかで幸福な過程になるような、前向きなエネルギーのやり取りに変わるのです。

相手があなたに欠けている部分を補ってくれるため、あなたは相手がどういう人物で、あなたに何を提供してくれ、二人のチームを強化するためにどんな能力や性質を動員しているかを客観的に見ざるを得なくなります。相手は自信やリーダーシップを提供できないかもしれませんが、その代わり繊細な感情やものを育てるやさしさ、毎日を楽しむ方法、人生を冒険としてとらえる見方、慈悲深く許す心などを教えてくれるかもしれません。相手が何を差し出しているのかが理解できたら、あなたは自分をもっと解放し、それらを自分に取り入れることで相手からの贈り物を自分の力に変えていくことができるでしょう。

あなたが心から求めているのは、誰かと深く結びつき、その人が夢や計画を実現できるよう力を与えることなのです。従ってあなたの責任は相手の求めるものを細やかに注意深く理解し、それが自分の魂と共鳴できるかを確かめることです。あなた方は自分の個人的な存続が二人の関係のために最良の選択をすることにかかっていることを学んでいるのです。あなたが心を込めて相手の面倒を見るようになると、あなたはようやく喜びと充足感を経験できるのです。

・抵抗

あなた方は戦う姿勢が前世から染みついていて、戦闘のエネルギーに親しんでいます。人間関係の中でも、戦闘のエネルギーに慣れているというだけの理由であなたは戦いを挑発することがあります。どんな代償を払ってでもあなたは常に勝利を望み、その結果自分にとって大切な人間関係さえも台無しにしてしまうのです。戦う必要もないのに戦い、多くの場合あなたは最終的に負けるのです。あなたが人間関係をパートナーシップという実体として理解せず、二つの独立した個性の集まりとしてとらえると、それは「相手のニーズ」対「自分のニーズ」という自己主張のぶつかり合いの場になります。実際のところ、パートナーシップを強化するものからは、二人とも恩恵を受けることができるのです。

あなたは征服への衝動よりも二人が一緒に目指すゴールを優先させることを学んでいます。あなたは外交や戦略、相手の立場を斟酌することにより、自分の目標を達成することができるでしょう。しかしあなた方は外交手腕を自分の利益を引き出す策略に利用しないこと（つまり自分の思い通りにものごとを運ぶため相手にあるものが公平であるかのように見せたりしない）も今生で学ぶのです。あなたは真の外交の価値を学んでいます。相手の言葉に耳を傾け、自分の考え方を述べ、双方が妥協できる道を探ることこそが真の外交と言えるのです。これなら二人とも満足でき、長期的な関係を築くことができるでしょう。

あなた方はまた自分の衝動を実践する前によく考えることを学んでいます。自分の言いたいことや計画している行動を再考し、それが相手にどんな影響を与えるか検討してみるのです。あなたは口に出す前に考える訓練をしています。

・双方にプラスの状況を作る

あなた方は占星術上では生まれながらの平和の使者なのです。あなたはある状況で対立を起こしている二つの陣営の主張を明確に見ることができ、双方のコミュニケーションを上手に調整する能力に長じています。相手の立場を客観的に理解することで、あなたは調和を生み出すことができるのです。この能力があれば、結婚や家族問題のカウンセラー、あるいは外交を含む、二つの対立した意見の調停を必要とする役割を立派に果たせるのです。その副産物として、あなたが他人に客観性を教えるとき、あなたは他人の個性を尊重する能力を磨いているのです。あなたは心の筋肉を動かすことで、心のバランスや平和、幸福感を見出していくでしょう。

あなた方は調和や理解、チームワーク、そして満足感の得られる人間関係を築く潜在能力を持っています。その能力を活用することを忘れなければ、ほとんどいつでも双方にとってプラスの関係が築けるのです。たとえばドラゴンヘッドを天秤座に持つある男性がバイクで飛ばすことが大好きだったとします。彼には妻と三人の幼い子供がいて、妻は夫が事故に遭うことを心配しています。妻の気持ちを理解する代わりに夫は怒り、自分の独立が侵害されたと感じ、夫対妻という対決の姿勢を取り、妻に逆上した感情をぶつけます。こうしてこの問題は二人の間で禁句となります。何年か後、これと同様に蓋をして語られないことがらがいくつも生まれ、従って解決法も探られないままに過ぎていくのです。二人の心は離れ、離婚に至らなければ家庭内別居の状態になっていくでしょう。

双方が喜ぶ解決法を探ってみましょう。夫のバイクの趣味について妻が最初に不安を言葉に表わしたとき、夫は息を深く吸い込んでから、妻と向き合ってとことん話をするのです。夫は妻に心配の理由を一つ一つたずねていきます。夫が妻と真っ直ぐ向き合い、妻の話を聞こうという姿勢を見せるだけで、二人の間には調和や愛情、支え合う気持ちが生まれます。夫が妻の不安を理解したら、二人で解決法を探ることができるでしょう。

うまくいくための鍵は解決法を一緒に探すということ。今生は一人でやっていく人生ではないのです。もし妻が、夫の事故死により、三人の子供を抱えて生活していく不安を訴えたのだとしたら、大きな安心を生むような生命保険を夫にかけるのも一案です。そうすれば妻は安心感を増し、夫の喜びであるバイクに乗ることに賛成してくれるかもしれません。あなた方は正面から問題と直面する潜在能力を持っているのです。あなたが開発するべきなのは相手の不安を理解しようという意欲、そして相手とともに次々にやってくる課題をプラスに転化していく決意なのです。

〔癒しのテーマソング〕

音楽は何かに挑戦するとき、感情面でユニークな力を発揮します。
それぞれのドラゴンヘッドグループに合わせ、
エネルギーをプラスに転化する働きを持つ詩を作りました。

ねえみんな

この詩のメッセージはドラゴンヘッドが天秤座にある人々の関心を、相手の深い理解に向けるために書かれました。読んでいると無意識のうちに、あなたがずっと求めていた愛と充足の感覚に導いてくれる行動や、他人を支えたいという気持ちが目覚めるでしょう。

岩を山の頂上に運んでいるため
君の弟は疲れている
その岩は重く、頂上は目の前だ
ちょっと誰かに助けてほしい
君の岩を押す手を
少しだけ彼に貸してあげてくれないか
頂上まであと少しの間
一緒に背負ってくれないか

ねえみんな。相手の身になってみよう
目を覚ませ。相手の視点で世界を見るんだ
ねえみんな。できる限りのことをしてあげよう
だって相手に捧げたものは
すべて君に返ってくるのだから

ドラゴンヘッド

蠍座

第八ハウス

Scorpio

総体運

●伸ばしたい長所

次の性質を伸ばすと、あなたの隠された能力が見つかります。

・自己鍛練
・前向きな変化を選択する
・停滞やエネルギー低下を起こすものを手放す
・不要な所有物を減らす
・所有せずに楽しむ
・他人の協力を受け入れる（考え、資金、機会など）
・危機的状況下で生き生きと行動する
・他人の心理を理解する（願望、欲望、動機など）
・パートナーシップなどで、他人と力を合わせる

●改めたい短所

次の性質を減らすようにすると人生が生きやすく、楽しくなります。

・心地よさと現状維持を求めすぎる
・所有欲
・蓄積と所有権にこだわる
・過去の決断を疑う
・頑固さ
・官能的喜びにふける
・ほかにもっと簡単な方法があるのに難しい方法を繰り返す
・変化や他人の意見を拒絶する

◆あなたの弱点／避けるべき罠／決心すべきこと

ドラゴンヘッドを蠍座に持つあなた方の弱点は、心地よさ（「私が人生で目指すのは心地よさで、生きていくにはたくさんの所有物が必要だ」）。こう考えるとあなたは際限なく所有に駆り立てられる罠にはまります（「いつか十分なお金とたくさんのものを所有できたら、自分が好きになり、他人とうまくやっていけるようになる」）。この考え方は物質面、身体面、精神面、感情面、そして霊的な面などあらゆるレベルで停滞を引き起こします。これまでの人生であなたはモノをたくさん手に入れた結果、生活が明るく活気づき、もうこれで十分だと考えたという経験はないはずです。あなた方は一段高い力と活力を得るためには、現在持っているものを手放す勇気を持つ必要があるのです。

決心すべきことは、あなたが他人と絆を持ち、大切な人々のニーズを満たせるようにという目的で、金銭や個人所有物を蓄積するのをやめること。ある時点で決心し、自分への心配をやめ、パートナーとの関係に全力を投入することをお勧めします。不思議なことにあなたが誰かと深い絆を持つことができたとたんに、二人に力を与える関係があなたをお金持ちにするのです。

◆あなたが一番求めるもの

あなたが心から求めているのはお金です。財産を貯え、物欲を満たすことで快適さと安定感を得て、そこから「本当の」人生が始まると考えています。これを達成するためには誰かとパートナーシップを組むことを受け入れ、あなたと同じような価値観や資源（財産や能力）を持っている人を見つけることです。

あなたが誰かとパートナーシップを組み、二人の金銭や資産を別々に区切って考えることなく相手の能力を伸ばし、一つのチームとしての絆を大切にすると、二人は金銭的に恵まれるようになります。利益の割合をあらかじめ契約に明記しておくと、あなた方は自由に相手の能力を伸ばすことに集中し、チームとしての効率が向上するようにできるでしょう。財政上の取り決めをするときは、パートナーは自分よりあなたのほうを重視してくれるので、初めの段階でどれほどの割合が公平だと考えるかについてパートナーにたずねたほうがよいでしょう。

◆才能・職業

あなた方はものごとを編集する能力に長じています。あなたは人の心の奥を探り、その意志を知り、素質に光を当てる能力を持っています。あなたには他人のビジネスやプロジェクトに力を与える才能があり、そうすることで相手があなたに寛大な感謝と報酬を返してくれるのです。これは他人の財産を扱う分野（銀行、保険、投資など）でとくに顕著に現われます。あなたはまた優れた心理学者としての才能を持ち（他人が変化する過程で自分も変化していくのです）、私立探偵や、秘密を探る任務でも優れた能力を発揮するでしょう。

あなた方には、強い意志を持って徹底的に任務をこなすことにより永続的な結果を生む能力が生まれつき備わっています。あなたがこの天賦《てんぷ》の才能を活用し、危機状況に安定をもたらすとき、あなたへの高い信頼はそこにいるすべての人にとって心地よく安全な環境を作ります。しかし成長よりも現状維持を主な目的とする職業を選択すると、あなたは停滞し、日々の暮らしに埋没し、活力を失います。あなたの場合、危機管理を要する仕事や常に変化や成長を続ける仕事を選んだほうが、個人的にも成長し、わくわくした人生を送ることができるでしょう。

●あなたを癒す言葉●

「変化を起こすと元気が出る」

「活力源である変化を選ぶとうまくいく。現状維持を選ぶとうまくいかない」

「変化の代案とは停滞のこと」

「他人を力づけると、私の価値が上がる」

「他人の価値や動機を探ると、信じるべき人が見えてくる」

性格

◆前世

・厳格で窮屈な価値観

ドラゴンヘッドを蠍座に持つ人々は自分がどうすれば快適になれるかについて厳密な定義を前世から引き継いで生まれてきました。これは非常に大きな負担と言えるでしょう。

赤ん坊は普通裸で生まれてきますが、あなたの場合はそうではありません。あなたはまるでシャツを十枚、トレーナーを十四枚、ズボンを十二着、オーバーコートを六枚着て生まれてきたようなものです。あなたは前世の重荷をすべて背負って今生に生まれてきたので、人生が本来よりもずっと難しいものになっているのです。あなたの人生における最初の課題は、手放すことです。膨大な所有物や「何は何であるべきだ」という前世で培った理不尽な価値観に固執し、他人と接することも億劫《おっくう》がっていると、あなたに残るものは停滞だけだからです。

人生のエネルギーに自分を解放し、他人の考えに耳を傾けましょう。誰かが「ねえ。あのコートはあまりよくないからそれを脱いで別のものを着たほうがいいよ」と言ったとしても、あなたの本能的な反応はまず自分の持っているものを離さないということです。しかし友人の意見を聞いてそのコート（古い考え）を捨てると、ずっと軽い気分になれるのです。あなたがある価値観を考えたとき、自分のエネルギーが減っていく感じがしたら、その価値観を捨てるべきだという合図なのです。

たとえば、あなたが毎朝起きるとすぐキャンドルをつけて、寝室の四隅に手を触れてから一日を開始しなくてはならないという「教え」を守っていたら、そういう儀式にあなたは足を取られていくでしょう。ものごとはこうあるべきだという前世からの考えはあなたを身動き取れなくしてしまいます。

今生であなたはそういう考えはもう意味がなく、自分のエネルギーを奪うだけだということを少しずつ学んでいくでしょう。

古い考えを捨てるために二つの方法があります。一つ目はあなたを縛っている価値観をもう一度検証してみること。仕事や宗教、人間関係、自分の価値、倫理、創造力、家族、目標などに関する価値観など、人が正しく生きるためにこうあるべきだという考えを検証していくのです。あなたが「自分が安心するためにこれをしなくてはならない」と考えるとき、そこに重い感情があったら、それをやめることにより身軽な感覚が戻ってくるでしょう。二つ目はもっと他人の考え方に関心を持つようにすること。他人が大切に考えていることに注意深く耳を傾けると、彼らの見方や考え方があなたの負担を大幅に軽減してくれることに気づくことでしょう。

あなた方は他人が目標を達成することに協力すると、その過程で彼らの価値観に触れることができ、あなたにプラスの経験となります。今生では他人のほうがあなたの価値観をあなた自身よりも明確にさせてくれるという運命があります。なぜなら、あなたの仕事は他人が目に見える成果を上げることに協力することなので、他人はそれを受け入れるためにあなたに何を支援してほしいかを伝えてくれるからです。

あなたが他人に力を与え、夢の実現に協力すると、相手はあなたにエネルギーを返してくれ、それによりあなたは変化や成長を遂げることができるのです。あなたは自分のいる小さな世界を破って、生き生きとした現在を満喫するために他人を受け入れ、他人の考え方を活用するべきなのです。

あなた方は宗教的な価値観についてもその中に自分を閉じ込め、自由になる代わりに窮屈な生き方に固執することがあります。たとえばあなたが正直さ、高潔さ、忠実さを大切にしているとします。これらの価値観はそのとき、その場という観念において実践されるなら常に正しいといえます。しかしあなたは同じことを二十年でも続け、五年目からあなたにとって苦痛になったとしても決してやめず、そうなるとその行為は本当の意味であなた自身に忠実とは言えません。精神世界の価値観も、そのとき、その場にふさわしいものに翻訳される必要があるのです。たとえば忠誠心とは何でしょう？　忠誠心とは自分の最も深いところの声に従うことで、それは人生が進歩するとともに変化していくのです。

・トンネルの視野

あなたは単一思考や過剰にある一点に焦点を当てることを避けるようにするとよいでしょう。目標を設定したら、その仕事を進めるにあたり意識して視野を広げる努力をしましょう。他人を取り込み、その人々の創造的な方法を採用すると、その過程は楽しいものになっていきます。そして目的が人々と楽しく交わり、絆を築きながら共通のゴールを目指すというものに変化していきます。そうやってあなたの関心が仕事そのものより人々へと移るのはよいことです。

あなたが意識して心の視野を大きく広げようとしないと、ただ一つの方法にはまって出られなくなり、あなたは強引なエネルギーをそこから生み出し、ものごとはある方法でなされなければならないという考え方が増殖するのです。それに縛られ、あなたは過剰労働に苦しみ、ほかの誰よりも疲れ切ってしまうのです。

ここで鍵になるのは、「トンネルの視野」に注意すること。トンネルの中をのぞくようにほかが見えなくなっていることに気づいたら、すぐにやめ深呼吸をして思考を拡大し、自分のやり方にこだわることはさほど重要ではないかもしれないと考えてみましょう。

「トンネルの視野」でものを見る傾向から脱するには、かなりの努力を要するかもしれません。そこはあなたにとって自分のしていることが正しいと証明できる感情的な領域で、そこから抜け出し、他人の声を聞ける領域に達するにはかなりのエネルギーを必要とするでしょう。これはまったく新しい習慣になりますが、あなたが一度他人の動機、ニーズや願望に神経を集中させることができるようになると、あなたはほかのドラゴンヘッドグループの人よりも上手に自分のそれと融合させ、双方の活力とエネルギーを高めることができるのです。

・官能

あなたの前世は快適さと喜びの経験に恵まれていました。官能的な暮らしはあなたの専門分野といえます。そしてこの前世での傾向が、今生で食事、飲酒、蓄財にふけりすぎるという習慣を招くことがあります。官能の喜びを本能的に熟知しているため、何か心地よいものがあると、それを続けている間中ずっと心地よさが持続するとあなた方は考えます。しかし今生ではそうはいきません。あなたにとって、心地よいことを繰り返すことは蓄積（所有物はもとより、贅肉や仕事の習慣、あるいは停滞）という負担でしかなくなるのです。

たとえばあなたがソフトシェルクラブ（脱皮したての殻の柔らかい蟹）が好きだったら、あなたは無限に食べ続けることができます。また上質のワインやバーボンを、一生愛し続けるのです。究極的に自分の欲望をコントロールするには過剰摂取を控え、その刹那的な喜びは、営々と繰り返した結果起きる苦痛に勝るものではないと知ることです。あなた方には中道というものがありません。耽溺しているものを完全に断ち、二度とそれに触れないようにすることです。あなたの官能的、肉体的な快感は、自分に力を与えるためには意志の力で制限していかなくてはなりません。

行きすぎた習慣をやめるのに、ときとして外的な危機が起こることもあるでしょう。たとえばあなたの心臓にトラブルが起こり、慌てて健康的な食事に切り替えるといった具合です。その結果新たな食習慣が始まり、健康的になるのです。

あなた方は触覚、味覚、嗅覚といった五感を使って純粋な喜びを得る方法を知っています。あなたは生まれながらに母なる自然と調和し、自然界はあなたに大きな滋養を与えるのです。このためあなた方の多くはガーデニングを好みます。直接手を触れて大地の感触を楽しむことが大好きなのです。抽象的に頭の中で何かが成長することを考えるよりも、自然のエネルギーに触れることで落ち着きや喜びを得るほうが性に合っているのです。それぞれの植物が成長するには何が必要かを知り、それを与えるという経験は、外的なエネルギーを取り入れて、自分のニーズを満たすことをあなたに教えてくれるのです。

◆「私のやり方はとても厳格」

・自分に頼る

あなた方は前世で農家や地主、大工や建築家として、大変勤勉な一生を送りました。これらの前世はすべてのニーズを自分で満たすことによって生き延びられた人生でした。自らの道を切り拓き、自分が価値を見出すものを築く。あなた方は努力によって人生を自分のものにしたのです。あなたの所有物や蓄積された財産は、あなた自身の価値のあかしであり、勤勉さの報酬だったのです。

あなた方はものを築くことに特殊な才能を持っています。このため今生でも何かを積み上げるという発想からすべてが始まります。ゆっくりと確実に、どの段階も見落とすことはありません。あなたは自分の仕事や徹底した仕事ぶりに誇りを持ち、誰よりも厳格に仕事をこなし、自分の考える理想的な結果が得られるまでやめようとしません。前世ではよい人生を保証してくれたこの方法も、今生ではあなたの足を引っ張り、進歩を遅くし、ときには仕事が大変過ぎて投げ出してしまうこともあるでしょう。

前世では富や財産、食べ尽くせないほどの食糧、物質的快適さなどがあなたの人生の目標でした。あなたは家族の物質的なニーズを満たすことに神経を集中させ、自分の精神的なニーズから目をそらしていたのです。こうしてあなたは目の前の仕事だけを考える習慣を身につけてしまいました。

あなたの自尊心は自分の功績に裏づけられた、あなた個人としての価値によるものではなかったのです。今生では、本当の物質的な成功はパートナーと出会うまでは達成されません。前世ではあなたが重要だと考えるものを蓄積してきましたが、今生では社会にとって有益なものを蓄積する必要があるのです。これを達成するには、他人と触れ合うことが不可欠です。あなたはもう一人で仕事をすることは許されません。一人で仕事をすると孤立感が増し、無力感と停滞に悩まされる運命にあるのです。

前世ではあなたの周りにいる人々の価値に気づかずに生きてきましたが、今生での課題は他人の強さや能力を認め、双方にプラスになるように協力し合うことが求められています。今生であなたはパートナーを拒絶するのをやめ、パートナーと財産を分かち合うことを学ぶのです。あなたのエネルギーを他人のそれと融合させ、人生に力を与え、より生きやすい楽な人生を歩き始めることを学ぶのです。あなたは周りの人を支え、自分の力で生きている力強い友人に支えられることで、また二人で交換したエネルギーの中から物質・精神両面の価値を集めていくことで、自分自身の中に大きな力を育てていくことができるのです。

・仕事本位

あなたは徹底的にものごとをこなす人です。あなたのやり方はとても厳格なのです。今生ではあなたの周りの人があなたに新鮮な考えやもの、お金などを与えてくれるでしょう。しかしあなたはそういう支援を受け入れたがりません。芝生の手入れをするといった簡単なことでさえ、あなたには自分独自のやり方があるのです。あなたはものごとを必要以上に難しく考えて、人生をわざわざ困難なものにしています。それをやっている最中は、これしか方法がないと考えていますが、やがて疲労困憊《こんぱい》してしまいます。

あなたは気がつかないのですが、あなたの極端な仕事至上主義は周りの人々を閉口させます。他人に仕事をさせるにあたり、あなたは彼らに力を与え、創造力を引き出すような方法で仕事を任せることを学んでいます。たとえばあなたが娘にケーキの焼き方を教えるとき、彼女のやり方を尊重してあげると、彼女はケーキ作りの技術を磨き、自分の創造力を駆使しながら、自分の能力に自信をつけていけるのです。

創造力とはエネルギーなのです。人が何かにエネルギーを与えようとするとき、その人が自分に創造力を感じることや自分なりの方法が求められるからです。この考えはあなたには馴染みがありません。子供の創造力のことを考えるより、あなたは普通こう考えます。「ケーキを焼くにはこの仕事をしなければならない。もちろんすべてレシピ通りに作り、もちろん正しい道具を使わなくてはならない」。あなたの意識は人ではなく仕事に向けられるのです。今のあなたは意識を人に向け直し、その人が自信を持ってその仕事に取り組むことができるよう支援することを学んでいるのです。関心を仕事から人に向けることへの報酬は計り知れません。

・協力を受け入れる

あなた方は生きること自体が困難な人生を前世で送ってきたため無意識に過酷な過程を乗り切ることに慣れていて、今生はそれに比べるとずっと快適に感じるかもしれません。しかしそれは正しいことではありません。あなた方は「快適さ」を味わう代わりに他人と一緒に何かをする楽しさや生き生きとした感覚を自分のものにするべきなのです。

またあなたが他人の協力を拒否する根拠として「自分はすべて知っている」という感覚があり、他人の意見を参考にしないことが挙げられます。あなたは自らの努力によりすべてを一人で片づけることで自分の価値を確認したいと思っています。しかしこれは底のない落とし穴なのです。今生であなたは自分の価値を自分一人で認め、自分を好きになることができないことになっているのです。

抜け出す方法はまずそれに気づくこと。しかしあなたが前世のパターンにはまり、トンネル思考の行動をしていると、前世でうまくいったことが今生でまったく機能しなかったとしてもあなたは他人の意見を聞くことに大変な困難を覚えるのです。他人の指摘に耳を傾けると、あなたのエネルギーや心の働きが状況を変化させます。過去に習得した解決の方法を現在の問題に応用できるようになり、仕事の効率が上がります。

あなた方は善良で単純な心を持っているので、他人はあなたが受け入れさえすれば援助の手を差し伸べたがっているのです。他人を受け入れるには謙虚さと、一人で抱え込みたいという欲求を抑える心構えが必要です。その原動力として、他人の善良さを評価する姿勢が不可欠です。他人の価値を認められるようになると、あなたは自然に他人の協力を受け入れるようになるでしょう。

あなたは前世で耐えてきた困難な仕事に疲れ、今生の厳しい仕事にも辟易《へきえき》しているのですが、変化を起こすにはもっと多くの努力が必要だと思い、それを拒否しているのです。実際、変化こそあなたが活性化し、自由と喜びを手にする鍵なのです。ですから勇気を持って変化を受け入れる意志を持つことが、仮にその結果としてコントロールと快適さを失うことになったとしても、あなたの進むべき道なのです。

あなたはすべて自分一人でやろうとするため、もうそれ以上何も考えたくないというほど疲れていくのです。他人の意見など聞きたくないと思うのは、他人の意見がさらなる課題を持ってきて、負担が重くなると考えるからです。あなたは他人があなたのエネルギーを奪うと考えていますが、あなたが他人の声に心を解放すると、他人はあなたに必要なエネルギーを与えてくれるのです。あなたは自分の轍《わだち》から抜け出すため、そしてどっかりと肩にのしかかる重荷から解放されるために他人の力を必要としているのです。

◆抵抗

・頑固さ

あなた方は他人が正しいと感じることを大なり小なり拒否する気持ちを潜在的に持っていて、それはあなたのためになりません。その潜在意識のために、自分では気づかずにあなたにエネルギーや資源を与えてくれようとする人々を遠ざけてしまうことがあります。

あなたは非常に頑固なところがあり、周りの人々同様あなた自身もその犠牲者なのです。前世であなたは渾身《こんしん》の力で決意をして、ただ一筋に向かう意志を持って目標を達成してきました。この過程を繰り返し過ぎたため、今生であなたの決意は不合理な頑固さに形を変えてしまったのです。そしてその頑固さが、あなたがエネルギーを活性化して障害から解放されるために不可欠な考えを受け入れることを邪魔しているのです。

頑固さはあなたの大きな障害となります。誰かがあなたに何かをするように言っても、あなたはわざとそれを無視します。誰かが「やってはいけない」と言うと、あなたはただ他人の言いなりになりたくないというだけの理由からやってしまいます。あなたはものごとを「自分の方法」対「他人の方法」という構図に当てはめて考えるため、頑固になり、すべてを勝つか負けるかという状況としてとらえるのです。そうする代わりに、誰かに何かをするように言われたら、まず検討してみて、本人にたずねてみましょう。「どうしてそうしてほしいの？　あなたの目的は何ですか？」頑固さには他人を退けるエネルギーが含まれています。しかしあなたが他人の意見を検討し「あなたがそうすることによってあなたは何を目指しているの？」とたずねるとき、相手との競争心や頑固さが消えるのです。

一度あなたが他人の目的を理解すれば、あなたは相手に協力したいと願うようになります。相手に動機や目的をたずねると、あなたがこう考える機会が生まれます。「ちょっと待って。それなら一緒に協力して双方にプラスの結果を出せるかもしれないぞ」

多くの場合、あなたが頑固になるのはタイミングの問題なのです。あなたはものごとをゆっくり一歩一歩進め、それが一番よい方法だと考えています。そして誰かがあなたに、もっと早く目標に達する方法を教えてくれると、あなたは自分の仕事のタイミングを乱されることを恐れるのです。あなたは早く進むと何かを取りこぼし、コントロールを失うのではないかと不安を抱きます。加えて他人の意見を取り入れるとその結果は一〇〇%自分のものではなくなるため、全部自分のものにしたいあなたは他人と何かを分かち合うことに不安を感じるのです。

ある意味でそれは正しい判断なのです。あなたが無差別に他人の意見を信じると、その中には効率化につながるどころか、あなたを間違った方向に導くこともあるからです。このためあなたに助言する他人の動機に注意を払い、一時的にその人のエネルギー領域に入り、その結果あなたにエネルギーが増える感じがするかどうかを調べる必要があります。答えがイエスなら一人で進めることをやめ、その人のタイミングに合わせて双方にプラスになるパートナーシップを築きます。

あなたがゆっくり行動するとき、あなたはその過程を一歩一歩確認し、目標達成が予測可能になるため安心し、心地よさを感じます。あなたより速いペースで進んでいる人が視野に入ってくると、あなたは不安定や失敗につながるのではないかと恐れてその人のペースに巻き込まれないようにします。

ここであなたが見逃しているのはその人の力です。たとえばそれはこんな状況と同じです。あなたはニューヨークからデラウェア行きの電車を今逃すと、次の電車は明日までないため乗り遅れないように注意しているのですが、あなたのパートナーは個人用のジェット機を持っていたのです。あなたより速いペースを持っているその人は、あなたがもっと速く、最短距離で目標にたどり着き、しかもその道中を楽しく過ごすための能力や資源を持っているかもしれないということに目を向けるべきなのです。道連れを持つことによりあなたはすべてを自分のものにする感覚を失うかもしれませんが、その代わりあなたは相手と共通の目標をずっと早く簡単に手に入れることができ、その過程もずっと楽しいものになるのです。

・変化、成長、再生

あなたが自分は何でも知っていると考えているうちは、自分の経験の範囲に限界を設けていることになります。そうやって轍にはまってしまうのです。あなたがすべて知っていると思っているのは、自分の側から見たものに過ぎません。あなたは自分のニーズを知っているので自分のためにどうすればうまくいくかが分かっています。そして他人も同様だと考えるため、他人がすぐに同意しないときあなたは驚くのです。

あなたがものごとを他人の価値観やニーズに照らして、相手の立場で検証することを忘れると、あなたの計画は他人に否定されるでしょう。自分がすべてのやり方を知っていると考える前に、一手間かけて他人がどういう立場にいるのかに目を向けることがあなたの成功の鍵なのです。

あなたにはものを作り上げる特別な才能があります。人間関係でもビジネスでも、あなたは永続するものを作りあげることができる人なのです。しかし形のある、触れることのできるものを作ることに固執するあまり、変化の喜びや自由や愛、力、自信を呼び起こす新しい大きな自分から生まれるエネルギーと喜びを味わうことから自らを遮断しているのです。

安心には二種類あります。たくさんの物質を所有することにより得られる安心感（しかしこれは変化と両立しません）と、成長を続け、無制限にものを生み出す力を自分のものにするという安心感です。後者の安心感を選ぶと、個人の安心も保証されます。なぜならどれほど変化しても自分は安心感を維持し、自信と力を自分の中に感じ続けることができるからです。それを実現するためには他人の能力と、自分の謙虚さの両方が必要で、あなたがそれまでに持っていた何よりも貴重な価値のある知識を他人がもたらしてくれるという感謝の心が要るのです。

必要とするもの

◆執着をやめる

あなた方が物欲に心をとらわれている間中、その欲望は無限に続きます。皮肉なことに、あなたが所有に走ろうとする心の中枢の働きを止めると、あなたは持っている物を手放し始め、心が軽くなっていきます。そして新たなエネルギーが入ってくるのです。平穏な心と満足感が予想しない形、つまり霊的なエネルギーとしてあなたを包むでしょう。今生であなたは、心の空白を物質で埋めることをやめ、あなたの精神的ニーズを満たすための道を求めることが運命づけられています。あなたの中にある、触れることのできない霊的な面を認識することにより、自分の価値を認めてあげるのです。心の洞察を得るためのどんな行動でも、たとえば日記をつけたり、心理療法を受けたり、困難を克服し、自己変革を図ることなどがお勧めで、すぐにその成果が表われるでしょう。

・金銭問題

あなた方が抱える問題の多くは、お金のことと無縁ではありません。あなたはお金に関する危機感を常に持っていて、少しでも多く貯えようという欲が絶えません。お金についてあまり論理的思考が働かず、がっちりつかんで離さなかったり、逆に浪費が過ぎたりということもあるでしょう。いずれにしてもあなたはいつも苦労の連続で、ただ生きていくためにあくせくと何時間も働いている気がするのです。

あなた方には深刻な金銭のカルマがあり、お金に関する考えの多くは見当違いのものです。他人に金銭の扱い方の指導を仰ぐことで、あなたはずっと金銭に関するストレスを減らすことができるでしょう。しかしあなたは頑固で、何でも自分のやり方、つまり必要以上に困難な方法を選んでしまい、そのたびにあなたは失敗するでしょう。たとえば誰かがあなたに「この電気暖房機を捨てれば毎月電気代が五十ドルは減るでしょう」と言ったとします。あなたは「とんでもない。この電気暖房機は娘が大学で使っていた思い出の品なの」などと言って拒絶します。こういう「もの」への執着はあなたを貧乏の方向へ導きます。繁栄と安らぎを得るには、手放したほうが得策なのです。

蓄積する秘訣は正しい分配にあります。お金持ちになりたかったら、あなたはお金を貯め込む所有者ではなく、管理者に徹するべきなのです。あなたはお金持ちでいるためにはしっかりつかんで離さないことだと思っていますが、実際はその正反対なのです。お金は流通を好み、常に動かしている人のところへ流れ込む性質を持っているのです。あなたを介してお金がほかのところに動かないと、あなたは流通拠点として機能しないため、ほんの少ししか残っていかないのです。

あなたが他人の財産を増やすことに喜びを感じながら自分の財産を手放していくと、もっと大きな額のお金が舞い込んでくることを、今生のあなたは学んでいます。お金を手に入れることと、与えることの両方を愛することができれば、お金はあなたに引きつけられてくるようになります。しかしあなた方は何一つ手放すことを好まず、とくにお金が一番手放せないのです。

愛情を持ってお金を使う習慣をつける方法がいくつかあります。請求書の支払いをするとき、意識して愛情を込めて送り出すようにするのです（どうせ出て行くのですから、その行為に愛情を持っても構わないでしょう）。家賃の小切手を切りながら、それを受け取る相手や銀行に愛情と善意を送るように意識するのです。支払うことを惜しむ代わりに「私にはこの支払いをするための資金があることに感謝します」という気持ちを持ってお金を送り出すと、その行為は払った分だけ返ってくることを促し、それによりよい財政カルマのエネルギーがあなたの人生に入ってくるようになるのです。

お金を引きつけるもう一つの方法は、あなたの人生に豊かに回っているお金について、いつも宇宙に感謝を忘れないこと。仮に今手にあるお金が少しであっても、それに感謝の気持ちを抱く代わりに、もっと欲しいと欲を募らせるとそれはエネルギーのレベルで、十分でないということからくる恐怖感や不安を増幅するのです。持っているものに感謝すると、不安がなくなり、お金やものがあなたに引き寄せられる流れをふさぐこともなくなるのです。あなたが自分のお金やものが出ていくのを愛情を持って眺めることができるようになったら、出ていった以上のものが必ず返ってくるのです。

・蓄積と所有

あなた方は前世から蓄財の習慣が染みついていて、問題の解決法としてすぐにさらなる蓄財を考えます。あなたは自分の問題を説明できさえすれば、それを克服できるものだと考えています。あなたは自分の長所や短所を知っているので、もうそれ以上知るべきことはないと考えています。

友人と何か問題を共有しているとき、友人がその解決法を提示しても、あなたはその場を立ち去るときに解決法ではなく、問題のほうを持ち帰ります。あなたは解決を望まないのです。あなたは蓄積される感覚を好み、それはあなたが問題を貯め込む環境にとどまることを意味します。あなたは蓄積と所有の過程が進むにつれて、限界や制限もどんどん増やし、ついには停滞と退屈しか残らなくなることに気づかないのです。あなたにとって何かを得ることは、あなたを縛る考えを捨てることに等しいのです。今生であなたは他人の考えを評価し、それらの解決法が自分を縛っていたさまざまな制約から解放してくれることを学んでいるのです。そしてあなたは自由になり、人生の活力を楽しむようになるのです。

蓄財というテーマはあなたの前世を通じて流れていた目標だったので、今生でもすべてのレベルにおいて、同じことをしようとするパターンが見られるでしょう。今生のあなたは、すでに存在価値や必要性がなくなって久しいものでもいつまでも所有していようとします。あなたは過剰な所有物はあなたの動きを鈍くし、変化の活力を制限する厄介なものだということを学んでいます。過剰に所有するということは、さしずめ贅肉を四十ポンドほども抱え込んでいることに似ています。それは非常に疲れることとです。

聖書に、古いワインは新しいワインを入れる場所を作る前に飲んでしまわなければならない、という言葉があります。あなたが何か新しい活動を始めようと思ったらまず手持ちの過剰のものを捨てなくてはなりません。たとえばあなたは衣装だんすに、もう十五年も着ていない服を持っているでしょう。サイズも合わず、着られないにもかかわらず、ひょっとして将来必要になるかもしれない、といまだに思っているのです。あなたがすべきことはそれらの衣服を吟味して、要らないものを箱詰めにして慈善団体に寄付することです。ここで大切なのは人生をもっと信じること。あなたに必要なものがあれば、宇宙はそれを満たしてくれるものなのです。欠乏から身を守るために、ものを積み上げておく必要はないのです。

あなたはこういう作業がどれほど自分にエネルギーをもたらすかに驚くことでしょう。一度何かを誰かに贈ろうとか、何かから立ち去ろうと決めたら、振り返ってはいけません。あなた方には非常に強い蓄積のカルマがあり、終わったはずの関係を思い出したり、手放すことにした財産のことを考えると、打ちのめされてしまうのです。そしてそれらをまた家に引っ張り込んでしまうでしょう。

あなた方がすべてのレベルでの所有への執着をやめると、人生がずっと楽になります。あなたは考えに対しても、もの同様所有欲が強いため、他人の考えを取り入れることを好みません。考えついた人としてのお手柄を自分のものにしたいため、「あれは彼の考えです」と言いたくないのです。またあなたはあらゆるものに関わっていたいと考えます。他人の考えだけで進んでいくと、彼らだけのものになってしまい、のけ者になることが恐ろしいのです。実際あるプロジェクトの力の元をあなたが作ったのであれば、あなたの力を必要として、周りはあなたをのけ者にすることはないのです。

◆再活性

あなたの人生を再び活気のあるものにし、お金持ちになり、力を手に入れるためには、他人の協力がぜひとも必要です。それにはこう言葉にする謙虚さが必要です。「ねえ、あなたには私に必要なエネルギーがあるの。助けてもらうために私はどうすればいいかしら?」あなたにとって他人のエネルギーを感じたり経験することは新しいことなので、自分に必要なエネルギーを他人から取り込むためのたくさんの実験をしてみる必要があります。自分に必要なものを満たすために他人を当てにすることがなかったので、こういう経験とは縁がなかったのです。しかしあなたに必要なエネルギーは、他人からしか得ることができず、彼らはあなたが彼らに必要なものを差し出して初めてあなたに返してくれるのです。あなたは他人があなたに伝えようとしていることに注意を払い、彼らの望むように支えてあげることです。その過程に足を取られそうになったら、あなたと同じように時間とエネルギー、そして資金を差し出してもよいと考える誰かと一緒に取り組めば、あなたの人生はそこからにわかに活気づき始めます。

・自己鍛練

あなた方は自分に厳しいと考えていますが、自分に厳しくなることこそが今生のあなたに求められることなのです。あなた方は何でも度を超えてやってしまい、人生にほどよい節度を持つことが苦手です。実際あなたは外部から与えられた試練を受け入れる以外の選択はないと考えますが、それは自分の中に自らを律するメカニズムを持っていないからなのです。あなたは自己鍛練を、「流されること」と混同することがありますが、自分の意志に反して何かをしようとするとき、それは「やりすぎ」の合図なのです。自己鍛練の意味は、自分の均衡を保ち、あらかじめ決定した目標に向かう過程を、自分を見つめながら実践していくことを指すのです。

あなたは自分を律することを決心すると、突進します。あなたは長い間中途半端にだらだらやっていたかと思うといきなり突き進み、ほかの選択肢を持ちません。あなたは道を見失いがちで、見失うと度を超えた行動をして、後で大変悩みます。最終的にあなたは自己鍛練ができるようになってから、自分を尊重することを学んでいくでしょう。

あなた方にとって自己鍛練とは、自分に利益のある方向に進むことを意味します。あなたは他人に接するときの態度で自分に接することを覚える必要があります。——もっと親切に、気配りをして、激しさを抑えるように。常にこう自問するとよいでしょう。「この状況でどうすれば自分に力を感じ、自由と活気を感じることができるだろう」仕事から仕事へと突き進む代わりに、あなた自身が休息と休養を必要としていることを意識し、仕事があなたにパワーを与えることを考えながら進めることを覚えましょう。大切なのはあなたの外にある力（自然や人々）に自らを解放すること。そして仕事も人生もそれまでより楽になることを目指すべきなのです。

一般にマイナスと考えられることでも、あなたの頑固で単一思考に向かいがちな習慣を改善するのに役立てることができます。たとえば雨が降って物置の修理ができなくなったら、それは宇宙があなたに今日は仕事をしないで休息するよう促していると考えることもできます。他人があなたに反対しているとき、宇宙があなたに「あなたは働きすぎですよ。外からの干渉を利用してひと息つくといいですよ」と言っているのかもしれません。あなたがそういうふうに考えるようになると、過度に集中するエネルギーをゆるめ、他人の指摘を取り入れられるでしょう。

　時々あなたは他人の意見を聞き、それに従うほうがよさそうだと思うのに、心の中で抵抗があり、自分のためになることだけをしたいと考えてしまいます。あなたがその場の一時的な満足のために行動すると、それらのニーズは肥大し、感情を制御できなくなります。これを防ぐには、あなたにとって本当に必要なものだけに心を集中させるようにすることが肝要です。それができればその場の満足を求める罠から解き放たれ、自然に自分を制御して目標達成に向かうことができるようになるでしょう。

　あなた方は多くの場合、外圧によってしか変化を起こすことができません。危機に瀕すると、それが刺激になって行動を起こすのです。しかし深刻な危機、たとえば健康上の問題や倒産などが起きるのを待つ代わりに、もっと早く変化を受け入れたほうがよいのです。ある危機をあらかじめ計画する（たとえば家の修理を済ませて不動産市場に乗せるまでの締め切りを三ヵ月と決めたり、ダイエットの計画を立てるなど）ことにより、実際に危機に瀕することなく、変化に必要なエネルギーを引き出すことができるでしょう。しかしいずれの場合も、決断を下して一時的に苦しくても一生懸命努力することで、古いパターンを脱する意志を持ち続けなくてはなりません。そしてそれにもあなたの必要以上に困難なやり方ではなく、誰かの協力を仰ぐとよりうまくいくでしょう。

・価値

　あなた方はこれまでの価値体系（これがあなたを非常に疲れさせているのです）のすべてを入れ替える必要があります。宇宙は、あなたが変えなくてはならない部分について、あなたの考えとまったく違った価値観や信条を持った人々と出会わせてくれることで、あなたに手を差し伸べているのです。たとえばあなたが、信号が青に変わってから三秒後に車を発進させることにしているとしたら、その「制約」を取り除くために「時間は貴重なもの。信号が変わったら直ちに行動を起こすべきだ」と考えている人が引き寄せられてくるのです。

　新しい価値観や信条が提示されると、それに反対するあなたの価値観や信条がすぐ表面に出てきます。そうしたらすぐにその場であなたは緊張感を覚えます。どうしたらよいだろう？　どっちの道を選んだらよいのだろう？　あなたが宇宙と調和して、新しい価値観のほうが合理的だと考えたら、すぐに古い考えを捨て、新しい考えを行使して振り返らないようにしましょう。そうやってあなたは少しずつ変化することができます。それには高潔さや勇気、鍛錬、そして行動力が不可欠です。あなたが変化を選択すると今生ではうまくいくことになっています。ものごとに対する古い考えに固執しているとうまくいきません。

あなた方は前世で指針としてきたやり方に厳格に従おうとする傾向が強いので、よい方法を常に広く受け入れる体制を取る必要があります。あなたがいつもよりどころとしている信条はほとんどの場合、正しいものではありません。しかしそれらの信条に杓子定規に従っていると、その行為に縛られ、本来のあり方を見失います。たとえばあなたが精神的価値である「美」を大切にすると、その結果あなたの周りのすべてのものが「完璧な秩序」を保つよう厳格な形式にこだわるのです。結婚に献身を求めると、あなたはある特定の献身の仕方を自分や相手に求めます。あなたはほかの人の考えや形式を考慮しない傾向があり、それがあなたの普段の姿勢と相まって誇張された行動様式となって固まっていくのです。

たとえば「家庭に完璧な秩序を保つことが美の実践」だと主張して周りを強制的に動かすのでなく、家の人々に「私は家を美しく保ちたいと考えているの。この家をもっと美しくするために何かいいアイデアはないかしら？」と持ちかけてみましょう。そうすればあなたが考えた以上の美しさであなたの家を維持することもできるでしょう。今生であなたを豊かにする要素はあなたの個人的価値観や仕事からやってくることはなく、他人の価値観との相乗効果によって生まれるのだということを覚えておいて下さい。

あなた方はまた極端に走ることなく自分のニーズを満たすことを学んでいます。たとえばあなたが美や秩序を大切にする人であれば、それにエネルギーをつぎ込むことはある程度まであなたに喜びを与えるでしょう。しかし慣れとともに喜びは少しずつ失われていきます。行動がいつか惰性と化して、もう喜びもなくなっているのに奴隷のように自分の作った約束ごとに縛られていくのです。あるいは誰かほかの人にあなたと同じ方法で続けてもらうことで美と秩序を守ろうとするのです。そしてそれは他人を犠牲にして不要な労働を課すことにほかなりません。

この反対にあなた方が同じエネルギーを他人を助けるために使うと、その人はあなたにエネルギーを返してくれ、それを受け取ったあなたはまた力を得て他人に協力する元気をつけていくのです。あなた方は自分のエネルギーをどうやって他人のために使ったらよいのか分からないと考えるのですが、やり方は簡単です。他人は自分のニーズを知っていますから、あなたが謙虚に他人に必要なものをたずね、言葉に耳を傾け、与えてあげればよいのです。

◆パートナーシップ

・融合と評価

あなた方は古いパターンを捨てることを学んでいます。そのために相互に力を与えることのできるパートナーが必要なのです。あなたは集団の環境では問題なく振る舞えても、一対一になると恐怖を感じます。それはあなたが「この人は何を求めているのだろう。どうすれば支えてあげられるだろう。何がこの人に力を与えるだろう」という姿勢を持たないからです。あなたが関心を自分から離し、心から相手のニーズのことを考えると、相手と調和した感覚が芽生えるのです。

そのためにあなたは他人から好かれないのではないか、他人を怒らせてしまうのではないか、といった恐怖感を捨てる必要があります。実際そういう反応はあなたが相手とともに力をつけていく潜在能力を発揮しないときにのみ起こるのです。相手の反応を気にせず、相手を純粋に支えてあげたいという動機に基づいて行動すれば、あなたが傷つくことはありません。誠実に相手にとって何が必要なのか探る過程であなたは自分を解放していき、そこであなたが求めてやまない双方が元気になる絆が築かれていくのです。

あなた方は素敵で慎み深い、「地の塩（世の中の腐敗を防ぐ）」とも呼ぶべき人物と出会うかもしれませんが、真の慎み深さは状況を支配しようとせず、相手の言動を受容することにあるのです。一皮むくと顔を出すあなたの傲慢《ごうまん》で頑固なところや、前世から引きずっているエゴイズムを改めなくてはなりません。あなたは結果をがっちりコントロールしようとする強引さやあなたを縛っている前世の価値観を改め、リラックスした気持ちで臨むことを今生で学んでいるのです。

あなた方は他人の価値を認めるようになると、自分を解放し、変化できるようになります。他人があなたの価値を認めてくれるエネルギーは、あなたを育てるだけでなく、あなたがあるべき軌道に立っているかを測る目安になります。あなたは一生懸命労働倫理に従って働いていると、他人があなたを認め、評価してくれるのではないかと期待して頑張るのです。あなたは大変な時間とエネルギーを費やして働くのですが、他人はあなたが求めるような評価をしてくれません。それは価値を認めてもらう方法に問題があるからなのです。相手を不快にさせまいと受け身の姿勢を保っていると、あなたの中で不満が爆発してしまい、双方にとってよくありません。仕事そのものがあなたにエネルギーを返してくれることはなく、自分流のやり方に固執して他人の貢献やニーズを考慮に入れずに進めると、求めている評価は得られません。解決法は、面倒がらずにこう自問すること。「この人は何を求めているのだろう。この状況でこの人にとって大切なのはどんなことだろう」他人の立場を理解してあげると、あなたが相手に何か貢献したときにも感謝が返ってきます。

今生であなた方は「正しい」ことをする必要も、自分のやり方を正当化する必要もありません。それはもう前世で立証されているからです。今目指すべきものはより高次元の価値、つまり一人の人では達成できない大きな成功を二人の力を合わせて築くことです。それには相手の考えを受容し、心から相手の精神を支える能力が要求されます。あなた方は自分の価値観を相手に押しつけないよう留意し、二人のチームがさらにパワフルな力を発揮できるよう相手の価値観を補完しながら目標に向かうことが大切です。それにより二人に必要な相乗効果が得られるでしょう。

・自分の価値

あなた方は自分の価値について熟知していると思っています。ある程度はその通りですが、ある部分では過大評価し、またある部分では過小評価をしています。あなたは自分なりのやり方に慣れ親しんでいるため、非常に独立した意識を持っているのです。あなたは自分の知っていることについては自信があり、どんな状況も打開できると考えます。あなたは自分が高い能力や勤勉さ、そして豊富な「資源」を持っていると考えています。

問題はあなたが自分の価値を自分の見方で評価し、他人と比較して過小評価しているところにあります。これはあなたが金銭で問題を抱えやすいことの背景になっているのです。自分で思うよりあなたはずっと価値のある存在であることが多いにもかかわらず、あなたは知らずに自分を制限しているのです。このためあなたはゆっくりと時間をかけて他人があなたをどう見ているかを観察し、認められている長所を伸ばす努力をするべきなのです。

心の深層であなたは、自分は価値のない存在だと思っています。しかしこの感覚はあなたが他人と自分を比較する（能力、容貌、財力、人気などについて）ときにだけ表面化します。他人との比較を始めると、すぐにあなたは自分は十分でないと感じてしまいます。しかしあなたが他人の能力に目を向け、それを認めて伸ばしてあげようとすると、あなたは自分の能力にも気づくのです。他人が夢を実現できるように実務レベルで協力をすると、あなたは輝きを増すのです。あなたが他人の成功を支えるのに役立ったということを知ることであなたは自信を持ち、またもしその人の価値観があなたのそれと似通っていたら、二人にとって大切なものも同時に実現していくでしょう。

しかしあなたは仕事に熱中しすぎてそれに従事する人々のことを二の次にしないよう留意しなくてはなりません。仕事ばかりに集中する姿があなたのイメージとなり、他人の目に映っていることにあなたはまったく気づきません。あなたが自分に対して持っている存在価値はあなたの行動によるもので、あなたの人柄から来るものではありません。従って自分を好きになるために、あなたは常に自分の能力を立証していかなくてはならないのです。今生であなたは自分の価値の定義を再検討する時期に来ています。それは人間としてあなたがどういう人なのか、どういう性質を持ち、他人とどう関わることができるかにあるのです。

◆創造的な変化

今生であなたは大胆な変化を遂げる運命にあります。完全な変革が行われて初めてあなたはこれまでのパターンから脱することができ、活気や生き生きとした感覚を人生に取り戻すことができます。あなたにとっての変革は人との関わりの中にあります。他人にとって何が大切なのかを理解し、そこからあなたが魅力を感じるような新たな価値観を見つけて追求していくのです。

あなた方は現在の心地よい日常から脱するために、相当な創造的エネルギーを必要とします。危機的状況は、あなたの期待に反してあなたの生活を圧迫している「堅調で信頼できる日常のリズム」から脱するのにプラスの刺激を与えます。あなたが機会をつかみ、果敢に未知の領域に踏み込むときあなたは変化し、成長し、人生が驚異に満ちたものに変わります。この種の創造的刺激や崖っぷちの感覚は、人生を楽しむためには定期的に経験する必要があるのです。

あなた方はかつてものを作る才能を持っていました。しかし今生で何か新しい構造物を作るにはまず地ならしから始めなくてはなりません。古いビルの上にもう一つビルを建てるわけにはいかないのです。あなたを圧迫しているすべてのもの、過去、多すぎる所有物、現在では価値を失っている、かつて有益だったものなどをあなたの人生から放出するときが来たのです。

しかしそれらを手放してしまうと過去を失うような気がして、あなたはなかなか手放すことができません。実際のところ、手放すと本当にあなたは過去も手放してしまうのです。そしてそれは変革の大切な一部であり、よいことなのです。誤解が形を変えると氷解します。それはさながらさなぎが蝶に生まれ変わるようなものです。蝶がさなぎの時代を振り返ることがあるでしょうか？　振り返らずに飛んでいき、新たな人生の美しさや自由を堪能すればよいのです。これと同様にあなたは過去を脱ぎ捨て、身軽になった新たな自分を堪能するべきなのです。

・リスクを冒す

あなたがリスクを冒すとき、それがどんなリスクなのかを区別することが大切です。注意が足りないことからくる不要のリスクと、あなたを成長させる「よい」リスクを見極めるのです。目の前のリスクがどちらなのか迷ったら、誰かに状況判断してもらうとよいでしょう。

私のクライアントがある日、物件を探していてとても気に入った家に出合いました。その家はすべて彼女の条件に合っているのですが、なぜかしっくりこないものがありました。それで彼女は義理の父親に意見を求めると、彼は家の裏にある森が気になるのでやめたほうがよいと言いました。彼女とニ人の幼い子供たちは一日の大半を家で過ごすので、それが不安だと義父は言うのです。そこで彼女は再び一人でその家に行って、家の発するエネルギーを感じてみたのですが、彼女の得たエネルギーの印象は幸せなものではありませんでした。そして近所の学校を調べ、そこのカリキュラムを聞いてみましたが、それもあまりよいものとは思えませんでした。彼女が情報収集を重ねるにつれ、そこで得られた結果が彼女にエネルギーを与えるものではなかっただけでなく、ある種の恐怖感を植えつけるものだったのです。にもかかわらず彼女の家を所有したいという欲望は強く、さらに家の施工調査書を求めました。するとその家には構造上の問題があることが判明したのです。ついに彼女は他人の意見を取り入れ、自分の所有欲に打ち克ち、この家を購入するというリスクを冒さずに済んだのです。この例はあなたが快適さを強く求める感性と他人から得られる情報を建設的に融合させた完璧な例と言えるでしょう。

快適さには精神的なものと、物質的なものとがあります。あなたが物質面での快適さ(簡単で予想できるという安心感)を基準に決断をすると、その先にはあなたを変化させ、幸せにするための刺激がありません。あなたが他人と、あるいはある計画と関わり、その関係から喜びやエネルギーを感じたら、それがあなたの進むべき道だと考えてよいでしょう。その先にあるものは喜びにあふれた人生なのです。

・精神性

今生であなたは強い精神性への渇望を持っていて、それを尊重していく必要があります。自省、創造力、再生のためにゆったりとしたときを過ごすことがそれにあたります。前世からの働きづめの毎日の連続にあなたは疲れ切っていて、今生はその疲れを癒すためにあるのです。けれどもあなたは休息することに慣れていません。あなたは毎日を何とか切り抜け、秩序を保つことに責任を感じていて、未だに生きていくこと自体で頭がいっぱいなのです。

あなた方は今生で精神的、心理的ニーズは物質的ニーズと同じくらい大切なのだということを認識する運命にあります。実際あなたには物質的ニーズ以上に必要だと言えるでしょう。物質の領域はすでに制覇しているあなたには、あなたを取り巻く精神領域に踏み込み、個人の変革を促す体験を迎え入れる必要があるのです。心理学や意識改革セミナー、さまざまな参加型のクラスなどに出てみるのもよいでしょう。何らかの形で、あなたを物質領域の束縛から解き放つためのアプローチを取り入れる必要があるのです。

あなたが自分の価値を物質的な結果を基準に判断している間は、自分の快適な暮らしを維持するのに物質領域に依存しています。物質の世界では変化こそが絶対の摂理。変化を回避することができないという意味で、あなたに非常に深い無力感を与えているのです。あなたが学ぶべきレッスンの第一番は、変化を受け入れること。物質に固執してもそこから希望は生まれないからです。物質界のものはすべて生まれると成熟し、分解して死滅する運命にあるのです。

しかし精神が死滅することはありません。そしてあなたは今生で精神領域と再び結びつくことを学ぶ運命にあるのです。

それには「自分のやり方で進めたい」と主張する代わりに、精神エネルギーを発見できるように「あるがままの自然に任せて進めよう」という姿勢が基本になるのです。そうすると取るべき行動が見えてきて、あなたの人生が魔法のようにスムーズに展開し始めるのです。あなたは宇宙のエネルギーと調和することを覚え、人生はあるべき方向に展開しているのだと信じることができるようになるでしょう。

あなた方は「一つの扉が閉じると、別の扉が開かれる」ということを体験するでしょう。あなたを疲れさせる、感情的な執着を抱いているものごとがあなたの人生から去るに任せると、あなたはこれまで経験したことのない自立と強さと自由を手にすることができるでしょう。あなたを苦しめてきた重荷が嘘のように軽くなり、物質面で変わり続ける環境に翻弄されることなく、人生を楽しむことができるようになります。自分の精神と調和し、宇宙の大いなる計画に沿った行動を取るとき、あなたはもう自分の道を見つけているのです。

物質の世界であなたは無限の物欲を燃やしますが、自分が完璧な存在になったと感じられるほどものを蓄積することは不可能です。あなたの求める満足感が得られる唯一の場所は精神領域なのです。ですから鍵は物質を所有したいという意志を捨て、あなたの精神に目を向けられるような行動を取り始めることです。あなたが誰かとともに精神的目標を目指す

人間関係

ことができたら、その相手はあなたに必要な変化をもたらすエネルギーをふんだんに与えてくれるでしょう。

◆自覚の欠如

あなた方は人に対して、他のすべてのものに対するときと同じように、何かを構築するという感覚で接します。前世の影響からあなたは季節が移り変わり、時の流れとともに努力は予想に反することなく一定の結果を引き出すものだと理解しています。人間関係でも相手と然るべき時間をかけ、手を握り、会話をしながら一緒にできることを探ります。一つ一つが関係を構築する「煉瓦」の役割を果たし、お互いが相手を個人として尊重でき、一緒にいる喜びを感じられるかにより、関係は育つか、終わるかという結末に至ります。

しかしその過程であなたは相手を大きく見誤っていることがあり、相手のニーズに応えることができません。私のクライアントにアルコール依存症の人がいました。彼はマイホームを持ち、そして四人の子供をよい大学に送り出すためにお金を稼ぐことに夢中になっていました。彼が心から愛していた妻は、贅沢な家など欲しくないと常々言っていました。彼女は夫と過ごす時間を求めていたのです。しかし彼には自分がお金儲けのために多くの時間を使っていることを妻がなぜ理解できないのか疑問でした。いずれにしても子供の学費を捻出しなくてはいけないのは彼のほうで、それが彼には一番大事なことだったのです。

そして彼は妻と過ごす時間を先延ばしにし続け、子供たちが全員大学を卒業してから、二人の時間を楽しめばよいと考え、彼自身それを楽しみにしていたのです。しかし一番下の子供が大学を卒業する前に、彼の妻は死んでしまいました。言うまでもなく彼の悔恨の念は深く、救い難いものでした。彼女には時間がもうあまりないということを、本人は無意識に知っていたのかもしれません。夫とともに過ごす時間が欲しいと言った妻は、彼女にとって何が大切なのかを尊重することのできない夫には理解されないだろうということを知った上で、空しく願いを伝えていたのかもしれません。

あなた方は時々何かに没頭しているために、知らずに相手に対してぞんざいな態度を取ることがあります。私のクライアントのある年配の女性は仕事熱心で、あまりに効率を重視するため、彼女の孫の一人は彼女のそばではまったく無言になりました。彼女には周りの人の面倒を見るなど多くの仕事があったので、いつでもいらいらしてこう怒鳴っていたのです。「ほら、何やってるの。早くしなさい」そして孫は貝のように口を閉ざしてしまいました。孫たちと一週間ほど過ごした後、自分が何をしているかに気づいた彼女は孫に向かってこう言いました。「おばあちゃんが興奮してがみがみやり始めたら、それは決してあなた方のせいじゃないということを覚えておいてね。やることがあまりに多いから時々心配になって、私があなた方にどんな口のきき方をしているか忘れてしまうのよ」それを聞いた孫たちは安心しておばあちゃんに話しかけるようになりました。

あなた方は目標ばかりに焦点を定めすぎると、他人に悪影響を与えるということを学んでいます。それはあなたが意図しているわけではなく、意識していないとうっかり出てしまう癖のようなものです。しかしあなたが周りの人々と対話をして、状況を理解するよう努めると、彼らも理解してくれるのです。

・他人の価値観

あなた方はある一定のものごとの進め方や価値観に心地よさを感じます。あなたは他人の価値体系によって自分の価値観を否定されることを好みません。あなたの好きな人があなたとは違った価値観に基づいて行動していることに気づくと、あなたはその人のことをよりよく理解し、自分の価値観を相手のそれと融合させてよりよいものに変えていく代わりに、相手の価値観が自分と違うことをよく思わず、がっかりしてしまうのです。

あなたは他人の価値観はあなたに対する挑戦ではないということを学んでいます。価値観とはその人の個人的ニーズや好みが反映されたものです。たとえばとても痩せていて寒がりの人がかさばる冬のコートを大切にする一方、別のある人はその人の体のニーズに合った別のコートを好むのと同じことです。ある人は洗練されたファッションセンスを重視し、またカジュアルでスポーティーな環境を心地よく感じる人もあるでしょう。親密な関係に肉体の結びつきを重視する人もいれば、心の結びつきのほうが大切だと考える人もいます。

これらの価値観には「正しい」とか「正しくない」とかい

うものはありません。あなたが他人の価値観を観察し、受け入れるほど、その人のことやその環境をより深く理解し、尊重できるようになります。そうなるとあなたは相手を変えようと、あるいは自分が変わらなくてはならないと考えることなくスムーズに相手の価値観や協力を受け入れられるようになり、人間関係が充実していくでしょう。

あなた方は素晴らしいビジネスのカルマがあります。ビジネスの世界であなたは私生活よりいくぶん開放的で、新しい考えに前向きです。ビジネス環境では、誰もが共通の「利潤追求」という目標を持っています。お金儲けのことになるとあなたは大きな利潤追求というゴールを心にとどめることができるので、あなたの中にほとんど迷いは生まれません。誰かがあなたとはまったく違う理想の下に作られたビジネスプランを持ちかけても、最終結果がお金儲けというあなたと共通した目標であるために、耳を傾けることができるのです。そしてそれが鍵なのです。あなたの人生のどの分野でも、あなたは他人と共通の価値観に意識を向け、相手の進め方に順応しながら一緒に目標達成を目指す意欲が必要なのです。

あなたの価値観が狭く制限の多いものだった場合、同じ土俵に立つために相手との擦り合わせに無限のエネルギーを要するでしょう。たとえばあなたの宗教がほかの信条を許容しないものだった場合、あなたは自分のそれ以外のあらゆる信条と戦い続けることを余儀なくされるのです。しかしそれよりもっと深い価値（宗教の目的は愛、許し、調和、自分への洞察、倫理などという宇宙的価値観を深めることにあります）を求めていくと、それらの大いなる理想に到達するための別のルートを尊重し、さらに自分の人生を豊かにすることができるのです。

・他人と関わる

親密な関係において、あなたは二人のための決断を自分の仕事と考える傾向があります。パートナーは「どうしてあなたは私とパートナーでいられないの？　あなたはいつも一人でどこかに行ってしまい、勝手にやりたいようにやっているんだから」と不満を言うかもしれません。あなたは相手を決断の過程から締め出していることに気づかず、その行為により知らずに相手の価値観を否定しているのです。

あなた方は相手を理由にして自分の思い通りに進めることを正当化し、相手を押しもどす傾向があります。あなたは二人の関係から生まれるエネルギーを使って自分一人の目標を推し進めていこうとしますが、あなたの力は二人の関係から生まれているということに気づいていないのです。あなたは相手の存在があなた自身の力を大きくしてくれていることを認める謙虚さを持つべきなのです。あなたが相手の大きな貢献に気づくと、二人の決断の過程に相手を招き入れることができるようになります。時々あなたは不意に一人でどこかへ行きたくなり、相手のことを考えずに行動に移すのですが、その際も相手に計画を知らせておいたほうがよりよい一人のときを過ごせます。相手の協力が得られるからです。

あなたが問題に直面すると、まずあなたがするのは問題を他人に相談することではなく、本能的に自分だけのものにとどめ、他人もやはり同じようにしているだろうと考えます。他人はあなたに干渉してほしくないと思っているだろうとあなたは考えていますが、その反対であることもあるのです。あなた方が心から他人に目を向け、どうしたらこの人に協力できるかと考えたとき、他人はあなたの見方や考え方、助言を歓迎し、あなたは自分を認められるので双方にとってプラスになるのです。あなたが他人に手を差し伸べる力があるのとまったく同じに、あなたの側に受け入れる謙虚ささえあれば他人もまたあなたに協力してくれるのです。

他人ごとに関わるにあたり、その動機が結果を決定します。あなたの動機が自分の思い通りにものごとを運ぶためにある判断を与えたり、相手を押さえ込むことにあると、相手の怒りを招きます。あるいは「もっと徹底的にやるべきだった」というあなたの言葉にならないメッセージが聞こえたら、相手はそれを感じ、失望し、あなたを拒絶するでしょう。しかしあなたの動機が心からその人と関わることへの喜びだった場合、相手もそれを感じ、大きな感謝が返ってくるでしょう。

あなた方は根底にある動機をコントロールする必要があります。自分の行動に疑問があったら相手と関わり、相手の問題をひも解く前にこう自問してみましょう。「相手にたずねる私の動機は何だろう」動機が相手を変えたいためだった場合、その行動はどの道失敗するので手をつけないほうが無難です。しかし動機が相手をよりよく理解したいというものだった場合は、あなたの干渉を相手が歓迎することはほぼ保証つきです。あなたは他人の話を聞き、深い理解を示すことで、自然なセラピストの才覚を持ち合わせているのです。

あなた方が他人の負担を軽くしてあげたいと願ってその人と波長を合わせているときはいつも、どうすればよいかあなたには見えるでしょう。それはときには自分の双肩にかかる重荷も少しは軽減する働きがあるはずです。自分の洗濯物を片づけるついでに相手のものもやってあげたり、申込書の記入をしてあげたり、あるいはお使いをしたり。あなたが相手にどうすればよいかというアドバイスをするとき、的が外れていることもあるでしょう。「毎週一回ずつ洗濯をしていれば、こんなにため込んで時間がなくなってしまうこともないでしょうに」相手がそれに不快感を示したら、あなたの助言は役に立っていません。「ねえ。少し時間があるんだけどあなたの洗濯物もやってあげましょうか？」と言えば、相手は感謝を込めて反応し、それが相手の望んでいた協力の形だったのだと分かります。

動機が相手を支えるものだった場合、あなた方にとっては簡単なことでも相手には大きな救いになるということに気づくでしょう。あなたが協力を申し出ると、それに対して返ってくる感謝は計り知れません。どうしたらよいか分からなければいつでもこうたずねましょう。「何か私にできることはないかしら」そして相手はあなたにしてほしいことを伝えます。とても簡単で実用的です。そういう関わりを続けるうちに二人は確かな絆を育て、予想もしなかったようなご褒美がやってくるでしょう。

このような方法で他人と関わるのはあなたにとって新しい経験といえるでしょう。しかしそれを繰り返すほど、簡単にできるようになっていきます。あなたの人生は満ち足りた感覚と愛にあふれる新しい次元に至り、他人と深く結びつく無上の喜びを味わうことができるでしょう。

◆融合

・他人と波長を合わせる

自分の力を向上させるため、あなたは他人の価値を認め、他人と上手に関わることを学んでいます。しかしときとしてあなたはその順序を逆転させて相手をバラバラにしてしまいます。相手の重要性、価値、長所などを自分の価値を主張するために利用するのです。それは無意識に他人を否定することで自分の価値を認められると考えることに起因しています。しかしそれは大きな間違いで、そういうことをしてもあなたは疲れ、孤立するだけです。

たとえば仕事場で誰かが経理担当者の優れた能力を褒めたとします。それを聞いたあなたは「そうかね。僕はほかの経理担当者で彼よりずっと優れた人材を知っているよ」と言うのです。部下の仕事が上手にできたとき、あなたはその人を褒める代わりによい結果を軽く見て、ほかの欠点をあげつらう傾向があります。あなたの評価によると他人のすることはいつでも正しくないか、不十分なのです。その結果あなたの周りの人は自分が輝くことも真価を認められることもないと知り、やる気を失っていくのです。あなたの言動が周りの人々にどれほどの打撃を与えているか、そしてあなたの好きな人々にどれほど悪い印象を与えているかにあなたはまったく気づかないのです。早く自分の言動に気づき、他人を低く見る習慣を意識して改めることがあなたのためなのです。

この習慣を絶つよい実験として、毎日一つずつあなたの周りの人々の長所を探すという方法があります。秘書は心地よい声で話し、面会に来た訪問客が会議室に通されるまでの間、感じのよい応対をしているかもしれません。また経理担当者は会社の上司がビジネスチャンスを逃さないように、上司が求める金額情報を残業して出してくれているかもしれません。ここで大切なのは、毎日一人ずつについて、一つのよいことを意識して賞賛する気持ちを持つことです。これはあなたの前世からのパターンである、他人を低く評価する習慣を改め、あなたが潜在的に持っている、他人を正当に評価し、感謝する能力を高める効果があります。

あなた方は今生で自分を好きになるために、他人からの受容を必要とします。あなたはパートナーシップから生まれるエネルギーを必要とし、これに感謝する謙虚さを学んでいるのです。実用主義一辺倒のあなたは、自分にこう言い聞かせてみましょう。

「さて、私が幸せを感じるためには他人に認められなければならない。そのために私はどうしたらよいだろう？　他人にとって大切なものを探り、それを与えてあげよう。それから自分の計画の中に彼らを入れてあげて、彼らの存在が大切だということを知らせれば、彼らも私を大切にしてくれるだろう」

このやり方は非常に効果的で、あなたは開かれた心で他人の長所やよい仕事ぶりを認め、評価し、受容できるようになります。あなたが自分自身を高く評価するためには他人による評価が必要なのだということを忘れると、他人への気配りという大切なステップを忘れるのです。

あなたの生活のあらゆる局面で、あなたにとって頼りになる強さと能力のある強力なパートナーを持つことが理想です。あなたが他人の個性的な能力や知識、ものの見方を意識して賞賛するようになると、あなたはそれらと自分の持っている資源や能力とを合わせ、それぞれが一人で達成しようと考えていたものとは違った何かを目指していくことができるでしょう。それが相乗効果というものです。二人の持つそれぞれ違った力を合わせて一つのチームとなり「一つの個として機能する体は、同じ体の部分の寄せ集めよりずっとパワーがある」ということを立証していくのです。あなた方は今生でパートナーとの相乗効果、双方から力を得ること、そして創造力のわくわくするようなエネルギーという魔法を経験する運命にあるのです。

・聞くこと

あなた方はすでにあらゆる知識を持っていると思っているので、あなたの人生を楽にしてくれる助言を他人から受けても、聞き入れようとしません。つまりあなたは自分の限界を超える機会をことごとく逃しているということです。

あなた方はときとして、潜在的に持っている「自分は能力が足りない」という意識から行き詰まりを感じることがあります。私のクライアントにボイストレーニングの教師がいました。初めのうち彼女は生徒をたくさん持っていました。彼女には豊富な知識と経験があったからです。しかし生徒は少しずつ減っていき、彼女に理由を教えてくれる人はいませんでした。生徒たちは自分の歌唱力を向上させたくて通っていたのに、彼女は何週間も呼吸法ばかりやって、歌唱力の基礎を固めていたのです。彼女は生徒の欲しいものを与えなかったことについてあらゆる正当化をしました。しかし本当の理由は自分のピアノの能力に自信がなく、生徒が歌いたい曲を持ってきたときに伴奏できないのではないかと恐れていたからだったのです。彼女がその心配を打ち明けると、多くの人が解決策を出してくれました。結局彼女はピアノ科の学生を雇い、自分は歌の指導に専念することにしたのです。

あなたが行き詰まった末に自分の能力の限界を認めると、他人はすぐに協力の手を差し伸べます。しかしあなたが「すべての答えを持っている」と思っているうちは、あなたは他人から学べる態勢にはなく、自らの限界の中にとらわれているのです。他人があなたのところに新しい考えを持ってきたとき、それが自分の考えとは異なるけれどもよい考えだと心で思っても、あなたはすぐにその新しい考えをたたきつぶそうとしてしまいます。これはあなたの欠点の中でもかなり深刻なものです。これを改めないと他人はあなたが受け入れないと思い、あなたの問題解決に必要な情報を提供しなくなるでしょう。

あなたが受け入れられる解決法があまりに限られていると、結局問題は解決されることなく残ってしまうのです。たとえばあなたは車を売りたいと考えているのに、車に対するあなたの愛着が強すぎて、売却に途方もない条件をつけるのです。購入者はブロンドの髪で、少なくとも短大卒で、煙草を吸わない人でなくてはならない、など。そんなことをしていては車が売れることはないでしょう。

ほかのドラゴンヘッドグループの人からは考えられないほど長い間、あなたはこうして問題を抱えたまま過ごすことになるのです。問題から解放されるには、あなたとはまったく違う価値体系から生まれる考えに耳を傾ける必要があるのです。それを聞いた上であなたの懸念を相手に投げかけるのです。「それじゃあ私の車に対する愛着はどうなるの？　車がひどい扱いを受けたらどうしたらいいの？」相手の価値観に基づいてどう解決するかを聞いてから、自分の置かれた状況について再び考えるのです。パートナーの意見を仰ぐより、他人の意見のほうがよい場合もあります。あなたはパートナーについてすでにある評価を下しているので、相手の意見を過小評価するかもしれないからです。しかし多くの場合、あなたの長所や短所を知った上で一番よい案を出してくれるのは身近な人なのです。このためあなたに求められているのは、あなたをよく理解してくれる人の意見に対して開放的になること。そしてその意見に真実と力を感じることができたら、迷わずそれに従うことです。

あなたがすべてを知っていると考えていると、二人の関係はあなた自身の日常的で具体的なニーズを満たすためだけに機能するようになります。そしてそれらのニーズが満たされてもあなたはやはり退屈で機械になったような感覚から逃れられません。あなた方は自分の日常的ニーズの上を目指し、活気や大きな力、個人の成長、そして変革を志すべきなのです。それらがあなたの求めている幸せであり、その代用品はないのです。

・情報の選択

あなた方は、もしかしたら他人の考えのほうが正しくて、自分が変わらなくてはならないかもしれないという潜在的恐怖感を常に持っています。大いなる変化に恐怖感や高揚感はつきものです。そしてあなたも心の奥底では変化を待っているのです。あなたの人生を困難にしている重荷を放り出して自由に生きたいのです。あなたは心を開いて他人の助言や知識の流れに自分をさらす必要性に本当は気づいているのです。あなたは今生で他人は侵略者ではなく、救済者なのだということを学んでいます。

心を解放する決心がつくと、今度は情報の選択が課題になります。あなたの成功を左右するのは多くの場合誰をパートナーに選ぶかということです。誰もがあなたの救済者というわけではありませんから、どの人からの助言を受け入れ、影響を受けて自分が変化するかを吟味する必要があるのです。鍵はその人のエネルギー領域に入り、感触を確かめることです。相手があなたと関わる動機に波長を合わせるようにして、あなたが疲れを感じるようだったら恐らく相手は自分の利益のためにあなたに接近しようとしているのでしょう。

あなたが組むべきパートナーはあなたのエネルギーや創造力、高揚感をかきたてるような新しい考えを提供してくれる人です。あなたが強く結びつける感じのする人々が世の中にはいるのです。あなたが誰かに強いエネルギーを与えてもらったと感じるとき、あなたはようやくそれまでの時代遅れの固定観念を捨てることができるでしょう。そしてあなたは自分の価値観よりも力強いものを基盤として行動し、二人の関係は充実していくでしょう（もしそこに財政面が絡んでいたら、二人が協力し合うことにより、さらに大きな利潤を得られるという動機の下に果敢に進んでいくことができるでしょう)。

◆絆を作る

あなた方は一対一で誰かと強い絆を作る運命を持っています。問題は、あなたが絆を心から望んでいると同時に、非常に恐れているということです。あなたは自分の知っている世界を手放してしまうと、よりどころを失ってしまうのではないかと恐れるのです。皮肉なことに、あなたが新しい考えを実践し始めると、その高揚感に満足を感じ、コントロールしたいという欲求が少なくなるのです。

あなた方は他人に自分を理解させるという能力のゆえに、素晴らしい絆を作る力を持っています。相手の言うことを聞き、理解すると、相手はその姿勢にあなたからの受容と愛を感じます。あなたの聞く力は相手の霊的な能力とも波長を合わせ、あなたがそう望めばそこに絆が生まれるのです。強い絆は、あなたが停滞から解放され、再生するためのパスポートなのです。

・霊的な感性

あなた方は他人の潜在的な考えと波長を合わせる能力を持ち合わせています。あなたが誰かのそばに立ち、その人を受容しようと思うと、その人の性格や動機が見えてきます。あなたが他人の性格を間違って理解するとき、それはあなたが自分の考えを相手に投影させていることから起こります。そういうときあなたはあっさり騙されてしまいます。しかしあなたが純粋に相手と波長を合わせ、そこで感じた感覚を信じるとき、あなたが騙されることはありません。

あなたが他人の心の中に混乱を感じると、あなたは助けに入ろうとします。しかし相手の反応なしにはその方法が浮かびません。あなたにとって大切な誰かが動揺していて無力感を感じていたら、こう言えばよいのです。「僕にできることはないかな」相手は理屈に合わないことを言ってくるかもしれません。「毎朝九時に私にモーニングコールをして、ベッドを整えるように言ってほしいの」それでも相手が望むことをしてあげると、相手はあなたに感謝するでしょう。それが二人の関係には必要なことなのです。

問題はあなたが自分のやり方で無理に解決しようとしているときに起こります。あなたは相手の苦痛を緩和し、状況を改善するための方法をたくさん知っています。しかしあなたは自分ならどうするかを相手に強引に押しつけ、相手のニーズを考慮に入れないのです。そうではなく、相手があなたに話すことに耳を傾け、相手のやり方を受容していくことが大事なのです。

しかしこれは自分を犠牲にしなくてはならないということではありません。たとえば相手が二人の関係を安定させるために結婚したいと願ったとしても、それがあなたの望む形でなければ、従わなくてはならないということではないのです。そこで相手が結婚を諦めるように説き伏せるのではなく、またあなたが結婚するには一定の順序を踏まなくてはならないと語るのでもなく、相手を支えるためにできることは何かを直接たずねることです。「ねえ、君が混乱しているのは分かるし、助けてあげたいんだ。君との関係を続けていきたいと願っているんだけれど、今の時点で僕は結婚をしたいとは思わない。だから僕にどうしてほしいか教えてほしいんだ。結婚する準備のできている人と出会うために協力してほしいのか、それとも結婚すれば解決すると君が考えている不安をこのままの二人で解消できるものなのか、知りたいんだ」

　あなた方は相手の心の葛藤を解消するためにどうすればよいのかを聞き出し、自分のニーズを相手に伝えます。相手の反応により、自分があるべき軌道にいるか判断ができるでしょう。あなたの支えが本当に意義のあるものなら、相手は熱意を持ってあなたに感謝するでしょう。

・不安

　あなた方が不安を感じるとき、その気持ちを素直に表現できません。あなたは対決を避け、自分の感情をしまい込み、そこで会話が途切れてしまいます。そうする代わりにあなた方はその感情を相手に語り、次に進んでいかなくてはなりません。相手に対する憶測をしていないで、あえて向き合い、正直なコミュニケーションでより強い絆を作るために少々不快でも対決してその場を乗り越えていかなくてはなりません。相手の価値やニーズをよりよく理解したいという願いから発したものなら、その対決はとても実り多い経験になります。すべて一人で解決するのではなく、問題を相手に投げかけ、ともに考えることで二人の絆は深まっていくのです。

　あなたが相手とどう関わっていけばよいか分からず途方に暮れるとき、それは宇宙がこう言っているのです。「相手の心理領域にもっと入っていきなさい」あなたは恐れを感じると習慣的に撤退するのですが、それはあなたの望みとは反対に機能します。相手の願望や動機、価値観をもっと深いところで理解しなくてはならないのです。理解できれば不安はなくなります。

　たとえば誰かがあなたの意見に反対したとき、あなたはすぐに自己防衛姿勢を取ります。そのとき態勢をくるりと変えて、相手の見方を探ろうとすると、意識の対象が変わるだけで対峙する圧力が消えていきます。「さて、君がどういう観点からそう主張しているのかよく分からないよ。君の考えをもっと詳しく話してくれないか」それまであなたの意識は自動的に自分に向けられていましたが、こうして相手に向けることが変化の鍵なのです。

・ソウルメイト

あなたにとって今生のテーマはパートナーシップです。配偶者であれビジネスパートナーであれ、あなたにエネルギーを注ぎ、刺激を与え、停滞から救い出してくれるパートナーが必要なのです。今生はソウルメイトとの一生と位置づけられ、ソウルメイトとしての関係を築く相手には事欠かないでしょう。ソウルメイトとの関係とは、エネルギーのレベルで本当に相性のよい相手と融合し、一緒にいるだけでエネルギーが高まるような関係のことを指します。相手に力を与えると、相手はあなたの真価を認め、心からあなたを気づかってくれるのです。前世からずっと引きずってきたあなたの停滞感を、相手のエネルギーが吹き飛ばし、あなたを活性化させてくれるのです。

ソウルメイトとの関係はセックスをする間柄とは限りません。二人が共通のゴール、たとえば本を執筆すること、レストラン経営、事業の設立など、それが何であれパートナーはソウルメイトになりえます。エネルギーと霊的なレベルで二人が一つになり、強い推進力を持ってゴールを目指すのです。二人のエネルギーが融合するために、双方は自分の個人的な課題や願望を横に置く意志が必要です。そしてあなたは相手をよく理解し、相手が差し出すものを見極め、それを二人のゴールにどう生かしていけばよいか考えるのです。その関係の中であなたは輝きを放ちます。

方法論は親密な関係のときとまったく同じです。あなたが「自分の価値」対「相手の価値」という対決の構図でとらえると、それはうまくいきません。その反対に相手とともに目指したい、高い目標に焦点を合わせていると、（そして相手もそれに同意していると）あなたは自分の方法を調整して二人のためによい方法を探ることができるのです。

それはどんな人間関係を築きたいか決断し、理想に向かって協力し合うという単純なことなのです。若いカップルなら二人の子供を作って育てたいという願いかもしれません。あるいは精神的な理想に基づいて生き、お互いを支え合いながら成長し変革していきたいという目標や、健康を回復したいという目標もあるでしょう。

よい人間関係を築くのに最もよいアプローチは、相手を知り、その価値観や願望、動機が自分のそれと両立するかを検討することです。共通の価値観を持つことは非常に重要で、そこであなたは騙される可能性があるのです。あなたがあまりにも自分の価値観を本能的に相手に投影してしまうと、正確な相手の像が結べません。しかしあなたが心を解放し、相手を観察するとき、相手の価値観からエネルギーを得られるかどうかを感じ取ることができるのです。その価値観はあなたがそれまで考えたこともないものかもしれません。そしてそれがあなたの次のステップかもしれないのです。

日常や物質面にばかり照準を合わせてきた前世の影響から、あなたはとてもセックスが好きで、体が触れ合う愛情表現に執着します。あなたは自分の体のことを知り、楽しみ方を知っています。しかし肉体の喜びにふけるあまり、セックスを通じて可能になるエネルギーの交換に気づきません。

あなたがパートナーの霊的エネルギーと波長を合わせると（つまり相手の豊かさやエネルギーを意識して賞賛すること）、そしてセックスによる共感を加えると、その結びつきは想像したこともないような至高体験になります。あなたはこの経験をする潜在能力を持っているのですが、経験するには肉体のレベル以外にも霊的、精神的な結びつきがあることをよく理解することが大切です。相手のエネルギーを受け入れることにより、セックスよりも快感をともなう喜びを共有し、精神的な錬金術とパワーの次元に至ることができるのです。

ゴール

◆相互性

あなたは「自分のやり方」対「あなたのやり方」という具合に極端に考えがちな傾向があるので、他人の意見を取り入れようとすると、自分の考えを完全に撤回してしまうことがあります。しかし他人を喜ばせることに終始していてはよい結果が得られません。今生のあなたは「自分」対「他人」という構図で他人と接する習慣を改め、「双方にとってプラスになること」を模索する姿勢を身につけようとしています。そしてお互いの価値を尊重し、感謝しながら二人の力が合わさって可能になる大きな力を築いていくのです。

あなたには他人にやる気と熱意を植えつけ、協力をするという才能があり、これにより相手は癒され、人生の困難を克服できるのです。相手はあなたの中にソウルメイトの資質と支える力を見出し、愛と感謝を込めて接してくるようになるでしょう。

しかし相手が自分のニーズをあなたに求めてくると、ときとしてあなたは心を閉ざし、すべてはうまくいっていると自分に言い聞かせようと考えます。しかしあなたは相手にあなたの状況を理解させる必要があり、あなたにとっても無理がない方法を二人で探すべきなのです。協力は相互性に基づいていなくてはなりません。他人が外からの協力を受け入れ、力にしている姿を見ると、あなたも他人の援助を遠慮なく受け入れるようになるでしょう。

あなたは自分を与える者か、あるいは受け取る者としてしか見ることができません。あなたは与えることにより受け取るという相互の過程――与えることによりエネルギーを受け取り、それにより成長できるということ――を理解していないのです。たとえばあなたがあるチャリティーイベントの代表をボランティアとして務めるとき、あなたは単に時間と労力を提供してそのイベントを成功させるだけのことだと考えます。しかしその経験を通じてあなたは実際に受け取っているものがあるということを見逃してしまうのです。

・遺産を受け取る

あなたにとって今生は他人の築いてきたものを受け取るという人生なのです。他人の「財産」を受け継ぐことはあなたにとってよいことです。他人はあなたに財産やエネルギー、考えなど、いろいろなものを与えてくれるでしょう。あなたのすべきことは自分の固定観念を捨て、自分を空っぽにして他人が捧げるものを偏見なく受け取ることなのです。これはあなたの人生のどの部分にも応用できることです。

あなたが問題を解決するとき、周りの人の意見を参考にすると最もうまくいきます。誰かの助言を聞いて、それが正しいと思えてもなぜか抵抗があるとき、自己鍛練のよい機会だと考えて一時的な自己満足を求める気持ちを抑え、意見を取り入れましょう。もし疑問が残ったら、その助言を試験的に実行してみて、それが現実に効果があるか検証すればよいのです（たとえばあなたが女性なら倦怠期《けんたいき》のボーイフレンドにわがままを一週間一切言わず、それで彼の心があなたの元に返ってくるかを見るなど）。

あなたが学びたいと願っている分野の専門家に意見を仰ぐと、その意見はあなたに喜びを与え、あなたの知識を強化していきます。あなたが自分で思いついたことでも他人の助言でも、それを取り入れるにあたり実用的であるかどうか確認することが鍵になります。また何でも自分で経験し、苦しい思いをしなくても、それを乗り越えた他人の話を聞くことから学んでいけることもあるのです。他人の役割はあなたに目新しい考えやエネルギーを分け与えることなのですから。

・謙虚さと受容性

あなた方は多くの場合自分だけに意識が集中しています。あなたの意識が他人に向けられていないとき、それはあなたの選ぶ言葉で分かってしまいます。他人と快適な人間関係を作るには、あなたは相手をもっと理解しようと純粋に願い、相手に接する必要があります。そうすれば相手があなたを信頼できるような言葉が自然に出てきます。

あなたが自分に意識を向けているときは状況を正確に把握することができないため、フラストレーションを感じます。何が起きているかを正しく把握するには、他人を批判することなく、その人の立場に立ってものごとを見ることが肝要です。

今生のあなたには周りの人々が必要なのだということを謙虚に認めるという課題があり、それはあなたが周りの人々のエネルギー領域と接することであなたに力が貯えられるからなのです。しかしどの人からも恩恵を受けられるわけではないため、力を得られる人か否かをあなたが判別しなくてはなりません。そしてあなたに必要な人の価値を評価する謙虚さを身につけなくてはなりません。

周りを見回し、自分に刺激を与えてくれるような目標を持っている人を見つけ、こう自問してみましょう。「この人が目標にたどり着くために私はどのように支えることができるだろうか」あなたが相手を支えたいという気持ちに集中するとき、相手に何を言うべきか、どうするべきかが自然に心に浮かび、あなたの言動は相手に大きな自信を与えます。

他人の目標達成を助けると、あなたもまた何かを達成したという実感を持ち、それが自信につながります。あなたの持つ創造力やエネルギーを他人のそれとリンクすると、成功のエネルギーと喜びがはち切れるように増幅されるのです。相手はあなたのエネルギーと協力がなければできなかったということをよく認識しているため、あなたに感謝を込めて奉仕したいと願います。これがあなたが自由になり、自分に与えられた力を確信できるような大きな自信の基盤となるのです。

悲しいことに、あなた方の多くはあなた自身を解放してくれるこの宇宙からの贈り物に気づかず、自ら作った制約の中に閉じこもるのです。そして自己中心的な考え方のために、あなたの周りに現われる機会を見失い、周りの人々があなたにもたらす多彩な贈り物を得られずに終わるのです。あなた方は自らの努力によって勝ち得たものに喜びを感じるだけでなく、他人があなたに贈ったものにも喜びを感じることを学んでいるのです。

自分の勤勉さの結実だけを評価していると、周りにあふれる好意に気づくことすらできません。そして他人の好意こそが、あなたの厳格な生き方を改めさせてくれる力を持っているのです。あなたの今生での仕事は謙虚に構え、他人の好意や寛大さを招き入れ、人生の舵を取ってもらうことなのです。

◆実りあるパートナーシップ

あなた方はその能力を使って他人の計画に加わったり、他人の考えに基づいたプロジェクトに参加したほうがよい結果が得られます。例外は物質ではなく、精神的な考えに基づいた目標をあなたが持っている場合です。あなたは厳格で狭い定義に制限された価値観を離れ、もっと自由なゴールや方向を目指すほうがよい結果が得られるのです。

・他人を力づける

あなた方はその前世を繰り返すうちに、少しずつ自分の価値を高めてきたので、今生で他人があなたを評価してくれないと驚き、落胆します。他人がその人自身の持つ天賦の才能を評価して、それを現実生活に生かして自ら満足感を得ようとしないことが、あなたには理解できません。あなたの今生での最大の仕事はあなたの身近にいるそういう人々やパートナーを力づけてあげることなのです。

パートナーについて好意的に考えることは難しいことではありません。あなたは相手の長所を賞賛し、勇気を与えるのが得意です。問題は、あなたに惹きつけられる親密な相手が、目指す目標にたどり着くために必要な行動を取ろうとしないことです。あなたのパートナーは多くの場合、自分を鍛えてくれる具体的な目標を達成したいという意欲や能力が欠けているのです。

パートナーの心に目標を目指す意欲がないとき、あなたは理解に苦しみ、どうやって激励すればよいものか悩んでしまいます。そしてあなたはパートナーシップから得ている自分のエネルギーを動員して自らが行動し、確かな結果を出そうとするのです。しかしこれではあなたが以前にとっていた「すべて自分でやる」というシナリオと変わらず、パートナーは無力感を感じ、創造的な過程から取り残されていくのです。

こういう事態に陥ったら、ゆっくりと時間をかけてパートナーと深く触れ合うようにしてみて下さい。あなたが相手に対する純粋な愛情と関心から向き合うと、あなたには相手の願望やニーズが見えてくるでしょう。人は自分が欲しいと心から願うという動機がないと、行動を起こす気にならないものです。あなたは金銭を貯えることと快適な暮らしを得るという動機を常に持っているため、他人も自分のような動機を持っているだろうと考えますが、実際はそうではありません。あなたのパートナーが何を欲しているのか、そばにいて探り出さなくてはならないのです。

たとえば相手が成功することへの恐れを抱いていて、その恐れから解放されたいと願っているとします。そういう人は自分の限界を超えるための行動を起こしたいと考えるので、あなたは相手に、新しい仕事やプロジェクトに取り組み、知らない分野で仕事をこなす恐怖感を克服することが、成功への恐れを取り除く大きなステップだということを教えてあげるのです。また相手の動機は社会に貢献することだったり、舞台の中央に立ち、注目を浴びたいということかもしれません。あなた方には人の心に潜む、隠れた動機を探る特殊な能力があるので、それに光を当て、相手に知らせてあげることができるのです。自分を知ること自体が、相手にとっては大きな力になります。相手があなたのそういう能力に支えられると、相手は安心して行動を起こし、その結果、金銭的報酬が副産物としてついてきます。相手に自尊心を与え、二人が安定と快適さを勝ち取ることがあなたの望みなのです。

前世の経験から、あなた方は仕事をこなす能力には大きな自信と実績を持っています。今生であなたは他人に、自らの価値を認めることを教える運命にあります。他人の価値をあなたが十分に認め、あなたが相手に支えられるまでになれば、相手は大変な力をあなたから受け取ったことになります。

しかしあなたが相手にものごとをどう進めたらよいかを指導してしまうとうまくいきません。あなたは自分の能力を知っているので、自分に最適の方法を知っていますが、他人には他人の能力に即した進め方があるからです。たとえばあなたが五十ヤード競走に出ようと決めたとします。あなたは自分の歩幅、身長、足の長さを知っていて、そしてそれらを使って勝つためにはどの程度のスピードが必要か分かります。しかしあなたが支えようとしている人はあなたより身長が低く、足の長さも短かったとします。この人があなたと同じ歩幅で走っても、この人の体とのバランスが悪いために、勝つことはできないでしょう。

これを肝に銘じ、あなた方はいつでも自分の方法を教えたいという誘惑を抑え、相手に合ったやり方を尊重し、それを後押ししてあげることが求められるのです。自分中心の指向の強いあなたには難しいことかもしれませんが、あなたの今生の課題は、あなたの知識を他人の価値観と擦り合わせ、相手が最良の結果を出せるよう支援することなのです。

たとえば身長の低い人が競走に出るとき、その人がこう言うかもしれません。「私の身長と足の長さに合った歩幅はどれくらいかしら」あなたは自分の身長と足の長さに対する歩幅を知っているのですから、自分が算出したときの公式を教え、相手の体の数値をはじめ、強さや弱点などを考慮した上で応用してもらえばよいのです。あなた方が自分が試して成功した方法を相手の場合に当てはめて、相手の行動計画の立案を助けるのは構わないのですが、決してあなたのやり方をそのまま押しつけてはいけません。

・心理的理解を高める

あなた方は優秀な心理学者になれるでしょう。あなたは人の持つ不安や願望と自然に波長を合わせることができます。これは前世では持っていなかった資質です。あなたが自らの偏見から心を解放したとき、あなたには他人の心に入っていく特殊な能力が与えられ、そこにある動機やニーズ、価値観が手に取るように分かるのです。

あなた方はどうすれば成功するかを知っています。あなたは他人を成功に導くには、その人の心理をつかむことが不可欠だということを学んでいます。あなたの奉仕の精神を利用しようとする人もときには現れ、すべてが終わるまであなたは気づかないことがあります。利用されないためには、他人の申し出をすぐに受け入れず、少し時間をかけてその人の動機を調べる必要があります。「それはいい考えだね。ちょっと考えてから返事をするよ」あなたはすぐに返事をしてしまう傾向があるので、相手の心理を読み、波長を合わせる時間を取って相手と状況を吟味することを心がけましょう。そしてエネルギーの高まりを感じたら行動を起こしましょう。しかし反対にエネルギーが消耗していくような気がしたら、それはあなたへの警告なのです。

人々には必ず動機があり、それを注意深く観察することがあなたには必要です。あなたは相手の動機をあまり考えずに行動してしまうので、相手に対してがっかりさせられることも少なくありません。あなたは他人も自分と同じような価値観を持ち、正直でいると考えています。しかしゆっくり相手の動機を観察してみると、その行動が真実に基づくものか、何か別の動機のカムフラージュかという違いが見えてきます。

未来のパートナーを探す際にも、その心を入念にチェックすること。あなた方は探偵のように、それができる才能を持ち合わせているのです。あなたの今生はパートナーシップ、一対一のつきあいがテーマです。ですから相手の考え、動機、人生の指標、価値観などを深く探索することが求められるのです。

・合成

あなた方は方向転換が苦手です。あなたは目標を決め、到達する方法を設定すると、エネルギーがそれに焦点を定めて突進するので、途中で間違った方向に進んでいると気づいたとしても針路を変更するのがほとんど不可能のように感じられます。

私のクライアントに、高校で「リーダーシップ養成チーム」に参加している女性教師がいました。このチームはある方向転換を検討しているところでした。彼女はこのミーティングに詳細な方向転換の計画を持って参加しました。誰かが違う計画を提案したとき、彼女は苛立ちを隠せませんでした。彼女は相手に自分のやり方のほうが正しいと主張しましたが、相手の考えが本当に説得力や効果に欠けるものだったのか、グループにそれらを検討する時間がなかったのか結局のところは分かりません。彼女は自分のプランだけが正しい方法だとかたくなに考え、それ以外の提案はすべて彼女にとって脅威と受け止めたのです。

あなたは自分のものと他人のものを合成することが得意ではありません。あなたは相手の主張をしっかり理解できるまで自分の立場を保留にしておくこともできないからです。あなたは意識的に自分を抑え、共通の願望やその結果を心にとどめ、あなたの考えと相手の考えを合成させてより高いゴールを目指すようにしなくてはなりません。

あなたは相乗効果という芸術を学んでいます。最初のステップはあなたの相手のほうがゴールより大切だと思うこと。これを忘れてはいけません。先ほどの例で、私のクライアントは自分の計画よりもチームのメンバーのほうを大切に考えるべきだったのです。そしてメンバーが違う計画を提案したら、その計画に耳を傾け、ある共通の目的のためにそのメンバーが創造的なエネルギーを注いでいることを尊重すべきなのです。

人のほうが大切だという見方はあなたには少し難しいものかもしれません。あなたはたいてい、誰かの善意を踏みにじっていると気づくより前にある状況にどっぷりとはまっています。しかしそれに気づいた時点ですぐに謝れば解決します。「今私は自分の考えのことばかり考えていて、あなたの提案をしっかり聞いていなかったのです。傷つけてしまったらごめんなさい」そして今度こそ相手の意見に真摯に耳を傾ければよいのです。

◆停滞を回避する

・変化のエネルギー

あなた方は停滞の輪の中から脱するのに大変苦労するでしょう。停滞に満足しているわけではないのですが、身動きが取れなくなっているのです。それを可能にするには、自分の日ごろのパターンから抜け出ることに大きな意欲を持つことがまず大切です。そして何か楽しそうなことを見つけたら、「自分を律して」それを実践し、あなたにエネルギーをくれるような行動を選び続けることです。あなたを停滞に引き戻そうとするあらゆるものから手を切ることを、あなた自身が選択し、求めることが肝要なのです。

ある意味で、あなたはあるパターンにはまることを好みます。よく知っているものは心地よいからです。しかし一方でその生き方が楽しくないこと、あなたの求めるものがそこから得られないことも、あなたは十分理解しているのです。それでもそこから抜けるには相当な不満や不快感がないと、そこから出られるだけのエネルギーが生まれないのです。不快感や不満足があなたの重い腰を上げさせ、あなたの可能性を広げていくのです。

たとえばあなたが今住んでいる家に不都合が生じたので引っ越すことにしたとします。引っ越しは大変なエネルギーを要します。家財道具を片づけ、荷造りし、家を修理して売れるような状態にする、などなど。やる気を奮い立たせてこれらをこなさなくてはならず、変化とはいつもこのように自分を律する能力を必要とするのです。しかしあなたが変化を望むと、危機感を感じたときに出るエネルギーがあなたを興奮させてくれるでしょう。とくにあなたと一緒に引っ越すパートナーがいて、その人に合わせ、自分流の厳しいやり方でない方法を取ろうと考えるとき、さらにエネルギーが湧いてくるでしょう。一徹さというものはものを築いていくときには長所といえますが、変化を起こすときは障害ともなりうるのです。

変化を起こすエネルギーは、ものを築くエネルギーとは質の違うものです。ものを築くエネルギーはステップごとに着実に歩を進めるというもの。しかし変化を起こすエネルギーは流動的で瞬発力のある動きを要求します。あなた方は古い価値観を捨て、新たな方向に身を乗り出し、あなたの足を引っ張るものを断ち切り、自己実現を目指して身軽な行動を起こすべきなのです。動きが遅いと変化を起こすのに必要な勢いが失われてしまいます。変化そのものがアドレナリンを誘発し、はまった轍《わだち》から抜け出す力をくれるのですが、あなた自身が動き続けていなくてはならないのです。

それはさながら海に出たサーファーのようなものです。あまり慎重になっているとよい波を見送ってしまいます。あなた方は変化の波をつかまえなくてはなりません。一時的にコントロールを失い、恐怖を感じたとしてもその波に乗っていればやがて波打ち際までたどり着くことができるでしょう。変化を起こすには新しいエネルギーを体に感じ、その波の中にとどまる必要があるのです。古い習慣から脱するには、古いものをどんなに捨てても捨てすぎるということはありません。後で振り返ってみれば、変化を起こしたほうがその前の人生よりずっと賢く、満足のいく選択だったと気づくでしょう。

・制限を超える

あなた方には人生のバランス感覚というものがありません。ある方向を目指すとそこにすべてが集中し、そこに向かって突進するため周りが目に入らなくなってしまうのです。

あなたは現実の世界にとらわれ、物質面の動きに気を取られて精神世界の存在を忘れています。あなたは物質に対する執着が強すぎて、物欲のとりこになっているため、人生が厳しいものになってしまうのです。あなた自身の幸せのためには極力身軽になり、人生を軽やかなステップで進んでいけるようにするべきなのです。あなた方の本当の幸せは物質に囲まれることではなく、むしろそういう価値観を離れることで可能になる経験を探すことにあるのです。あなたがわくわくするような経験を存分にするために、物質的な環境をどのように整えたらよいのでしょうか。今生では他人の意見が重要な意味を持つので、毎月カウンセリングに通ったり、友人と膝をつめて語り合ったりして自分の針路を明確にしていくことは大変有効です。

あなた方は自分の足を取られて動けなくなるような行動や思考からできるだけ遠ざかるようにしましょう。世俗的なことへの執着を捨て、自由で身軽な体になって精神レベルまで舞い上がり、他人との精神的なつながりを楽しむことを学んでいるのです。これはあなたが前世から親しんできた世俗的な喜びとはまったく違った種類の喜びで、それを経験するには物質への執着を絶つことが条件なのです。自分のエネルギーを他人のそれと融合させることにより、あなたは世俗的な執着の絆を断ち切ることができるでしょう。

たとえばあなたが家を購入し、内装の改修計画を練っているとします。あなたがまず考えるのはすべて自分の考え通り、詳細に至るまで自分のスタイルに合わせて改修することによりその家に愛着を感じられるようにすることです。このようなアプローチは前世の影響による物質界への執着を永続化させ、あなたにとっては今生に与えられた使命を果たせないという意味で「失敗」と言えるのです。

代わりに芸術的な才能のある友人かプロに内装を任せ、その人の専門性を尊重して見守るようにすると、あなたは美しく仕上がった内装を楽しみ、しかもそれに執着することはないでしょう。そうすればあなたは自分の執着に制限されることなく家庭環境を楽しみ、安らぎを得ることができるのです。この態勢ができるとあなたは自由になり、あなたに限りなく力を与えてくれる精神領域に入っていくことができるでしょう。

〔癒しのテーマソング〕

音楽は何かに挑戦するとき、感情面でユニークな力を発揮します。それぞれのドラゴンヘッドグループに合わせ、エネルギーをプラスに転化する働きを持つ詩を作りました。

新しきものに出会う

この詩のヒーリングメッセージはドラゴンヘッドが蠍座にある人々が変化を受け入れることから生まれるエネルギーに気づき、他人と接することにより双方が豊かになるという相乗効果に目覚めるように書かれました。人生があなたに贈る機会を受け入れると、深みに足を取られるような感覚は自然に消えていくでしょう。

どうしてしがみつくことがあるだろう
君の夢は本物。でも
そんなやり方で幸せにはなれない
幸せはもっと違う形でやってくる
手を空高く伸ばし
新たな人生をその手につかもう

君に贈られた新しきものを
もう君には準備ができている
でもその前に捨てるべきものをすべて手放そう
新しい人生に踏み出すために

ドラゴンヘッド

射手座

第九ハウス

Sagittarius

総体運

●伸ばしたい長所

次の性質を伸ばすと、あなたの隠された能力が見つかります。

・直感、予知能力、見えざる導きを信じる
・高次元の意識から語りかける
・自然に振る舞い、自由と冒険を楽しむ
・既成概念のないストレートなコミュニケーション
・自分を信じる
・一人になる時間を持ち、自然と親しむ
・忍耐
・直感的に聞く——言外の意味を知る

●改めたい短所

次の性質を減らすようにすると人生が生きやすく、楽しくなります。

・他人の意見を気にする
・優柔不断
・際限なく情報を収集する
・他人の思惑に自分を合わせる
・理性で直感的知恵を否定する
・噂話をする
・即答を求める
・他人の見方を優先させ、他人の目に映る自分自身を演じる

◆あなたの弱点／避けるべき罠／決心すべきこと

あなたの弱点は心の安定です（「ほかの人がどう考えているか分かればみんなが納得する正しい意見が言える。そうすれば心が安定する」）。こう考えてあなたは際限なく情報を求めていきます（「情報をたくさん集めれば真実が分かる。そしてどうすればよいか決められる」）。この考えはあなたを底のない落とし穴に陥れます。「正しい」ことを言っているという確信できるほど人の心を完璧に読むことはできません。相手をコントロールするのをやめ、自分の直感に従いましょう。自分の内なる真実を信頼し、行動すればあなたが求める心の平和をもたらしてくれる人々が自然に集まってくるでしょう。

あなたに知ってほしいのはどんなに情報を集めても真実は見つけられないということ。どこかで決心して、論理的に解明するという姿勢を乗り越え、直感に耳を傾け、あなたの中にある高次元の自我の声を聞くべきなのです。不思議なことに、あなたが高い次元からの導きに従うようになると、今自分の周りに何が起きているのか、正しく認識できるようになります。

◆あなたが一番求めるもの

あなたが切望しているのは、自分の世界を保ったままよい形でほかの人とのつながりを感じることです。あなたは周りの人全員があなたの考えを理解し、あなたの前向きな姿勢を認め、支持してほしいと考えます。そのためにあなたは自分の考え方を他人に植えつけようとします。他人の心の構造を理解できる能力を持つあなたは、何を言えば他人の考えを変え、あなたに同意させられるかをよく知っています。しかしそれはうまくいきません。目的を達成するにはあなたの中にある真実に焦点を合わせる必要があるのです。

あなたが直感に基づいて話をするとき、そこには調和が生まれます。高次元の自我の声を伝え、それに従って行動するとき、あなたにふさわしくない人々は去り、あなたと調和できる人が集まってきます。高次元の真実に従って行動すると同じ価値観を持つ人々はあなたを無言のうちに理解し、真の友人となり、精神性の高い会話ができるようになるでしょう。

◆才能・職業

あなた方はきわめて直感力に優れ、霊能力、チャネリングや人の心を直感的に読み取る能力に長じています。外国に縁のある職業でも優れた能力を発揮します。この人たちがその能力を問題解決に向けるとき、大きな幸福感が生まれ、また経済的にも恵まれます。適職は弁護士、宗教家、霊的指導者、教授のほか、出版や広告に従事する人など、考えを広く大衆に伝えたり、信条を人々に浸透させたりする職業に向いています。

ドラゴンヘッドが射手座にある人々は、他人の心の中が読めるという特殊な才能を持って生まれているので、ものごとの成り行きが初めから分かってしまうということがよくあります。あなたが直感的に理解したことを口にすると、あなたの持って生まれたコミュニケーション能力により、あなたも周りの人にもよい状況が生まれます。しかしほかの人の考えを理解し、発表することを目的とする職業に就くと、あまり成功は望めません。ありきたりのことがらを教えたり、インスピレーションの代わりに事実ばかりを記述する職業は、他人から不意に傷つけられることへの不安や恐れを誘発します。あなたは持って生まれた記述や口述の能力を使って高次元の真実を広めるために生まれてきたのです。

●あなたを癒す言葉●

「私の心の真実に従えばうまくいく」

「私の直感は何かが起きると自然に正しい進路を見出す」

「他人をそのまま受け入れると私は自由になれる」

「直感を信じて今自分に何が起きているのか言葉に表わすとうまくいく」

性格

◆前世

ドラゴンヘッドが射手座にある人々はその多くの前世の中で相手の気持ちを理解する必要性のある職業、たとえば教師、著述家、弁論家、そしてセールスマンなどに従事してきました。たとえば教師は、生徒の思考過程を理解し、生徒に分かるように教えられなければよい教師とはいえません。

あなた方は他人の視点が分かるという能力を持って今生に生まれてきましたが、前世の経験のために自分の中にある真実を見失っています。あなたが求めるべきテーマは自分の精神性を再び自分と結びつけ、自分を見つけることです。

理解力という才能は、誰とでもどんな話題でも話が合うという会話能力を生みました。他人の思考パターンを読み、親しみやすく温かい態度で向き合うので、相手は話しやすくつい何時間でも話し込んでしまいます。

しかしあなたの能力は相手の心を読みすぎるという欠点にもつながります。あなたは相手に理解されるため、相手の聞きたいことを探り出し、話しているうちに本当は自分が何を言いたかったのか忘れてしまいます。このため直感的に何かを感じたときは、それを頭の中で編集したり翻訳したりせず、ストレートに言葉にする必要があるのです。

・優柔不断

あなたは決断を下すのが苦手です。いつも両方の立場を理解できるため、正しい決断を知っていてもほかの視点を無視できず混乱します。たとえば「パーティーに行くべきか、それとも家でゆっくりするべきか？」という場合、あなたはどちらが自分にとってよい選択か直感的に知っています。しかしその直感にこうして疑問を呈します。「家にいて、疲れを休めるほうが私には必要なこと。でももしパーティーに行ったら何かいいことがあるかもしれない。でも私は本当に疲れている。もう三日も続けて夜の外出をしているし。――だけどパーティーに誰か面白い人が来るかもしれないし」と延々と迷い、結局決断ができません。これを避けるためには最初に浮かんだ直感を否定しないことです。あなたの直感はほとんど一〇〇%正しいのです。あなたは今生で直感を感じ取り、信頼し、それに導かれることを学んでいます。さらにあなたは直感を信じている限り、あなたにとって有用な「何かよいことやよい人」に出会い損なうことはないと信じることです。あなたが心に自然に浮かぶ声に従っている間は、常に正しい選択をしていると考えてよいのです。

あなた方が優柔不断なのは、あらゆる方向に行くべき理由を無限に挙げられるからです。イエス、ノーの単純な決断はほとんどなく、これこれしかじかなのでイエス、でもかくかくしかじかのためノーとも言える、とやっているうちに堂々巡りをしてついには決断できなくなってしまうのです。

・**後知恵を働かす**

あなた方は不安に駆られ、自分や他人のしたことに対して延々と神経がまいるほどの後知恵を働かせます。これは自分の直感が信じられないためです。前世においてあなたはあまりにも他人の生活や考え方に組み込まれていたため、自分の個性を手放してしまっているのです。いつでも社会に溶け込んでいたため、他人に依存することに慣れてしまったのです。しかし今あなたは直感を「解釈」することなく、自分に頼ることを覚えなくてはなりません。直感を論理的に解釈しようとするといっそう混乱します。

直感を信じる過程はあなたにとって苦痛かもしれません。心の葛藤が激しいため、よりどころを失っているからです。あなたはあらゆる決断のメリットとデメリットをすべて並べることができるため、これらを検討しているうちに絶望的になります。その過程は喪失感に満ちています。さまざまな選択肢を検討するのに何を失う必要があるでしょうか？　あなたは否定的な部分ばかり見て、さらに不安に陥るのです。

あなたが望むのは絶望感ではなく、何かを得ること。そのためには目標に焦点を合わせ、あとは自分のほしいものを得るために誰の協力を仰ぐかだけを考えるのです。不思議なことに、確固たる決断を下すとすぐに宇宙はあなたを支え、すべてが順調に麗《うるわ》しく運ぶようになるのです。

しかしここまで到達する前に、周り中の人に自分の決断を検証してもらおうと奔走するため、人々を困らせてしまいます。あなたをよく知っている親友は、あなたの狂気の沙汰の論理の背後にあるものをやさしく示し、始めにあなたが直感的に知っていたことがらに考えを戻してくれるでしょう。あなたが夢を実現するにはあなたが考えるよりずっと多くの助けが必要です。あなたがゴールにたどり着くには、宇宙から直接やってくる霊的な支えが要るのです。そしてそれはあなたが自分を解放しさえすれば、今生で手に入れることができるのです。

自分の夢の実現に向けて次のステップを踏み出すためには、一段前のことを手放す必要があることをあなたは学んでいます。何かを失うときには大きな苦痛をともないます。独立した暮らしを享受するには両親への依存を絶たなければなりません。より条件のよい職を得るには、それまでの職を辞めなければなりません。あなたはその決断によって手に入れられるもの、成長の機会、環境、そして新しい友人等のことを考え、心の命ずるままに従って生きるべきなのです。

あなたは正しい答えを引き出す人としての役割を改め、心の導きが分かるという特殊能力を他人に伝える人へと変化する必要があります。今生でのあなたは世話人というよりは何かを始める人なのです。自然に任せればそれはとても簡単なことです。「これを選択しよう」とか「この道を行こう」と決断したとたん、あなたは新たな段階に入っています。あなた方には自分のしたことについて煩雑な後知恵を働かせる過程は不要なのです。するべきことはただ直感的に感じることを正しいと認め、その決断に従った上で実現するための方法を論理的に考えればよいのです。

ほかの人の反応を知ろうとしているときにあなたが見ているのは、あなたが何かを決断する前の人々の反応です。決断が下ればそれによって人々の反応は変化します。つまりあなた方には論理的に人々の反応を予測することはできません。決断に関わるあなたの経験は、すべて同じ結論に結びついています。それは今生のあなたが直感を信じ、直感に従って行動するべきだという結論です。

・推論と論理

社会のあやに組み込まれ、他人に依存してきた前世での経験から、あなたはほとんど誰とでもうまくやっていけます。前世でのあなたは演繹的《えんえきてき》な方法で目標を達成してきました。つまり集めた情報と周囲の人々の希望を総合評価して結論を出してきたのです。あなたの決断は複雑な方法ですべての要素を秤にかけ、置かれた状況で「正しい結論」を導くのです。前世ではうまくいったこの方法は、残念ながら今生のあなたには使えないことになっています。使えるのは帰納的な推論の仕方です。この方法は初めに直感的に「正しい結論」を出し、実際にそれを実現させるために論理を展開するというものです。つまり初めに結果が出され、さかのぼって最良の実現方法を決めるのです。

今生でのあなたは非論理的になってよいのです。過去に論理を駆使しすぎたため、どんなものにも真実を引き出すことができ、結果としてあらゆるものに「それなりの正当性」を認めてしまうのです。このため今生でのあなたは、どんなに論理を駆使しても正しい結論を引き出すことができません。

考えすぎも、問題を増やすだけです。断わると何かを手に入れ損ねるのではないかという心配にさいなまれ、あなたはどんな誘いにもノーと言うことができません。また誰の善意も無にしたくないのです。しかし一度自分の結論を伝えたら、もう論理的にあれこれ説明する必要はありません。ただ正直にこう言えばいいのです。「ありがとう。とても魅力的なお誘いなのですが、今はほかのことをしたいのです」あなたが理由を正当化しなくても、人々は驚くほどすんなりとあなたの決断を尊重してくれるでしょう。もっと強く誘われたときは、「ただそう感じるだけです。説明はできませんが」と答えておけばよいのです。このほうが、断わる理由が見つからないために行きたくもないところに行くよりずっとあなたのためによいのです。また嘘の理由を挙げて断わるよりもよいことは言うまでもありません。嘘はあなたの人格に混乱をきたします。

選択肢を考えたり議論したりすることはあなたにプラスに働かないばかりか、ほかの人に選択肢を与えることにもつながりません。もっと具体的に「この日に、これが欲しい」と言ったほうがよいのです。あなたの態度が気に入らなければその相手は去り、もっとあなたにふさわしい人のためにスペースを作ってくれます。もし気に入ればその人はあなたの希望を尊重してくれ、二人の関係は深まります。

事実に頼るのもいけません。ただし事実を直感的な考えを引き出すためのきっかけに使うのなら構いません。ある結論を引き出すために事実を集めるとき、その行動に終わりはありません。いくら集めても、その結論が正しいと確信することは決してないからです。結論が事実に基づいて出されたものだと、新たな事実が出てきたときにあなたはすぐに変更するでしょう。

しかし真実は変わるものではありません。あなたが心に感じたことや直感的な知恵に従って結論を出したとき、それを踏襲《とうしゅう》する力が備わるのです。私のクライアントに、消化器系に問題を抱えている人がいました。彼女は膨大な数の書物を読んだにもかかわらず、症状を改善できませんでした。一つ試しては別の情報を見つけ、気が変わってはまた別の方法を試すといった具合でした。そしてある日、彼女の心の真実に触れるプログラムに出合ったのです。彼女は三日間の断食をした後で、さまざまな種類の食物を体の様子を見ながら少しずつとっていきました。そして彼女はどの食物が消化不良を起こすかを、体の声に耳を傾けるという方法で見つけ出したのです。彼女は今も自分の内なる声に一〇〇％確信を持って（こういう人はこのグループではとても少ないのですが）、自分の食事のガイドラインを守っています。

もし自分の直感力を本当に失っていると感じたら、何かの決断に迷ったときにはすべてのメリットとデメリットをリストアップしてみましょう（たとえば「新車を買うべきか」とか「この仕事に応募しようか」といった疑問です）。紙にすべてのメリット（新車を買うと楽しいことがたくさんあり、自信がつくし、通勤にも快適だ、など）、そしてデメリット（毎月お金が余分にかかる、母親に贅沢だと言われる、今乗っている車を売らなくてはならなくなる、など）をもらさず書いてみます。こうするとさまざまな心配ごとや諸条件を心の中から追い出すことができます。そしてリストを眺めながら客観的に状況判断することができるでしょう。このリストを作ることで、あなたは全体像を見られるようになり、直感的な答えに近づくことができるのです。

◆心の悪用

・説明

説明過剰は概してあなたのためになりません。もし誰かの言ったことがあなたの目標と一致しなかった場合、あなたはその人がなぜそう言ったのか、完璧な説明を要求します。そして何度でも繰り返し、自分の視点で相手を説得しようとします。そうやって徹底的にやり合ううちに、自分が一番恐れている結果を招くのです。否定的な考えに心を奪われ、人間関係に暗い影を落としてしまうのです。あなた方はあまり細部にこだわらないほうがうまくいきます。細部の話をするのは、相手から何かを聞き出し、学ぶ目的があるときだけにしておきましょう。自分の主張を理解させるために熱弁を振るっても、今生のあなたに実りある結果は望めません。

・討論

討論は今生のあなたには向きません。あなたには周りの人に自分の視点でものごとを見てほしいという執拗なまでの欲求があります。あなたにとって討論は、双方の活発な意見交換によりお互いがより広い見解に達するというものではなく、自分の意見を相手に分からせることが目的。このためあなたにとって討論とは意見の統制にほかなりません。相手はこのシナリオを嗅ぎ取り、退いていくのです。

あなたが自分の意見を他人に主張するとき、ほとんど相手の考えに耳を傾けません。あなたは相手の考え方を自分の主張に合うように修正させようとします。この方法は一時的には相手を圧倒しますが、戦いはそこで終わらず、続いていくのです。

あなた方の場合、何気ない話がよく不意に討論になってしまうことがあります。自分の意見が固まっていないとき、あなたは相手を自分の強硬な論理展開に巻き込んで大激論にしてしまいます。相手は怒り、強引に結論をこじつけられたと感じます。あなたはなぜ相手が怒ったのか分からないのですが、相手は自分が容認できないような考えを押しつけられることで、その人の本来の姿勢を守るための議論だと感じてしまうのです。

あなたはどんな討論も避けるべきだと考えたほうがよさそうです。自分の論理を使って相手を説得しようとするとき、あなたは薄氷の上を歩いているようなものです。議論の誘惑に負けそうになったときは、自分の世界に引っ込んでおとなしくしていましょう。

・相手を操る
あなたが相手のことを理解できる能力を、相手をだますことに使った場合、あなたは困難に見舞われます。ときには難を一時的に免れますが、必ずしっぺ返しが訪れます。

ある状況が理路整然と展開していくにつれ、何か自分が勘違いしていることに気がつくと、あなたはパニックに陥り、自分の立場を取り戻そうと焦ります。あなたはその状況を何かほかの方法で収拾できないかと考え、周りの人々の考えを根回しすることで自分の思い通りの方向へ事態を向かわせようとするのです。

相手を操作するという方法で思い通りになった場合、それを維持するためにあなたは他人を操作し続けなければなりません。そしていつかあなたは消耗してしまいます。

今生でのあなたの運命は人々を癒し、楽観的に明るい未来を信じる心を世界に広めることです。この運命に逆らって自分の思い通りの人生を送ろうと策を弄すると、あなたよりも強い敵が現われることになります。あなたが敵に勝つには、とにかく正直であること。自分の心を正直に表現しないと、真実に打ち負かされる結果を招きます。

論理だけで人生を理解しようとすると、あなた方はパニックに陥ります。自分の思う通りにならないことは誰にでもあり、将来の見通しが暗く感じられることがあるものです。そういうときこそ信じることが大切なのです。論理の中には善意もなければ、「最後にはすべて私たちのためになる」という大いなる宇宙の意志もありません。あなたのこれまでの人生を振り返ると、変化という変化はあなたにとってプラスになっていたことが分かるでしょう。ものごとが展開するとき、その当事者次第でいくらでも無限に違う結果が生まれます。

あなたがよい結果を信じるとき、そこにたどり着くための道が自ずから開かれます。

・白々しい嘘

あなたはとても親しみやすく、誰とでもうまくやっていけるため、白々しい嘘をつく習慣を身につけてしまうことがあります。大したことなくやり過ごせることもあるのですが、嘘はあなたの心から発した言葉でないために不安を感じるのです。嘘をつくとあなたはそれが発覚しないよう常に気を配り、緊張します。それはあなたにとって悪いカルマとなり、望ましくない事態となっていずれあなたに返ってくるでしょう。

相手がすぐに忘れると考えて口を滑らす「ちょっとした嘘」だったり、自分が首尾一貫していないために生じた「ずれ」の範囲なら、とりたてて深く考える必要はありません。しかし何らかの不都合を「隠す」ためについた嘘は、あなたが最も避けたいと思うような恥ずかしい形で露呈《ろてい》するでしょう。嘘をついたら後が怖いと知ったら、頭のよいあなたはそんなことにエネルギーを費やすことの無意味さにすぐに気づくことでしょう。

相手との関係をコントロールしようとすると、逆にあなたの活動が制限されることになります。それはあなたが気づかないままあなたの自由を奪い、苦痛を与えます。あなた方は、もし相手をコントロールできないと、自分が相手の意思に従わなければならないと考えます。技巧的なコントロールの能力以外、自分には力がないとあなたは考えているのです。しかしそれは大きな間違いです。あなたの強み――今生のあなたに与えられた天賦の能力――は「真実」です。あなたが正直に率直に意見を述べると、周りの人はそれを尊重するでしょう。人々はあなたに譲るか率直に意見を返し、その結果相互理解と信頼が深まります。

◆前向きな姿勢

決断を下す前にすべての選択肢を慎重に検討するのは、どうしても成功させたいと考えることからきています。前進することへの執着がとても強いため、どの決断も間違いが許されない重大なステップになるのです。しかしあなたの人生を振り返ると、直感に従って選んだ道には、あなたが恐れる間違いは生じなかったと気づくでしょう。心の声の指示に従ってほしいのは成功し、より高いレベルに上りたいというあなたの欲求は正しく、健全なものだということです。

今生であなたは他人の考えの渦から抜け出し、新しく生き生きとした世界に身を置きたいと考えます。その場合、既存の考えの中から結論を引き出そうとしても成功は望めず、同じ場所で足踏みすることになるだけです。あなたがエネルギーや活気を感じるところを信じて追求すれば、そこにあなたの求める成功があります。あなたにとっての成功とは、成長し、どんどん高みを目指していくという「感覚」です。もしある考えが浮かび、直感的に「そうだ。こうしよう」と考え、わくわくした気持ちとエネルギーを感じたら、そのエネルギーこそがあなたを新たな高みへと導くルートを示してくれるものです。

同時に正反対のことも起こりえます。あなたが圧迫感や不安を感じるものは、あなたにとってよい選択ではありません。そういうときはあなたの望まない展開になる公算が高いので、ノーと言ったほうがよいのです。しかしあなたは例によってぐるぐると考えを巡らし、「いいことだから、行ったほうがいい」などと直感に横やりを入れるのです。

あなたが自分の直感を解放しそれに従うとき、答えは不思議にすっきりと出てきます。しかし答えを出す前に、自分の置かれた立場を明確にする必要があります。自分の置かれた状況がはっきり自覚できると、この人たちは自動的に決断し、周りの人は喜んでそれを尊重してくれるのです。

・直感

前世で発達させた論理的な考えから、あなたは人生を否定的にとらえることは自己否定につながるということを知っています。自分の人生や環境をどうとらえるかにより人の感じ方は変わります。前向きな考えが増えるほど人は幸せになり、自信に満ちてきます。

残念ながらあなた方は、過去にあまりにも論理と機転に頼ってきたために、真実の底力を忘れ、遠ざかっています。あなた方は直感が出す警戒のサインを無視し、「前向きに」考えて行動し続け、ついには大切な何かを台無しにしてしまうことがよくあります。そしてまったく予測していなかった事態に動揺します。

こんなことを二度と起こしたくない一心で、あなたは恐れを論理的に解明し、苦痛から逃れようとします。それはこんなシナリオを展開します。——あなたは論理を活用して前向きに考え、幸せな気分になります。そして自信があったにもかかわらず不幸な結果になった経験を思い出し、恐怖を感じます。がっかりしないため、あなたはすべての否定的な結果を想定し、恐怖と不幸にとらわれます。この心の体操の結果生まれるのは人生や他人、そして自分自身に対する不信です。つまり今生でのあなたが苦痛から逃れるには、直感に従うことが最良の戦術なのだと分かるでしょう。

あなたが論理に基づいて考えるとき、どの人もどんな状況も一〇〇％信頼できるものではないと感じます。人は変わり状況も変化する。予想もしなかったことが起こり、自分も間違いを犯す。一体誰を信じられようか？　あなたが人生を振り返るとき、常に確実な結果に導いてくれたものがあることに気づくでしょう。あなたの直感の声こそが、信じるに値する要素なのです。

あなたの直感という才能がどう機能するかを説明するのに、昔の恐怖映画を例に取ってみましょう。お決まりの設定はこんな具合です。お化け屋敷が一軒だけ、街外れの丘の上に立っています。そこを無邪気で明るいティーンエージャーのグループが車でたまたま通りかかります。屋敷を通り過ぎたとき、カメラが車のタイヤにズームして、パンクしたことが分かります。カメラワークと恐怖をそそる音楽の中、観客は「その家に入っては駄目だ」と考えます。カメラは一人の少年の顔を映し出し、その少年も「その家に行くのはまずい、入れば何か恐ろしいことが起きる」と直感的に知っています。しかし彼の友達はそんなことに気づかず自信に満ちています。そこでその少年は自分の直感を無視し、彼らについて家に入ります。そして本当に恐ろしいことが起きるのです。

この少年があなたです。あなたは心の中でいつでも結果がどうなるか知っています。自分の直感を信じないで、論理的な根拠に基づいて行動したり、ほかの人の思惑に惑わされると、あなたはいつでも失敗し、ときには恐ろしい事態にまで発展してしまいます。心の声の指示に従い、直感を信じさえすればあなたはいつだって成功するのです。あなたの人生は魔法のようにうまくいき、落とし穴を上手に避けて成功が続けて訪れるでしょう。

・明るさ

あなた方は積極的で、明るく外交的な人です。他人と気さくに明るく交わることができ、相手に親切な姿勢を持っています。あなた方は天上の天使たちの洞察力や、高次元のインスピレーションを感知する能力を与えられています。あなたはごく当たり前に楽観的に考え、心に描く目標に向かって勤勉な努力を惜しみません。

たとえあなたの考えや目標が否定的な意味あいを含んでいたとしても、あなたは明るい未来を信じて行動することができます。恐れを語ることはあっても、その行動は楽観的です。きちんとするべきことをすればよい結果が得られると知っているからです。

あなたはいつも「自分にはきっとできる」という感覚を持っていて、それがあなたの明るく前向きな姿勢の元になっています。あなたは否定的な結果をすべて見通すことができますが、どんなことになってもとりあえずやってみようと考えます。否定的な考えにとらわれているとき、あなたは考えすぎているのです。あなたは前世で心を働かせすぎているので、今生では高次元の自我や天の導きに身を委ね、正しい方向に連れていってもらいましょう。心をゆったりとリラックスさせると、よい結果を信じる気持ちが自然に戻り、本来の明るいあなたに返れるでしょう。

今生のあなたが他人に分け与えられる最良の資質は、その人の否定的な考えを捨て去り、肯定的な視点でものごとをとらえなおすという希有《けう》な能力です。あなたが文書や言葉でこの能力を発揮すると、人々の考えはよい結果を信じ明るく前向きになるため、あなたの主張はみんなに歓迎されることになります。さらに、他人の考え方のよい面に焦点を合わせてあげると、自分の考え方もまた快活なエネルギーを帯びてきます。

必要とするもの

◆孤独

・共有と自己完結

前世でのあなたは常に人々に囲まれていましたが、今生ではかなりの時間を一人で過ごすことが求められています。人々から離れると心が明晰になり、自分自身の真実に近づき、平和と豊かさが生まれます。またときには人とコミュニケーションを取ったり意見交換をしないほうがよい場合もあります。そうして得た洞察を、前世で教師だったあなたはほかのみんなと共有したいと本能的に考えます。しかし他人と共有すると、その洞察は薄れていきます。

他人があなたの意見に反対すると、あなたはすぐにその人の視点でものごとを見ようとします。それほどあからさまに反対したわけでなくてもあなたは他人の反応に敏感で、少しでも抵抗があればそれを感じ取るのです。そこに不安を感じ、エネルギーが雲散霧消してしまいます。それを防ぐには、新たに浮かんだ洞察や発見をすぐに発表せず、それが十分に育ちあなたの暮らしを豊かに彩るようになるまで待つことです。

たとえば真正面から恐怖と向き合ったとき、それを笑いに変えることができると考えたら、あなたの日常生活の中でそれを実行に移すべきなのです。こうしてあなた自身が真実の体現者となるのです。

・自然に生きる：全体像

あなたが社会の喧騒《けんそう》から逃れ、自然の中で過ごし自然なものと親しむのはとても健全なことです。そこであなたは自分自身を取り戻し、自分本来が持つ力への自信を思い出すのです。自然の移り変わりはあなたの心に平和をもたらし、世界には他人をコントロールしようと策を弄するよりずっとレベルの高い大いなる意思が働いていることに気づかせてくれます。そしてあなたを惑わしがちな些細なことはどうでもよくなってきます。自然の中に身を置くと、あなたの視野が広がります。この視野を失うとあなたは消耗してしまいます。あなたの心はあまりにも活発なため人や街の中に長くいることは刺激が多すぎて疲れてしまうのです。

動物と過ごすことも、あなたが心を落ち着け、明晰な考えを持つのに役立ちます。単純で分かりやすく、現実味に富んだ存在があなたの周りにいると、穏やかな周波数に心がチューニングされていきます。人間よりもずっと単純な動物たちの目で世界を見ることは、あなた方にはとてもよいことです。単純なものに意識を向ける必要があるからです。

同様に海外旅行はあなたにとってよいことです。異文化に身を置き、外国語を話すという環境で、あなたは複雑さのないきわめて基本的な人々の生活に目を向けることになるからです。その国の習慣や服装、人々の態度、触れ合いなどを見てあなたは人々の素朴な美しさに心を打たれるはずです。あなた自身は素朴な文化に見とれていると思うかもしれませんが、実はあなた自身がものごとをごく単純にとらえられるという能力を楽しんでいるのです。

あなたはシンプルであることを求めます。あなたにとってシンプルライフへの道は、人々のありようをそのまま受け止め、自分の直感を信じるということです。この単純さを身につけ自分に正直でいると、すぐに周りの人々を同様の目で見るようになります。嘘のない素朴な自分を基本に行動すると、欺瞞《ぎまん》や裏の動機のない人々がほかにもいることが分かってきます。この状態でゆったりとした気持ちでいると、幸せな気分が増幅します。

このグループの人々はとにかくすべての次元で自然に帰る

必要があります。たとえばこんな例があります。私のクライアントが子犬を買いました。ある日私のカウンセリング中に彼女は落ち着きがなくなり、時計ばかりを見るようになりました。子犬を散歩させる時間がきたのです。子犬は眠っていたのですが、「子犬の飼育マニュアル」によると散歩の時間だと彼女は考えるのです。彼女は規則を機械的に取り入れることを考えていたのです。

彼女は今実際に何が起きているのかが理解できない人といえるでしょう。子犬は眠っているのだから、そのまま寝かせてあげればよいのです。この人たちは命の自然で平和な営みに目を向け、人々や人間関係、できごとの自然なリズムを受け止めるべきなのです。

◆理解と受容

あなたが一時的でなく、恒久的に他人に理解され受け入れられるには、自分らしくいることが何より肝要です。あなたは周りの人の反応が予測できるのですが、たまにはびっくりさせられることもあります。私のクライアントに、自分の子供のころや家族のことを題材にして戯曲を書いた人がいました。彼女は家族の何人かがその戯曲を読み、傷つけられたと思うことに異常な恐れを感じていました。彼女は書きながら、その反応を逐一想像していました。

彼女がとくに恐れていたのは母親の反応でした。その戯曲はニューヨークのオフブロードウェイで上演され、母親を含む何人かの家族が初演を見に来ました。彼女が驚いたことに、彼らは絶賛したのです。母親は娘の成功を心から喜び、誇りに思っていました。彼女の安堵は計り知れないものでした。真実をありのままに語った彼女の戯曲が双方によい結果をもたらしたのです。戯曲は正直に自分の視点から描かれていたため、一般の観衆の反応も上々でした。

ストレートなコミュニケーションの目的が他人を傷つけたりコントロールするためではなく、自分を素直に表現することだったとき、あなた方の場合よい結果が必ず待っているのです。実際あなたは自分に正直でいるほうがよいことが多いのです。前世においてあなたはあまりにも、他人の考えはおろか人生の細部に至るまで理解し、他人に利用されるままになってきました。しかし今、「やめて下さい。私にそんなことをする権利はないでしょう」と主張すると、状況は改善されます。

・**自分を定義する**

あなたはいつも誰かの考えに同調することで安心できる方法を探しています。少しの間はそれで安心できるかもしれません。しかもあなたはその人の考え方を「唯一の真実」ととらえて受け入れ、その先にあるものに触れようとしません。

この姿勢はあなたが相手と深く分かり合う前に、自分の言うことや信条を押しつけてしまうことになるので問題が起きます。真実を見つけるのにあなたは論理を駆使しようとしますが、これがうまくいくのは二人が共通の足場に立っている場合だけなのです。あなたは相手の価値観を信じることで安心し、自分自身の真実を見つけることをやめてしまいます。あなたは真実そのものが持つエネルギーを信じる代わりに合理性や論理によって自分を納得させようとします。

自分が成長し、真実に近づくための弾みとして他人の考えを一時的に取り入れるのは構いません。しかし真実のエネルギーに触れたら、そこに達するまでに使った言葉は捨ててしまったほうがよいのです。

あなたは自分が求めるべき真実がいかに完全無欠のものか、多くの人から学ぶ必要があります。それには書物や権威者の言うことではなく、他人の声に耳を傾け、人生そのものに対してオープンになるべきなのです。他人の情報から得られるものは、あなたの考え方の欠陥や、世俗的な成功を勝ち取るための方法です。

あなた方が学んでいるのは、信条や概念というものは生きた、完全無欠の真実へと続く道をふさぐものだということです。真実とは、観念を超越したエネルギーそのものです。真実は崇高にして実用的です。真実は流動していて、あなた方は真実に導かれるということを学んでいるのです。

・自己の受容

過去の多くの人生で教師だったあなたは、今生でも教師の役割を演じています。仕事柄、自分の言うことを相手が理解することにこだわるのです。しかし今生で相手があなたの考えを受け入れたからといって、自分が正しいという判断基準にはなりません。あなたが目指すべきなのは、あなたの考え方を自ら実践し、体現してみせることです。

あなたは心の中に大きな空洞を感じています。自分をしっかり持ち、自信を持つために何かが必要だと常に思っています。しかしそこに入るべきなのは「あなた自身」です。前世でのあなたはあまりにも深く社会に組み込まれ、その一員として過ごしてきたため、心の静寂や精神世界との結びつきを忘れています。このためあなたには、失われてしまった精神世界と今生で再びつながりたいという深い欲求があります。精神世界への探訪は、あなたの今生での重要な使命です。

あるレベルでは、精神世界の書物を読んだり、祈りや瞑想にふけることで満足できるでしょう。「日常生活」のレベルでは、自分の欲求を意識することで精神世界とのつながりを見つけることができます。あなたは自分の願望は周りの人に受け入れられないのではないかと恐れ、いつも抑え込んでいます。しかしあなたの抱く願望は、あなたがより完全な自分自身になれる方向へと導く、霊的なガイドなのです。ですからあなたが自分の中にある願望をきちんと受け止め、それを満たそうとすると、それは自分を受け入れるための階段を一つ昇ったことになるのです。

不思議なことに自分をありのままに受け止めるようになると、相手に受け入れられたいという欲求が少なくなります。自分を素直に表現し、自分の願望を隠さない。それができるとあなたは大きな満足感、達成感、そして平和を感じ、自分が完結した存在であることを意識するようになるでしょう。

◆ストレートなコミュニケーション

ストレートなコミュニケーションの仕方を身につけることは、あなたの今生での大切な課題です。前世では間接的な手段で根回しをしてきたあなたにとって、面と向かって対話をするのは恐ろしいことです。あなたははっきりものを言う人を嫌う傾向がありますが、今生ではそういう場面によく出くわすでしょう。

あなたには前世で培った能力として、言葉の才能があります。みんなが納得できるように言葉を選んで話をすることが得意です。また個人やグループ同士がお互いを理解できずに対立しているとき、外交的にではなく双方をコントロールするというやり方で上手に仲裁をします。あなたは対立が苦手なのです。他人があなたの考えを受け入れてくれれば、あなたの立場をよく理解し、対立することもないので、はっきりとものを言う必要がなくなります。しかしそのコミュニケーションには正面から向かい合うことも真実もないので、誰のためにもなりません。そしてあなたの気分は落ち込んでいきます。あなたは自分自身や真実を裏切り、周りの何人かもそれに気づきます。

あなたがするべきなのは、ある状況の背後にある真実を見きわめ、見た通りのことを論理的な解釈を加えたり、それを自分の立場をよくするために利用したりせずに伝えることです。そうすると、真実の持つ力があなたの望む方向へと自然に導いてくれるのです。常に意識して練習を繰り返す必要がありますが、これがよい結果に結びつくと、ずっと簡単にできるようになります。

・受容願望

人と話をするとき、あなたはまず相手がどう思うかを考えて自分の言いたいことを加減するくせがあります。そしてそういう会話というものは、相手が納得できる部分についてやんわりと語り合ったに過ぎません。あなたは相手に受け入れられず、支持してもらえないことを恐れるあまり、会話を差し障りのない話題にとどめておこうとします。

しかしあなたがはっきりとものごとを表現するとき、そこには喜びに満ちた心のエネルギーのやりとりが生まれます。意見の相違という「障害」を相手とより深く理解し合うというレベルに至るためのステップととらえ、それを大いなる力が天から応援してくれると信じることができたら、相手との意見の相違は、あなたが目標に達するための新たな話題に過ぎないことに気がつくでしょう。

前世からの影響で、あなた方ははっきり言ってしまうと相手が困るだろうという懸念から手心を加える習慣が身についています。過去に成功したこの方法は今生ではうまくいきません。あえて口にしないことのほうが問題になりやすいのです。相手に自分の立場やどうしたいかを伝えないと、無視されるというあなたが最も嫌いな事態が起こります。

あなたはできるだけ率直な人になって下さい。相手に妥協して言葉を選んでいると、自分が言いたかったことを忘れ、エネルギーが低下します。自分自身でいることはあなたにとって怖いことですが、自分の内なる真実の代弁者だととらえれば難しいことではありません。

・立場を明確にする

あなたの場合、他人と話をする前に自分の立場や願望をはっきりさせておいたほうがよいのです。私のクライアントに、ある女優がいました。ニューヨークの著名なプロデューサーが、ある日ダンサーとシンガー両方のパートを持つ役のオーディションの話を彼女に持ちかけました。彼女は優れたシンガーでしたが、ダンサーとしては今一つでした。彼女がまず思ったのは「多分うまくいかないわ。オーディションに行ってつらい思いをしたくないなあ」ということでした。この直感に続き、論理的な頭が働いて、「でももし私が断わったらプロデューサーは何と言うかしら。断わったことをよく思わないで、次のオーディションに誘ってくれなくなるかもしれない。ひょっとしたらこの次にすごい役が待っていて、私はそれに気づいていないだけかもしれない」などと考えあぐねます。

ついに彼女はプロデューサーに電話をかけ、自分はシンガーでダンスはあまり得意でないので、この役には向かないと打ち明けました。プロデューサーは少し考えてから、彼女の意思を尊重しました。二人の会話はよい形で決着を見ました。

彼女はプロデューサーに電話をかける前に自分の立場をよく理解していたので、電話の会話では自分の立場を説明することに終始しました。プロデューサーと話す前に自分の結論に達していた彼女は、論旨を明快にしつつ上手に説明することができたのです。あなた方の課題は、自分の立場をはっきりさせることです。それさえできればあなたはほとんど自動的に相手に自分の考えを伝えることができ、周りはそれを受け入れ、協力してくれるのです。

・誤解されることへの恐れ

あなたは誤解されることに大変な恐怖感を抱いています。多くの場合、あなたは自分の心の平和のよりどころをほかの人々との親密な関係に求めています。しかし本当に彼らに受け入れてもらっていることを確信するには、あなた自身の真実を明らかにした上での関係である必要があります。

あなた方は何かを一見して、それが正しいか正しくないかを感じます。しかしそれを他人に言うと、変な奴だと思われることがあります。時の経過とともに、あなたの直感が正しかったことが分かるので、その人たちに自分の第一印象が正しかったことを話題にすればよいのです。あなたは他人に受け入れてほしいと願うあまり、他人に「不遜な人」だと思われることを嫌い、この直感を心に飲み込んでしまいます。気づいてほしいのは、それはあなたの「考え」とは異なり、あなたが直感的に「見た」ことなのです。この直感を言葉にして周りの人々と共有することで、多くの人々があなたの直感の恩恵を受けることができます。

あなた方は今生で、いかに自分の心に浮かぶ感覚が正確で信頼できるものであるかについて、そしてあとでいろいろ考えることの無意味さについて学んでいます。あなたはよく、大切な人と会って話をした後で、二人の関係はうまくいっているという印象を持ちます。そしてあとになってから、「あのとき私がこういったのを、相手はこう受け取ったかもしれない」などと思い返し、心配で頭がいっぱいになってしまいます。そしてあなたは最初から最後まで、交わされた会話を再現してみるのです。言葉を徹頭徹尾分析し、どこでどんな誤解が発生したか検証するのです。そしてあなたは相手との間に重大な誤解が発生したと確信します。

あなたはすぐに電話をかけて事細かに説明するかもしれません。しかしほとんどの場合、これがかえって事態を混乱させます。そしてその相手はあなたの誠実さを疑い始めるのです。あなたはそれを感じて恥ずかしく思い、前よりいっそう不安に陥るのです。会話を疑った時点であなたは二人の関係に負のエネルギーを注ぐことになり、それが相手とのつながりを壊すことになるのです。そういうことはすべきではありません。

あなた方は会話が交わされた時点で正しい判断基準を持ち、

自分の勘を信じることを覚えましょう。言葉が伝えられた直後に感じたことを信じることが大事です。あなたが「何かがおかしい」と感じたら、たいていの場合それは事実を反映しています。相手があなたに本心を語っていなかったり、誤解が発生していたりします。もし第一印象が「うまくいっている」という感覚だったら、あとになって会話を再現して論理のナイフでずたずたにしたりしてはいけません。あなたの直感は、あなたの論理よりずっと正確なのですから。

あなた方はまた、言葉を介しないコミュニケーションの達人でもあります。人間関係の中で相手に対して不安を感じたら、あなたの心から相手に対し愛情を発信してみて下さい。それだけで相手にはヒーリングの効果があるはずです。

・平和な心

今生のあなたにとって大きなハードルの一つとなるのは、心の平和を得ることです。解決策の一つに「人生はすべて冒険なんだ。実験であり、発見なんだ」と考えること。冒険という言葉はあなたにとって魔法の響きを持ちます。それは楽しく広がりがあり、学びの機会でもあるからです。

冒険の過程で、あなたは自分の道以外にもいろいろな選択肢があることに気づくでしょう。そこで知らないところに飛び込む勇気が試されますが、乗り越えてみるとすべてはあなたのためになり、新たな元気と興味が湧いてきます。ほかの人はあなたがとても勇敢な人だと思いますが、あなたにとっては冒険であり、どんなチャレンジも探検も冒険のうちなのです。

あなたが本能に従うと、信じられないことが起こります。そしてあなたのエネルギーの領域が活性化して、さらに前に進むための熱意と勇気が心に広がります。

・忍耐

あなた方は忍耐について学んでいます。あなたは結果をすぐに欲しがります。心に浮かんだものがすぐに現実になってほしいと願うのです。あなたは心が敏捷でいつでもたくさんのことを考えているため、ものごとの自然な流れのペースに先行してしまうのです。ものごとが正しく進んでいないとか、不都合が生じていると感じたら、あなたは意識して自分のペースをゆるめ、ちょっと我慢しましょう。自然にものごとが展開していくのを待ってあげるのです。

しかしこの人たちは、あまり時間がないという強迫観念を持っており、体や神経、健康に負担をかけてでも過酷な行動を自らに強制します。ときには体がダウンすることで、宇宙があなたにもっと周りに目を向けるよう合図を送ります。あなた方は人生をコントロールしようとするより、人生の自然な流れを受け入れることを学ぶべきなのです。ゆっくりしたペースを身につけることは、あなたが一瞬の中の真実を見つけることにつながります。

あなた方が自分で忍耐力を強化することもできます。何かが違うと感じるのだけれど、正しくないとも感じないとき、それは多分タイミングが悪いということなのです。あなたの直感は、「それを今やるべきでない」と伝えているのです。周囲の環境が整った頃、あなたの直感のメッセージは変わるでしょう。

・リラクセーション

心を酷使しすぎるあなたにとって、リラックスすることは難しいかもしれません。いつでも何かを考えて神経がビリビリしているので、夜眠れないことも少なくないでしょう。リラックスする習慣を覚えると、あなたに心の安らぎが訪れるでしょう。瞑想はとても有効です。あなたの神経を休め、心に平和が戻ります。熱いお風呂や水泳もよいでしょう。実際、魚の水槽、水のある風景、水の音など、水に関するものはすべてあなたを落ち着かせます。

定期的に運動をすることはあなたの体と心のつながりを強め、バランスの取れた生活を作ります。スポーツやアウトドアは、ぜひお勧めしたいもの。ジョギング、自転車、ハイキング、散歩、ロッククライミングにキャンピング。心の深いところの安定を望むなら、哲学書を読んだり、精神世界のセミナーや宗教的な行事に参加するのもよいでしょう。

人間関係

◆個人的関係

・友情

あなた方はこれまでの前世において、人にまつわる経験を豊富に持っています。他人と折り合い、他人の生活に関心を持ち、彼らの心の深遠に迫る。その結果として、とくに若いころのあなたは、いつでも誰かと一緒にいて、みんなでしょっちゅう何かの集まりに参加していたのではないでしょうか。残念ながら今生では、そういう活動はあなたの心の奥にある願望を満たすものではありません。それどころかあまり人に囲まれていると、あなたはエネルギーを消耗し、不安な気持ちにさえなってしまいます。あなたは一人になったときのほうがすっきりとした心を維持できるのです。

あなたがストレートなコミュニケーションを習得し、あまり自分では関心のない話をする習慣を絶つことができたら、あなたの周りからあなたと考え方を共有しない人々が去っていくことに気づくでしょう。同時にあなたの率直さを喜ぶ友人との親交は深まります。こうしてあなたの率直なコミュニケーションは深い友情を育むための友人のスクリーニングの働きをするのです。

あなた方は優秀なアドバイザーです。誰の話にも耳を傾け、救いの手を差し伸べます。どんな人の立場もすぐに理解でき、相手もあなたに心を許すからです。しかしあなたの周りの取り巻きが減ったほうが、あなたにとってはより深い友情で自分を豊かにできるという意味でよいことなのです。

あなたは人から関心を集めたいという飽くなき欲望があるため、表面的な関係を続けることがあります。他人に認められるためなら何だってやってしまうあなたです。作り話をしたり、大して興味もないのにとても関心を持っているように振る舞ったり、わざわざ問題を作って人の輪の中心に立とうとしたり。こういう行動に出てしまうあなたの心の底にあるのは、常に何かをしていないと落ち着かないという性格、つまり退屈への恐怖感です。あなた方は退屈なことが何より大嫌いで、退屈なものに出合うとすぐにくるりと向きを変え、気晴らしを探します。

人間関係では人の噂話には極力注意を払って下さい。ほかの人々が話してもどうということはないのですが、ドラゴンヘッドが射手座にあるあなたに限って噂話や他人の悪口を言うと、それはあなたを必ず苦しい立場に追い込みます。今生でのタブー、禁止事項とでも言うべきものなのです。

・恋愛

あなたは今生で、相手をコントロールしようとすると逆に自分が罠にかかってしまうことを学んでいます。ロマンチックな関係で、あなたは相手と親密な絆を築こうとあれこれ策を練ります。相手とのコミュニケーションを四六時中取り、少なくとも表面的には時間を共有することで相手の心のスペースに入り込もうとします。この人たちはしょっちゅう恋人に電話をかけて、相手の気持ちがどこかほかに向いていないか入念にチェックするのです。

残念ながらそういうコミュニケーションは表面上の関係を作るばかりで、二人の関係の根底の部分に触れるものではありません。あなた方は頻繁に相手の気持ちを確かめていないと不安に陥り、自分がコントロールしていないと相手が去ってしまうのではないかと恐れるのです。あなた方は恋人に電話をかけ、近況報告や新しい情報を教えたり、自分の考えを伝えたり、一日中とりとめのない話をして過ごそうとします。

何年か経つうちにあなたは頻繁に心を通わせることに疲れ、ただ相手をコントロールすることに集中しようとします。相手が自分の思惑通りに動かなかったり、相手に飽きたりすると、あなたはその人の元を去ることを考えます。しかしその頃までには相手が自分に依存する構造を築くと同時にあなたも相手に依存するようになっているのです。こうして生まれた共依存体質が続く間中、二人は混乱し、精神的に弱くなっていきます。あなたは相手に対して腹を立て、ちょっと距離を置くことで自由や独立の雰囲気を取り戻し、自分で作った絆を断ち切ろうとします。ときには何の前触れもなく忽然と姿を消して、パートナーを驚かせることもあるでしょう。

相手の行動や性格に好き嫌いの感情を持つこと自体は、特に問題ではありません。しかし関係を築く最初の時期にもう少しストレートに自分を表現していれば、時間とエネルギーを節約できるのです。あなたは結婚生活を続けるうちに、上手に相手に指示を与えつつ、相手の行動や性格を「矯正」できると考えます。しかしこれは今生のあなたにできることではないのです。

お互いに惹かれ合ったらすぐに、冒険と喜びに満ちた人生を築くというあなたの考えを明らかにするべきなのです。自分の未来の生活を描いてみせると、相手がそれに同調できるか否かが分かります。未来像が一致しなかった場合、三十年の結婚生活を経ても相手の考えを変えることはできません。もし相手があなたの未来に関心を持ち、支持してくれたら、実りある関係を築くチャンスが生まれます。

あなた方は心の動きに捉われすぎるため、体やセックスをないがしろにする傾向があります。それはさながら自分の心の迷宮に迷い込むような状態です。現実の世界に戻るためにはキャンプをしたりアウトドアで過ごしたりするとよいでしょう。自然の環境はあなたの高ぶった神経を静め、自然な性欲や身体のリズムを調整してくれるでしょう。セックスを楽しく、結末が分からない冒険ととらえると心と体のバランスが戻ります。

あなた方はときに、自分にふさわしい相手にどうして出会えないのだろうと悩むことがあります。自分に合う人に出会えないのは、あなたが相手に受け入れられるためにカメレオンのように姿を変え、自分を素直に表現していないからです。あなたは恋の相手を論理的に探し出し、相手を理解する能力を駆使して人工的な調和を作り出します。しかし相手に受け入れられるためにしょっちゅう自分の考えを改めていては、自分が誰で、何を求めているのかを忘れてしまいます。

真実に基づく人間関係においてのみ、あなたは自然に振舞うことができます。あなたが自分自身でいるとき相手は幸せを感じ、あなたを支えてくれます。相手をコントロールすることで成り立つ関係は最後までコントロールによってしか維持できません。あなたが相手に対して率直に、そして自然に接すると、あなたの本来の姿に魅力を感じる人が引き寄せられてくるでしょう。あなたはあなたの真実に共鳴してくれる人と一緒にいる必要があるのです。そしてそのためにはいつでも自分自身でいることと、ストレートに自己表現することが不可欠なのです。

◆忠誠心とコミットメント

あなたは今生で、一人に忠実であることがほかの人を敵に回すものではないということを学んでいます。敵を作るほどの「忠誠心」は一時的なもので、それによるストレスで押しつぶされることもあります。真の忠誠心とは愛する人を陰日なたなく支え、その人のやりたいことを認め、目標を達成できるよう協力を惜しまないことです。あなた方が自分で言ったことは実践しなくてはならないと学ぶまで、ほかの人があなたに忠誠心を抱くことはありません。

・高潔さと策略

親密な関係においてあなたは、自分の軽妙な心の働きを利用して相手を策略に落とし込もうという誘惑に駆られます。うまくやろうとしても、相手にはそれが策略であると感づかれ、抵抗に遭います。たとえばあなたはこう考えます。「彼は完璧なパートナー。でもこの部分を直す必要があるわ。私が彼に私流の見方を教えてあげれば、きっと変わってくれる」しかしそれは長い目で見ると、変わるどころか彼の怒りを買い、あなたの骨折り損に終わります。

自分の願いをはっきりと相手に伝えるほうがずっとうまくいきます。たとえばあなたはこう言います。「ねえ、私はあなたのすべてが大好きなんだけれど、私のパートナーとなる人にはこういう部分があってほしいと思っているの。あなたがそういう部分を持つことはできるかしら？」あなた方には天性の会話術があるのです。間違ったことを口走るのではないかと心配する必要はありません。あなたが心すべきなのはまず自分の立場を明らかにし、相手がそれにどう反応するかを見ることとです。

ストレートなコミュニケーションとは、相手に対して感情的になることではありません。真実を伝えるということです。きちんと主張するべきなのですが、攻撃的になってはいけません。主張するとは、ものごとをありのままに伝えることであり、攻撃的になっているとき、そこには動機に裏づけられた怒りが存在します。攻撃的になっているときあなたの意識は相手に向けられていますが、あなたが本当に対峙すべきなのはあなた自身の中にある真実です。

あなた方が心の真実を語るとき、感情的になることがあります。あなたは感情を長いこと押し殺してきたため、それはとても強い感情となって噴出し、とても傷つきやすい心を曝《さら》け出してしまうのです。一度心を開くと、初めのうちは感情があふれ出しますが、それはあなたにとってよいことで、決して悪い結果を導くものではないと理解しておいて下さい。

・道徳と倫理

あなたはものごとをいろいろな人の立場から見ることができるため、一つの信条や規範を自分のよりどころとすることが苦手です。このためあなたの意志や動機を誤解する人も出てくるでしょう。あなたにとってある信条を選ぶことは、それによって自分が何を得るかによって変わるものかもしれません。あなたはほかの人が正直に話すとき、その行為を愚かだとすら考えるかもしれません。「なぜ彼はあんな馬鹿なことを言ったのだろう。もうこれで彼の望みは叶わない。相手が聞きたいことを言えばよかったのに」と。あなたは心の真実に忠実であることの真価を理解できないことがあります。あなたには善良であることや自然の摂理に従うことがどうもぴんとこないのです。すべては自分の力でどうにかなるものだと考えてしまう傾向があるのです。しかしあなたは今生で、自分の発する言葉が心の底から出たものであるとき、そこには強さや安らかさ、そして自信が生まれるということを学んでいます。隠すものなど何もない、防衛するべき敵もない、自分の本心を隠すために策を弄する必要などないのです。あなた方が正直であるとき、正しい道は自ずから開けるということを信じるべきなのです。

あなたが誠実に行動していないとき、相手に対しても不誠実になり、相手が何を考えているのか疑い始めます。そうなると相手も自分をコントロールしようと策を弄していると思い込み、偏執狂的に不信と苦悩にとらわれてしまうのです。

正直——真実——そして自由。この三つのエネルギーは相互に関連しています。正直であることなくしてはあなたが真実を発見し、自由になることはありません。不正直は混乱を招き、他人を混乱させると自分もそれに巻き込まれることになります。あなたが他人の悪意や策略から身を守るための最大の作戦は、自分に対して正直になることです。

◆実りあるコミュニケーション

・直感で聞く

あなたは他人の考えていることが読める能力を持ちながら、他人が本当は何を言わんとしているのかに耳を傾けない傾向があります。自分と合意に達するための考えを模索するあまり、また相手にこう考えてほしいという願望のあまり、相手と真っ直ぐに向き合わないのです。このため真のコミュニケーションが起こらず、お互いがそれによって成長することもありません。

あなたはもっと落ち着いた会話——意見を共有することで真実を求める姿勢を身につける必要があります。この過程であなたは自分自身の真実を見つけ、相手の言葉が心からのものかどうか、直感で見きわめることができるでしょう。前世の多くの人生で教師や通訳をしていた経験から、あなたは相手の言うことを言葉通りに受け取りすぎるところがあります。今生では二つの耳で言葉をそのまま聞くのはやめ、片方の耳は相手の言葉に、もう片方は自分の直感に傾けるようにしましょう。論理的に解釈するのではなく、直感で聞くと相手の言葉の真意が伝わり、相手との深い共感を得ることができるようになります。

・他人の真実を聞き分ける

自分の中の真実を見きわめることが苦手なあなたは、ほかの人も同じ悩みを持っていると思いがちですが、実際はそうではありません。あなたはあなたの周りの人々が自分の行動の動機や願望、関心や価値観について話すとき、大体において彼らは本心を語っているものだということを学んでいます。真のコミュニケーションとは論理の応酬を超越し、相手が差し出す真実と向き合うことを要求するものです。真実を導き出すために会話をするのでなく、予測可能な言葉を交わすだけの表面的なコミュニケーションにとどめようとするあなたの傾向は、人間関係に誤解を生じさせます。

動機がすべてを決定します。もしあなたの会話の動機が相手の言葉に耳を傾け、真実に近づきたいと願うものだった場合、あなたにも相手にもよい結果が得られるでしょう。しかしあなたの動機が自分の知性をひけらかしたり、自分の優位を証明しようとするものだった場合、あなたは注意が散漫になり、ひどい誤解を生み、みすみす幸運のチャンスも逃してしまいます。

・解決策を探る

あなたはコミュニケーションの目的はよりよい結論を探るためのものであり、無限に情報を収集することが目的ではないと知る必要があります。質問や好奇心はあなたには不要のものです。あなたの頭にはもうすでに多すぎるほどの選択肢が入っているのですから。質問したいという欲望を極力抑え、あなたの直感が導く方向に身を任せてみて下さい。直感のレベルで、あなたはきわめて秀逸なのです。

ごく親密な関係でも誤解は生じます。あなたが傷ついたり、恐れを抱いたりしたことについて偽らずすぐに、率直に相手に伝えられないと、否定的な感情がむくむくと起こります。時が経つにつれ、ため込んだ感情が積もり積もって二人の関係が壊れることになります。こうしてあなたは一生喜びを分かち合えたかもしれない友情を失ってしまうのです。あなたがコミュニケーションでストレートに自分の感情や考えを話すことができれば、相手はあなたを受け止め、よりよくあなたを理解し支えてくれるのです。あなたにとって障害だったものが、より深い相互理解への道を開いてくれます。

あなたはコミュニケーションが導く最良の結果というものは、二人の意見を総合したもの――一人だけでは思いつかなかった、より高いレベルの知恵――だと知る必要があります。真実とは個人的意見ではなく、エネルギーです。二つの概念がそれぞれに主張してぶつかり合うことで生まれるものではありません。真実のエネルギーは二人の人が互いに相手の考えにオープンになり、ともに真実を見つけたいと願うところに降りてくるのです。

◆社会環境

・マナー

社会の只中に身を置く前世を過ごしたあなたは他人の意見に敏感に反応し、社会に容認される生き方を強いられてきました。このためあなたは「よいマナー」にこだわり、社会人として相手に丁寧に接し、慎重な行動を取るなど、すべてにおいて優雅に振る舞うことを信条としています。そんなあなたは他人が粗野で下品だったり、エチケットを知らない振る舞いをすることが理解できません。

人にはそれぞれ違った前世経験があり、社会での礼儀をしっかりと身につけているのはドラゴンヘッドを射手座に持つあなた方だけなのです。ですからマナーを知らない人々を見たとき、あなたはその人を軽蔑するのではなく、その人に社会全体と調和できるような振る舞い方を教えてあげるべきなのです。それが今生のあなたの役割です。

あなたは誰もがノーと言わずに済むよう気を配り、みんなが友好ムードに浸っていられることを旨としています。あなたは他人の考えを読み、いつ意見を言ったらよいかというタイミングを心得ています。このため他人があなたにノーと言わせ、何となく気まずいムードにしてしまうことが理解できません。他人があなたにそんな状況を作ったとき、あなたはその人が故意にそうさせたと感じ、不満に思います。しかし人々はあなたを困難な立場に追い込んだとは露ほども気づいていません。

あなたは他人の心に敏感で、誰かが誰かに言ったことや行動したことがどんなに相手を傷つけたかをすかさず察知し、同情します。あなたは心やさしく、誰を傷つけるのも好まないのです。しかし自分の感情にも目を向けて下さい。心に浮かぶ感情をひた隠し、直接的な言葉を避けているとあなたが傷ついてしまいます。ことさらに自己主張するのではなく、毅然とした態度ではっきりと自分を表現したとき、あなたは自分に対する義務を果たしたことになり、初めてほかの人を支えてあげることができるのです。

・他人の考え

社会の中にいるとあなたは不安定になりがちです。これはあなたが他人の考えに過敏だということに起因しています。このため内向的になり、一人で過ごすほうが気が楽だと考える人もいるでしょう。たとえばある晩、人々と語り合った後あなたは家に帰り、他人が言ったことやその意味、彼らがあなたに取った態度やそこに隠された微妙な感情に至るまで、ありとあらゆる考えを巡らします。自己防衛本能からあなたは他人があなたをどう見ているかについて厳しい判断を下し、心を閉ざし、引きこもってもう二度と人の集まりには出ていきたくない、と思ってしまいます。あなたの心がそうやって過敏に反応しているうちは社交の場はあなたにとって苦痛でしかないでしょう。

私のクライアントがある日、彼女を常に悩ませていることについて話してくれました。彼女は毎日オフィスの近くにあるコーヒーショップに行き、大きなカップにお湯を満たしてもらい、五セント支払います。敏感な消化器系を持つ彼女には、お湯が一番よいからです。彼女の目には、カウンターの中にいる若い女性がいつも彼女に蔑《さげす》みの目を向けているように見えました。ついにある日彼女はその女性に向かって、「私の注文に何か不都合でもあるのですか？　あなたが私の注文に不満があるように見えるんですが、私の体はお湯しか受けつけないので、これしか注文できないということを分かってほしいのです」するとその女性は満面の笑顔を見せ、「いいえ、あなたの注文に不満などありませんよ」と答えました。こうして私のクライアントは再び平和な気持ちに戻ることができました。

あなたがこういう状況に陥るとき、あなたが自分に向けられていると感じているのは相手の単なる不機嫌さで、それが周りの人にも影響を与えていることに気づいていないという場合がほとんどなのです。そんなとき、敏感すぎるあなたは見て見ぬふりをしたり、そういう人を遠ざけたりする代わりに、自分が心のバランスを取り戻すために直接的なアプローチを取るべきなのです。自分の心の傷つきやすさを認めることで、次第に他人の感情や考えに振り回されない強いあなたが芽生えていくのです。

・大局を見る

あなたは他人の視点が分かることを誇りに思いますが、その能力を実際に行使することはあなたを疲れさせます。一瞬一瞬に他人があなたをどう思っているかが手に取るように分かり、自分がとても弱い存在に思えるため、引きこもってしまいます。多くの場合あなたはとても親しみやすく、オープンな姿勢を維持していますが、その実他人からとやかく言われることを恐れて心を閉ざしているのです。

あなたに必要なのは、一歩退いてものごとの全体像を把握することです。全体像が見えさえすれば、あなたは言葉の才能を生かし、人の気分を楽にしてあげることぐらい簡単にできるのです。たとえば先ほどの例で、コーヒーショップであの若い女性がどれほどストレスを感じる仕事をしているかが見えさえすれば、私のクライアントはこういうこともできたはず。「お昼時は忙しくて大変ですね」そうすればウエイトレスの立場を彼女が理解し、二人が理解し合うための友好的な雰囲気が作れたでしょう。

軽々とした心や気安さ、そして他人を受容する寛大な心を持つ人を探すと、ドラゴンヘッドを射手座に持つあなた方以外には見つかりません。あなたがその資質を発揮すると、あなたや周りの人々だけでなく、地球、そして惑星全体によい影響を及ぼすのです。あなたは前世でコミュニケーション能力を生かして隣人を助けてきました。今生でのあなたの使命は、自分の身の回りの親しい人々にその資質を分け与えるだけではないのです。あなたのそばに来た人すべてが明るく前向きな姿勢を取り戻すよう働きかけるべきなのです。

・言葉と意味

あなた方はよく、言葉やコミュニケーションは難しいと感じます。実際あなた方はコミュニケーション上手にもかかわらず、自分ではとても苦労しています。あなたは言葉を正確に使う技術を身につけていて他人の心を見抜くため、その人の言葉で語る方法を探しつつ、自分の考えも伝えられる究極の言葉の選択をしているのです。単純な会話の中でそこまで心のアクロバットをすれば疲れるのも当然というものです。

あなたは大半の人々があなたほどの正確さで会話をしていないことに気づきません。人々はそれほど言葉に執着がなく、あまり注意を払わずただ単に自分の心にあるものを表現しているのです。しかし言葉はあなたにとって重要な意味を持ちます。あなたは他人の言葉の一つ一つに注意深く耳を傾け、結局肝心な意味を聞き逃してしまいます。話の途中で相手の使った言葉を言い直したりしているうちに要点を見失ってしまうだけでなく、相手をいらいらさせてしまうのです。あなた方としては相手の言葉の選択を正しているのではなく、コミュニケーションを取ろうとしているだけなのですが。

時々あなたは、相手の言葉の一つだけを取り上げて大いに脱線させてしまうことがあります。「この人が言った〝真の××〟とは……」と言ったかと思うと、延々と自分の考える「真の」という意味について議論をぶってしまうのです。言葉に引っかかったら、まず相手にとってその言葉がどういう意味を持つのかに注意を払いましょう。そうすれば話の焦点を相手に戻すことができ、特定の言葉にとらわれるくせを直すことができます。あなた方は非常に頭脳明晰にもかかわらず、言葉に対する執着により迷宮にはまってせっかくの知性を身動き取れなくしてしまうのです。人の言葉の上をなぞるのではなく、その奥にある意味を見通すことを覚えましょう。

ゴール

◆均整の取れた人生を築く

・信頼と洞察力

あなたは今生で自分を信じること、そしてあなたの中にある真実を見きわめる力を大切にすることを学んでいます。直感はときとして不自然な考えを促すことがあります。状況から考えると不合理なため、あなたはその感覚を否定し決断能力が落ちるのです。しかし論理を判断基準とすると、その選択は一般にあなたにとって不利な結果を招きます。反対に心の知恵に従えば、うまくいくのです。

あなたは自分の一挙一動について相手の反応を気にします。そして心に聞こえている直感より、相手を喜ばせることを優先させてしまいます。今生でのあなたの課題は自分のフィーリングを信じ、初めに浮かんだ直感に従って行動すること。

決断を下すと周りの人はそれに合わせてあなたを助け、力を分けてくれる――とても簡単なことです。あなたはとても複雑な心の持ち主なので、論理的な考え方を否定し、単純な直感を採用することは難しいかもしれません。

あなた方は人を助けたいという強い欲求を持って生まれています。しかしあなたにできる最大の支援は、自分のエゴや考えを巡らせることなく、ただ心に浮かぶ直感の伝達者として、あなたの直感力を他人と分け合うことなのです。あなたが純真な動機を持っている限り、直感は決してあなたを裏切りません。

他人の動機を見通すことであなたは相手の考えに対して寛大になるべきときや、注意を払うべきときが分かります。この人は何を求めているのだろう？　この人の人生で最も重要な要素は何だろう？

たとえば社会的立場（財力、地位、あるいは味方の数など）に重きを置く人だったら、その人の考えは物質的に成功することに照準を合わせていると分かります。もしあなたの価値観がそれとは違うものだった場合、その人からあなたが学ぶ真実はないとみてよいでしょう。

こう自問するのも有効です。「この人は私に何を求めているのだろう？　私に救いを求めているのか、それともただ意見を求めているだけなのか？」心の声に耳を澄ますだけで、あなたにはその答えがすぐに分かるはず。友人の力になってあげようと決断したら、その友人の心の真実はあなたにとって有用なものになるでしょう。

・高潔さ

高潔に人生を送る価値を知ることはあなたにとって一つの難関となるでしょう。あなたはいつでもあらゆる見方や考え方を検討して自分の立場を正当化してきたので、結果を考えることなく自分の心が信じるただ一つの真実に従って行動することの大切さを見逃してしまうのです。あなた方は他人に対して「いい人」であり、人づきあいの戦術に長じているためほとんどの場合自分の思い通りにことを運んでしまうので、この課題はとくに大きなチャレンジになるでしょう。

しかしながらあなたが人生をより確かなものにしたいなら、信条や道徳に従って生きることに力を注がなくてはなりません。自然界で誰も引力に逆らえないのとまったく同じように、あなた方も精神世界の摂理に逆らうとその結果を痛みとともに受け止める運命にあるのです。ですから地球を包んでいる精神世界の摂理に逆らうよりは、それと親しみ、従うほうがあなた方のためになります。

あなたは今生で嘘をつくと必ず手痛いしっぺ返しに見舞われることを学んでいます。嘘で一時的に取り繕ったり、困難な状況を打開することはできますが、それは真実と直面するのをほんの少し先延ばしにしているに過ぎません。しかも延期をすると、取り返しのつかない事態にまで進んでしまうこともあります。どんな状況も、その真の意義は変化や成長、活性への機会であり、矛盾のない自然の摂理を知る唯一の機会でもあります。

あなたは今生で、どんなに他愛のないレベルの嘘であっても嘘は宇宙の原則に反しているということを学んでいます。嘘が導く先では自分の本来の姿が見えなくなり、究極的には他人との不信感、孤立、そして不安しかありません。嘘は一時的に事態を修復するために便利だと思っても、それはあるべき解決法でないばかりか、さらなる嘘と混乱を招き、あなたのエネルギーを低下させます。その対極として、愛と正直さ、そして相手への思いやりを持って接すると、相手はそれに誠意を持って応え、双方のエネルギーが満ちてきて二人はより親密な関係を築くことができるのです。

折りあるたびに人々に奉仕するのはあなた方の愛の形でもあります。あなたには多くの情報を整理し、同時にたくさんのことをする能力が備わっているため、人々がスムーズにものごとを進められるよう、車輪の軸のような働きをすることができるのです。人々に奉仕するときにあなたが考えるべきなのは、みんなの意見や希望に耳を傾けることではなく、自分の心の奥の声を聞くことです。人々の考えにわずらわされることなく、自分の直感が導く「正しいこと」を迷わず実行して下さい。自らが実践して見せることにより、より高次元の力の存在を周囲に示し、さらによい奉仕ができるようになります。真実を日常生活に取り入れることがあなた方の今生での大きなレッスンであり、あなた方はそれを習得次第、周りの人々に教えていくようになるでしょう。

これが真実だと感じたことを直接的な表現で伝えるとき、あなたは地球を包んでいる宇宙のエネルギーと調和していると感じることができるでしょう。日常の経験から、自分の立場を明確に示しても予想したほど人々は理解してくれないと感じることもあるでしょう。ならば真実の力と保護を友として、正しいと感じる直感の語り部になり、その後のドラマがどう展開するか静観するのもあなたの生きる道です。真実を味方につけると、あなたの人生はさらに冒険に満ちたものになります。

◆精神世界への道

あなた方は前世でものごとの多面的な見方を繰り返してきたため、現状を把握できても、自分の行動を長い目で見据えることができなくなっています。心の中がなぜか空虚で、ほかの人が持っているような喜びや信条、存在感といったものが欠落しています。あなた自身の中にある精神世界と再びつながり、その道を歩み始めることは今生におけるあなたの使命の一つです。

精神世界とつながるためにするべきことは、高潔にして道徳的、そして主体的に行動し、真実に忠誠を誓い、決して策を弄したり他人をコントロールしようという誘惑に負けないことです。日常生活の中でスピリチュアルな暮らし、つまり真正直に行くべき道を信じて進めば、世界中があなたを尊重し、あなたを心から幸せにするものが集まってくるようになります。

・**良心**

あなたはものの見方を重視するあまり、高潔であることの絶対的価値を過小評価しています。あなたが誰かの犠牲の元に自分のほしいものを手に入れようとしたとき、あなたの良心はこう言うでしょう。「だめだめ。それは正しいことではない」しかしあなたは論理を振り回して行為を正当化し、こう考えるかもしれません。「正しくないことかもしれないとは感じるのだけれど、でも今こうしないと何か悪いことが起こりかねない。いずれにしてもそれほど悪いことではないだろう」あまりに多様な見方を前にして、あなたはただ一つのあるべき姿を見失い、結局個人的利益を優先してしまうのです。

真実は見方とは異なります。あなた方は良心の声を無視して行動すると決まって失敗します。まずい決断をするとあなた自身の霊的な部分とつながるドアを閉ざすことになり、あなたが望んでいる心豊かな暮らしから遠ざかっていくのです。またあなたの場合、良心に逆らうと物質的な損失に見舞われ、その不運はさらに続くこともあります。自分の心に忠実に毎日を送っていないと、精神の平和は望むべくもありません。

自分の良心に従わず他人の権利を侵害したとき、あなたは天からの庇護を自ら台無しにしているのです。正しい行動を否定して真実の光から背を向けると、否定的なエネルギーを自分に引き寄せることになります。自分のしたこととは無関係に思えるさまざまなよくない出来事があなたの生活をむしばみ始めます。不慮の経済的困難に陥ったり、裏切りや社会的制裁に遭ったりという緊急事態や危機が次々に訪れます。良心を無視することのもう一つの代償は心に巣食う漠《ばく》とした不安感、「何だかすべてがうまくいかない」という感覚です。

つまりあなたに残された選択肢はただ一つ、精神世界へ続く道に戻ることです。そして自分の良心と直感にもう二度と逆らわないと誓うことです。あなた方がうわべだけの世界と決別し、正しい道を歩む精神的な強さを自分のものにするために、真実への忠誠はなくてはならないものなのです。真実と高潔さに満ちた日常生活を送っていると、あなたが望む安らかな心でいられることをあなたは心の中で知っています。あなたが「自分の望む結果」より「正しい行動」を優先することを覚えたとき、あなたは人生の最も甘美な報酬が与えられるに足る人格を備えたといえるのです。

・首尾一貫

あなたは前世で短期的な目的を満たすための決断を数多くしてきたため、長期的な視野に立つことに慣れていません。しかし何があっても自分の言葉に責任を持つということはあなたの人格を強くさせ、平和と喜びにあふれた心への前提となることを学びましょう。あなた方は状況の変化に対応して初めに言った言葉通りに行動せず、しかもそれを正当化するのは朝飯前です。

首尾一貫することとは、仕事や人間関係などにしがみつくという意味ではありません。何か破壊的なことや活力を失わせるような事態が発生したときは自分がどうしたいか正直に伝え、状況の変化をきちんと相手とともに考えるということです。要するに自分の高潔さを貫くこと。それが真実を貫くことなのです。

あなたは今生で自分の言葉に責任を持つことを学んでいます。誰かに何かをするとか、いつどこに行くとか約束したら、「命をかけてでも」実行して下さい。ある意味でそれは本当にあなたにとって死活問題なのです。あなたが自分の言葉を一〇〇%守ったら、あなたの言葉は重みを増します。あなたが少しでも自分の高潔さを守らず不用意に言葉を使うと、宇宙はあなたを守ることをやめ、あなたの言葉はその力を失うでしょう。もしあなたが常に自分の言葉を守り、また約束が守れないときは事前に伝えていると、ほかの人々はあなたに協力的になっていきます。忠実であることはあなたの人生のテーマの一つなのです。あなたの喜びも平穏な心も真っ直ぐな細い道を進むことによってしか得られない、ということです。

◆天の導きに心を開く

・自発と衝動

あなたが何をするにしても一番成功するのは心の声を聞くという方法です。ある環境で何らかの決断を迫られたとき、心の奥には必ずイエスかノーの声がするはずです。いつでも何かに導かれているという感覚はないかもしれませんが、あなた方は天の叡智に結びついているのです。それはあなたの中では進むべき道を常に指し示す高次元の力として認識されます。時々天からの導きが得られないと感じることがありますが、それはあなた自身がその回路を閉ざしているからです。心を静めて宇宙の波動に合わせ、答えに耳を澄ませば、いつでも声は降りてきます。

人生の冒険の途上であなたは霊的な経験や洞察に出合います。あなた方はそれを日常生活に取り入れていく使命を持っています。論理的に考えるとその道はあまり正しくないように見え、先の見えない予定外のその道を行くのは愚かなことのように感じることもあるかもしれません。けれども天の導きはあなたの想像をはるかに超える所まで連れていき、わくわくするような冒険をさせてくれるでしょう。そしてその経験はみなあなたにとって望ましいことなのです。

あなたは衝動と自発性の違いを学んでいます。衝動的に行動するとうまくいきません。衝動とはあなたにとっては妄想のようなものです。ある状況が悪化することへの恐れから心を酷使するとき、あなたは、安心感を得るために何かをしなくてはならないという切迫感に駆られます。しかしここでも動機が結果を決めるのです。もしあなたが自分の望みのために相手の考えを変えようとしているとき、その衝動的行為の結果あなたはさらなる不安に襲われるでしょう。

これに反して、自発性に妄想の要素はありません。自発性とは考えることなく自然に行動することです。自発的な行動は真実とともにあり、策略の類いから解放されています。自発的な人々は一瞬一瞬にある真実を、恐れやエゴに惑わされることなくほかの人々と共有します。あなた方がそういう行動を取るとき、その言動は常に正しく、周りの人にも自分にもよい結果を導きます。さらに隠された策略によって動いているわけではないので、あなたの心は平和そのものでいられます。あなたが純粋な動機に基づいて行動しているとき、その長期的な結果はあなたを含めた全員のためになるでしょう。

・精神世界とのつながり

過去の多くの人生で、あなたは社会とともに生きる心を育ててきました。社会の中で生き延びるにはどうしたらよいかという尺度が生きるよりどころだったのです。社会を自分より優先させてきたために、あなたは自分の考えがどういうものだったのか分からないまま今生に生まれてきたのです。これはある意味でメリットでもあります。あなたの心に響く、高次元の自分の声に素直に耳を傾けられるからです。しかしあなたはこの天上の守護霊の声を聞くことにまったく慣れていません。

今生であなたは素晴らしい心霊的な能力や直感に恵まれ、それを使って他人を助けたり、場合によってはそれを職業にすることもできるほどです。あなたは生まれながらにして真実を伝えるチャネル（霊媒師）なのです。タロットカードで占いをすれば誰にも引けを取りません。カードに現われる感覚的なメッセージとあなたが持って生まれた流動的な感受性があなたを比類なき予言者にし、人生の新しい見方を展開してみせるでしょう。

あなた方は天上の守護霊と直接交信する才覚にも恵まれています。あなたが「よし、こうしよう」と言って、決めた通りに行動を始めるとあなたはもう正しい道を進んでいます。あなたのすべきことは守護霊に心を明け渡し、真っ直ぐ導いてくれる通りに進んでいくことだけです。そうすれば最短距離でゴールにたどり着けるのです。たとえばあなたが華やかな社交生活を送り、恋人とロマンチックな関係を築きたいと願うと、友達がやってきて「今度の土曜日にパーティーがあるんだけど、一緒に行かない？」と誘ってきます。もしあなたの気持ちがわくわくしたら、それが「パーティーに行けばよいことがありますよ」というあなたの守護霊のメッセージです。

しかしそこであなたはまたいろいろと考え始めます。「パーティーの主催者はきっとあんまりロマンチックな人を招かないわ。それに土曜日はほかの友達に映画に誘われているし。第一着ていく服がないから、もし素敵な人に会っても私は見劣りしてしまうわ」こうやって心のアクロバットを繰り返し、あなたはパーティーに行くのを見合わせます。そして後になってから「どうして私は欲しいものがいつまでも手に入れられないのかしら」と嘆くのです。最初の感覚を無視していろいろ考えを巡らすことこそが、あなたを欲しいものから遠ざける方法なのです。

あなたの心がとくに理由もなく高揚するとき、何をおいてもその直感に従って下さい。そのわくわくする感覚が示してくれた道があなたをどこへ導いてくれるか、冒険してみて下さい。そうやってあなたは守護霊とともに、あなたの夢に一歩ずつ近づいていくのですから。

あなた方は守護霊や天使に囲まれています。あなたの今生は「自力で何とかする」べき人生ではないのです。高次元の知恵と導きが、あなたの直感となって降りてきているのですから、そのメッセージが論理に合わなくてもまったく問題にすることはありません。あなたには意識的な自我よりもフィーリングのほうが大切なのです。

他人の考えについてあまりに多くの時間を割いてきたあなたは、そろそろあなたに無視され続けてきた気の毒な守護霊の気持ちを考えてあげるべきときに来ています。守護霊の仕事はあなたをあなたの目指す方向へ導くことなのですが、あなたは守護霊の導きを否定し続けてきました。守護霊はあなたよりずっとはるかな未来を見通すことができますから、すべてがうまくいくように正しくお膳立てすることができるのです。それなのにあなたは守護霊が与えているあのわくわくする感覚を活用する代わりに、論理ばかりに頼ろうとしているのです。あなたが直感に従わなければ、守護霊はあなたを助けることができません。どうかこの簡単なことに気づいて下さい。あなたがすべきことはあの冒険が始まるわくわくする感覚に従い、心の奥にある叡智にあなた自身を開放すること。そうすれば喜びのほうがあなたを見つけに来てくれるでしょう。

〔癒しのテーマソング〕

音楽は何かに挑戦するとき、感情面でユニークな力を発揮します。
それぞれのドラゴンヘッドグループに合わせ、
エネルギーをプラスに転化する働きを持つ詩を作りました。

信じること

この詩のメッセージは、ドラゴンヘッドが射手座にある人々が心のアクロバットをやめ、心の中にある叡智に従うために必要な真実を見きわめる直感を強化し、自信をつけることを目的として書かれました。あなたの周りにある霊的な存在に気づき、信頼することを学んだら、心の静寂はあなたのものになるでしょう。
やっとここまで来たけれど
それほど遠い道のりではなかった
自分の心に従い
見えたものを形にするだけのこと
それは言葉では語り尽くせないもの
でもすべてが天使のおかげではなかった
来た道を振り返って見ると、一番の難関は
自分のすべてを委ねるということ
信じることの難しさだった

ドラゴンヘッド

山羊座

第十ハウス

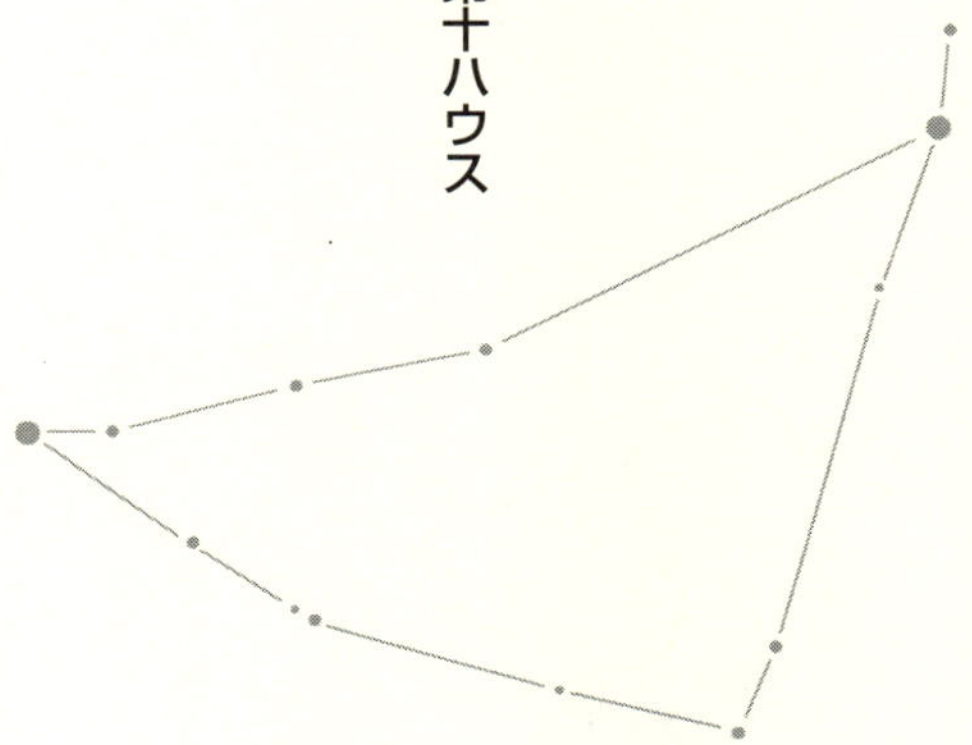

Capricorn

総体運

●伸ばしたい長所

次の性質を伸ばすと、あなたの隠された能力が見つかります。

・自己制御
・人生を大人の目で見る
・自尊心
・目標に向かう姿勢
・分別のある問題解決法
・約束を守る
・過去を水に流す
・自分の面倒を見る
・成功を目指し主体的に取り組む

●改めたい短所

次の性質を減らすようにすると人生が生きやすく、楽しくなります。

・依存心
・気まぐれ
・不安のため行動しない
・恐怖感による限界の設定
・過去を理由にした現在の否定
・孤立――家に閉じこもる
・自尊心の欠如
・個人的リスクの回避
・感情的な反応による他人への支配的行為

◆あなたの弱点／避けるべき罠／決心すべきこと

ドラゴンヘッドが山羊座にあるあなた方の弱点は依存心です。「誰かが私の面倒を見てくれないと生きていけない」と考えることは、際限なく安心を求める罠にあなたを陥れます。「私にしっかりした基盤ができれば、一人で生きていけるエネルギーが湧いてくる」あなた方は感情の依存体質を他人との間に作り上げ、それを自分の安定の基盤にします。しかしそれは底のない落とし穴のようなもの。相手がどんな人であれ、あなたの安心感を保証してくれることはなく、一人前の大人として生きていくのに必要な心の安定を他人から得ることはないのです。

あなたはどこかで観念して自らリスクを冒し、結果がどうあれ自分の行動の全責任を引き受ける決心をするべきなのです。あなたにとって真に大切な生きがいともいえる目標を見つけたとき、あなたの中に自尊心と責任感が芽生えます。不思議なことにあなたは自分に頼ることを覚えると心の安定が訪れ、自らの運命を切り拓いていけるのです。

◆あなたが一番求めるもの

あなたが一番求めてやまないのは安心できて、愛情を込めていたわり守ってもらえる、あなたの心のよりどころと思える場所にとどまっていることです。これを実現するには特別の誰か、あるいは集団が、あなたに必要だからというだけの理由でよりどころを与えてくれるだろうという考えを捨てることです。その代わりあなたは自分の力で望む環境を創出していくべきなのです。元気が湧いてくるような目標を目指し、また自尊心を起こさせるような理想や信条を見つけることにより、あなた方はどんな環境の中にも自分の情動のよりどころを築いていけるでしょう。

あなた方はとりとめのない感情的な願望や周りの人々の願いの先にある目標を見つける必要があります。より高次元の目標に焦点を定めると、あなたは何かに守られ、豊かに育てられている感覚を覚えます。

◆才能・職業

あなた方の特技はリーダーシップ。経営や講演、政治などの分野、起業家などに向いています。あなたは人々に対し権威と分別を持って接するため、周りの人々はあなたの掲げる目標に喜んで協力しようとするのです。あなたが成功を収めるには、どんな分野でも成功に必要な要素の一つ一つに責任を持つことが肝要です。

あなた方はまた洗練された情動の本能を持っています。あなたは常に周りの人々の感情が読めるため、この才能を経営に生かすと社員は善意と熱意を持ってあなたを支援するでしょう。しかし教育や養育を最終目的とする職業の場合、あなたは感情のあやに取り込まれて無力感を覚え、リーダーシップを発揮できないでしょう。あなたに向いているのは目標を達成することを旨とする職業や、常識を生かし愛情を込めて人を組織することにより仕事を進める職業です。

●あなたを癒す言葉●

「他人は制御できないが、自分は制御できる」

「過去を水に流すと、現在をもっと充実させられる」

「主体性を持って臨むとうまくいく」

「自尊心を感じるとき、私は正しい方向を目指している」

「自分の面倒を見るのに他人に依存する必要はない」

「この状況を私は打開できる」

「私は私の精神を制御できる」

性格

◆前世

あなた方は前世の多くを家庭人として過ごしてきました。一家の主として、農場の主人として、あなたは家族や一族の代表を務めてきました。これらの前世の影響からあなたは家族のありようや、その構成員の感情をよく理解しています。しかしあまり一人で外に出て過ごした経験を持ちません。今生で世界に飛び出すことは大きな喜びであるにもかかわらず、あなたはなかなか外に出ようとしません。世界に出ることで得られる喜びを諦めて家にとどまり、あなたはその能力を証明する場を見出せず、自尊心を持て余しています。今生でのあなたのテーマは自分の運命を自らの手で切り拓くことです。

前世の暮らしでは家があなたの世界そのもので、あなたに必要なものはすべて家族の者が満たしてくれたのです。あなたは食事も衣服も住む家も与えられ、外敵からも守られていました。このためあなたは今生に大きな依存体質とともに生まれ、周りの人にあなたの生活を守ってもらいたいと願っているのです。ものごとがあなたの望むように運ばないとき、あなたは激しく感情的になりますが、それは無意識に周りの人があなたの動揺に気づき、態度を変えることを期待しているのです。しかし人々はあなたが周りの人々をコントロールしようとしているととらえ、あなたをなだめるために考えを変えることはありません。

あなたの人生がうまくいくためには、どんな状況でも積極的な立場を取ることが大切だということを今生のあなたは学んでいるのです。感情の爆発により他人の行動を変えさせようという考えは捨て去り、感情的な反応とは無縁の静かな自尊心と権威を持って人に接していくべきなのです。それは自分に責任を持ち、自分だけの人生の目標を持つことの副産物ともいえます。責任感のある立場を取ると、あなたは他人の目標に依存して安心感を得ることなく、対等な立場で人とつきあっていけるのです。

・家族のカルマ

あなた方には難しい家族のカルマがあります。多くの場合、あなた方は感情的に問題のある人々が身近にいる家族に生まれ、その感情に敏感に反応しながら長い月日を過ごす運命にあります。しかしその人の無限の要求を前にして、自分にはその人を変えさせる力がないと感じ、憔悴《しょうすい》してしまいます。

前世からの影響で、あなたは家族の一人ひとりを育てることに慣れすぎているため、自分の進むべき方向を見失っています。このため今生でも家族との距離が近すぎると、いっそう自立に困難を感じます。しかし問題は近さではなく、無意識にあなたがこう考えることです。「この人が自立してくれたら私は自分の人生を取り戻し、自分の目標を自由に追いかけられる」

この無意識の考えのため、家族を支えることはあなたにとってきわめて不快な感情をともないます。あなたは家族の問題を早く片づけて、自分のための時間を持ちたいと考えるのです。そこに問題が二つあります。

(1)ほかの人を自立させることがあなた自身の人生を歩むための主体性の確立を遅らせていること、

(2)誰かが成功するのを支援する前に自分でその方法を見つける必要があること。

まずあなたがするべきことは、家族との感情的な問題と自分を分けて考えることです。それができるとあなたは自分の人生を歩き出すことができます。一定の距離を保ち、客観的に家族の誰かの感情的な要求を理解することができれば、そばにいても問題はないのです。家族の誰かの問題を解決できないとあなたも幸福感を得られないという依存状況から脱することができると、あなたは家族の全員のためによい結果を導き出す能力を発揮できるのです。

あなたが家族の管理を会社の経営をするようにできたら、あなたの家庭生活はとても順調なものになるでしょう。あなたは生まれつき人を理解する才能があり、どの人の感情も損ねることなく関わる人全員で一致協力して一つの目標を目指す体制を作ることに長じているのです。家族に対してもそれと同様、権威の立場から接してみましょう。家族の人がどうしたいかを知り、その望みが叶うよう客観的に支援してあげるのです。家族のリーダーとして、家族の管理をどうすべきかについて具体的な目標を作り、みんなが満足できるような環境を築いていきましょう。

・感情に敏感なこと

あなた方は自分や周りの人々の感情にとても敏感です。このため、人が何かに当惑したとき何もできなくなる気持ちがよく分かります。人が何かに失敗すると無力感にさいなまれることも痛いほど分かります。あなたは機嫌の悪い日や、何となくやる気の出ない日にそういう同情心を自分に当てはめて仕事を先延ばしにします。そしてそれはあなたにとって都合のよい言い訳になっています。

あなた方は情動の世界に通じていて、人の感情がどのようにほかの人に影響するかを理解しています。これは長所であり、短所でもあります。長所としては人生を上手に渡っていけること。短所としてはあなたは人の感情を本人以上に感じるため、疲れてしまうのです。あなたは他人とのあつれきや衝突などの否定的なエネルギーを抱えていられないため、周りの人に合わせるために自分の計画や目標を引っ込めてしまいます。そうすれば他人の感情的ストレスを負担に思わなくて済みますが、そうして他人の感情にあなたが振り回されることになるのです。

あなた方は他人の気分を自分の責任のように背負い込む傾向があります。あなたは自分が気分よく過ごすために、周りの人を喜ばせようとします。あなたは身近な人々の普段の感情と自分のそれを分けて考えられないのです。このため、あなたを困らせないために身近な人々は自分の正直な感情を表わすことができずに苛立ちます。たとえば家族の一人から夕食に誘われたのですが、あなたはあまり行きたくなかったとします。しかし相手の感情を損ねまいとしてあなたは出かけていくでしょう。あなたは自分の、そして周りの人々の感情を荒立てないことを第一に考えて行動する傾向があります。そしてそれは自分が責任を逃れるもう一つの理由となっています。「自分の決断が誰かを困らせてしまうかもしれないので、踏み切れない」という具合に。

あなた方は他人の感情を制御することをやめ、周りの人が自由に感情を表現することに違和感を感じないように自分を慣れさせていく必要があります。重要な問題を解決するとき、人は否定的な感情と向き合わねばならないときもあります。あなたが他人の否定的感情を制御すると、それはその人が壁を乗り越え、成長する機会を奪っていることにもなりかねません。熱いストーブに手を置いてやけどをしても、それはある意味では貴重な学習の機会です。感情面でも同様のことが言えるのです。あなたは多くの場合、自分の感情を元に行動しますが、それは今生では得策ではないのです。あなたが取り組むべき課題は、自分の感情に振り回されるのではなく自己制御して、周りの人々の感情に干渉しないことです。

・感情エネルギーとつきあう

あなた方は大変感情的で、映画や小説を読んでは涙を流します。いつどんなときにでもすぐに感情が出てくるのです。何かに直面すると考えるより先に感情が表われるので、行動に移せなくなるのですが、本人にはなぜか分からないことが多いのです。これはあなたが大切な何かを失ったときや、仕事で何かと対立したときなどにも起こり、状況をうまく収束するどころか、悪化させてしまいます。

このように情動に支配されたときはまず深呼吸をしてみましょう。心をリラックスさせ、あなたの神経を逆なでしている考えをやり過ごし、遠い山並み、海辺のリゾートといった心が和む風景を想像するのです。そうして心を落ち着けてから、次の行動を考えるのです。

あなた方は自分が中心になって何かをしなくてはならない場面に遭遇すると、自分には処理能力がないと恐れ、パニックに陥ります。あなたはうまくいかなかった場合をあれこれ想像し、不安が増大し、体が硬直してしまいます。だからこそあなたの場合、感情に支配されたときは意識して心を落ち着け、感情の「外」に出るようにするべきなのです。感情より大きな自分をイメージすることで明晰な心が戻ってきます。

そもそも何かに圧倒されるということは初めからあってはならないのです。何かが過剰に重要になると、あなたは落ち着きがなくなるからです。これを知っているだけで心の動揺をうまく飼い慣らすことができるようになるでしょう。

◆拒絶への恐怖

あなた方は拒絶されることを極端に恐れ、その場面を想像するだけで鳥肌が立ってしまうほどです。誰かに拒絶されると自分に対して落胆するばかりか、相手にも罪を着せます。あなた方は拒絶されることへの不安と恐怖から、ものごとに対しとても慎重に取り組みます。

この感情は前世での経験とも関連しています。あなたは家族の傘の中に守られ、世界から遮断されていました。あなたは自分の考えは大した価値がないと思い、家族に伝えることをためらいます。もしみんなに伝えて拒絶されたら、本当に価値がないことを証明することになるからです。不合理な考えですが、あなたの内なる恐怖感は増していき、誰かがあなたを拒絶すると、一晩中眠れないほど悩み抜きます。当然ながら、あなたは他人を拒絶することも嫌います。他人の感情を自分のことのように引き受け、もし拒絶することになると長い時間をかけてその理由を並べ立てます。そこまでしても相手が拒絶されたときの心情を長い間考えてしまいます。

主体性を持って行動する決心をすることはあなたを不安から救い、ものごとに責任ある態度で接する力を与えます。友人との関係で誤解が生じたとき、あなたのほうから連絡を取り、こう言いましょう。「多分誤解していると思うのだけれど、あなたを意図的に傷つけるようなことは決してしないつもりよ」とか「二人の間には誤解があると思うけど、私はあなたを拒絶したわけではないの」というふうに。

調和の取れた人間関係を築くために自分が主導権を握るつもりでいると、何を伝えればよいか自然に分かるようになります。あまりに動揺して電話をかける気になれないときは、こうつぶやいて落ち着くまで待つことです。「今できることは何もない。明日電話して友好的に解決しよう」

◆手放せない

あなた方は感情に対して大変開放的なため、過去の感情も現在に招き入れます。未来に何があるか分からないので、過去の幸せな感情を忘れてしまいたくないのです。あなた方は多くの場合、未来について考えないようにしています。積極的に具体的な未来について考え始めるまで、あなたには過去と現在しかありません。現在が自分に幸せをもたらさないとき、あなたは過去の回想にふけります。これは現在の状況をよい方向に変える努力から気をそらせるため、健全なことではありません。

あなたが過去を振り返るとき、思い出の中に喜びと愛を探します。しかし同時にその頃自分がしたくてもできなかったことも思い出し、後悔します。これは現在の状況をよくしようとするあなたのエネルギーを失わせます。過去の過ちは単に、そのときどうすればよいか判断できる状況にいなかったにすぎないのだということを知るべきです。過去は変えられませんが、「今」あなたが目標に向かって集中しさえすれば「未来」に実現させることができるのです。過去の記憶の存在価値は、どんな行動が自分にとって悪い結果をもたらしたか、そして何が自尊心と強さを築いてきたかを知ることにあります。

あなたは水に流すことが苦手です。あなたは情にもろく、誰の感情を害するのも好みません。何かが決定的に損なわれたためにある状況から撤退することになっても、とても気が重くなるのです。そして周り中のみんながもう駄目だと理解するまで、その場を去らずにいるのです。仕事や社交の場面などあらゆる人間関係がうまくいくように、あなたは骨を折ります。あなたは自分の生存が危機に瀕すればそこから去りますが、本当はそれよりずっと前に手放したほうがよいのです。

あなたが過去を手放せないのは、未来に目標がないためです。このため過去をたびたび振り返り、未来に向かうのをいっそう難しくさせるのです。あなたが過去を水に流し、現在の難しい状況から手を引くには、あなたに方向性を与える目標を持つことです。たとえばあなたが恋人と別れたとします。あなたは郷愁に浸り、過去の二人の親密な生活のことばかり考えるでしょう。しかしあなたがするべきことは、そのエネルギーを動員して社交クラブに参加したりダンスやパーティーに出かけて未来のパートナーを探すことです。現在を充実して生きるために、過去は水に流すべきなのです。

あなたが一番手放せないのは、何でも自分でコントロールしたいという欲望です。あなたはいつも自分のやり方でものごとを進めようとします。あなたは自分がある状況を支配していると、能力を発揮していると感じますが、支配することと上手に運営することの違いを知るべきでしょう。自分の感情を損なわないために他人を支配することは、自分中心の感情を他人に押しつけているようなものです。

しかし状況をうまく運営していくことが目的だった場合、あなたは全体像を頭に入れながら行動し、関わる全員にとって最良の選択をすることができます。そのときあなたは感情ではなく、精神の洗練を前提として目標を目指そうとしています。しかしそれをする前にまず、他人を支配したいという欲求を手放さなくてはなりません。

◆永遠の子供

あなたは自分が心地よくなるために、いつでももっと注目してほしい、もっと時間を作ってほしい、もっとやさしく――と要求します。あなたの世界は家族とともに回っていて、家族の一人ひとりからも同様の献身を期待します。しかしたいていの場合、家族はあなたが与えるほどの献身をあなたに与えてはくれません。それが今生での運命なのです。

またあなたは行動を起こす前にもう少しの何か、たとえば誰かの協力、助言、自信が必要だと考えます。あなたはそれらを他人が与えてくれると考えます。しかし最も必要なものはあなた自身が成長できるような目標に意識を集中させること、そして日々の努力により目標を達成することなのです。

親としてのあなたは「もう一人の子供」のように見えます。あなたは子供に対して、親としてというより対等な立場で接するからです。あなた方は親としての責任を取ることをためらいます。あなたは自分すらうまく管理できないという自覚から、他人を監督する能力を疑問視するのです。

・注目してほしい

とくに若いころ、あなたは注目を集めるためにさまざまなことをします。気まぐれな行動や人にがみがみ言ったりするのは注目してほしいためです。この傾向があなたをものごとの「達成モード」から遠ざけます。あなたは自分の行動に対してではなく、自分自身に注目してほしいと願うのです。あなたに関心を寄せてほしいために、わざわざ自分の中で火急の事態を作り出すかもしれません。しかしこれは両刃の剣であり、自分が注目を引きたいという動機が心の中で分かっているため、罪の意識を感じ、実際に注目を浴びると自責の念に駆られます。

あなたは目指す目標がなく無為に日々を過ごしていると、自分は注目に値しないと判断し、求めている心とは裏腹にひっそりと過ごします。皮肉なことにあなたが目標を目指して行動し始めると周りの人は自然にあなたに注目し、尊敬の目を向けます。またあなたがリスクを恐れず果敢にゴールを目指すと、自尊心が湧いてきて他人の注目をごく自然に受け止められるようになります。

自分を観察することもあなたにとってプラスになります。生活のどんな分野でも、成長したり上手になったときは自分を褒めてあげてよいのです。自分に対してやさしく、いたわりの心を持つとあなたは心が和んできます。自分が好きになり、依存心が緩和されます。

◆責任の回避

あなた方は自分に対する全責任を負うことがどうも苦手で、ためらいを感じます。あなたは心地よい「羊水」の中から世界に出て一人で歩き出さなくてはなりません。時々あなた方は大きなハンマーで一撃を与えないと目を覚まして動き出さないこともあります。あなた方は責任を負っているように振る舞い、細かいことに関しては実際に責任感を発揮します。請求書の支払い、ちょっとした買い物、家族の問題に耳を傾けるなどなど。しかし大きな問題からはことごとく逃げ出そうとします。たとえば自分の人生の指針について考えるとき、あなたはただ無限に考えを巡らせます。そしていよいよ差し迫ってくると、自分にこう言うのです。「こんなことに何の意味があるんだ！」そして諦めてしまいます。

あなた方は責任回避の悪癖のため、何千という言い訳を用意して「自分が心から満足できるもの」を探すというあなたが今生で考えるべきテーマから逃れようとしています。あなたが観念して、「ばかばかしい、逃げるのはやめて真剣になろう」と決心すれば、着実に進めていく力をあなたは持っています。

あなた方はその愛すべき人柄のために他人に道を譲る習慣

を持ち、それがあなた自身の利益に反することがあります。あなたは自分の進む方向を曇らせてでも他人に同情し、相手の感情を優先させます。あなたは自分の信条を貫くことより相手の望みを叶えようとするのです。

あなた方は愛を表現するとはどういうことかについて今一度考える必要があります。一つの価値は心に信念を持ち、関わり続けることです。あなたは周りの人に生活の規則や限界を知らせ、ひるまずに自らそれに従う必要があるのです。あなたがティーンエイジャーの息子に「出かけてもいいけれど門限は十時よ。破ったら三日間外出禁止ですよ」と言ったら、その通りに行動しなくてはなりません。息子が十時半に帰ってきたら、大騒ぎして抗議する息子に耐えて三日間の謹慎を強行するべきなのです。

もちろんあなたがこれを継続的に実行すれば、息子も約束を破ると必ず罰が待っていると理解してくれます。しかし親が子供に同情して息子の外出を許すと、彼はあなたを尊敬しなくなり、あなたも自尊心を失います。あなた方は一度口にしたことは必ず実行する習慣をつけなくてはなりません。そのことのほうが相手を動揺させることよりずっと大切なことなのです。

あなたは自分に責任を持つこと、そして「大人になったら何になりたいか」というゴールを見つけることを今生で学んでいます。責任を持つこととは経済的に自立するだけでなく、これまで自分の力で達成したことのないものに挑戦し、結果を出すことでもあります。それは魅力的な過程であり、あなたを大きく成長させます。

・大人のアプローチを学ぶ

あなた方は子供じみた行動を控え、大人としてものごとに接することを今生で学んでいます。ここで言う大人になることとは、目標に対して真剣になる姿勢を指します。それができるようになると、そこからあなたの人生は魔法のように順調に滑り出します。突然すべてがあなたに有利に回り始め、あなたは活気と自信にあふれ、嬉々として成功への道を歩き出すでしょう。自分の人生を見渡し、まだ手つかずになっているあたりから真剣に目標意識を持ち、実践していきましょう。不安と恐れに立ち向かい、目標に集中する習慣を持つことがあなたに自尊心と成功を約束します。

あなた方には一つ上を目指す欲求があり、常に「その先」を目指します。その感情的な落ち着きのなさが、自分にとって何が一番大切なのか考え、それに厳密に従うことを阻んでいるのです。具体的に目標を設定することができれば、落ち着きのない感情のエネルギーも方向性を得てプラスに機能します。それができるまで、あなたはほかの誰かのゴールを目指し続け、自分に開かれた機会にも気づかないでいるのです。あなた方はよく自分の能力を疑い、機会が訪れてもしり込みしてしまいます。たとえば自分がまったく知らないことがらに出合っても、普通はそれを知っているべきだろうと子供のように背伸びして判断し、自分の知識や経験のなさを隠すために「それは自分にとって重要でない」という態度を示します。大人の発想ではある目標を達成するには誰しも多くの情報を必要とし、自分より経験の多い人からの情報なしには達成させることはできないと考えるのです。

あなた方はまた心の声を聞くよりも先に世間の権威者にあっさり従ってしまう傾向があります。とくに自分がお金を払っている権威の対象に対してはほとんど無批判に従いますが、心の中ではもっとよい考えを温めていたりするのです。あなたは自分を信じることや、あなたにとってよいことを知っているのはあなた以外にいないということを学んでいます。

あなた方は究極の権威者になることができません。あなたは主体的にものごとを進め、人の指導にあたり、リーダーを務め、スタッフを監督するのですが、あくまでも誰かの援助の下で行っているのです。あなたにとって、ほかの人の目標を目指すほうが簡単なのです。お手柄を自分のものにすることには関心がなく、最終的に責任を負うことは何としても避けたいことなのです。

皮肉なことにあなた方は、ほかのどのドラゴンヘッドグループよりもリーダーに適しているのです。あなた方は人の感情を細やかに理解でき、あなたが主導権を持って仕事が始まると、全員が気持ちよく一つのゴールを目指すチームが作れるのです。達成に導く過程の中であなたはスタッフ全員を仲間に入れることができるため、問題が起こりにくいのです。このため目標がどんなに難しいものでも、人の惜しみない協力を得られるため達成できるのです。実際あなた方は今生で、仕事に真剣になりさえすれば職業的な成功が約束されている運命を持っているのです。

あなた方は自分にはあまりコミュニケーション能力がないと考えますが、それはあなたが感情的になったときだけのことなのです。あなたが感情に支配されたとき、まともに考えることができません。そんなときに話しても感情の激白にしかならないのです。しかし感情を静め、主体性を持って話せば、あなたは相手から尊敬と協力を得るために必要な最適の言葉を見つけることができるのです。違いはあなたの感情的な面と、大人の側面という二つの側面のうちどちらが出るかによるのです。自分の感情に圧倒されたらこう自問してみましょう。「この状況でどうすれば大人として主体的に対処できるだろう?」

あなた方は年齢とともに強さが増していきます。すべての面で言えるのですが、とくに職業面と目指す目標を達成する分野において顕著です。年を追うごとにものごとを一般論として受け止められるようになっていきます。何か不都合が起きてもそれは個人的な理由ではなく、複合的な理由でそういう結果も起こりうると理解するようになるのです。あなたが視野を広げ、慈悲の目でものごとを見るようになると、自分に対しても寛大になれます。何かにつけて自分を責めることをやめると、他人を責めることもしなくなります。

必要とするもの

◆安定

あなた方は限りなく安定を求めます。いつでも世話をしてくれる人々に囲まれ、守られていた前世での記憶から、あなた方は今生でも最小限の努力で小さく安定した幸せに満足し、ひっそりと人生を送ろうとしています。しかし今生での運命はあなたがほかの人に安心を与えてあげることなのです。あなたは朝決まった時間に起き、食事をとり、帰宅し、テレビや本を楽しみ、決まった時間にベッドに入ることを好みます。しかし自信を持つ――危険を冒し、成功できる――という、より大きな安心を得るためには、小さな安心を捨てなくてはならないときがやってきます。

・帰属意識

あなた方にはよりどころが必要です。前世では家族との強い絆の中で暮らし、集団の一部として満ち足りていました。しかし今あなたは心のよりどころとなってくれる人々、あなたの求めるものを満たしてくれる人々を選ぶ必要があります。安心感を得るために家や財産も大切です（しかし占星術の誕生図により一部の人々はお金に縁がなく、不動産のカルマに恵まれていません）。

家に対する執着から、多くの時間を家で過ごす人も多いでしょう。その場合、家にいることがあなたをダイナミックな人生から遠ざけます。あなたが自分の事業を起こすとき、家にオフィスを構えるのは得策ではありません。仮にオフィスが誰かの家だったとしても、自分の家以外の場所を借りるほうがうまくいくのです。あなたは定期的に家を離れ、エネルギーを常に流動させる必要があります。あまり家にいる時間が長いと、心地よすぎるために外界の刺激を避けるようになってしまいます。そして真の活気や成長、進歩の機会が失われるのです。

あなた方が帰るところを失うことを恐れるのは、相手に受容されるための方法を知らないからです。このため周囲を真似し回し、他人が集団に受け入れられるために取る行動を真似します。親密さを求め、その唯一の方法は相手の望みに従うことだと考えます。しかし不本意ながら従うことは、心に大きな失望感を育てます。しかも相手はあなたがするように、望みを叶えてはくれません。

あなた方はある一族や集団に入ると脱線することがあります。ある集団で使っていた規則を別の集団に応用するため、孤立してしまうのですが、自分ではなぜか分かりません。帰属意識を満たすためにある集団に入ることの問題点は、それ以外の人々を締め出すことを示唆していること。あなたは限られた大きさの集団の中だけに存在を認められることになるのです。所属する集団は自分よりも大きく安心できますが、人や集団を選別することを忘れると問題が起こります。たとえばあなたが共和党を支持しているとき、所属集団も共和党支持だったら何の問題もありません。しかし集団が民主党支持だったらどうでしょう。集団を選ぶときは、自分の信条と一致するかどうかを基準に厳選する必要があるのです。

◆失敗への恐れと自尊心

あなた方は失敗することを異常なほど恐れ、成功に至る挑戦をやめてしまいます。失敗を恐れている限り、あなたは他人に依存していられると考えます。あなたはまだ自分は大人として成功を目指す準備ができていないと感じます。しかし遅かれ早かれあなたは誰もあなたの面倒を見てくれないということに気がつくでしょう。それが今生での約束事なのです。

あなたはあらゆる理由を作り、自分の年齢までも言い訳にして恐怖に打ち克ち世界に出て行くことをためらいます。何年も自分と戦った後、ついに自分は外に出かけて使命を果たすべきだと気づいたときでさえ「まだ若すぎる」とか「もう年だから遅すぎる」と言い出すことがあるのです。加齢への恐怖は、大人になりたくないあなたの考えを反映しています。

しかしあなた方こそ年齢とともに充実する喜びを感じるべきなのです。「やっと成熟の年齢に達することができた」と。

あなたが受け入れる喜びとは、人生を意義深いものにし、満足感と自尊心が得られるような達成感を目指すということです。あなたは本来年齢のためにある職業が成り立たないと考える人ではありません。あなたが目指すべき目標は通常年を重ねるほどに有利になっていくものです。年とともに影響力が増し、信用や権威に磨きがかかるからです。人生の前半で成功する人もいますが、このグループの人には後半になってから大成する人も多いのです。年齢のことをマイナスに考えそうになったら、それはあなたの守護霊が「始めるのは今だ」と励ましてくれているのだと考えましょう。

あなた方はもし自分が一〇〇%の努力を傾けて失敗したのなら、初めから何もしないよりずっと満足感を得られることを知っています。心の中でこんな声がします。「失敗したらどうするんだ」これは前世の「世界に出たくない」あなたの声です。その声はつまり「成長するな、外に出るな」という自己破壊的な誘惑です。その誘惑に負けると、あなたは自尊心を持つことができません。

前世であなたの夫は、あなたが外に出ることを許さない人だったかもしれません。あるいはあなたの両親はあなたを過保護に育てたかもしれません。しかし今生ではもう違う人生なのです。新しい人生を歩もうとして主体性を持つと、その瞬間からあなたの人生はがらりと変わっていきます。あなたが行動の全責任を持つようになると、人生が自在に操れるようになり、何より望んでいた自尊心が育ちます。

あなたがある一つの選択が正しいか迷ったとき、判断基準にできるのはあなたの自尊心です。たとえば電話をかけたいと感じたとき、こう自問します。「結果はどうあれ、電話をかけることで自尊心を感じられるだろうか?」答えがイエスなら、電話をかけても構いません。答えがノーだった場合は、ほかの方法を考えましょう。

あなた方は感情の霧の中にふわふわと浮かんでいることを好み、その態勢はあなたの視点を自動的に一段低い位置にとどめます。しかし主体性を持って人生を眺めるとすべてが違って見え、力が湧いてきます。とはいえ経験のないことをするには恐怖感がつきまとい、完璧な態勢や熟達した能力がないことへの不安を感じます。しかしどんなに長いこと延期しても、遅かれ早かれ今生においてあなたは一人で立ち、歩き出す運命にあるのです。その転換が早いほど、楽しい人生が長く味わえるのです。

私のクライアントに教師になりたい人がいました。ほとんどの教師は大学卒業後すぐに教師になりますが、彼は大学の学位を三つ取得してもまだ準備ができていないと感じていました。そしてついに決断。彼に(そしてあなたにも)必要なのはただ一つ、決断することだったです。始めようと決心したとたん、成功があなたの能力を裏づけるのです。
やる気を出すと、あなた方は自分の感情的ニーズを制御し、自分のことは何でも自分でできると感じます。誰かに依存することなく、自己充足と安定感を自分の中に見出すのです。

・前向きに目指し続ける

あなた方は他の人に動機や熱意、協力的なエネルギーを送り、その人が夢を追いかけるのを支援することが得意です。今それを自分に向けるときが来たのです。あなた方は否定的な感情を起こしやすいのですが、粘り強いという長所があります。落ち込んでもそのままではいません。失敗しても不屈の精神ではい上がってくるのです。覚えていてほしいのは、ものごとがあなたの思い通りに運ばなくても構わないということ。あなたの挑戦は全力を尽くすことにあるのです。

あなた方は自分の感情を子細にわたり熟知しています。感情を込めて「絶対にできる」と口に出すと、それはあなた自身にも周りの人にも必ず成功に導けるという確信を呼びます。心と感情が直結しているあなたはヒーラーとしても通用します。しかし自分や愛する人々を心から支えるためには、何ごとにも悲観的な結末を予想する習慣を絶つ必要があります。あなたは相手を守ってあげているつもりでも、過剰な心配は相手の行く手に障害物を置くことになりかねません。常にプラスの結果に意識を集中する習慣をつけましょう。あなた方は普通あまり勇気がなく、ほかのグループの人々よりも慎重です。このためあなたの周りの人が何かに思い切って挑戦しようとするとき、あなたは意識して前向きな結果を心に描いてあげる必要があるのです。

あなたが恐怖心を克服する最良の方法は、何か一つに成功することです。あなたにとって否定的なことを考えることは成功に必要なエネルギーを浪費させるだけです。一度成功したらそのことを考え、次の成功に導くために必要な一つ一つに集中しましょう。前向きな結果を考えられるようになると、あなたの感情も前向きになり、あなたや周りの人々にもよい影響を与えるでしょう。

・主体性を持つ

あなた方は多くの場合、限られた枠の中でのゴールを目指します。家族的雰囲気の中で過ごした前世の記憶から、あなた方は世界に出ていく感覚に不慣れであり、経験を積むことにより自信をつけていくことに恐れを感じます。しかし今生であなたは一歩踏み出すたびに確かな結果がついてくるという運命にあるので、機会はことごとくつかむべきなのです。うまくいった経験を積むたびにあなたは自分の能力に自信を持つことができるでしょう。あなたが目標を立てるとき「安全」であることを意識しすぎてリスクを避けることがありますが、ほかの人の協力や意見に対してオープンであることは成功の必要条件です。ほかの人の意見はあなたの思考の幅を広げてくれます。

・問題と直面する

あなたは自分のことをとても開放的だと考えていますが、本当は他人に自分の感情を打ち明けることが苦手です。あなたは目の前の現実よりも先のことに目を向けないので、他人からは深く考えない人に見られます。あなた方の多くは知的な人々で、ものごとをすぐに理解するのですが、自分の考えを実践することは苦手です。あなたには否定的な考えが多すぎて、積極的に取り組んだり、最後までやり遂げることが困難になるのです。

実際に周りの人がどう思うかを確認するわけではないのですが、あなた方は人があれこれと反応することを想像して、計画をとりやめる理由にすることがあります。あなたは他人が拒絶したり何か言ったりするという否定的な「予感」や「第六感」を感じますが、そういう感覚はほとんどいつでも間違っています。過去の経験を振り返ってみてください。実際に対話をせずに人の意向を予測しても、あとで発覚するとほとんど不正確だったのではないでしょうか。一番よいのは想像するのをやめて直接本人にたずね、その人の言葉に耳を傾けることです。

あなた方の場合、他人に相談する前に自分の中である目標の当たりをつけておいたほうがうまくいきます。調和を取り戻したい、関係を解消したい、よい結果を導くためにフィードバックが欲しい、などなど。関係する人々の感情とは別に自分の目標をはっきり持っていると、あなたは客観的な姿勢を維持することができるでしょう。たとえばあなたがスタッフを一人解雇しなくてはならないとしたら、解雇するという目標に集中します。その話をしたとたんに起こる激しい感情に飲まれないように引き戻してくれるのは、解雇するという目標に集中することだけです。

友人とのわだかまりを修復するとき、一番よい方法は目標を心にとどめた上で相手に話します。「ねえ、あなたと話したいことがあるの。私が願っているのはあなたともっと親密になることなの」あなた方が意を決して相手に自分が傷ついたことを伝えると、多くの場合相手はあなたを傷つけたことに気づいていないのです。

◆誠実さ

あなた方が今生で学んでいるのは率直であること、そして自分の知っていることと知らないことについて誠実な態度を取ることです。自分がすべての答えを持っていないとき、自分に能力がないと感じてしまうため、手に余る状況を前にして何もしなかったり、または過去のパターンを繰り返します。あなたに答えられない質問がきたとき、あなたは率直にそれを認め、それを相手に伝えて質問の意味を明確にしてもらうことです。私のクライアントに、高校の教師としてある日バンドの楽器の説明をした人がいました。彼はドラムについて詳しく知っていましたが、ほかの楽器についてほとんど知りませんでした。生徒が彼のところに来て、トランペットのことをたずねました。「ファの音はどうやって出すのですか?」

彼は困ってしまいました。「間違ったことを教えてしまったらどうしよう。馬鹿な教師だと思われる」しかし彼は違う答え方を思いつきました。生徒に対して高圧的になり「何だって? 君はそんなことも知らないのか」これでは生徒の質問自体を押さえつけています。こういう答え方もあります。「今は答えられないが、調べてあとで教えてあげるよ」あなた方が「分からない」というと、ほかの人はあなたに親近感を覚え、あなたが望むような親しい関係に近づきます。言ったことを守ってあとで生徒に教えてあげると、相手は尊敬と感謝で応えてくれるのです。

第一のステップは謙虚に知らないものは知らないということ。そしてあとで情報を集めればよいのです。違うアプローチ（感情的になり、高圧的な態度を取る）をすると孤立し、親密さの代わりに不信と防御心が生まれます。

◆感情の呪縛から自由になる

・過去を水に流す

あなた方は多くの場合、両親か親のどちらかを嫌いだったり、距離を置いたりしています。あからさまに認めないまでも、心の奥底では当たっているはずです。あなたが一人前の大人として世界に出ていく準備を、親が十分にしてくれなかったと考えているかもしれません。あるいは親があなたを、自分のあるがままの自分でない人物に育てようとしたと感じているかもしれません。それらの考えは、あなたが持っている能力を全部出し切ることを阻むものです。無意識レベルで、親に対する罰を与えようとしてあなたは目標を達成しようとしないのかもしれません。たとえばあなたが親にでき損ないだと言われたり、自分には何かが欠けていると思うような態度を示されたとします。するとあなたはひどい仕打ちをした親に罰を与える目的で何もせず、こう言います。「分かるでしょう。私が成功できないのはあなたが悪いのよ」

成功の経験を得るために、あなた方は親やほかの誰かが悪いとか批判する欲求を捨て、それ以上の熱意と自尊心をつぎ込んで、目指すものに打ち込む必要があります。こういう姿勢でありたいものです。「あのころのあなたは正しかった。でも今の私は前よりずっと有能な人間になったの」こう考えられるのが精神の成熟なのです。加えて過去にばかり考えを向けないという意識的な努力、そして現在のあなたの人生をよりよくするものに集中することが肝要です。

・感情の制御

あなた方はとても敏感で、言葉や感情、ボディーランゲージなどあらゆるレベルのコミュニケーションを受け止め、その中にある矛盾や不安も読み取ります。誰かがある決心をあなたに伝えると、あなたはその人が持っている決心とは裏腹の感情をすべて感じ取ります。たとえばあなたがどこかの家の夕食に招かれたとき、あなたが「今回はご遠慮します」と言ったら相手は「結構よ。また今度ね」と答えたとします。あなたは相手の言葉の裏にある感情について何時間も考えます。あなたが知っておくべきなのは、相手はあなたが来られないことに対する失望、寂しさ、理解、親近感などをすべて考慮した上で「結構よ。また今度ね」と答えたということです。あなたは相手の実際の返事を素直に受け取り、裏の感情を推察しないほうがよいのです。

あなたの場合、何かをするとき十分に考える時間があるほうがうまくいきます。予定外のハプニングがあったり追加情報が入るとあなたは感情的になり、思考が混乱するからです。ある仕事の解決法が見つからなかったり、すぐに結論を出せなかったりするとあなたは苛立ちます。複雑な事態に感情が錯綜《さくそう》すると、どう対処してよいか分からなくなってしまうのです。しかしあるスタンスを取ることには決断がつきもので、どんな決断にもそれに反する感情はあります。留意するべきはその決断に集中し、起こりうる否定的なことに目を向けないことです。否定的な想像を押しとどめることは、あなたが成長する機会を作ることなのです。

感情におぼれないために、あなたは明確な目標を持っている必要があります。両手にいっぱいのカニをバケツに入れたとします。バケツには蓋がなく、登れば自由になれますが、カニは下に集まっています。一匹のカニがバケツの側面から登ろうとすると、一斉にほかのカニが集まって登るカニの足を引っ張ります。あなた方の感情は、恐怖感と所有欲に駆られたこれらのカニに似ています。あなたの感情はあなたが自由を目指し、もう何者にも邪魔されないと決心するまであなたの足を引っ張り、バケツの底にとどめようとするでしょう。

ときとしてあなた方は手痛い事件を経験することで感情と

向き合うと、そのあとの人生がずっとスムーズになります。それまであなたは自分の感情の犠牲者として、慢性的に感情に行動を支配されています。あなたが自分の感情を制御できるようになるまで、あなたの感情エネルギーは制御不能の何か恐ろしいものの象徴として心に居座っています。あなたが否定的なものにとらわれると、否定的な感情に圧倒され、体にも影響が現われます。

あなたにとって今生での大きな課題はプラスの感情と、自分を弱体化させる否定的な感情を区別することです。あなたにとって、決して開けてはいけないパンドラの箱というべき感情が四つあります。恐怖、怒り、罪悪感、そして不安です。これらの感情に浸ると無限におぼれてしまうので絶対に避けるべきです。たとえば罪悪感を感じ始めると、その思いはどんどん深まっていき、山のように積み上がり、一生取り除くことができないほどになります。

あなた方は条件反射のように否定的感情を取り込み、本人は気づかないことも少なくありません。四つの否定的感情が起こったらそれを観察し、その結果を冷静に見つめてみましょう。たとえばあなたが怒りを感じると、少しの間あなたは実際に正気を失い、冷静な思考力があるときはとてもありえない言葉を吐いたり、行動をしてしまいます。どの感情が起きたときも、その感情に支配されている時自分がどうなるかを観察すると、熱いストーブに手を置いてやけどしたときのような衝撃とともに、あなたは自分の感情を制御したいと思うようになるでしょう。

ほかのドラゴンヘッドグループの人々は、自分の感情を利用して習慣を変えたりすることができます。しかしあなた方は感情への依存があるため、アルコール依存症の人がアルコールを一滴も飲まないのと同様に、あなた方は四つの否定的感情を何があっても遠ざけなくてはなりません。恐怖、怒り、罪悪感、そして不安は精神を弱体化させるだけでなく、体にも悪影響を及ぼします。この対極にある喜び、愛、そして感謝は幸せを招き、健康を増進します。四つの否定的感情以外の感情は過剰に肥大することがないので、心配は無用です。

◆感情とつきあう

あなたが他人の感情から距離を置いてわずらわされなくなると、それはあなたにも相手にもよい傾向を意味します。相手にしてみればあなたの反応を気にせず自分の感情を自由に表現でき、あなたは相手の感情的な反応を受け止めてなだめたりする必要がなくなるからです。あなたは客観的に相手と向き合い、「おや、ジョーが逆上しているぞ」とか「メアリーがメアリーらしいことをしているな」とあっさり受け止めます。こうして相手が「個性を発揮」している姿を、否定的なエネルギーとは無関係に観察することができるのです。感情の距離を保つ健全な習慣をつけるには、折りに触れて自分にこう語ることが有効です。「他人の感情表現に首を突っ込まなければ、私は自由になれる」

・依存

前世ではあなたが動揺するたびに周りの人が慌てて何とかしてくれたため、あなたは感情の安定を他人に依存するというパターンを築いていました。しかしその対価は大きかったのです。おかげであなたは自分の問題解決能力を知る機会を失い、自らの感情に自分の舵を取らせてしまうようになったのです。

周りからの過剰の協力はあなたの中に、自分一人では何もできないという深い不安感を育ててしまいました。あなたが心から動揺し、周りを騒がせても今生では前世のようにはいきません。占星術の誕生図が示すところによれば、あなたが過剰に感情的になると、他人はあなたを助けるどころか、離れていくことになっています。宇宙はこうしてあなたの感情的依存を矯正しようとしているのです。

あなた方の感情の爆発は底のない落とし穴のようなものです。あなたは注目を渇望しています。誰かがあなたの感情領域の中に入ってきて解決してほしいと願います。しかし実際にそうすると感情のどたばたの後で後ろめたさを感じ、相手が自分を悪く思わないでほしいと願うのです。あなたは他人に尊重され、尊敬されるような、そして何より自分で誇りに思えるような行動を意識して取るべきなのです。これがあなたの行動規範であり、常によい心理状態にいる秘訣なのです。

あなた方の多くは家族に対して過剰依存の態勢を作ります。「世界中を敵に回しても私たちは一緒」という感覚で、これを発展させた形として、愛国主義者が多いのです。税金は全額支払い、家族の拡大形である国家を支えるために国民の義務を果たそうと考えます。無意識の中で、あなたは家族がいなければ生きていけないと考えています。前世では家族に拒絶されたら、そこから追放され一人で生計を立てなくてはならないという死活問題を意味していたのです。

あなたは他人に依存しないとやっていけないと考えます。いつも誰かがいることを確かめ、車で送ったり、何かを買ってあげたり、といった習慣により依存の態勢を作ります。こうしてあなたの人生は他人の都合で回っていくようになるのです。

誰かが背中を押してくれれば、勇気を奮い立たせて世界に出ていけるとあなたは考えます。しかしそれでは背中を押す人が突然消えてしまったら、あなたは社会的にも個人的にも機能しなくなってしまいます。それまで何年も充実した社会生活を過ごしていたにもかかわらず、支えてくれる誰かがいなくなったとたんにあなたは仕事を遂行できないことを恐れるのです。

実際のところ、あなた方には権威が内在しているのです。あなたがそれを誤解して相手に権力を委ねると、そこから関係が壊れていきます。他人に任せ、すべての決断を彼らに委ねると、あなたは「大人」でいられなくなり、最終的に相手から愛と尊敬を得られなくなるのです。しかしどこかで決心して「よし、これから自分は権威を取り戻し、大人として振る舞おう」と姿勢を改めると事態は一変します。

あなたは結婚すると「子供の癖」が出ることがあります。新しく心地よい「家族」ができると、すぐに相手にすべてを委ねてしまうのです。これをすると、あなたに幸せな結婚生活は訪れません。あなたの過剰に子供的な性癖が出てくると、あなたの人生は下り坂に向かうのです。しかしそれは常に自分の「大人」の部分を出すように意識し、習慣づけることで解決します。自分の成功に責任を持つようになると、他人はあなたをがっかりさせることはありません。あなたが中心になってものごとを進めると、魔法のようにうまくいくのです。

・コントロール

あなたは他人を刺激したくないという理由で自己主張が苦手です。もし誰かを傷つけてしまったら申し訳なく思うので、あまり賛成できなくても流れに従ってしまうのです。身近な人が何かをしたいと言い出したとき、あなたは気が進まなくても相手をがっかりさせたくないために相手に同調してしまいます。こういう状況で自己主張するには、「私はやりたくない」とはっきり口に出し、その理由と代案などをきちんと説明し、その通りに行動するのです。これは自尊心の基本となります。感情を入れずに話を進められると、相手も真摯《しんし》に耳を傾け、双方によい結果が生まれます。

他人の感情の動きを見過ごすことができないあなたは、自分の感情を強く出すことによって他人をコントロールしようとします。あなたが怒ると、怒りがあなたの言葉と全身を覆い、周りの人は「あなたの思い通りにならないと怒りが続くことにつきあいきれない」という理由で、黙って従うことになります。

それがあなたの自己主張の方法です。たとえばあなたが残業をしているとき、こんなことを考えます。「三十分でこれを終えて急いで家に帰り、何を食べようかな。夕飯を作る時間が遅くなってしまう。どうしよう」これは「大人」の考えることではありません。「大人」はさしずめ「今夜は九時まで仕事をしよう。夕食の時間がないから今夜は外で食べることにしよう」というところでしょうか。

誰かがあなたに週末にどこかへ行ってほしいと依頼したとき、あなたは感情的になり「行きたくない」と突き放します。すると相手は退いていきます。しかしこれでは人間関係に傷がつきます。分別のある対応をするには「今度の週末はあなたと出かけられません。月曜日の朝が早いので、週末は休養したいのです」と理由を説明し、相手の意向に理解を示した上で言ったことを実践しましょう。

返事をすぐにできないときは「いい考えみたいだね。少し考えてから返事をするよ」あなたは他人の感情の激しさに影響されたり、自分の感情で人を動かそうとする代わりに、理性的に話をすることによる自己主張を学んでいます。

・否定

あなたは感情を害するような問題を避ける傾向があります。直面すると何らかの悪いことを起こしてしまうのではないかと恐れるのです。誰も言い出さないことを願い、黙ってやり過ごします。

問題は自分の気分を害すると思うと問題を提起しないということにあります。恋愛関係ではパートナーを失うことを恐れるあなたは多くの小さな責任を引き受け、あがなおうとします。「愛しているならこれも受け入れてあげよう」と考え、怒りを爆発させる代わりに黙って奉仕してしまいます。しかしどちらにしても関係はうまくいきません。

上手な否定の仕方は、答えが見つからないという理由で「まだ事情がよく理解できないんだ」などと言って返事を延期することです。あなたは「受け入れる」という意味で「理解する」という言葉を使うことがあります。「君がなぜそんなことをするのか理解できないよ。なぜそんなに動揺しているのか理解できない」しかしあなたは実はこう言っているのです。「君の言っていることは受け入れられない。君の動揺は認められない」あなた方は時々問題解決の糸口を探る責任を回避する方法として「否定」を使います。

感情への関心の強さからあなた方はパートナーとの関係でも感情の微妙な動きを見逃しません。不快なものを否定すると、状況は少しの間持ちこたえるかもしれませんが、問題が消えてなくなるわけではありません。あなたは口論になるとうまく収められないのではないかという恐れから、未解決のそういう問題を持ち出すことを望みません。実際のところ面倒な問題というものは、解決が遅れるほど解決が困難になります。意見の不一致が大きくなれば離婚につながります。問題が起きたらその場で直面し、感情を打ち明けることが二人の関係を修復する近道なのです。パートナーが「二人の関係に問題があって、私は動揺しているの」と言っているときにそれを否定して、問題と向き合うことを拒絶するのは、関係を壊したいと言っているようなものです。

恋愛関係を健全に育てるためにあなたがすべきことは、問題が見えたらそれを見過ごさないこと。ただしその方法が大事です。幸せな結婚、長続きする友情や、長期のビジネスパートナーシップなど、これから始めようとしている目標についてあなたが主体性ある姿勢で臨むと、双方が納得できる解決法を探ることができます。たとえば「ちょっと気になることがあるんだけど、それについて二人がどう感じていて、何が必要で、二人にとって望ましい解決法はないものか話し合いたいんだ」という具合に。問題を提起し、自分の感情を伝え、相手の感情をたずね、楽観的な結論を心に描いて進めましょう。

二人がそうやって情報交換をすると、高いレベルの感情の安定が二人に訪れます。問題を解決しないまま抱えているような結婚生活の場合、主体性を持つ行動とは結婚カウンセラーを訪ねることにより相互理解を高めることかもしれません。結婚生活はそもそも二人が望んで始まったことなのですから、適正なコミュニケーションさえあれば当初の愛情が戻り、さらに絆が深まる可能性は高いのです。

◆役割

・あなたにぴったりの相手を惹きつける

これまでの依存体質から、あなたは自分を守ってくれ、支えてくれる強いパートナーに惹かれます。そしてただあなたを家に置いておき、面倒を見てくれようとするだけの相手を選んでしまうことがあります。そういう相手だと、長い間にはあなたの心の中で反抗心が芽生え、最終的に相手を拒絶することになります。今生でのあなたは心の奥に自分の面倒を自分で見られるということを証明したいという欲求を持っています。あなたに必要なパートナーはあなたが一人で社会的、個人的に自立できる能力を身につけられるよう支援してくれる人です。

何かをしてもらいたいという動機から結婚に臨むと、うまくいきません。しかし自分の幸せは自分で築くという強い意志を持って臨むと、結婚生活はあなたにとって意義深いものになります。しかしあなたが望む満足感は、主に結婚生活から得られるというものではありません。それは主体的に目標を目指し、積極的に行動して自尊心を高めることによってしか得られません。

親密な関係においてもあなたは相手に妥協し、譲るのではなく、ある種の威厳を保っていたほうがうまくいきます。私のクライアントに優れた創造的エネルギーを持つ文筆家がいました。大学在学中に、全国的に有名になった著書を出版した経験もある彼女が結婚したとき、書くのをやめて全エネルギーを夫と子供に捧げました。彼女は「自分が夫より目立つことで夫の自尊心を傷つけたくないの」と言っていました。

それから二十年が経ちました。子供たちが家を出た今、彼女は文筆家としての経歴を伸ばせなかった原因を作った夫に対して怒りを感じています。夫は彼女に続けるように勧めたのですが、「夫はそう言っても実際に私が成功したら感情的に動揺するだろう」と彼女は考えたのです。私は彼女のご主人と話す機会がありましたが、彼は家計の助けにもなることだからと、心から妻に仕事を続けてほしいと願っていたのです。この話には幸せな結末はありませんでした。彼女は自分の人生が失敗したことを周り中に八つ当たりし、それが災いして人生を立て直す機会も失ってしまいました。

あなたが他人の感情を理由にして自分の人生を生きないと、こういうことが起こりうるのです。彼女は自分の時間を有効利用して仕事を続け、自尊心を築くべきだったのです。あなたがどこに行きたいか、何をしたいのかを知っている一番の理解者はあなた自身です。それからパートナーに、自分にとって大切なものを伝えていけば、関係は確かなものに育っていくでしょう。

あなたが誠実に、自分らしさを意識しながら目標を目指すようになると、どの人があなたにとってプラスになり、またどの人がマイナスかが見えるようになってきます。自分の存続に他人を必要としなければ、客観的になることができるのです。あなたがゴールを見つけ、主体的に自分の人生を歩み始めたら、あなたにふさわしい人が自然に現われるでしょう。そうなるとあなたは自分の精神的な自我を反映したエネルギーを体から発するようになり、それを支援できる人があなたの周りにやってきます。もしあなたがすでに結婚していたら、あなたが主体的になるとパートナーは新しい気持ちで支えてくれるようになるでしょう。

・やさしい母親

あなた方は親密な関係の中ですぐに絵に描いたような母親の役割を演じてしまいます。これは子供の役になった相手にとって非常によくないことです。あなた方は相手のくるくる変わる感情に細かく反応するやさしい母親の役割に没頭します。世話をすることで相手に振り回されることに気づくと、あなたの中に被害者意識が生まれます。実際、あなたが相手に与えるほどの親身な世話を必要とする人は誰もいないのです。

やさしい母親を演じる動機は、相手を喜ばせたいところにあります。しかし相手は過干渉と受け取り、あなたはエネルギーの消耗を感じるため、双方にとってよくありません。また相手の機嫌に過敏に反応するあなたは相手に翻弄されることになります。相手はあなたに対し、自分が機嫌よくいられるために物理的な何かを常に要求し、依存体質ができてしまいます。終わりのない養育というものが、あなた方は心地よく感じられるのです。しかしフルタイムの「家政婦」を求めている人に利用されかねません。

建前として、あなた方は「人はみな助け合うべきだ」と考え、実践すれば世の中はもっとよくなると信じています。このためあなたはできる限り人助けをし、見返りを要求しません。しかし本能的に人を助けても、相手にとって何が本当に求められているのかに気づかないこともあります。あなた方は目の前のことには気がついても、その先の精神的なニーズまで考えないことがあります。心の支えになりたくても、その方法が分からないのです。

今生ではやさしい母親役よりも、父親の役割、つまり責任を持って周りの人が自立して前向きな人生を歩んでいけるよう支えることを考えましょう。これには相手の意志を正確に聞き取り、それに沿って協力をする必要があります。あなたは母親を演じることでその人の人生を導いている気持ちになることがあります。長期的な視野で、ある人間関係がうまくいくためには、相手がどう感じているのかを正確に知った上で主体性を持ってリードしていく姿勢が必要です。決断を下すのに相手の協力が必要なら、自分の中の見えざる父親、宇宙の意志を心に意識して、父親らしく振る舞えるよう心がけて下さい。

◆親密さ

あなたは親密さを大切にします。自由に語り合い、心を洗いざらい見せて、恐れや批判のない間柄を作ろうとします。あなたはこういう親密さがどうして築けないのかと戸惑うことがあるでしょう。親しくなりたい相手を見つけると、あなたは一生懸命その人に近づこうとしますが、何をしても結局相手の心に入っていけないことがあります。そんなときのあなたのレッスンは、あなたはものごとを自分本意にとらえすぎているということなのです。世の中にはべったりと一緒にいることを嫌う人もいます。価値観は人それぞれなのです。相手が望まない親密さを時間をかけて押しつけることの不毛さを、そこから学ぶべきなのです。もしうまくいかなかったら、あっさり諦めることも大切です。相手の価値観を知り、それを尊重することを覚えましょう。

その一方であなたと本当に親密になりたいと望まれても、あなたのほうは一定の距離以上に近づきたくないと思える人もいます。仕事の上で定期的に会う人などで、とても親密な関係になってもなぜか消耗し、気が滅入るという関係があります。それはあなたが相手の生き方や考え方を支持できないせいかもしれません。ここでも人を見る目が鍵です。相手があなたに好意を持っていても、あなたにとっては親しい関係にならないほうがよい人も中にはいるのです。それを識別するには自分のエネルギーのレベルを感じることです。一緒にいて幸せで元気が出たら、それはあなたにふさわしい人と思ってよいでしょう。

◆コミュニケーション

人間関係において一番大切な要素は、相手の言葉に耳を傾けることです。あなたは話し続け、相手はただ聞き役に回るというパターンが多いのではないでしょうか。あなたは相手が耳を傾けたり、意見を求められると夢中になり、相手のことを忘れてしまいます。あなたは人に親切でありたいと思っても、相手がどうしたいのか、どんな答えを求めているのかが分からないと、的外れなものになってしまいます。その結果心があちこちに飛び、足が地についていない会話になります。

相手の言うことに意識を集中させて耳を傾けましょう。あなた方が聞かないのは、聞いてもあまり得るところがないと考えるからかもしれません。自分と関係のある話以外はわざわざ相手の話に積極的に参加するのは面倒だと考える人もいるでしょう。あなたの基準は、「その話がどう自分と関係があるか」なのです。あまり抽象的な話が出てくると、その重要性が分からなくなります。こういう面での怠惰は相手とコミュニケーションしていないという点で結びつきを弱めていきます。

相手の話が直接自分と関係がないと、あなたはほかのことを考え始めます。すると相槌《あいづち》も的外れなものになり、誤解や反発を招きます。逆に相手の話に積極的に参加すると、得るものも大きく、あなたの反応も違ったものになるでしょう。会話をする双方がリラックスし、相手の話を聞くためにエネルギーを使うことの意義に気がつくでしょう。相互理解が深まり、満ち足りた関係に近づきます。

あなたは相手のニーズに耳を傾ける前に自分のニーズをまず伝えようとします。「どうしてほしいか言ってね。できるだけのことはするから」などと言っても、実際に相手の願いに耳を傾けないことがあります。言葉を追っていても意味を心にとどめないので、行動に移さないのです。とくに関係に感情的、あるいは個人的な意味合いがある場合、会話自体がある種の「脅し」に聞こえ、内容に集中できないこともあります。これは心の奥であなたは相手の心理的なニーズに応える能力がないと考えることからきているのかもしれません。あなたは相手の求めるものが分かっても、それを満たしてあげられないことを恐れます。そして相手ががっかりすると自分は無力感にさいなまれるだろうと考えるのです。

関係をうまくいかせるにはとにかく聞き役になることです。何か動揺させられる話が出ても心を解放して、話から正確な情報を取り入れるのです。あなたの心はあちこちに揺れ動き、情動的なことやすぐに行動に移せること以外は相手の期待に沿えないと考えるため、会話の中の情報を頭に入れようとしないのです。あなたの場合、心が感情と強く結びついているので、ほかのグループの人々よりも早く情報を処理できませんが、それは問題ではありません。心の中で情報と感情的な反応を分け、一人になって情報の全体像を把握します。後でゆっくり考えようと思って聞くと、リラックスして耳を傾けることができるでしょう。

会話の中で相手から助言を求められるとあなたは慌ててしまいます。まず相手が自分の判断を尊重するかどうか考えます。しかしきちんと聞いていないと、相手を助けようという気持ちに責任を果たさないばかりか、助言をすることもできません。あなたが相手のために何かしようという目的に集中していれば、感情の横やりを無視して状況を冷静に判断する能力を発揮できるでしょう。

もう一つのコミュニケーションの障害は、あなたがもうすべて知っていると考えることです。しかしあなたが知っているのはあなたの世界の中だけのことなのです。あなたは現状を維持することを知っていて、家族の中で心地よくやっていけます。あなたは自分の世界の規範を必死で守り、外の世界の豊かさを知りません。すでに知っていることではなく、知らないことからこそあなたは豊かに大きく成長できるのです。あなたがもっとオープンになり、世の中には自分の知らない世界がたくさんあると認識できるようになると、答えを持たないことが恐怖ではなくなるのです。

人の話の中の細かなことばかりに気を取られていると全体像を見失い、会話の中にあるさまざまな機会を失います。意識的にこう考えながら会話に参加しましょう。「この人はどんな機会を提供してくれているのだろう。この状況で自分はどんな機会を得られるだろう」機会に集中して話に耳を傾けると、あなたの聞く力は要点を押さえ、積極的なものになります。

・**自己中心**

あなた方の中には自己中心的な人が多く、他人に共感できるという優れた資質を使わないのもそのためです。あなたはあまり努力をせず、自分はとても実利的な人間だと考えています。あなたは自分が解決できないと思った問題には無駄なエネルギーを使いたくありません。あなたは人に同情しやすいほうですが、相手がそれによってよくなるわけではないので真の愛情とは言えません。

共感とは誰かとともにいることを指します。これは主体的な行動で、相手の状況に入り、相手の感じていることを自分も感じることです。「同情」から「共感」へ、あなた方の姿勢を変化させるためには、同情は問題を解決するものではないという弱点を理解することです。

ほかのどのグループよりもあなた方には共感の才能がありますが、実行するにはまずあなたの恐れを克服する必要があります。あなたは相手の感情を読み取り、自分も同じ感情を持つと、あなたも相手と同じように感情に溺れてしまい何の解決にもならなくなることを恐れるのです。あなたが自分の世界から一歩踏み出し相手に共感できると、自然に答えが浮かんできて、状況を改善することができるのです。

私のクライアントに父親を亡くしたばかりの人がいました。

父親が亡くなる前の日、彼は父親の病室に入ると酸素テントの中にいる父親が手を伸ばし、こう言いました。「息が苦しいんだ」彼はどうしたら楽にしてあげられるのか分かりませんでした。彼はいつもより数分間長くそこにとどまり、弁解をして去りました。あとになって彼はそのときのことを回想し父親の感情に共感できると、あのとき父親の手を握っていてあげればよかったのだと気づいたのです。

あなた方はとても愛情深い形で人を助けることができます。ほんの少しそこにとどまって相手に共感すれば、何が求められているのかが分かるのです。同情と共感の違いが分かるようになると、相手に共感することが喜びになるでしょう。努力をすることはよいことだと気づき、自分以外のものに貢献することで他人との距離を縮め、親密な関係を築くことができます。

ゴール

◆目標を目指す

あなた方の進歩は客観性と目標指向から生まれます。目標がないと当てもなく感情の海に漂い、気まぐれな自分や他人の気分に振り回されます。個人的な細かいことがらよりも大きな目標を目指し、進んでいくこと以外に感情による心理状態の浮き沈みから自由になる術はありません。目標に集中することで感情のしがらみを脱することができるのです。

感情や欲望で身動きが取れなくなったら、何か具体的な目標を作りましょう。たとえば子供たちのことで感情があふれ出したら、子供たちと接するときの目標、たとえば呼吸に神経を集中させる、晴朗な心を保つことなどを掲げてみましょう。また子供一人ひとりについて目標を作ってもよいでしょう。ジョニーが明るい心になれるよう支援する、シンディに自信をつけさせる、などなど。子供のそのときの感情ではなく目標を意識すると、自分の感情のバランスを維持し、よい親として振る舞えます。

あなた方には前向きな姿勢――ある役割を威厳と自尊心と全力を傾ける誠実さを持って全うする決意――が何より重要です。目標を目指す過程の中で、あなたの人格は画期的に磨かれていくでしょう。目標にたどり着くことはあなたにとってこの上ない喜びになります。ほかのどんな経験よりもあなたの能力、秀逸さ、専門性を証明してくれるからです。自分を再確認し、自尊心を確かなものにすることが、あなたにとって最大の報酬といえるでしょう。

・目標設定

目標を具体的に定義することは大変重要です。目標を目指す過程において、あなたの人生は活力に満ちていくでしょう。あなたにふさわしいと思える目標を見つけ、それを達成しようと行動することが、あなたの人生の喜びの原動力なのです。目標を定義できたら、あなたの感情エネルギーもプラスに、しかも最も効率のよいエネルギーに転化することができます。

人生のどの分野でも、自分を制御することはあなたにとってよい結果を生みます。食事を節制して食生活を注意深く観察すると、栄養状態も気分もよくなります。定期的に運動をするように自分に規則を作ると、規則を守るという目標をこなすことで自尊心が芽生えます。

あなた方は自分が自分の人生をうまく生きていると他人に認めてほしいという願望があります。働くことに恐れはありませんが、自信はあまりありません。そして自信をつける唯一の方法は実際に仕事を片づけ、達成感を得ることです。あなたがどんなに知的でも、実践しなくてはその能力を発揮することはできません。

あなたにとって、目標を達成するには、自分にできることとできないことを知る必要があります。目標の全体像が見えたら、その中で小さな目標を作り、一つずつクリアすることによって大きな目標に着実に近づくようにして下さい。目標がはっきりすると、達成がイメージでき、実際に達成するたびに自信をつけ、さらに生き生きと次の目標に向かえるでしょう。

たとえば体重を五十ポンド減らそうと決めるとします。いきなり五十ポンドを目標にするのではなく、一ヵ月に二ポンドずつ痩せようという目標のほうがよいのです。最初の一ヵ月で二ポンド以上落とせたら、次の月から目標を四ポンドに増やしていくのです。目標があまりに達成不能だったら目標値をその次の月から下げていきます。自分にあまりプレッシャーをかけず、柔軟に進めていくことが大切です。自分が達成できるペースを見ながら微調整していけばよいのです。低い目標を立て、達成できたらいい気分になれます。自分にできたことについて素直に喜び、元気をつけて次の目標をまた目指していくのです。

私のクライアントに、水泳を始めようとしている人がいました。彼はプールで最初の片道を全速力で泳ぎ、疲労困憊《こんぱい》しました。彼が往復できるようになりたいと願っていると、七十歳を超えるような人が往復していたのです。それを見た彼は、どうしたらあのように泳げるのだろうと疑問に思いました。彼はその老人のところへ行って教えてもらい、それを実践しました。往復が泳げるようになった彼は一マイル泳ぎたいという目標を立て、それができたら一マイルを四十五分で泳ぎきるという目標を立てたのです。そして時間を三十二分に短縮した後、彼はオリンピックを目指したのです。あなた方はこうしてさまざまな分野の達人に育っていけるのです。達成可能な目標を立て、少しずつそれを高くしていきます。あなた方はフラストレーションに足を取られることなく、目標に意識を集中させることで達成を勝ち取ることを学んでいます。その過程はあなたをわくわくさせるでしょう。

・目標達成への分別あるアプローチ

あなたが今生で学ぶべき最大の課題は目標を達成することの極意。そしてそれをマスターすると必ず成功できる運命にあります。究極的には自己管理能力が問われているのです。主体的に生きる人生を先送りにしていると、若さやエネルギーがどんどん減少していきます。目標を目指す前提となる経済的基盤やビジネス基盤を作るにはエネルギーが必要です。早い時期に自覚を持って人生の舵を取り、計画を立てるほど成功の可能性は高くなります。長期目標を立て、それに向かって一歩ずつ今日から歩み始めましょう。

あなた方は大きな目標を立てると毎日の暮らしが楽しくなくなってしまうのではないかと恐れます。このためあなたは日々の細かな楽しみや問題の中で生きることに終始し、未来を確かなものにするための重要なステップを踏み出していないことに気づかないのです。あなた方はチャンスが訪れても、「自分がしたくないこと」ばかり考えて、その上にあるより大きな「自分が望むこと」を意識して挑戦する発想がないため、結局見送ってしまいます。未来のために現在の状況を犠牲にしたくないと考え、未来への計画が現在の幸せを作るということに気づかないのです。

あなたの幸せと安定した暮らしに責任を持ってくれる人はあなた以外にいないのですから、運命から逃れる道はどこにもありません。早く自覚してよりよい人生を選択するほど、早く豊かな人生がやってきてすべてが進めやすくなるのです。私のクライアントに離婚した女性がいました。離婚の際に受け取った慰謝料が底を突いてきた頃、彼女には将来有望なペット美容のビジネスを始める機会があり、何の問題もなく資金計画が立てられる状況にありました。彼女は動物が大好きで扱いもうまく、トリミングの技術にも熟達していました。彼女にとってこの機会は願ってもない幸運だったのです。

彼女はこの偶然に訪れた好機をつかもうとする代わりに、感情的な問題をいろいろと持ち出し始めたのです。これが本当に私に与えられた運命なのか、残りの人生をかけてもよいほど私はこの仕事を始めたいのか、この仕事を始めると今やっているコミュニティー劇場での活動や、大好きな朝のスポーツジム通いを続けられなくなるのではないか、などなど。彼女はこの機会を生かすべきか、また自分の家を売って資金をつなぎ、どのように生計を立てるべきかについてもう少し考える時間を持つべきか相談してきたのです。

何度も言いますが、あなた方は自分の未来に起こる現実について分別ある考えを持つ必要があるのです。家を売っても決断を先延ばしにするだけで状況はさらに悪化します。賃貸の暮らしに入れば家賃がかかるため、もっとお金が必要になるでしょう。しかしビジネスチャンスをつかみ、主体的に進めていけば彼女の将来設計には何の問題もないでしょう。もちろん最初の数年間は全エネルギーと情熱を傾けて仕事に集中する必要があります。しかし仕事が軌道に乗り、安定した基盤を築けたら人を雇い、彼女の持つ人を使う能力を発揮できるようになるでしょう。二、三年もすれば自由になる時間を得て、家賃のいらない家に住む安心感を失うこともなく、経済的に自立した豊かな人生を満喫できるようになるでしょう。

◆全体像を見る

あなたが達成したい目標を見つけると、それを達成にこぎつけることは難しいことではありません。このためものごとの全体像、つまり大きな目標を理解したうえで自信を持って進んでいくことが肝要です。全体の中で自分がどこにいるのかが明確でないと、方向がぐらつき、自信喪失につながります。

・高次元の力

依存への欲求を自らの強さに変換させるにあたり宇宙の、高い次元の存在があなたを守ってくれると考えることにあなたは違和感を感じないでしょう。そう考えることであなたは日々のとりとめのない感情より高いレベルにある自分の目標に集中し、自分の人生の舵を取るという感覚を維持することができます。あなた方は状況が自分の手に余ると取り乱します。たとえば車を運転していて、道路が渋滞してくるとあなたは過剰反応します。実際自分のスケジュールを守ろうとする行動は正しいのですが、いつもそれができるとは限りません。外の状況がどんなに荒れようと、究極的に自分に責任を持つのは自分自身だと心にとどめておく必要があるのです。

これをするための方法として、宇宙の大いなる力が常に私たちを見守っていて、何があろうとあなたのためになる方向にものごとは展開するものだと意識するとよいでしょう。先ほどの例で、車が渋滞すると誰かとの約束に間に合わなくなるかもしれませんが、それはあなたが会わないほうがよい人なのかもしれないということです。目先のことよりも大きな構造を知るということは、無力感をそれだけ感じなくなるということなのです。そして状況がまったく制御不能だったとき、あなたは「これにはきっと理由がある」と考え、放っておくのです。

あなたの心の奥には自分にしかできない使命、より高次元の使命を果たしたいという願望があります。それを見つけられずにいるとあなたの心は深いところで満ち足りない思いを感じ、罪の意識を持ちます。その使命は人によりさまざまですが、本人はどの方向に行けば見つかるのか本能的に知っています。共通点は常に権威の立場を得ること、責任を引き受けること、理想を体現すること、個人の生活よりずっと重要な真実を明らかにすることです。

あなたが道を外れなければ、その使命は自然にあなたの前に現われます。たとえばあなたがその使命を見つけ、少しの間それに関わってみると自分が誇らしく感じられ、ひとかどの結果を出したあと、何かの理由をつけてやめてしまうかもしれません。しかしそこに戻り、やり残したところを拾い集め、その道を再び歩み始めるまで、あなたの気持ちは落ち着かないでしょう。成功も失敗も、それを求めて誠実に歩を進める過程の価値には遠く及びません。あなた方は日ごろの細かいことに気を取られ、ただ毎日を楽しく過ごすという個人的な小さな満足を得ることから卒業するべきなのです。あなたが意識的に個人のレベルの上にある社会的なよいことをするための努力をして、それにより心地よい感覚を得ることができたら、あなたは愛情に満ち、正しい行動をしているという気持ちに満たされるでしょう。

◆尊敬する人

知的で存在感があり、言葉を上手に操り、目標を確実に達成する人をあなた方は尊敬し、あこがれます。これは大変よいことで、具体的な人物像があると、目指す方向が明確になり、実現しやすくなります。

人生の達人に近づこうとすることはとてもよい方法です。その人の生き方に勇気を与えられ、どうしたらその人のようになれるか学ぶことができます。前世でのあなたは一族を導く責任という「権威」を放棄していました。来る人生も来る人生も他人の意志に身を委ねていると、主体的に生きる能力は衰えていきます。しかし今生ではそれこそがあなたに与えられた使命です。あなたがそれを好むと好まざるとにかかわらず、他人はあなたにそれを求めてきます。あなたが責任を負うたびに、周りの人はそれに感謝し、協力を惜しまないでしょう。与えられた運命を全うするかどうかはあなた次第で、その道を歩んでいくとほかの人の尊敬する人物にあなた自身がなっていくでしょう。

あなた方は自分の手柄をほかの人に譲ろうとします。その結果が成功であったにしても、あなたは心のどこかでその仕事の責任者が自分であると知られたくないと考えるのです。あなたは望む結果が得られればそれでよく、とくに名声を得ることが目的ではないのです。しかし現実には、自分が勝ち取った名誉は進んで自分のものにしたいものだと考えています。

世間からの認知はあなたにとって健全なエネルギーとなります。あなたの自尊心を高め、社会の要請に応えていることの確認になるからです。誰かに手柄が与えられるなら、あなたが受け取っておけばよいのです。認められるというエネルギーはあなたにとって自己中心を助長するものではないし、あなたの精神の中の弱い部分にエネルギーを吹き込む効果があるのです。

さらに、名誉を受けるとあなたの個人的信用が増し、次の仕事が進めやすくなります。たとえば会社の改革にあたり、社員を組織し、あなたがその代表者として選ばれたとします。あなたの指導者としての能力はお墨つきを与えられ、もっと発揮できるような高い地位に昇る糸口になるかもしれません。認められることはより多くの機会を招き入れ、公的責任を果たすための道が開かれます。

・管理職

今生では、あなたが公的な地位を得て、職業的な目標を目指すための支援が宇宙から与えられています。あなた方は優秀な管理者なので、責任ある地位を与えられるととくに能力を発揮します。個人・社会生活の両面で、あなたは権威の立場から行動すると最も自然に進めることができます。

また他人を管理する仕事において、あなた自身の管理にも熟達していきます。そうするためにあなたは自分の言った言葉に厳密に従い、誠実に人に接することが肝要です。権威を維持するには時間を守り、実施すると言ったことは確実に実践し、他人に対して正直で自尊心を拡大するような行動を常に取ることです。これはあなたの生活を確固としたものにします。そこでは子供のような無責任な態度は許されないからです。

前世からの影響で、あなたは非常に多感です。あなたがスタッフの心情に目を向けると、あなたにはその人のニーズや心配ごとが正確に分かるので、仕事上の目標を実現するために必要な心理的、心情的な支援をしてあげることができます。これはほかのグループの人々が持たない才能で、あなたにはほとんど自動的にできるのです。今生であなたは全体像を見きわめ、目標を達成するための道に立っているかを知る能力も与えられています。これは前世にはなかった能力で、自分の中から積極的に発掘するべきものです。これらの天賦の能力はあなたを優れた管理者に育てます。なぜならあなたは他人の感情を知り、理解した上で人々を動機づけ、管理するリーダーになれるからです。

あなたは自分の上司が自分や部下をうまく管理できないと苛立ちます。あなたは本能的にみんなが満足する管理の仕方を知っているため、無知や無神経からくる管理の悪さに怒りを感じるのです。あなた方はその上司を大変不満に思い、批判します。あなたは自分が引き受けようと周りをうろうろし、自分ならこうするという意見でいっぱいになります。あなたは自分で責任を持って進めたいと願い、その人に詰め寄りかねませんが、多くの場合、そうしたほうがうまくいくのです。

しかし責任はあなたにとって恐れの対象で、土壇場になって、「やっぱり君がやってくれ。私は協力するから」と言ったりします。後ずさるとあなたの考えが本当に正しいものなのか立証することはできません。

あなたには人道的で賢明な人材管理能力があるので、管理上の不手際があった場合、そしてそれが多くの人に関するものであった場合、あなたにはそれを正す責任があるのです。そのためには昇進を願い出たり、あるいはよりよい管理ができる体制を作り、情報を共有しましょう。たとえば上司のある行動からあなたが傷ついていたら、毅然とした態度で上司に接し「あなたは知らないかもしれないが、××した時に私は大変傷ついた」などと上司に話し善後策を探ります。「あなたに降格させられたとき私は大変傷つきました。重要な地位を持っているほうが私は仕事をうまくこなせるのです」ほかの人に上手な管理を教えることにより自分の能力を再確認し、自分の使命を果たすことができます。

◆好機《チャンス》をつかむ

あなた方は普段、「これはいずれこうなりうる」という発想を持ちません。あなたはものごとをそつなくこなし、その確かさを好み、やるべきことはきちんとできます。しかしものごとの可能性を見つけるのが苦手です。人生の後半になって後悔しないためにも、好機をつかむことは重要です。

自分の世界に限定された行動をしていると、未来の可能性は見えにくいのです。あなたはほかの人がリスクを負っているのを見て尊敬しますが、自分も同じことをしたいとは思いません。今の生活を脅かすのが怖いからです。あなた方は安定は停滞を招くということに気づくべきです。

今生はあなたが機会をものにするための実習の場です。一つの目標を定め、一〇〇％のエネルギーを投下して達成を目指すのです。やると決めた瞬間からあなたには力が備わり、好機が転がり込むのです。一つ一つの機会を生かし達成していくと、大きな目標がどんどん近づいていきます。ステップを一つクリアするたびに成功のエネルギーがあなたに自信を与え、次の機会をつかみやすくします。その道を歩くだけで力と資質を向上させ、目標にたどり着いたときにはあなたはその道の専門家となり、精神構造も成熟したものになるでしょう。

◆好機《チャンス》を見分ける

前世では家庭環境の中で長い時間を過ごしてきたため、機会を求めるよりは後方から支える発想を持つのは当然のことです。あなたは人を助けたいという自然な欲求があるため、あなたの周りには助けを必要とする人々が集まってきます。しかし相手を助けるだけでなく自分のためになる状況を見つけることも重要です。今生であなたは宇宙がもたらしてくれる機会を自分の手でつかみ、自分の地位や能力を向上させ、さらに上を指向することを学んでいます。

ドラゴンヘッドを山羊座に持つ私の友人に、生命保険のセールスをしている人がいました。ある日彼のクライアントが死にました。彼はそのクライアントの未亡人と仕事を進めていましたが、彼女には大きなビジネスが残され、どうしたらよいか途方に暮れていました。何とかしてあげたいと、彼はビジネスブローカーを紹介しました。その結果彼女は莫大な資産と証券を手にしました。ブローカーは彼にたずねました。「あなたは何を要求しますか?」「いや、私はただ彼女を助けたかっただけなんです」せめてコミッションでも請求して証券の一部を手にしてもよかったのです。あなた方はよくこのように手の中にあった幸運を逃しては、後になってがっかりします。

ふいにやってくる機会に心の準備をしておくことは大切です。それは宇宙があなたに贈るプレゼントなのです。あなたの知識不足から機会を逃していると、先ほどのブローカーのように誰かが現われてあなたの見逃している機会を知らせてくれます。過去に経験がないために、自分で機会を見つけ出すことは難しいかもしれませんが、人の話を聞くのも一つの方法です。誰かがあなたの希望をたずねたら、とりあえず「さて、ちょっと考えさせて下さい。後で返事をします」と言っておきましょう。あなた方は時間をかけて状況を把握する必要があるのです。

深層心理の中でほかの人々はあなたが世間慣れしていないことを知っています。ですからあなたが「先輩」から話を聞くことはまったく構わないことなのです。もっとよいのは、あなたに機会を知らせてくれた人に対し、こうたずねることです。「この場合、どうすればフェアだと思いますか？　あなたが私だったらどうしますか？」

あなた方は基本的に活動的で、考えずに行動します。しかし落ち着きがなく、ランダムな行動はあなたにとってよい結果をもたらしません。行動自体に気持ちを奪われて、それがどこに向かっているのか、結果はどんなものになるのか、またそれがどう他人に影響するのか考えることができません。あなたはもう少し自分の行動がどういう結果を生む可能性があるのかを考え、意識的にそのエネルギーを自分の人生の舵を取る方向に仕向ける必要があります。どちらにしても結果の責任はあなたにあるのですから、望むような結果を得るためにはその過程にも責任を持つほうが効率がよいのです。

私のクライアントの父親がドラゴンヘッドを山羊座に持つ人でした。彼女の家族は仲がよく、彼女の叔父やほかの親戚が彼女の父親に不動産売買の話や共同事業の誘い、投資など、財産を作る機会を何年にもわたり提供し続けていました。しかし父親は断わり続けました。「俺は労働が好きなんだ。投資は好かん」おかげで彼は生涯自分の家を買うこともなく、自分の未来や家族のために投資をすることもなかったのです。彼は日常の責任を果たし、毎日朝から晩まで、週に六日働きましたが、未来に対して責任をともなうけれど分別のある一歩を踏み出すことができなかったのです。

今日、彼女の叔父も従姉妹もみな豊かに暮らしていますが、彼女の父親は定年を迎えてもお金に困り、どうしてこんな状況に陥ったのか、彼には見当もつかないのだといいます。彼はただ足を一歩ずつ前に出すことばかり考えて、快適な環境から一歩も出ようとしなかったのです。無意識の中で彼は、いつか誰かが自分の人生の責任を取ってくれるだろうと願っていたのでしょうが、あなたにとっては、そう考えることが敗北への一歩なのです。

あなた方はよく他人の感情的な反応や不測の事態を避けるためにありきたりな古い環境を選ぶことがあります。また従来的なものごとの進め方を踏襲することにより、自分の責任を軽くしようと考えます。今生のテーマが機会を摑むことだと本当に理解できるまで、あなた方はリスクを背負う意志を持たないのです。あなた方は日々の安穏な暮らしを失うことが怖いために、変化を起こすための責任を回避し続けるのです。

私のクライアントに小さなチェーン店を経営し、大きなビル内にオフィスを賃貸している人がいました。ある日ビルの所有者が彼のところに来て、魅力的な価格でオフィスのスペースを購入しないかという話をしました。彼は資金がないために話を断わりました。彼には資金を調達する方法があったにもかかわらず、それが見えなかったのです。彼が初めに思ったのは「借りられるのに、なぜ借金をしてまで買う必要があるんだ」その物件は後でずっと高い価格で売買されましたが、彼にはつくづく耳の痛い情報でした。

目標を目指す人生に転換するには、すべての障害物を自分にとって有利なものとして活用する方法を学ぶ必要があります。そう考えるとどんな障害も目標達成への布石となっていくのです。不測の事態がやってきてあなたを戸惑わせても、感情的にならず全体像を見失わず、すべてを幸運な機会とみなすことができれば、恐れるものは何もありません。

たとえばあなたがマラソンの練習をしていてふくらはぎを痛め、数週間の休養を必要としたとします。そういう時は上半身を鍛える時間として有効に使えばよいのです。成功を心に描いていれば、目の前に起きることはすべて受け入れることができ、プラスに転換させることができるのです。その過程で得られる自己充足の満足感は計り知れないもので、目標を守備よく成功まで持ち込める能力を、あなたは始めから持っていたのだと実感することでしょう。

◆感情エネルギーを力に変える

家庭人として過ごし、感情的な要素を重視してきた前世の記憶から、あなた方は「生」の感情と直接向き合っています。問題はそれにどっぷりと漬かってしまうことです。感情はとてつもなく大きなエネルギーを持っていて、このエネルギーに指向性を持たせ、プラスに活用する方法をあなた方は学んでいます。

あなたは自分の持つ否定的な感情が大きな利点を内包していることを知りません。たとえばいつも怒りをため込んでいる人の多くは自分には自己主張やイニシアチブ、勇気、そして独立心がないと思っています。それらの資質は肯定的な生の感情エネルギーなのですが、その否定的な形が怒りの表現なのです。意識的にこのエネルギーを主体性のある姿勢に指向させていくと、怒りのエネルギーは建設的な方向に向かい、あなたの足を引っ張るのでなく、支えてくれるようになるのです。

面白いことに占星術ではイニシアチブ、勇気、自己主張、独立をつかさどる火星は怒りの星でもあります。怒りのエネルギーをプラスに転換するには、主体性を持ち自己主張をして、人生の舵を自ら取る勇気を示すしかありません。

私のクライアントはある日、わざわざ自分の予定を変更して友人を洋服のセールに連れていきました。彼女は六時まで時間が空いていたので、午後一時に友人と会う約束をしました。しかし友人が何時間も遅れてやってきたために、セール会場で過ごす時間が大幅に減った上、帰る前に友人は化粧室で念入りなお化粧の時間を取ったのです。彼女は怒りが爆発しそうになりながら、時計ばかり見ていました。彼女は友人に、六時半に別の約束があると告げましたが、友人は気にとめる様子もありませんでした。ついに彼女は約束に遅れ、その晩は怒りとフラストレーションに悶々とした時を過ごしました。

この怒りをどうすればイニシアチブのエネルギーに転換できたでしょうか？　初めにイニシアチブを取ってこう言えばよかったのではないでしょうか。「買い物は五時までに終えましょう」。こうして初めから目標を作っておけば、思い通りにならずに怒りにとらわれることもないでしょう。あなたの動機が友人に対する好意という純粋なものであれば、あらかじめ相手にどこまでしてあげられるのか伝えることができます。「連れていってあげるわ。でも××時までしかいられないんだけれど、それでもいいかしら」そうすれば当事者全員がどういう状況なのか分かり、同意が生まれます。そして怒りは実行のエネルギーに転換されたのです。

〔癒しのテーマソング〕

音楽は何かに挑戦するとき、感情面でユニークな力を発揮します。
それぞれのドラゴンヘッドグループに合わせ、
エネルギーをプラスに転化する働きを持つ詩を作りました。

家路

この詩のメッセージはドラゴンヘッドが山羊座にある人々の意識が自然に外に向かい、心休まる小さな家を出て、きらめく達成の住む新しい家を目指す勇気を与えるために書かれました。

こう考えたことがありますか？
「歩き出さなくてはならない」と
そして地平線の向こうへ歩を進める
人は遠くを見ることができない
心の中に恐れもある
元いた家に帰れないかもしれないという

家はすでに朽ちている
過去を捨てて歩き出そう
家を捨てるって？
違う違う、君は家に向かおうとしているんだ

ドラゴンヘッド

水瓶座

第十一ハウス

Aquarius

総体運

●伸ばしたい長所

次の性質を伸ばすと、あなたの隠された能力が見つかります。

- 客観性（全体像を見る）
- 友情を求める
- 平等を知る
- グループのために最良の決断を下す
- 革新的な考えを受け入れる
- 人道的なテーマを擁護する
- グループに積極的に参加する
- 役割でなく個人として人と接する
- 全員にとってよい状況を作る
- 人はみな特別な存在と知る

●改めたい短所

次の性質を減らすようにすると人生が生きやすく、楽しくなります。

- 我を通す
- 権威を誇示する
- リスクを好む（恋愛やギャンブル）
- 強情さと頑固さ
- 他人の承認へのこだわり
- メロドラマチックな性格
- 心の声に従わず、役割を演じる
- 抑制のない情熱——極端に走る
- 他人の重要性を軽視する
- 恐怖の裏返しとして不遜に振る舞う

◆あなたの弱点／避けるべき罠／決心すべきこと

　あなたの弱点は他人の承認を求めること。「他人が承認してくれないと私は生きていけない」と考え、承認されれば自分の人生は正しいと判断すること。これはあなたにとって底のない落とし穴のようなもの。いくら周りの人に承認されても、あなたの心は満足や自由を得られないからです。あなたの場合、他人が認めてくれるかどうかを基準にすべきではないのです。他人の承認を得られないというリスクをあえて受け止め、自分の思うユニークな方法を提案することにより自分自身の承認というもっと深い満足を得られる道を選ぶことです。

　あなたが陥りやすい罠は、とくに恋愛において危険を承知で際限なく大胆になること。「幸せな恋愛ができれば自分は満ち足りて、周りにも寛大になれる」しかしこの恋愛にかける情熱を日常のほかの対象とうまくバランスしていかないと、あなたの恋愛に向けるエネルギーが強すぎて、肝心の恋愛関係を壊してしまいます。

　心にとめるべきことは、あなたは自分の個人的な欲望を忘れない限り、人や社会のためになる目標に関心を向けられないということ。あなたの豊かな才能を人々に貢献する方向に使うとき、あなたのエネルギーはパワーを増し、人々のために大いに役立ちます。不思議なことにあなたがより大きな目的のために動き始めると、宇宙はあなたの個人的な願いも叶えてくれるのです。つまり「本当に手に入ってしまうかもしれないから、願いを込めるときは気をつけて！」というほど思うままの人生が手に入るのです。

◆あなたが一番求めるもの

　あなたが何より望んでいるのは愛に満たされることです。誰かに愛され、その人に愛情を返し、二人の世界に住むことです。そのためには流れに逆らわないこと――宇宙にあなたの望みを伝え、あなたを愛してくれる人が訪れる完璧なタイミングを待つことです。機会の窓を開放し、あなたの前に現われ、愛してくれる人を受け止める――あなたは愛情を自然に受け止めることを学ばなくてはなりません。フィーリングの合う人と自由にお互いのユニークな考え方や将来の展望を語り合う時間を作ると、相手はあなたを友人として尊重し、あなたのニーズを満たしてくれるでしょう。あなたが利他的な夢の実現を目指していたら、宇宙はあなたのために特別な人を送り、ロマンチックなエネルギーであなたの夢を実現させてくれるでしょう。

◆才能・職業

あなた方は集団の中で自由で調和に満ちた協力体制を築くことが得意です。枠にとらわれずに全体を見通せるあなたは、グループに何が一番必要なのか判断できるのです。あなたはある理想の実現や人のためになることを目指すとき、成功します。あなたは客観的にものごとを見る必要のある職業に適しています。科学者、占星術家、電気技師、技術職、コンピュータ関係などのほか、未来を描き、それを現実のものに転換する仕事に向いています。あなたは革新的な考えを社会に導入する仕事で成功し、満足感を得るでしょう。あなたは創造的なエネルギーを使って手応えのある結果を出し、完了するまでの過程を見通す能力を持っています。ラジオ、テレビなどの報道分野にも才能を発揮します。

あなた方はどんな仕事でも熱意と情熱、そして全エネルギーを投下して創造的に仕事に向かいます。あなたがグループのためや、より高い理想のために行動するとき、最後までやり通すあなたの強い意志は周りの人にエネルギーを与えます。しかし高邁《こうまい》な理想とは違った、自分一人がスポットライトを浴びるような職業に就いたとき（たとえば映画俳優、企業経営者、軍部や政界のリーダーなど）、あなたは孤立し、他人

との距離が広がります。あなたは自分より世のため人のためになる目標を達成するために能力を使うほうが成功するのです。

●あなたを癒す言葉●

「我を通さなければうまくいく」

「決まったやり方というものはない」

「周りのみんなのことを考えて行動するとうまくいく」

「どうしたいか決断すると、宇宙はそれを支援してくれる」

「自分が安心するために他人を支配する必要はない」

性格

◆前世

あなた方は前世で国王や女王、あるいはエンターテイナーで、いずれにしても「特別」な存在でした。賞賛や喝采を欲しいままにしてエゴ（30ページ参照）が膨れ上がり、一般の人々の気持ちが分からなくなっています。今生においてもまだ、あなた方は自分が特別な存在だと思っています。

人は平等であるという感覚や集団への帰属意識を取り戻すため、あなたは今生に持ち込んだ余分な「名声エネルギー」を他人に譲り、あなたの豊かな能力を人道的な目的に使う必要があります。あなたは「この世に新しい時代をもたらす」という使命を持って生まれてきました。今生のあなたの運命はその孤立した玉座から降り、集団の一部としての自我を再確認することです。

何か不運なことが起こるとあなたはこう考えます。「なぜ僕にこんなことが降りかかるんだ？」あなたは自分が不運に見舞われることが信じられないのです。そこであなたが学ぶのは、不運は誰にでも降りかかるということ。しかし特権階級としての前世の記憶から、ほかの人と同等の扱いを受けると逆上してしまいます。そういうあなた方はどこか幼く、甘やかされている印象を与えます。

あなたは前世で部族のリーダーや、国王、領主、独裁者、あるいは一族の代表といったＶＩＰだったため、ものごとが自分の思い通りになることに慣れすぎているのです。このためあなたは自分の要求を通そうとし、受け入れられないと侮辱されたと考えるのですが、あなたは決して悪い人ではないのです。あなたはとても強い情動を持っているため、自分でそれと気づかずに他人の感情を押しつぶして前に進もうとすることがあります。あなたは自我のエネルギーを押し出すことで目標を達成することにかけては誰にも負けません。しかし今生でのあなたは、その強い意志の力を周りの人々と共有しなくてはなりません。常に周りの人々に気を配り、あなたの望みや夢を彼らに知ってもらう必要があるのです。

・自信と意志力

過去の多くの前世で意志の力を過剰に開発してきたあなたは、時々今生で「暴走」します。一度言い出すと、それが自分のためにならないことでも強引に何かを変えようとすることがあります。快適な環境の中で静かな時を過ごしていたのに、突然あなたの意志が火のように燃え盛り、自分の思い通りに何かをしようとすることもあるでしょう。そういう行為は人との調和を乱します。そうなったときあなたにできる最良のことは、冷静になり「ごめんなさい。ちょっと自分の考えが先走りすぎました。さっきは何と言っていましたっけ?」と素直に謝ることです。

あなた方はまた前世で芸術家や創造的な職業で名を成してきました。この記憶からあなたはプライドが高く、傲慢《ごうまん》なまでに自分の考えを他人に押しつけようとするのです。あなたの強い信念は、難しいプロジェクトをうまく成功に持っていくとき、あなたに強さと決断力を与え、あなたに有利に働きます。しかしあなたのエゴの強さが辺り構わず影響力を持つようになるとそれは好ましいことではありません。前世で長い間自分のエゴや決断力、個人の意志を鍛えてきたことから、あなたは集団の一人としての役割を忘れています。このため今生ではあなたの視野を拡大し、意識的に他人のニーズを考慮に入れる必要があるのです。

他人の支持を得るため、あなたの意志は一般の人々が喜ぶようなことに向けられる必要があります。問題が起きるのはあなたが自分の夢を実現するためのステップをすべてコントロールしようとするときです。実現までの過程をコントロールすることはあなたをいらつかせます。途中経過が気になるあなたの気持ちは間違いではありませんが、どうやって結果に至るかを自分以外のものに委ねることが、今生のあなたの課題でもあるのです。宇宙はあなたがエゴを主張しない限り、あなたの願いをすべて叶えてくれるでしょう。

あなたは心に自信を秘めていて、人生のどんな障害も克服できると思っています。だからこそ目を見張るような粘りで大苦境からはい上がり、理想的な態勢を取り直すが早いか次の冒険へと突き進んでいけるのです。あなたは自分の才能や望むものを正確に分析し、効果的な方法でよい結果を生み出します。あなたは通常のやり方に安住することなく、自分の知恵に頼り、その運命を自らの希望に沿わせることができる人なのです。

前世であなたはあらゆることを一人でやってきました。それは意志の強い人になったことの一因でもあるのです。あなたはある目的が果たされるまで、あるいは相手の抵抗があまりに強いために断念するまで、粘り強く推し進めます。あなたが何かを断念するとき、それが果たされなかった理由が、一歩高い視点から見えてきます。そしてあなたを助ける力は周りにあふれているのです。天上の存在、そしてあなた自身の直感力により大局が見え、あなたと同じ理想を持つ友人たちからの協力も得られます。今生はあなたにとって「何でも一人で取り組む」人生ではないのです。あなたが協力を仰ぎさえすれば、そこに豊かな調和の取れたエネルギーが自然と集まってくるのです。

・危険を冒す

何かに挑戦するとき、あなたは負けるのが大嫌いです。たとえそれが他愛のないトランプゲームや少しばかりのお金をかけるギャンブルだったとしても、お金が絡むとあなたは決して他人の獲物にはなりません。あなたは真剣になり、それがゲームだということさえ忘れます。過去にギャンブラーだったことも手伝い、あなたは博打的なことを少しも恐れないのです。しかしながら今生ではあまり勘が働かず、ギャンブラーとしては成功しません。

あなた方は危険を冒すとき、最悪のシナリオ――ほかのドラゴンヘッドグループなら気が狂ってしまうほどの事態――を常に意識しながら進んでいきます。あなた方は「征服されざる人々」としての自負を持っているのです。あなたは何かをするとき状況を把握し、周りの人々の希望などを考慮して現実的な分析をするのにあまり長い時間を費やしません。あなたは感情の大きな高揚を自分に感じ、ダイナミックな一歩を踏み出すのです。

恋愛を例にとってみましょう。あなたの情熱に火がつくと、あなたは一〇〇%の献身を相手に注ぎ込みます。あなたは自分の情熱が続くために必要な幻想を無数に作り始めます。あなたは相手の長所しか見ず、祭壇に祭りあげ、思い切り過大評価をすることで自分の情熱の中毒に陥ります。

あなたはあまりにも急に、しかも全力で打ち込んでしまうため、その恋が成就するかしないかの結果が必要以上に重大に感じられます。このためあなたの展望は冷静さを欠き、多くの場合一人芝居をしていることに気づくのです。それはビジネスの場でも同じです。あなたのギャンブラー的な本能に任せていざ決行しようと意気込むと、自ら墓穴を掘ることになるのです。愛情であれお金であれ、ギャンブルをするときは自分が失っても構わない分を超えないよう、冷静さを失わないのが得策です。

あなたの気持ちが高揚し、簡単に勝てそうな気分になり、その情熱に盲従するとき、その結果は恋愛でも金融界の賭けでもまずうまくいきません。心に情熱が走ったら、まず歩みを遅くしてリスクを検討して下さい。そうすれば心が明晰になり賢明な決断が下せるようになります。行動の目的が自己満足だったとき、結果はあなたの望む方向には行きません。目指すものがより高次元の利他的な目標を持っている場合、あなた方には効果的な戦略を立てるに必要な、広い視野が与えられます。

・肥大したエゴ

あなたは前世でエゴを磨きに磨いてきたため、スーパーエゴ（30ページ参照）がないがしろにされています。

前世で拡大されたエゴのために、あなたは何でも自分の思い通りにする力を与えられています。しかし欲しいものを手に入れることに夢中になりすぎて、時々それが本当に自分（イド・30ページ参照）が求めているものなのか分からなくなります。またスーパーエゴを軽視して自分の求めているものを手にすることが他人にとってマイナスになるかを考慮しないために、手に入れ損なうこともあります。今生でのあなたの仕事は自分の中にスーパーエゴを取り戻すことです。スーパーエゴとのつながりが強いほど、あなたのエゴの長所が引き出されます。

あなたの基本的レッスンは、元気すぎるエゴを人類の進歩に貢献する道具に変身させることです。エゴを制御するには、精神世界とのつながりと自己鍛練が重要な鍵となります。また、あなた方は些細なことに心を痛めてはいけません。否定的な感情はあなたのエゴを通すとひどく心を傷つけることになるのです。ほかのグループの人々なら耐えられても、あなたの場合は違います。あなた方には創造的でパワフルな感情のエネルギーがあるため対象が何であれ、その考えはたちまち圧倒的な強さを持ってしまうのです。妬みや傲慢さ、そしてプライドといったものを誘発させるような感情は意識して遠ざけて下さい。否定的な感情はあなたにとって危険なのです。

あなたはその強靭《きょうじん》な意志の力を、非生産的な考えにとらわれない限り今生でも発揮することでしょう。たとえば何かがうまくいかないとき、その結果を見てあなたは自分や周りの人を責め、とても苛立ちます。そんなときこそ自分をやさしく見つめ、否定的な感情が入ってこないようにこうつぶやいてみましょう。「どうしたらいいのか分からない」深刻な状況でふと浮かぶそんな思いはあなたの心を静め、暴走する「意志」をつなぎとめます。

他人からの承認を得ることも、否定的な感情からあなたを自由にするでしょう。「僕は愛と親切に包まれている。愛が自分の中に浸透している」しばしばそう考えることにより、あなたは自分本来の姿を見失わずに済みます。

　他人と自分の比較をやめると、エゴにとらわれることから解放されるでしょう。「彼のほうが僕より恵まれている。彼は僕より社会的知名度も収入も資産も多い……」といった比較をするとあなたは腹を立て、嫉妬します。またほかの人を見て「彼は僕よりつまらない仕事をしている。収入も友人も僕より少ない……」と考えると優越感を感じます。このような比較はあなたにとってマイナス。なぜならそれは相手との人間関係を断ち切り、協力関係を築けなくするからです。そしてあなたは身近な人に怒りを感じると、自分でもいやな気分になってしまうのです。

　このような罠に陥らないためには、そういう考えが起きたらすぐにほかのことを考えて払拭すればよいのです。夕飯には何を食べようか、今日は会社で何をしようか、などなど。あなたが学ぶ必要があるのは、アメリカ合衆国大統領を目指している人も、大学の学位を取ろうとしている人も、家族を養うために働いている人も、その努力に貴賤《きせん》はないということです。あなたが外見の奥にあるものを見通し、みんな同じように苦労していることに気づいたとき、心が休まり、周りの人々が身近に感じられるでしょう。

　過去に王侯貴族だったあなた方は、大きな存在感を持っていました。あなたは持って生まれた威厳や博愛、決断といった高貴な人格を思い出し、あなたにふさわしくない些細な感情を乗り越えて生きるべきなのです。

◆傲慢《ごうまん》さ

　前世でいつも人の上に立ってきたことから、あなた方はどこか傲慢な態度を持っています。傲慢さのエネルギーはあなたから人生に必要なさまざまなものを遠ざけ、あなたを孤立させかねません。しかし傲慢さも見方を変えればあなたが決然と人類に新しい時代をもたらす変化のエネルギーにすることができます。

　あなた方はこう考えます。「僕のやり方が一番いい。僕が宇宙を統治したら世界はずっとよくなるだろう」あなたが「自分のやり方が一番だ」と考えるとき、傲慢さのエネルギーが前面に出て問題解決に貢献します。しかしそのエネルギーの中には、謙虚さも併せ持っていなくてはなりません。「僕の計画が一番うまくいく。でもいつでも僕の考える方法がベストだとは限らない。何か予想外のことが起きることもある」といった具合に。

　あなたが「僕のやり方が一番いい」と思ったとき、それが冷静に状況の全体を把握し、関与する全員を考慮した上でのことだった場合、恐らくあなたのやり方がベストだといえるでしょう。しかし「他人はどうでもとにかく自分はこうやりたい」という考えだと、それはうまくいきません。何かをしようとしているとき、好機が突然訪れても見逃してしまわないよう、あなた方は極力柔軟な姿勢を持っていることが肝要です。

・決断の留保

特権を欲しいままにしてきた経験からあなた方はすべてが自分の思い通りになると期待します。不幸が身に降りかかったとき、あなたの最初の反応は怒りの感情です。「なぜこんなことが自分に起こるんだ」――つまりそういう不幸が自分よりもふさわしい人々がいるかもしれないと考えているのです。あなたがそう考えるとき、あなたの心の中にある寛大さが消え、「自分は特別な存在」という意識が起こり、他人の反発を買います。これがいわゆる「マリー・アントワネット症候群」で、あなたの尊大な態度は周囲の人を挑発し、引きずり下ろそうという気を起こさせます。しかしあなた方は下心なく行動しているので、他人を挑発してもなお、本人はそれと気づかないことがあります。

あなた方はもともと善良で親切な心を持ち、人にも友好的に接し、人生は基本的によいものだと考えています。こういう心の設定ゆえに、あなた方はたいてい幸運に恵まれます。しかしうまくいかないことがあると、あなたの中に住んでいる駄々っ子が飛び出してきて、宇宙と人生に怒りをぶつけます。怒りは善良なものを受け止める力を閉じ込めるため、問題をより複雑にします。不運のただ中でよくない感情とともに取り残され、それがさらなる不運を呼び込むことになるのです。

あなたが自分と他人との不毛な優劣の比較を続けるとき、あなたは他人に対して怒りや軽蔑といった感情を抱くことになります。そうなるとあなたの人気は落ち、あなたに軽蔑された人はあなたの足を引っ張り、あなたに高く評価された人ですらあなたの姿勢に勘づいて、協力者になろうとはしないでしょう。

あなたは今生で人に対する安易な判断を留保して、もっと人というものを深く知ることを学びます。人の考え方の根拠を探り、共通点を見つけるのです。あなたは外見のみですぐに人を判断してしまうため、たくさんの楽しい機会を逃しています。好ましくないこの習慣を絶つためには、あなたが生まれながらに持っている寛大さを常に忘れないことが大事です。宇宙に守られているあなたは寛大な心を持ち、自分の持つ豊かさを分け与えようとする姿勢があります。あなたが他人の努力をたたえ勝利を喜ぶと、それはあなた自身の幸運の扉を開くことになるのです。

・感謝を忘れない

あなたが幸運を招き入れるもう一つの方法は、あなたの身の回りにある好ましいものに感謝の気持ちを抱くことです。自分のものになって当然という傲慢な態度ではなく、謙虚に感謝することは非常に大切です。たとえばあなたが特別な人々だけで行われるパーティーに招かれたとき、傲慢なあなたはこう考えます。「そろそろ呼んでくれてもいいころだと思った」あなたは一時的に喜びを感じるかもしれませんが、そういう姿勢は得てして不幸を招きます。仮にその招待が撤回されようものなら、あなたは怒ってこう考えるでしょう。「よくもそんなことができるものだ。僕はあのパーティーに出るべきなのに。どうして人生はこううまくいかないんだ！」

幸か不幸かあなたは創造力が豊かなため、否定的な感情に焦点を当てるとそれは無限に続く戦いを招きます。しかしあなたが人生の善なるものを見つめ、そういうものを身の回りに探すようにしていると、幸運があなたを訪れたとき、すぐにそれを自分のものにすることができ、自然に成功へ向います。

私のクライアントに事故で骨盤損傷を起こしてしまった女性がいました。担架で運ばれながら彼女は自分自身にこういいました。「私は幸運に恵まれているわ（ドラゴンヘッドを水瓶座に持つ人々はみなこのことが分かっています）。このことから何かいいことが起きるに違いない」実際彼女が病床で書いた新規事業の企画書が成功し、彼女のビジネスは国家レベルのものにまで拡大したのです。しかもいったんは別れたパートナーとの関係が復活し、公私にわたりよき協力者となり、今現在も彼女とパートナーは仲良くやっています。彼女の善なるものへの受容性が災いを福に転じ、人生がよい方向に転換したのです。

その一方でこんな例もあります。私はあるクライアントとニューヨークの人気スポットでお芝居の前に待ち合わせをしました。少し遅れて行った私はまず店内をチェックしてから、店の外で三十人ほどの客が列を作っている中に彼女を見つけました。彼女のすぐ後ろにはとてもハンサムな男性が並んでいました。彼女は私が約束に遅れたことをとがめ、歩いて劇場に向かう間中私を責めていました。しかし彼女が本当に腹を立てていたのは店内に入れてもらえなかったこと。それは自分に対する侮辱だと考えていたのです（この人たちは然るべき待遇をされるとこの上なく優雅に応じるのですが、一般人と同等の扱いを受けるとこういうことになるのです）。彼女は自分の思い通りに運ばなかったというだけで周り中の人を、もちろん自分自身を含めていやな気分にさせ、彼女の目の前にあったチャンス、すぐ後ろにいたハンサムな男性と知り合う機会も見逃してしまったのです。

あなた方は流れに身を任せることを学んでいます。あなた方は寛大な人柄で、人生もまたあなた方に寛大です。あなたの思うようにものごとが展開しないとき、また誰かがあなたにノーといったとき、一歩下がって人生があなたにほかの機会を用意していないか見回してみましょう。自分の欲求を満たすという限られた枠を取り払い、人生の多様性に心を開きましょう。そうすれば新しい経験が次々に生まれ、それまで知りえなかった喜びに出合うでしょう。

◆他人の承認への渇望

・喝采と賞賛

過去の人生であまりにも長い間舞台の中央に立ち衆目を集めてきたことから、あなた方の中には今生でそういう立場に立ちたがらない人もいるでしょう。自分の役割を正しく演じられないかもしれないという不安や、観衆に評価されないことへの恐怖は感情面での大きな負担であり、実際今生でのあなたはスターの名声を得るとあまりうまくいかない運命を背負っています。

今生のあなたにとって、他人の熱狂的な賞賛はあなたを成長させるものではありません。むしろ観衆の一人としてほかの誰かを舞台の中央に送り出すことのほうがあなたに適しているのです。あなたが持っているやる気や熱意がほかの観衆に伝わり、場面が盛り上がるのです。こうしてあなたはかつて手にしていた「承認」のエネルギーを今生で返上し、自分自身でいることの自由を享受します。

もし舞台の中央に立たざるを得なくなったときは、周囲の関心を極力あなたの外に向けるようにしましょう。たとえば演説をするとき、聴衆の関心をあなたではなくスピーチの内容に集中させます。あなたの主張や提案が聴衆に支持されれば、あなたの熱意はさらなるパワーを得て、想像力にますます磨きがかかります。他人の承認はあなたにとって食物のようなものです。反対に他人に否定されることへの恐怖も同様に大きく、あなたは否定されないために自分の本当の意見や感情を打ち明けられないこともあるでしょう。

前世でのあなたはＶＩＰの務めとして、伝統的な考え方を広く触れ回っていました。しかし今生のあなたは伝統にとらわれない知識を広め、その新しい発想ゆえに必ずしも周囲の支持を得られないという運命を持っています。一般に新しい考え方の価値を知り、自分の価値観と比較し、取り入れるまでには長い時間がかかります。このため人々はやすやすと新しい考えに飛びつかないものです。そういう抵抗を知った上で、あなた方はあえて自分の革新的な考えを世間に発表しなくてはなりません。それには自分自身の承認という力を自分の中に感じている必要があるのです。

自分を知識伝達の仲介役としてとらえるとき、あなたは自分が「正しい」かどうかを気にかけなくて済むため、ずっと気が楽になります。同時に他人の承認を求めたいというあなたの弱いところにも触れずに済みます。あなたは単に宙に浮かんでいる新しい発想を取り込んで伝えているに過ぎないのだと考えると、他人の承認を得られるかは問題ではなくなります。

あなたはグループの中にいると、メンバー全員が熱意を持って支持してくれるような素晴らしい案を出します。その案が実現したとき、それはあなたの手柄だということをメンバーは誰も覚えていないかもしれません。あなたはがっかりするかもしれませんが、目立たないでいたほうが最大限の実力を発揮でき、最も成功するのです。

他人の賞賛を待たずに次の目標を目指していくとき、あなたにはさらに素晴らしい何かが用意されているでしょう。あなたの場合、あまり注目を浴びると新しい考えを生み出す創造力が閉ざされてしまうのです。つまりあなたの今生の運命は舞台の裏方に徹し、ほかの人々とともに表舞台でのできごとを支えることにあるのです。そしてあなたに賞賛の目が向けられたときも、仲間と一緒に自然に受け止めることができるでしょう。

・承認を得る

あなたは周りの人々に好かれたいという欲求が強く、あなたの行動の多くはこの動機に基づいています。もしあなたしたことが周囲の承認を得られないとき、あなたは窮地に立ってしまいます。過去の経験の記憶から、あなたは自分のしていることが正しいかどうかを判断する基準として無意識に他人の反応を気にします。心のある部分であなたはまだ自分に与えられた役割をきちんと果たさなくてはならないと考えています。今生のあなたは役割に縛られることを嫌いますが、前世での習慣からあなたは本来の自分でいることより役割を演じることを優先させ、期待に応えて承認を得る方向に流れ、結果的に自分の本心に逆らってしまうのです。

他人の承認への渇望はしばしばあなたの中で大きな葛藤を起こします。あなたは他人の反応を敏感に察知するため、自分のイメージを相手に合わせて調整します。あなたは承認を得るためにぴったりの言葉を相手に投げかけようとするため、ことの成り行きに身を任せることができません。

あまりに自分の言動に神経を集中させるため、あなたは自分が本来持っている自信を失ってしまいます。あなたが他人の目にどう映るかばかりをいつまでも気にかけ、それがあなたの幸せを左右するようだと、あなたは常に崩れやすいバランスの中に身を置くことになるでしょう。あなた方はいつでも他人が支持してくれるようなイメージを恒常的に打ち出していなければならないと感じている人々なのです。

しかしあなた方にとって本当によいのは、自分がよいと思ったことを純粋に形にしていくことです。その後で他人の反応を見て、あなたがその反応をどう受け止めるか考えればよいのです。あなたが相手と誠実に向き合うとき、相手もその考えを明らかにしてくれます。この姿勢のほうがあなたにとってより健全で安定した立場を約束してくれるのです。

必要とするもの

◆エゴのバランス

あなたは自分の目指す目標を達成するための自信がつくまでは、あなたの過剰なエゴを極力抑制する必要があります。あなたのエゴは不自然なまでに肥大しているため、自分の中でバランスを取るには大変な努力が要ります。名誉への渇望はあなたを出口のない闇へと導きます。虚飾の生活に高慢な態度、そしていつでももっともっとと欲望を募らせます。ほかのドラゴンヘッドグループの人々はエゴを発達させても構いませんが、あなたは違います。喝采を求めるあなたの欲望のため、あなたはすぐに一人よがりの傲慢《ごうまん》な態度を示し、悪い結果は目に見えています。宇宙はあなたが自分のエゴのバランスを取れるようになるまでは絶妙な方法であなたの成功をお預けにするでしょう。

あなたの人生は多くのチャンスに恵まれています。あなたには生まれついての自信と意欲とリスクを恐れない勇気があるため、ごく当然のようにあなたは何をやっても勝利を収めるのです。しかし宇宙はあなたが一つ成功するたびにその様子をうかがっています。あなたが尊大になると、あなたの人生から何かが失われていきます。しかしあなたが小さな成功を感謝して受け取り、プライドと高慢さを控え謙虚な姿勢を持ち続ける限り、宇宙はあなたの求めるものをふんだんに与えてくれるでしょう。

あなた方の場合、個人的な成功を収めると自動的にエゴが拡大し、止めどなく大きくなると打ちのめされるというメカニズムを内包しています。このメカニズムが機能し始めるのに気づいたら、すぐに手を打つ必要があります。自分の栄光に酔うことをやめ、自分にこう言い聞かせましょう。「これから自分が成功するかどうかはまだ分からない。けれどほかの人によい経験をさせてあげることはできそうだ」そう考えることであなたはエゴのバランスを取り戻せるでしょう。

異常に肥大したエゴによる問題を回避するもう一つの方法は、あなたのエゴを意図的に世のため人のために役立てることです。前世では「高貴」な人々だったあなた方は、自分よりも一般大衆のためになることを考えると、あなたの人生も上向いてくるのです。

・壮大な妄想

あなたは旺盛な想像力があり、壮大なファンタジーの世界で遊ぶ傾向があります。自分の職業に退屈したとき、作家になってベストセラー作品を書き、テレビのトークショーを総なめにする姿を想像したりします。その幻想が現実とどれほどかけ離れていようと、あなたがそれを楽しみ、満足するぶんにはそれで構わないのです。しかしそのような幻想が想像の域を越えてある一定の満足感を引き起こしてしまうと、あなたの得意の創造的な活動に影を落とします。

皮肉なことに、あなた方は自分の幻想を現実にするための創造力と実行力を確かに持ち合わせているのです。しかし動機の純粋さがその結果を左右します。先ほどの例で、もし本を書く動機が名声や名誉だった場合、それは成功しません。お分かりのようにあなたが自分のエゴイズムを満足させようとすると今生では必ず裏目に出ることになっているからです。しかし本を出すことにより人々を助けようと願ったとき、天井知らずの名声があなたの前に転がり込むのです。あなたは自分のためにも他人に尽くす人道的な面をぜひとも伸ばすべきなのです。

幻想の引き起こすもう一つの問題は、あなたの幻想が現実の中に未来を持ち込み、目の前の問題に取り組みにくくさせることです。たとえばベストセラー作家になる幻想ばかり追いかけていると、地方紙に記事を掲載する機会を逃してしまうのです。未来を思い描くあまり、肝心な未来の自分に到達するための階段を見失ってしまうのです。

幻想はまた人間関係にも影響を与えます。あなたがある異性に惹かれると、幻想の中で相手を理想のパートナーにまで祭り上げてしまいます。あなたは未来のイメージの中で生き始め、現実の相手を理想の人と夢想して接するため、本当に理想的な相手になるためのステップを逃してしまうのです。あなた方の課題は夢想することをやめ、今ここで展開する状況に対応することなのです。あなたが幻想にとらわれていないとき、その現状分析に誤りはないのです。幸運なことにあなたには強い意志力と鍛錬を重ねた心があります。この二つがあれば、今ここで起きていることからあなたの気をそらせる幻想の世界に迷い込むという誘惑から、あなたを引き戻すことができるのです。

成功を着実に手中に収めるには常に自分がどうしたいのかを明確にしておく必要があります。エゴ拡大への欲望が第一義の動機になると、あなたのエネルギーはたちまちパワーを失い、成功が遠のきます。たとえば平和な心を得るために瞑想のグループを組織するとき、あなたはグループのメンバーのために行動していることに意識を集中させる必要があるのです。そうすることによって行動に必要なエネルギー、明晰さ、計画の実現を目指す意欲を自分の元にとどめておけるのです。そしてあなたの夢の実現へと続く道があなたの歩みとともに向こうからやってきて、魔法のように扉が次々に開き実現への近道が目の前に開けていくでしょう。

しかしときとしてあなたは自分の個人的な損得にとらわれるのです。「ひょっとしたら僕はこのグループの宗教的リーダーになって、メンバーが信者になるかもしれない」とか「僕が瞑想のグループを持っていると仕事仲間が知ったらどう思うだろう」などと自分本意の考えが広がったとたんに、あなたの目標達成に必要なエネルギーが拡散し、元も子もなくなってしまいます。

エゴが絡むとあなたがものを正確に見る目も曇り、ほかの人々があなたに何を望んでいるのかさえ分からなくなってしまうことがあります。これはあなたの成功のシナリオに影を落とします。もしあなたの動機が一〇〇%自分以外のもののためだった場合、然るべきタイミングで最も望ましいものが着々と手に入ります。エゴから発していない目標に熱意を燃やして行動することを覚えたら、あなたは成功と名声という豊穣の秋を享受できるでしょう。

・謙虚さ

今生のあなたはスポットライトや喝采を避け、謙虚な道を歩んだほうが幸せになります。本能的に手柄や名声を得ようと動くあなたですが、それらを自分のものにするとエゴが肥大し、寛大さや平等の精神を忘れていきます。ところがあなたが一度謙虚な姿勢を身につけると、魔法のようにすべてがあなたの思い通りに運びます。そうなったときあなたは自分の能力の有効な使い道を初めてはっきりと自覚するでしょう。自分のプライドが捨てられずにいると、あなたはなかなか自分の持つ能力の真価を見出し、発揮できないでしょう。

私のあるクライアントがニューエイジ関係の本を書きました。彼女は自尊心を高ぶらせ、大手出版社のうちのどこと取り引きしようか思案していました。それまで出版歴のない彼女には知名度も前評判もないことから、最初の一冊は小さな出版社からデビューすることも一案でしたが、彼女は夢にも思いつかなかったのです。大手出版社は彼女の本に関心を示さず、彼女は小さな出版社を鼻先であしらい、結局出版自体を諦めてしまったのです。もう少し謙虚に作家としての道をスタートする意志が彼女になかったばかりに、彼女の本から学ぶことのできたかもしれない読者を含めて、関わった全員にとって得るものがなかったという話です。

宇宙があなたの考えを実現させようと協力者を送り込んだとき、あなたの傲慢さが問題を起こします。あなた方は手柄や報酬をほかの人と分け合うことを好まないため、計画をほかの人の手に委ねません。ほかの人と協力して進めると、協力者の求めるものを少し分けてあげなくてはならないことをあなたは恐れるのです。「あなたのやり方」や「あなたの考え」が何より大事になってくると、あなたの中でより多くの人のためになることへの関心が薄らぎ、今生であなたが開発するべき人道的指向が希薄になります。

私のクライアントの夫はドラゴンヘッドを水瓶座に持つセラピストでした。彼はティーンエイジャー向けの質問に答えるコラムを持っていて、その中で彼がある少女に書いたアドバイスを妻に見せました。妻は彼のアプローチを支持せず、ずっとよい案を代案として出しました。夫のアドバイスには確かに何かが欠けていて、本人もそれに気づいていました。しかし彼は修正をせずに掲載し、それ以後二度と妻に意見を求めることをしませんでした。もし彼が少女を助けることを第一義の目的にしていれば、誰の案であろうと謙虚に採用することができたはずです。

あなた方には独自の見解があり、どのように実現したいかを正確に描いています。それに従って最後まで思い通りにしたいのです。しかし二人の人物が同じ利他的な目標や理想を目指すとき、誰の考えを採用するかより目標を優先させるべきなのです。あなた方はそれを実践するだけの謙虚さを本当は持ち合わせているのです。

◆個人を超越した視野

・無私の精神

今生であなたは一つの選択を迫られています。個人の枠を出ないエゴイスティックな人生か、あるいは個人的な欲望より人道的な理想を優先させる人生かという選択です。前者を選ぶとあなたは幸せをつかめません。そして後者を選べば人生の成功が約束されるだけでなく、個人的なレベルであなたがずっと求めていたものも不思議と手に入ります。

他人に感謝されたいというあなたの願望を満たすには、あなたの能力を自分のエゴからくる願望の枠を超え、人道的な目標のために使うことで「広く人類に貢献する」ことが大切です。多くの人が望むものに焦点を合わせると、その目標の純粋さから、達成されたときのお手柄を自分のものにすることもなくなるでしょう。実際無私の精神でいることは、あなたに大きな自信を与えていくのです。

あなた方には純粋な動機というものが信じられないかもしれません。とくに若いころのあなたは、純粋に無私の精神に基づいて行動する人が理解できません。しかしあなたの意志が人を助けようと指向するものなら、人々に何が必要なのかを知り、それを達成する方向に自動的に気持ちが向いていくものです。

あなたはとても寛大な人柄で、喜んで他人に何かを与えるのですが、それを他人が受け取らなかったり、喜ばなかったりすると大きなショックを覚えます。これを避けるためには相手が何を求めているのか正確な情報を得ることです。その場の反応を気にしすぎると相手の望みを見誤ることもあります。あなたには周りの人のフィードバックを前向きに取り入れられないところがありますが、一歩下がってものごとの全体像を把握することも少しずつ学んでいくでしょう。

たとえばあなたが子供向けの本を書いたとします。まずあなたは子供向けの本を扱う出版社を探して、取り引きしようとします。その出版社から簡単な断わりの手紙が送られてきたら、あなたは出版社の求めるものを聞き出し、自分の創造力を発揮して出版社の求めるものに合わせてその本を書き直したり、別の本を書いたりすればよいのです。

しかしさらに言えばその出版社があなたの考えをそのまま広めようとしないのは、あなたにふさわしい相手ではないということなのです。精神世界に関するものや、革新的な発想は注意して見ると周りにたくさんあります。あなたはそれらを取り入れるためのアンテナと正しい周波数を知っているのです。これに気づくと、あなたは成功と失敗の両方について抱く不安を取り除くことができます。なぜならあなたの奇抜な考えはもともと宇宙から取り入れたもので、個人的な資質から作り出したものではないからです。あなたの仕事は周りに浮かぶ考えを取り込んで人々に伝達することなのです。

あなた方は人々を自由にするための知識を得るよう天に導かれています。このためあなたが人に力を与えてあげたいと直感的に感じるとき、その動機はとても明解で、自分の直感やほかの人々からの声に従いすんなりとその目的を達成するための道が開けていくでしょう。ある目標を目指しているとき、どれが正しいことなのかを知る唯一の方法は、人々の反応を見ることです。あなたの考えを周りの人々に話し、受け入れられなければ速やかに別の、もっと有益な方法を探すべきなのです。周りの人々もあなたに情報を提供してくれ、その過程は無私の精神にあふれています。

たとえばあなたが哲学の本を書いたところ、目当ての出版社がそれを断わったとします。それは人々があなたの考えから学ぶために、哲学という手段が適切でないということを意味します。同じメッセージを今度は小説に書いたらたちまち引き合いがくるかもしれません。あなた方の場合はどういう手段が最も効率がよいかを他人の反応によって確かめるという方法が有効です。

あなたが周りの友人たちを助けたいと願い、努力をするとあなたにとってプラスになるできごとが必ず返ってくるので、それがあなたの力となってあなたのどの能力がどの人にとって役立つのか正確に分かるまで続けることができます。人生とはブーメランのようなもの。あなたが持って生まれた創造的なエネルギーを人助けに生かすと、あなたに必要なものが必ず戻ってくるのです。あなたが無私の精神を持つと、あなたには偉大な力が与えられると考えて下さい。エゴを忘れ、結果を個人的手柄と受け取らないあなたの創造力には翼が与えられます。しかもあなたの個人的利益は、自然な副産物としてあなたの手に残ります。あなたが持って生まれた創造力を他人のために役立てている間中、宇宙はあなたが望むものを寛大に与え続けるでしょう。

・客観性を持つ

あなたは個人的な関心が強すぎて自分を正確にとらえられなくなることがあるため、ものごとを大局的に把握するにはさまざまな評価を受け入れる必要があります。あなたが信頼する人々の評価は、ことの大局を知り、協力しながらある目標を実現するために不可欠のものです。たとえば恋愛関係などで、あなたは何が起きているかまるで分かっていないことがあります。そして全体像を見なかったために知り得なかったことで傷つくのです。個人的な生活の中で感情的に傷つかないためには客観的にものごとを見る習慣を持っているべきなのです。

あなた方は自分のエゴを飼い慣らし、流れに身を任せることを学んでいます。いわゆる「秘儀の科学」(占星術、数秘術、タロット、筆跡判断など)も戦術を立てる際に役立つでしょう。これらの助けを借りるとあなたの正確な観察力が増し、ものごとに自己中心的に反応する生来の癖を矯正していくことができるでしょう。中国の易経はあなたの深層心理を明らかにし、あなたが何につまずいているのかを教えてくれるので、実際に起きている状況に対応するには最適の道具といえます。

占星術もあなたの客観性を伸ばします。あなたや周りの人々を客観的に観察することで相手がもともと持っていない性質を要求するという無駄骨がなくなり、逆にその人が持っている個性の真の姿を垣間見ることができます。あなたや周りの人々を愛情を持って受け止める助けとなり、人の個性を尊重できるようになります。

あなた方は秘儀の科学に才能を発揮し、職業にする人もいるでしょう。占星図やタロットカードなど、どの占いを使ってもあらかじめ書かれた人の人生の地図を読む能力に優れているのです。あなたがその神秘のアンテナから得た情報を豊かな創造力で活用し、人々を自由にするための知識として伝えることができるのです。

友人はあなたが客観性を持つために不可欠な要素の一つです。あなたには素晴らしい友情のカルマがあります。友人からの正直な評価は、あなたのエゴが自分の幸せに続く道をふさいでいるとき、警告をしてくれます。あなたが拡大しようとするエゴを飼い慣らし、自らが自由になるために必要なのは情報です。こうしてあなた方は自分の運命に冷静に調整機能を働かせることができるのです。

一歩下がって状況を他人の願いやニーズという視点から見てみると、どんな場合でもあなた方は自分を含めたすべての人々のために最良の選択をすることができるのです。しかし究極的にあなたが求める愛と自由を本当の意味で手中に収めるためには、客観的に周囲の人々を見るだけでなく自分自身をも冷静に見る必要があります。自分が歯を磨く姿、道を歩く姿、人と会話する姿など、すべてを意識するのです。自分の一挙一動を評価することなく観察するようになると、何の恐れもなくあるがままの自分自身を受け入れられるようになるでしょう。

◆流れに逆らわない

あなたは今生で、自分が取り組んでいる一つのプロジェクトがうまくいかないとき、宇宙はあなたに別の選択肢を与えようとしているのだと学んでいます。ものごとの自然な成り行きがあなたに時間とエネルギーの有効な使い方を示しているとき、それを無視して自分の考えた方向に行かせようと強引に推し進めるのは得策ではありません。何かが思い通りに運ばなかったとき、それは恐らくあなたの計画が変更を余儀なくされる合図なのかもしれません。

あなたが「自分の思った通りに進んでいない」という否定的で独善的なエネルギーから解放されるには、あなたの創造力を何かほかのものに向けて活用できないか見回してみることです。宇宙がほかの扉を開いているとき、あなたはそれに気づき、採用する心の準備をしておいて下さい。

あなたが一人でがむしゃらになるよりはリラックスして流れに身を任せるほうが、あなたの持つ潜在能力が自然に引き出されるのです。たとえば精神世界の考えを世の中に紹介するのがあなたの仕事ではあるのですが、守護霊や天使たちの協力を拒否して一人だけで実行しようとすると、あなたの目標達成に必要な力を十分に得ることはできません。流れに身を委ねることの意義は、最小限の努力で最大限の成果を得ることにあります。

・期待する心からの解放

あなた方はときとして簡単な誤解から自分の幸せを逃してしまうことがあります。前世では周りの人があなたの欲しいものを持ってきて喜ばせてくれました。しかし今生では他人にあなたの欲しいものをもらっても、それほど喜びを感じないのです。これはあなたが自分の喜ぶものとはこうあるべきだという狭い定義に縛られているためで、そのこだわりがあなたの引き寄せる喜びの大きさを制限しているのです。今生のあなたは自分の受容性を高め、人生にはさまざまな喜びがあるということを知る必要があるのです。そしてその受容性こそがあなたの喜びの源になると分かるでしょう。

あなた方は今生で何が自分を幸せにするかについての自分の考えを拡大し、人生があなたを幸せにしようと動いていることを信じる練習をしています。そして道すがら何が訪れても、それを喜びをもって受け止めることができるようになるでしょう。あなたが何かを得ようと遮二無二走るとき、それを手に入れようという気迫が強すぎてかえって逃してしまうことがあります。今生であなたは愛情を受け入れることを学んでいます。あなたが意志力を働かせて無理をすると、それはたいていうまくいきません。あなたの人生があなたに何かを差し出すとき、それはその時のあなたに最良のものであり、喜ぶべきものなのだということなのです。あなたにとって真の喜びとは畏敬の念と感謝の心を持って人生の流れそのものの豊かさを経験することなのです。

あなたの期待の多くは頭の中でシミュレーションをしてそれぞれの人の役回りまできちんと決めていることから生まれます。実際に人々とともにある計画を遂行するとき、無意識のうちに自分のシナリオをその人たちに植えつけようとするのです。これが引き起こす問題は、まず第一にシナリオ通りに動かない人に対して怒りと混乱を感じること。つまりあなたの期待が裏切られたと感じるのです。第二にあなたがシナリオ通りに進めることにこだわりすぎると、現実を見る目がおろそかになり、柔軟に対応する能力が損なわれるのです。

あなたが気づくべきなのは、関わる人々に自分が決めた役回り通りに動いてもらおうとすると、自分が演じるべき大切な役割――一歩退いて大局を客観的に見ること――を忘れてしまうことです。時の経過とともに一人ひとりの潜在能力が明らかになっていきます。自分のシナリオという期待を抱かずにあるがままのその人を見ていれば、落胆させられることはないはずです。そして人々の行動を見て随時計画を練っていけばよいのです。人を変えようとするより、あなたはどの人とともに時間を過ごしたいかを基準にキャスティングをしたほうがよいようです。

期待を抱かないことのもう一つのメリットは、あるがままの相手を認めることであなた自身にも自分のスペースが生まれることです。そして自分の描いたゴールを心にとどめたまま状況の展開に応じて自由に自分を表現していけるのです。

・みんなが喜ぶ状況を作る

あなたはほかの人々がもらっているものを自分だけもらえないとき大変怒ります。あまりに大袈裟に反応するため、周りの人が退いてしまいかえって孤立する場合があります。それはちょっとした不注意な態度ということで済まされるときもありますが、重大な誤解を生み、最終的に大きな害を被る場合もあるでしょう。あなた方は他人の意志を早合点して拒絶する習性があります。誰かが自分の意志を主張するとき、あなた方はほとんど自動的に反発的態度を取ります。その人の主張が知性あふれるものだったとしても、あなたは相手と正反対の自分の主張を押し通そうとするでしょう。そんなあなたの態度に周りの人はうんざりしてしまいます。

あなたが我を張って自分の主張を通そうとするとき、当然ながらあなたは孤立します。あなたにはゴールが明確に見えるため、結果を急ぎすぎるのです。このフライング行為が調和に満ちた協力関係を壊し、あなたにもほかの人々にもよい結果が得られなくなる原因を作ります。その過程はものごとが論理的にうまく回り始めるまで待てないあなたの忍耐力のなさに端を発するスタートの悪さや混乱から始まります。あなた方はいつでもやる気の固まりになるのではなく、ちょっと立ち止まって様子を窺《うかが》い、状況判断をする練習をしています。それができると他人の自己主張を脅威ととらえることなく受け止められ、あとになって後悔するような反応をしなくなるでしょう。

　あなたは自分が欲しいと思ったものに対して貪欲でとても頑固になることがあり、それが周りの迷惑になっているかどうかにまったく配慮できなくなることがあります。自分が少しでも尊大になっていると思ったら、それは人間関係に要注意の合図と考えて下さい。あなたが成功するためにほかの人の協力があったとしてもあなたは分け前をすべて独占し、公平に分かち合う美徳を忘れがちです。あなたには思いやりがないと感じると、周りの人はあなたの善意を疑い始め、リーダーには向かないのではないかと考えるでしょう。またある人はあなたが一体どこまで際限なくわがままを続けるのかとため息をつきます。あなたが周りの人々にとっても成功といえるような計画を作って実行すれば、あなたの周りの人々はよりよい協力者になってくれるのです。

　あなた方が学ぶべき重要なレッスンは、いつでもみんなが喜ぶ状況を築くということ。自分の望みが叶わないのに協力を申し出る人はいません。あなたが周りの協力者のニーズを考慮すると、あなた自身心安らかに自分の計画を遂行でき、みんなが望む方向に進めていけるのです。人々は熱心なあなたの参加を心から歓迎し、あなたは人々の動機をさらにはっきりと認識できるようになります。そうなると以前敵だと思っていた人までがあなたを心から支えてくれる人だったと分かることもあるでしょう。意図的に人道目的を掲げ、大局から目を離さずにいるとあなたの寛大さはさらに大きくなり、あなたの持つ豊かなエネルギーはグループの絆を強め、メンバー一人ひとりに力を与えるようになります。

人間関係

◆平等

前世で人々から壇上に祭り上げられ、孤高の存在として君臨してきたため、今生のあなたは群衆の一人になることがどういうことか忘れてしまっています。一人で孤独に耐えていた前世とは裏腹に、今生のあなたは多くの人々の一人として平等の感覚を再び経験する運命にあるのです。あなたが人のために何ができるかと考えるとき、あなたの中には自分の幸せは自分のわがままを通したときに生まれるものではないという知恵が芽生えるでしょう。幸せとは人々とともにあること――パートナーや家族の一員、世界市民の一人として味わうものだという知恵が。

・人はみな特別な存在

過去の孤独と決別する一つの方法は、他人の中に特別な資質を見つけることです。他人の中にユニークで創造的な生きるエネルギーを認め、好ましく感じるとき、あなたもまた元気を与えられ、人々とともにある喜びを思い出すでしょう。あなたには他人を舞台の中央に送り込むための能力がふんだんに与えられています。あなたが万一自信喪失に陥ったら、誰かを支え、その人に注目が集まるようにしてみて下さい。あなたはすぐに安定を取り戻し、自信が湧いてくるでしょう。

あなたには豊かな友情を育てる並外れた技量があります。玉座から降りて人々に関心を持つと、あなたと楽しく仲間になれない人はいません。しかしあなた自身が純粋に人の生き様やその戦いぶりに興味を抱く必要があります。あなた方は成功を目指す創造的なエネルギーに満ちあふれているため、あなた方の自信がほかの人々に伝染し、彼らの抱える問題をも解決してしまいます。周り中のみんなが望みを果たし、あなたも役割としてでなく一人の人間として彼らに愛され、仲間として心から歓迎されるのです。

子供のような純心さと持ち前の自信により、あなたは無邪気に誰にでも近づくことができ、あなたが望めば誰とでも友情を育てることができます。あなたには素晴らしい友情のカルマがあるのです。相手が子供、恋人、配偶者、親、同僚などどんな関係であっても友情から始めると最も実りある関係を築くことができます。人間関係の基盤として友情があればまずうまくいくと考えて下さい。

友情とは双方が対等な立場に立ち、相手にとって何が最良で幸せなのかを客観的に考え、協力し合う関係です。たとえば友人が千載一遇のチャンスを得て、千マイル離れた土地で仕事の申し出を受けたとします。遠く離れてしまう寂しさをさておき、あなたは迷うことなく友人がその仕事を引き受けることを勧めるでしょう。

自分の利益を度外視して友人を支えると、素晴らしい友人関係が作れます。あなたが友人にとって何が一番よいのかを考えていると、友人はそれに感謝し、強い信頼関係が結ばれます。しかもあなたは助言が得意です。あなたの友情と善意を理解した友人たちは、忠実な友情をあなたに返してくれるでしょう。

恋愛関係では、あなたが自分を特別な存在と考えることがマイナスに働くかもしれません。あなた方は普通あまり自分のほうから相手を求めないので、誰かがあなたに恋愛感情を抱き、告白されるまでまったく気づかないことが多いのです。しかし二人とも惹かれていれば、あなたの情熱はすぐに燃え上がります。相手は多くの場合、あなたをとても大切な存在として扱ってくれます。しかし高いところに祭り上げられ、賞賛されるとあなたの中に過去の人生の記憶が蘇ります。

相手があなたを賞賛するのは恋のためだということに気づかないと、あなたは状況を見誤り、自分が重要な存在だと考えて知らず知らずのうちに相手を支配するようになります。その結果相手は冷めてしまい、あなたはまた一つ残念な恋愛の記憶を抱え込むことになるのです。ロマンスは双方を賞賛し合うものだということをお忘れなく。

・他人との協力

過去の経験から、あなたは仕事を与えられると本能的に自分のやり方で一人で進めようとします。しかしそれには限界があります。同じような考えを持つ人々を集め、協力しながら進めるほうがあなたにとってよい結果を招きます。そしてそのためにあなたには強力な友情のカルマが備わっているのです。他人と一緒に仕事をすると、あなたには創造的なエネルギーがあふれてきます。

一人だけで進めようとすると行き詰まり、難しくなるというのが今生のシナリオと考えて下さい。あなたはすべての決断を一人でしようとしますが、ほかの人とともに進めているとき、あなたは彼らに対してオープンでなくてはなりません。そしてそれによりあなたは自然にパワーアップし、革新的で創造的な考えが生まれます。そして依然として主導権を握っていたいと思ったとしても、人々とともに進めるほうがずっと楽しく仕事がはかどることに自分でも驚くでしょう。

仕事を選ぶとき、何か惹かれるものを選んでいくことが最良の方法です。仕事に着手して、あなたのエネルギーがあふれ出したら、もうそれはあなたのものです。可能な限りあなたの創造力を導入して進めて下さい。どのグループにもそれぞれのニーズが隠されています。あなたは敏感にそれらを察知するアンテナを持っているので、ユニークな方法でグループの全員が納得する解決法を生み出していきましょう。あなたがそういうアイデアを自分で作り出したというのではなく、たまたま見つけたのだという気持ちになれればなるほど、よいアイデアが泉のように湧いてくるでしょう。

こんな反応を聞いたとします。「あなたの考えは素晴らしい。でもまだ詰めが足りない」こういうときは周りの人々と話し合って、さらに緻密な計画を練り直す必要があるのでしょう。あなたが仕事をする動機は「助けること」。そして宇宙はそれが成功裏に終わるまで導いてくれるでしょう。

時々あなたは他人の能力や創造力をうらやましく感じるかもしれません。あなたはほかの誰かがあなたより優れていると認めたくありません。しかしあなたの精神が寛大さと平等の感覚を自然にたたえているときこそ、あなた自身が自分の成功を迎え入れられるときなのです。さらに他人の能力を素直に認め、賞賛することが大切なのは、それによりあなたがほかの人々と共通のゴールを目指すとき最大限の能力を発揮できるからなのです。周りの人々が能力を高く評価されると喜ぶように、あなたも彼らがあなたを賞賛するときに自然に受け入れることができるでしょう。他人があなたの長所を認めることはあなたにとって自分の影響力を拡大する基盤となる、大変重要なことなのです。

仕事をするとき、メンバーの人選も大切な要素です。あなたに向いているのは、あなたのように考え、支配的でなく、革新的な発想を持つ人々です。あなた方は子供のような心を持っていて「大人」から指図を受けるのが嫌いです。あなたが選ぶべき人々は、寛大で、あなたを尊重し、あなたの考えに価値を見出してくれる人々です。そういう人々と一緒にいるとあなたの創造力は倍増し、協力することによって集まったエネルギーは、その成功も格別に大きくします。

あなた方は人を説得するのが誰よりも得意です。あなたがよりよいものの実現に焦点を絞り、あなたの選んだ方法が優れていたら、人が説得されるのは時間の問題です。それどころかその人はあなたの創造力に感謝さえするでしょう。あなたがより高次元の目的を意識し、エゴの狭い了見と決別するとき、あなたは自分の真の実力を知り、自由に使えるようになるでしょう。

あなた方は非常に優れた人材で、世の中に貢献できるものをたくさん持っているのですが、残念ながらお手柄や栄光をほかの人と共有したくないというエゴの壁に阻まれるため、あなたの運命に許された最終ゴールまでたどり着く人はまれです。今生のあなたは集団の中で過ごす運命なのです。新しい時代を築くには多くの人の力が必要です。あなたが人を集め、新しい考えを形にすれば、それはきっとうまく進み、参加した人々全員が楽しく過ごせるようになるでしょう。

◆ロマンス

あなた方は愛することが大好きですが、友情を築くときと同様自我を抑制し、客観的になる必要があります。恋に火がつく前に十分友情を交わす時間を作れば、一緒に過ごしたいという気持ちが双方に自然に生まれるでしょう。そして信頼関係が育ち、関係がうまくいく基盤ができるのです。

あなた方はとくに恋愛と結婚の相手には、あらゆる面で自分と同レベルの人を求めます。たとえば自分と同じくらい強く、自分が相手を圧倒しないで済む人が好きなのです。あなたも相手もしっかりと独立した世界を持つ権利があります。あなたは自分一人で基本的ニーズを満たすことができ、恋人に頼る必要がないことをまず確かめる必要があります。それをクリアしていればあなたは相手をそれほど必死に求めずに済み、少しは客観的になれるので、よい恋愛の体制は整ってきます。

恋愛において、あなたは自分に特別な関心が寄せられていると思ったとたん、相手の注目と褒め言葉が持続するように相手の望む通りの役割を演じ、欲しいものを与えるという過去の習慣を繰り返します。人間関係の中で、あなたは意図せずに相手の思うような人格を演じてしまうのです。人を喜ばせる役割を演じすぎて、相手の関心は冷め、また恋愛の失敗談を一つ増やしてしまいます。自分の夢を心にとどめ、人間関係を築いている最中も自分のゴールを目指し続けることが大切なのです。

あなたの心には泉のように湧き出る愛があります。あなたが一人の人に愛を注ぐと、そのエネルギーが大きすぎて、相手は受け止めることができないでしょう。あなたにはもっと大きな対象が必要なのです。だからこそあなたの場合、一人への情熱に全神経を集中させてはいけないのです。あなたが恋愛関係を持続させたいなら、意識的に自分の関心をほかの友情や人道的な仕事にも向けるよう心がけて下さい。

・情熱

情熱は生きるエネルギーが凝縮されたものです。こういうエネルギーが二人の人間の間で起こると、一つになりたいという本能的な欲望と絆が生まれます。本当の絆は少しずつ作られるものなのですが、あなた方は待つことができません。恋の情熱に我を忘れて執着することは、あなたにとって克服すべき問題なのです。

一般に相手のほうが先にあなたに好意を示し始めます。あなたは最初のうちはそれに気づきません。相手は引き続き好意を持ち、そのうちに体が触れ合うようになるともうあなたは歯止めが利きません。あなたは理想の恋の相手に出会うと、人生をかけて情熱そのものと、その引き金となっている恋の相手に打ち込みます。あなたは恋の情熱をあまりに求めているため、「命令を受けて出頭する兵士の如き振る舞い」をしてしまいます。あなたは興奮のない単調な人生が嫌いなのです。

前世に持っていた誠実と忠誠の精神が蘇り、あなた方は理想の相手に誠意を尽くします。そして、明るく親しげで感情の制御が得意なあなたが突如、相手の一挙一動に影響を受けるようになります。関係がうまくいっているうちは至福の空間に浮かんでいるような心持ちで一日を過ごします。しかしあなたの愛する人があなたのほうを向いていないと、不安と絶望にさいなまれます。

愛する人と離れていると、あなたの想像力が一人歩きします。あなたはものすごいパワーで相手を理想化し、二人でこれからすることをあれこれ夢想します。普段の慎重さを放り投げてロマンチックな霧の中に浸るのです。あなたの年齢には関係なく、恋が芽生えるとティーンエージャーのように突っ走り、問題を起こしかねないのです。

しかしあなた方は本当に愛している人――あなたの情熱を喚起する人――と結ばれることはありません。情熱に支配されると、あなた方は明断さを失うからです。あなたは相手を崇拝し、魅力を誇張して、自分が劣っていると感じてしまいます。そしてあなたは自分らしくいることをやめ、相手が愛してくれるような人を演じるようになります。そうなるともう何が起こっているのか把握できなくなってしまい、愚かな間違いを犯して二人の関係を台無しにしてしまうのです。二人の関係にあまりに性急に、あまりに強いパワーをつぎ込んでしまうため、その関係を自らが不本意な形で壊してしまいます。

あなた方の中には、自分一人のドラマの世界に陶酔して、相手を見失う人もいます。相手の言葉に耳を傾けないため、相手はただ愛を注ぐ対象としてしか見られていないと感じ、次第に冷めていくのです。そしてあなたは失恋し、なぜそうなったかに気づきません。

あなたは相手に「捧げている」と考えていますが、相手の望むものにも気づかない人に何を捧げることができるでしょうか。あなたが心がけるべきなのはまず情熱を抑え、相手を一人の人格として関心を持ち、時間をかけること。相手の素顔、求めるもの、問題、考え、ニーズなどに真摯に目を向けるのです。恋愛感情が進展するためには、相互の信頼や理解、受容、思いやりの基盤を築くことが肝要です。

情熱的な本能から、あなたは異性関係を強く求めます。しかしあなたは深く愛し合った相手とは結ばれず、それほど深く愛情を感じない人と結婚する傾向があります。あなた方は一緒にいて楽しいけれど情熱を感じるほどではない人々となら、一定の距離を保てるので自分を見失うこともなく正しい決断を下すことができます。あなたの親しみやすさや寛大さが輝くとき、相手は安心感を覚え、あなたともっと親密になりたいと願うのです。

そういう関係は長続きします。友情から始まった結婚相手はあなたの世界を尊重してくれるので、あなたは無限の想像力を忌憚《きたん》なく発揮して自分の目指す人道的な目標に邁進できるのです。パートナーとしてのあなた方は忠実で一夫一婦制にこだわりますが、家庭で愛情を感じられないときは家庭の外にある愛の誘惑に負けることもあります。結婚が行き詰まったとき、心の底にある忠誠心のためにあなたは混乱します。しかし本当に愛情を感じられる人に出会ったときは、それまでの人生を捨ててその人の元へ走ることもあるでしょう。

・受容とタイミング

あなた方は他人の愛情を大袈裟にではなく、感謝と謙虚さを持って受け止めることを学んでいます。あなたは相手に受け入れてほしいという願望の底に「自分は愛される価値がない」という考えを秘めています。このためあなたは一生懸命になり、愛される権利を得ようとして必死になるのです。

しかし誰かが純粋にあなたの役割でなく人柄に惹かれ、恋に落ちたとき、あなたは初めのうち何も感じません。そして相手の愛を感じ、自分も同じ気持ちを抱くとあなたは過剰反応し、相手に逃げられてしまいます。その行動の根底には自分は愛されるに値しないのだという無意識レベルでの考えがあるのです。

人に好意を示されるとあなた方はよく相手を見下した態度を取ります。これも一つの過剰反応で、相手はあなたとロマンチックな経験をしたいというだけなのに、自分が「特別な存在」なのだと勘違いしてしまうのです。あなたが自意識過剰に陥っているうちに相手は冷めて、本当はあなたがその人を大切に思っていたことなどにまったく気づかずどこかへ行ってしまいます。

あなたが気づくべきなのは、私たち一人ひとりの心には愛があるということ。誰かがあなたに愛情を示したとき、それはその人の愛があなたの愛の波長とぴったり合ったと感じた証拠です。私たちはみな波長の合う相手と愛の経験をしたいと願っています。あなたは他人の愛情を自然に受け止め、愛されることを今生で学んでいるのです。

そしてもう一つのレッスンはタイミングです。欲しいものを見つけると、あなたはすぐに手に入れようとします。それが手に入る自然な成り行きを無視するため、結局壊してしまうのです。これは異性関係では深刻な問題を引き起こします。あなたのものになる運命のものは、宇宙の思し召しに従い完璧なタイミングであなたの前にやってくるものだと知って下さい。

あなたはロマンスが好きで、新しい恋の中に完全に埋もれてしまう感覚を楽しみます。それはどこかギャンブルに似ているのですが、客観性を失っているのでタイミングを外してしまうのです。有能なギャンブラーはいつ前進し、いつ撤退すればよいかを心得ているものです。

しかしあなた方は常に「早送りモード」で前進するしかないと考えているのです。二つの人格の持つエネルギーを一つに結びつけ、恋が進展するには醸成《じょうせい》の時間と努力が要ることを学んで下さい。お互いを知り、影響を与え合うには時間が必要なのです。二人の関係は近づいたり離れたりしながら融合し、順応していき、相手の言った言葉を反復し、考え方や価値、性格、夢、ゴールなどを少しずつ理解していくのです。あなたは相手の価値観をそのまま受け止める寛大な心を持っているのだと知るべきです。調和の中で触れ合い、幻想ではなくお互いの個性という「現実」を基盤にして二人は親密になっていけるのです。いつ前進するべきか、そして退くべきかを知るには、相手のエネルギーを見るのが一番よい方法です。相手があなたを求めているときは恐れることなく前進し、相手のエネルギーが閉ざされているうちは強い意志力を働かせて相手が心を開くまで根気よく待ちましょう。

今生では、あなたの情熱が突然目覚めたときはとにかく抑制し、相手の出方を待つほうが得策です。あなたの使命は愛を受け止めること。相手が自分のペースで、そして自分なりの方法であなたを愛するに任せることです。相手を急がせたり、変えようとせず、優雅に構えて愛情を受け止めるのがあなたの今生の仕事と考えて下さい。恋愛におけるあなた方の課題は、本当に心の琴線に触れた相手との間に確かな友情の絆が生まれるまで、自分の情熱をコントロールすることです。

◆正直さ

・子供の心

あなたは基本的に自由で楽しい性格の人です。他人の目に傲慢《ごうまん》さや利己的に見える、あなたのわがままや頑固さは、実は平等の感覚を忘れている幼さからきています。あなたは生まれるとすぐ周り中の人に、親にさえも命令を始めます。自分が欲しいものはみんなが与えてくれて当然だと思っているのです。子供の頃のあなたは、何でも手に入れることができ、何にでもなれるという自信に満ちています。ティーンエージャーのあなたはわがままですが、常に友人に受け入れられることを求め、既存の考えにとらわれない新しい発想に満ちあふれています。

あなたはすぐに満足することを求め、それが得られないとパニックに陥ります。お菓子屋の中の子供のように、目の前にあるお菓子がすぐに食べられないともう一生食べられないかのように大騒ぎします。また子供の心がそうであるように、「今」が一生続くと思っているのです。たとえば今恋愛としばらく縁がなかったり、幸せでない時期がちょっと長引くと、あなたはそれが一生続くと考えます。しかし現実の世界では、潮は満ちたり引いたりするもの。人生は常に変化していると知るべきでしょう。

あなたは自分の性質を正直に表現する必要があります。他人の言葉をそのまま信じ、その言葉通りに実行されないと、裏切られた子供のように傷つきます。あなたは無心に行動し、あなたをぞんざいに扱ったり、駆け引きをしようとする人に出会うとそれが理解できません。他人の大人的な考えに傷つけられないようにするには、自分に正直でいることしかありません。あなたの行動の背後にあるものを理解すれば、他人はあなたを脅威に感じることはありません。あなたが何を恐れ、何を感じているのかを知らせれば、あなたの純粋な誠実さを人々は理解します。そして傷つきやすく創造的でやさしい子供のようなあなたを丁寧に扱ってくれるでしょう。

間違いを犯したり、幼稚だったかと思うと今度は支配的でわがままで——そんなあなたですが、心は無邪気な善良さに満ちているのです。本人もそれを知っているため、揺るぎない自信を持っているのです。あなたは生まれつき寛大で、周りの人を親身になって助けようとする心を持っています。友達のために自分の仕事をさておいてもカードを送ったりプレゼントを買ったりし、また誠実に悩みを聞いて友人を勇気づけ、助けようとします。あなたは純粋に周りの人々を幸せにしてあげようと、全力を尽くす人なのです。

それに嘘はないものの、ときとして自分の寛大さを忘れ、他人の地位に妬みを感じるという幼さも持っています。これは単にあなたの幼さから、その人がその地位にたどり着くまでの過程に気づかないためです。勤勉さ、緻密な戦略、そして成功への方策などの結果としてその地位があることを見逃しているのです。あなたは「あいつはただ運がよかっただけさ」などと思いますが、ポーカーゲームの達人もゲームを熟知しているからこそ勝てるのです。今生であなたが他人の何かをうらやましく思うとき、それはいずれあなたも手にすることができるものかもしれません。だとすれば冷静に、どうすれば自分も手に入れられるのかを分析することが次のステップとなります。適切な戦略を立て、自己制御を利かせて目標に向かって勤勉に励むのみです。

人と自分を比べるのではなく、あなたの本分はその相手をさらに高いところへ導いてあげようと考えるところにあります。そうすることにより、あなたに平等の感覚が培われていきます。あなたが人に協力を惜しまず、この世に精神世界の知恵をもたらそうと考えるとき、幸運があなたの上に魔法のように降り注ぎます。あなたが気前のよい分だけ、宇宙も惜しみなくあなたを喜ばせるでしょう。

・役割から解放される

前世で幾度となく舞台の中央に立つ役割を演じてきたあなたは、与えられたシナリオを頭に入れ、決められた通りに行動してきました。そしてあなたはある決まった役割を演じるつもりで今生に生まれてきたのですが、あなたにとって幸運なことに人生は違った展開を見せるのです。前世と同じ人生には、あなたの子供のような遊び心が引き出されるような驚きやわくわくするような経験もありません。今生のあなたは人間関係や仕事、できごとなど、あなたが考えているシナリオ通りに遂行するのではなく、機会が訪れるたびに自分を解放していくことを学んでいます。

今生のパターンとして人間関係ではまず友情を築き、相手から新たなものを発見する楽しみを知ります。あなたがシナリオを作っても、相手がその通りに動いてくれないと失望してしまいます。あなたが人生の「シナリオ」を読んでいるときに「恋人候補」がやってきたら、あなたは自分の芝居に加えるためにはある風貌や演技力を必要とすると考えます。その人はあなたの求めるぴったりのキャラクターを備えているかもしれませんが、ある別の性格がその事実を隠しているかもしれません。相手を自分の理想に当てはめて変えようとしてはいけません。それをすると相手の持つ最良の部分が閉じ込められ、あなたのためにもなりません。

しかし何の期待も抱かなければ、あなたの予想を反する愛情表現で相手はあなたを驚かせ、喜ばせることでしょう。少なくともあなたは相手を客観的に見つめ、関係を持ちたいかどうか判断できるでしょう。人生にはあなたの描くシナリオよりも長い期間にわたるできごとの展開や流れがあるのです。誰にも自分自身を貫き、自分の歩幅で歩く権利があります。時々あなた方は立ち止まって「この人はまだ自分に対する準備ができていない」と考え、怒ったり、馬鹿な奴だと考えたりせず、手放すことも必要でしょう。もしこれができて、その人が本当にあなたとともに歩むべき人だったら、その人は必ずあなたの元へ返ってくるでしょう。

しかしあなた方は他人の受容を渇望していて、手放すことに苦痛を感じます。相手の受容や愛を得ようとしてどんな役割でも演じようとするのです。しかし相手の幻想の形まで把握していない限り、的確な役割を選ぶことはできません。どうせうまく演じられないなら、初めから演技をしようとはしないことです。その代わり心を落ち着かせ、流れに身を任せ、正直に自分を語り、気持ちを打ち明けましょう。そうすれば相手はあなたに共鳴するかしないかを明らかにし、共鳴すれば偽りのない友情の基盤の上に恋愛関係が結ばれます。

あなた方が自分のわがままを抑え、生来の無邪気さを相手に見せて正直に語り始めると、ほとんどの相手は愛情を持って応えてくれるでしょう。あなたはもともと大いなる善と愛情のあふれる世界から生まれてきたのです。

ゴール

◆精神世界の使者

あなた方は精神世界の知識を世界に広めるために生まれてきました。前世で蓄積された力とともに生まれ、未来と現在の橋渡しをするためにその力を捧げることがあなた方の使命です。あなた方は現在の状況に人道的な理想を取り込む特殊な能力を前世から授かっています。人類に何が必要なのかを深い洞察力で見通し、ネットワーク作りに才能を発揮します。そしてあなたの心にあるイメージを現実のものにするとき、無上の喜びを感じます。あなたにしかできない仕事をしているため宇宙はあなたを支援し、あなたの仕事は成功します。

あなたの能力やエネルギーを生かして革新的な考えを生み出し、人道的目的に貢献すると、前世から持ってきたプライドが消えていき、代わりに自信が戻ってきます。あなた方は生まれついての行動派で、自然に結果を作っていくのです。あなた方が結果を詳細に描くことなく行動すると自由な実験ができるだけでなく、自分らしくいることができます。

あなた方は未来に焦点を合わせるのが得意です。しかしこれが混乱を招くこともあります。個人的レベルでは自分の未来が見えてしまうと、現在の状況に不満を感じてしまいます。たとえば自分が会社を経営するという未来を描くと、他人のために働いている現実に納得がいかなくなるのです。しかしこれもタイミングの問題で、現在の仕事を誠実にこなすことが未来の成功の基盤になるということなのです。

実際、あなた方はほとんどの場合、「時代に先行して生まれた人」なのです。たとえば紫色が大流行する十年前にあなたが好んで身につけていたり、あなた一人が気に入って聴いていた音楽が八、九年経ってから大ヒットしたりといった具合です。あなたが未来に照準を合わせている人なのだと自覚すれば、非正統派の考えを持つことに抵抗感を持つこともなくなるでしょう。

あなたには人類が成長するためには次に何をするべきかが分かります。あなた方は未来からのメッセンジャーなのです。あなた方の新しい発想を多くの人々と共有することで人類に力を与え、新しい覚醒の時代を築いて下さい。あなた方は他人の承認を求めてぐずぐずしている器ではないのです。

・大いなる目的

あなた方は自分の人生の個人的目標を達成することよりさらに大きな使命を持って生まれています。人類の進化に貢献するために積極的な役割を担っていくという使命——つまり進化に必要な個人レベルの変革を自ら体現して見せることと、あなたの持つエネルギーを人道的な目的に生かし、人々がより広い視野を持てるよう支援することです。

この役割に気づくのが早いほどあなたの周りには多くの協力者が集まり、あなたはすべてに満ち足りた自分を感じることができるでしょう。あなたは集団を組織して環境保護やリサイクル運動をしたり、動物保護、都会の子供のために公園を作ることや飢餓に苦しむ地域の支援、あるいは人道的な目的達成のために募金活動をするかもしれません。ユニークな才能を生かして文筆や絵画、音楽、写真などの表現による独自のプロジェクトを始める人もいるでしょう。

あなたが一つの仕事に熱中している間にほかの誰かがあなたの心にあった仕事を始めると、二人は同志のように心を通わせます。「君がそれをやってくれるなら僕はこっちを手がけよう」という具合に。人材が増えても仕事は無限に見えてくるでしょう。あなたがその活動に創造的なエネルギーを吹き込むと、あなたはさらに大きな活動の輪に組み込まれていきます。ほかの人々が同じ目的の仕事を成功させると、それはあなたにとっても勝利を意味するのです。

しかしあなたは天から与えられた仕事をあくまでも個人として引き受ける必要があります。他人に任せようとしても、彼らには背負い切れないからです。環境保護の法律を通すのに五人がかりで動いたとしても、残りの四人は脱落するかもしれません。あなたが責任を持って進めるべき仕事なのです。

・グループ・カルマ

あなた方には素晴らしい「グループ・カルマ」があります。グループの中にいるときのあなたには飛び切り冴えた才能が現われてあなたの所属するグループを支え、結束を固め、新風を吹き込みます。あなた方はネットワーカーとして比類ない能力を持ち合わせ、人と知り合うことを楽しみつつ、人々の間に共通点を探すのが得意です。しかしあなたの得意分野での集団ではあなたが独裁的リーダーになることを主張します。役割をはっきりさせて、あくまでも自分の思い通りに進めたい人なのです。

あなたはグループのメンバーとして素晴らしく独創的な考えを思いつき、グループに大きな貢献のできる人ですが、前世での呪縛のため否定されるのを恐れて発表しなかったりすることがあります。あなたの心にある真実を閉じ込めていると、グループの中であなたは孤立していきます。自由に意見を交換し、自然に自己表現していると仲間との親密度が増し、心の通い合ったグループとして進むべき方向が見えてくるでしょう。

あなたが何かを感じるとき、個人的なものだととらえますが、実はそうではなく、あなたの敏感なアンテナがグループ全体の反応を、あなたの精神世界に通じる価値観と結びつけたものなのです。たとえば誰かがある提案をして、あなたはそれに納得できないとします。あなたは「うまく言えないのですが、どうもそれには承服できないのです」と意見を言うことで正直にあなたのアンテナが拾った感覚を伝えます。そして多くの場合、周りの人々が感じていることをあなたが代弁していたと気づくのです。

人道的な目標に向かって進んでいくうちにあなたは自分の本分はここにあると実感できるようになり、同じ感覚を持つ人々と多く出会うことになるでしょう。そういう人々とともに活動を続けると、ゴールはさらに近づいていきます。

◆創造的エネルギーを制御する

あなた方は自分の幸福感と心の均衡を保つという目的のために、有り余るほどの創造的なエネルギーを放出する必要があります。目的を作らないとあなたの余剰エネルギーが不機嫌さや他人の幸運への妬みなど、無数の無意味なもぐら塚を掘る羽目になります。あなた方は何かを「創造」していないと、不満足が蓄積されて人生を底から揺るがしていきます。

創造力はビジネス、芸術、社会活動、精神活動などを通じて放出されます。精神修養において自分を再構築するというものでも、また現実の世界で社会活動を立ち上げるにしても自分の創造意欲を意識して、情熱を傾けて取り組むことはあなたにとって非常によいことです。

・情熱と創造的エネルギー

あなた方には抱え切れないほどの情熱と創造的エネルギーがあります。これらを自分の好きな形で表現できるプロジェクトに没頭しているときが、あなたの一番幸せな瞬間です。貢献するのは好きなのですが、決まった形ではなく創造力を駆使した自由なスタイルがあなたの好むやり方です。あなたは他人の指示を仰ぐことが嫌いで、実際それはあなたの能力を半減させます。あなたの「周波数の高い」高密度のエネルギーのペースを遅くしようとすると、あなたは気も狂わんばかりになってしまいます。あなたが自分の創造的エネルギーの高揚を無視し、規範に従おうとするとエネルギーレベルは一気に低下します。

前世では圧倒的な創造者だったあなた方は、その能力を今生でもふんだんに持ち合わせているので、あなたが心にイメージできるものならほとんど何でも形にする方法を心得ているのです。あなた方は的確に「材料」を集め、形のないところに何かを作ることに何の不安も持ちません。あなた方は創造者であり、模倣者ではありません。新しいビジネスを始め、創造的なプロジェクトを組み、必ず成功させることができる人なのです。

しかしあなたの創造力には観察と行動という二つの過程があるということを覚えておいて下さい。観察とは調査することで、一般への効用、当事者の望みなどを斟酌《しんしゃく》することを指します。この部分は順序立てて進められ、客観的に現状分析をしながら協力者がプロジェクトを理解できるよう図ります。

行動には意志力と決断力を要します。観察にはエゴのない客観性がポイントですが、創造的活動にはエゴが必要です。行動の段階でどこかに拒絶が生じたら、エゴのない観察段階に立ち戻り、原因を究明します。そして行く手がすっきりと見えてきたら再びエゴを発揮して結果の収穫に向かいます。

自分だけの利益を追求しない限り、あなた方は社会や人々にプラスになるものを的確に察知することができます。宇宙の大いなる力があなたに味方して、高い理想を現実のものとするあなたのプロジェクトを支えます。そしてそれこそがあなたの泉のようなパワーの根元なのです。

人々はあなたを賞賛し、崇拝するかもしれません。しかしそれはあなたが本当に人々に対し貢献したことへの感謝の印です。あなたは人々のリーダーとしてではなく、平等の立場で功績を上げ、役割からではなく自分自身の中から生まれた欲求に従って結果を出したのです。

あなた方は作ろうと思ったらそれこそ何でも作ることができる人々です。知識と協力者を謙虚に集め自分を解放し、ものごとが自然に変化するタイミングを生かしさえすれば、「世界をより住みやすくする」という大いなる理想に近づけるためのあらゆる能力を持っているのです。

・過激さと芝居性

あなた方には膨大な創造への情熱があります。これを芸術作品やプロジェクトなどの創造活動に投入した場合、そのエネルギーの激しさはプラスに働きます。しかし同じ激しいエネルギーを使って社会での交渉を始めると問題が起こります。あなた方は自分のカリスマ的なエネルギーを強調するため、あちこちで事態が収拾不能になっていきます。あなた方の激しさが、求めるものを遠ざけてしまうのです。

あなたの創造活動が思うように運ばないとき、それはたいていの場合情報が不足していることを意味します。あなたが対象をもっと深く理解する必要があるのです。そんなときのよい解決法は、友人とそれについて話し、相手の反応を見ることです。次に何をしたらよいか迷ったときはあえて何もせず、次の情報を待ちましょう。迷いを残したまま突き進むと、そこにはさらに大きな問題が待ち構えているでしょう。

あなた方は外的刺激に過剰に反応し、周りの人を萎縮《いしゅく》させる傾向があります。相手の言っていることをよく聞かずに、相手の次の言葉を封じ込めるような反応をしていませんか？あなたはわがままな聞かん坊よろしく自分の主張をごり押しし、相手に怒りをぶつけたり、泣いたり、芝居をしたりして相手を思い通りに変えようとするところがあるのです。わがままとプライドは、人との関係を築くエネルギーを閉ざすものだということを覚えて下さい。

またときには相手の行動を静観できず、性急な反応もするでしょう。「どうして彼は自分の人生に責任を持たないいんだ?」「どうして彼は一人でできないんだ?」などなど。しかし人々は自分が正しいと思うことをしているだけなのです。あなたの価値観に合わないからといって、安易に他人を批判してはいけません。

あなたがメロドラマチックになるとき、それはあなたが自分の思い通りにならない現状を恐れ、誇大表現しているのです。ちょっとした拒絶を取り上げては大袈裟に、しかも感情的に表現するのです。しかし感情の過剰表現が表面化するところには必ず「行き止まり」が待っています。つまり財政上の変化にドラマチックに反応しているうちは、財政問題がなくなることはありません。恋のできごとに過剰に興奮していると、その激しさが相手を怖がらせ、遠ざけてしまいます。

恋愛関係や大事なことに着手している際に、あなたの情熱が引き起こすもう一つの欠陥は、あなたが目標を必要以上に重要視する傾向です。目指すものの重さにつぶされそうになり、普段のあなたらしい軽やかなアプローチ(これがあなたの成功の秘訣)を忘れてしまうのです。

あなた方の人生の筋立てやその激しさはメロドラマのような芝居性があるため、「ドラマの女王」になってしまう人もいるでしょう。問題は芝居と現実を混同してしまうこと。シェイクスピアの芝居でも悲劇的結末を迎えるものが少なくありません。芝居がかった情熱に心を奪われている間、あなた方は現実を見ることができず、均衡を失ったエネルギーが現実を感情的な悲劇へと導いてしまうのです。

均衡を失わないために、人生はメロドラマではなくコメディーだと考えるほうがあなたには適しています。あなたには会うべき人々、経験するべきこと、そしてほかの多くの人々と共有するべき知識があります。そういう機会に出合ったときは過剰に反応するのではなく、持ち前の創造力を活用してその時期に出合ったことの「高次元の理由」を探り、あなたを導く人生の流れに目を向けるようにしましょう。

◆全体像を見る

あなた方は多くの前世においてスーパーエゴを軽視してエゴを磨いてきました。このため社会や家庭、宗教などが求める道徳観念や、社会の倫理を底上げする人道的な指向が欠落しています。このバランスの欠如を矯正するには、「個」と「全体」の位置関係をもう一度自覚する必要があります。あなたはそれを取り戻して初めて、人のためになる指向を自分のものとしてとらえることができるようになるのです。

自分という意識領域を拡大し、あなたのエゴの上にある至高の自我を築くことに努めて下さい。私のクライアントに、ある写真家がいました。彼女の作品は大変創造的で、愛と霊的な要素がみなぎる作風を持っていました。彼女の個人的な仕事が精神世界の具現化という目標と一致していたのです。しかし彼女の欲望が自分の地位と名声に向けられていたために、作品をどのように世に出していけばよいのか明晰に考えることができなかったのです。彼女は従来通りの方法で個展を繰り返していましたが、彼女の作品がブレークすることはありませんでした。

ついに彼女は作品を大衆に見せることを第一義の目的に変更し、ベーグルショップや本屋など、思いつくところに作品を置くようにしました。すると何と一夜にして、彼女の作品が売れるようになったのです。彼女の作品はそれまで美術館や有名大学でしか展示されたことがなかったので、街の一般商店に作品を陳列するには相当な謙虚さを要したはずです。しかし彼女が大きな目標に気づき、自分のエゴを満足させられない方法にもかかわらず実行に移したからこそ成功への道が開かれたのです。

・流れを信じる

あなた方は徹頭徹尾自分流で進めたい人々で、自分のスケジュール通りにものごとが展開しないと取り乱します。流れに合わせて自分のプランを調整するのではなく、変化を「障害」ととらえ、怒りを感じるのです。個々の変化を自然の潮の流れとして受け止めず、そして宇宙には人間の与《あずか》り知らない大きなうねりがあり、完璧なタイミングでものごとが起きていることにも気づかずに、あなた方は抵抗します。この抵抗があなたの人生を何倍も困難なものに変えてしまいます。

あなたは自分のわがままに常に注意を払うべきです。あなたの個人的意志は前世で余りにも長い間「やりたい放題」が許されてきたために、同じ意志を持って今生に生まれたあなたは子供の頃「これがほしい！」とあれこれ自己主張したことでしょう。そして両親にノーと言われると心底驚いてしまいます。大人になったあなたは、宇宙にノーと言われると、やはり心から驚くのです。あなたは自分の個人的意志を、宇宙の潮の流れと協調させ、人生があなたに贈るさまざまな出来事を愛情を持って受け止める練習をしています。

無理に結果を出そうとするとき、あなたは強硬で決然となり、強情になります。あなたの意志は戦士の善意の剣として使われるときプラスに働き、聞かん坊のわがままだとマイナスに働きます。過剰に膨らんだエゴを協調の精神に修正していく過程として、タイミングを慎重に選ぶ必要があります。あなたが今度の土曜日にビーチに行こうと決めたら、当日に雪が降ってもまだビーチにいきたいというほど、条件の変化を客観的に認め、柔軟に計画変更をするのが苦手な人なのです。自分を含む全体のために良かれと自然が用意してくれる大きな流れに順応しないと、あなたの求めている目標へ至るきっかけが訪れても、見逃してしまいます。

宇宙があなたを傷つけることはありませんが、あなたは最終的に宇宙の差し出すタイミングに抵抗することにより、自らを傷つけることがあります。何が起きてもそれはあなたが次のステップに進むために訪れた階段なのだという宇宙の真実を理解するのが、今生のあなたのレッスンです。

一つの扉が閉まったら、必ず別の扉があなたに開かれていることを知りましょう。たとえば素晴らしい情事の機会が訪れたとします。あるセクシーな人がオフィスにやってきてあなたのハートをあっという間に奪ってしまいました。しかしあなたにはその日の仕事の目標があったため、その相手との約束を延期し、目くるめく夜の体験を逃してしまったのです。仕事の満足や昇進は半年や一年のサイクルで動くものですから、一晩くらい恋を楽しむ余裕はあったはずです。あなた方は自分を賢いと考え、時々宇宙からの贈り物を「賢い判断」の下に受け取らず、後悔します。

宇宙はあなたにダイナミックな転職を促し、それまで味わったことのなかった喜びを教えてくれることもあります。無意識に変化を求めつつ、現在の仕事に退屈しているにもかかわらず待遇や収入がよいために求職活動をしていない人がいたとします。突然職場で何かが起こり、退職する羽目になり、その人は怒り人生を恨みます。「なぜ宇宙は自分にこんなひどいことをするんだ？」などと怒っているうちは新しい扉が開かれても目に入らないかもしれません。自分の望まない結果に目を奪われて、どんな選択肢がそこに開かれているのか見えなくなっているのです。

あなたの場合とにかくエゴの抑制が鍵だということを肝に銘じて下さい。いつでも自分の思い通りに進めたいという欲望を監視し、客観的に大局を見る努力を続けて下さい。これはあなたの本能的な反応ではないため、意識的な変革を要するのです。あなたが娘を育てていて、強い女性に育ってほしいと願っているとします。その目標を常に心にとどめていればあなたはエゴを抑え、彼女が強くなるためにときには彼女を自由にさせてあげることができるでしょう。また調和の取れた環境で成長してほしいと願うなら、あなたも調和のために自分のエゴを抑制し、皿洗い機にお皿をどうやって並べるかで喧嘩になることもないでしょう。エゴを抑制するには意識的に大いなる視野を描いて高次元の自我の導くゴールに向かうこと。そこに個人的な満足も見出せることを考えましょう。

宇宙があなたに広げて見せる壮大なプランには、あなたが考えるよりずっと大きな目的があり、それらのすべてはあなたにとって善であり幸福なものだということを、今生のあなたは学んでいます。宇宙からあなたに贈り物が届いたとき、自分の意志よりも宇宙の用意したタイミングを尊重する謙虚さと感謝を込めてそれを受け取りましょう。

・天使の導き

今生であなたの周りの人々は幸せになるためにあなたの力を求め、集まってくる運命にあります。またあなたの頭上には常に天使や守護霊がいます。言うなればあなたは生まれる前から天の大いなる集団の一人だったのです。そして今その集団の仲間が地上に降りたあなたを天から導いているのです。

人間という肉体を持ってしまったあなた方には未来がはっきりと見えません。何でも一人でできるあなたは果敢に試行錯誤し、傷つくことがありますが、これは実は必要のないことです。するべきことはアンテナに心を集中させ、天の導きを聞くこと。そうすれば行く手はずっと易しい道になります。今生はあなた一人で生きる人生ではないのです。守護霊はあなたの人生の一部であり、常にあなたに幸せをもたらそうとしています。その回路を開くか否かはあなた次第です。

今生のあなたは高次元の目的を実現するための道具として生まれました。このためあなたが地球や自然に必要なものを実現するような計画を考えるとき、宇宙はあなたの計画に不可欠の強力な人材を送り込んでくれるでしょう。あなた方は自分の人生の大いなる計画の下で得られた経験と、精神世界の知恵を融合させ、さらに高次元の人生を構築していく使命を持っている人です。今生ではあなたが生来持っている忠誠心を精神世界での普遍的な存在に転化し、大いなる宇宙の流れと調和することを目指して下さい。それができたら、あなたが前世から持ってきた大いなる創造の意志は、宇宙の流れに乗って文字通り魔法となるでしょう。あなたがそれを「幸運」と呼び、天使たちや宇宙に感謝の念を抱いている限り、あなたは成功への鍵を手中に収めています。成功を自分の手柄だと思わないあなたの行く手には、一点の曇りもないでしょう。

〔癒しのテーマソング〕

音楽は何かに挑戦するとき、感情面でユニークな力を発揮します。
それぞれのドラゴンヘッドグループに合わせ、
エネルギーをプラスに転化する働きを持つ詩を作りました。

陽が昇る

この詩のメッセージはドラゴンヘッドが水瓶座にあるあなたが、あなた方全体をつかさどる自然の摂理と人生のタイミングを教える大きな運命の流れを理解し、力を受け止め、肩の力を抜くことを願うものです。そして自然の流れを体に感じ、そのエネルギーを取り入れてあなたの夢を実現するための真っ直ぐな道へと導くために書かれました。

どうして自らの幸福を妨げるのだろう
運命のときに逆らい
幼い知恵でものごとの善し悪しを判断し
愚かな人間の心に従うなんて
朝になれば陽は昇る
そして夜は沈むもの

夜の世界は月が司り
太陽が来ることはない
それが秩序。それが摂理
それは世界を覆っている
運命の輪が回ることを信じよう
裏切られることはないのだから

ドラゴンヘッド

魚座

第十二ハウス

Pisces

総体運

●伸ばしたい長所

次の性質を伸ばすと、あなたの隠された能力が見つかります。

- 批判的でない姿勢
- 慈悲の心
- 不安を克服し、高次元の力に委ねる
- 瞑想と自省で心を解放する
- 精神世界への道を目指す
- 楽観的な結果を信じる
- 宇宙とのつながりを知る
- 変化を好む

●改めたい短所

次の性質を減らすようにすると人生が生きやすく、楽しくなります。

- 不安への過剰反応
- 過剰分析
- 不安に取りつかれる
- 些末なことを過大視する
- まず批判的態度を取る
- あら捜し：他人は間違っていると考える
- 失敗を過度に恐れる
- 完璧主義者
- 不快な環境にとどまる
- 柔軟性の欠如

◆あなたの弱点／避けるべき罠／決心すべきこと

ドラゴンヘッドを魚座に持つあなたの弱点は、秩序の維持への執着です（「自分が考えるような秩序や行動の規範をみんなが守ってくれないと落ち着かない」）。こう考えるとあなたは無限に終わらない、完璧を目指す罠にはまっていきます（「周りの人々がもっと完璧な人間だったら、自分は安心して任せられるのに」）。こう考えることは底のない落とし穴にはまるようなものです。世の中も人々も、あなたが安心できるような状態にいつまでもとどまっていることはなく、あなたの緊張感と不安は永遠に続くことになるのです。世の中も周りの人々もあなたが満足するレベルに達することはないので、あなたは他人や社会への信頼と喜びをいつまで経っても感じることができません。

決心すべきことは、あなたよりも宇宙のほうがより完璧な計画を持っていて、身の回りに起こることは、仮にそう見えなかったとしても、すべて起こるべくして起きているのだというように考え方を変えることにあります。「完璧な秩序」を築ける唯一の場所はあなた自身の中にあり、それはあなたが築くのではなく、高次元の存在を受け入れることにより、すべては初めから秩序を持っていると信じることにあるのです。皮肉なことにあなたが高次元の存在を無条件に受け入れ、すべてはあなたの幸せのためにあると考えると、突然あなたを包む大きな秩序が視野に入り、本当にあなたのためによかれと宇宙が動いている様子が見えるようになります。そのときに初めてあなたは自分のいる環境を仕切ろうとする意思を捨て、心から幸せを感じるでしょう。

◆あなたが一番求めるもの

あなたが一番求めているものは、常に自分が正しくありたいということ。自分も他人もいつでも与えられた「計画」に一〇〇％従っていたいということです。しかし「計画」にみんなが全面的に従うことを期待するということの背後には、自分が正しいという前提があるのです。まず自覚しなくてはならないのは、あなたは「計画」の全容を知らないということ。あなた方は厳密で具体的な計画の策定を手放し、もっと大きな、精神的な視野を身につけるべきなのです。高次元の力を信じて委ねることにより、あなたは目の前で展開するものごとが本当に宇宙が用意した「計画」の一部であることを確信できるでしょう。そして進むべき道は明確になります。精神世界の視野はあなたが求めてやまない完璧さのエネルギーそのものなので、その計画に組み込まれることで静かな心を得ることができるでしょう。

魚座は悟りを開いた意識や、すべての命と一つに結ばれる海のような感覚をつかさどります。ドラゴンヘッドが魚座にある人々の中には、宇宙と完全に調和した聖人がいます。その人々の今生の目的は、その悟りの境地をさらに高め、日々の暮らしの中で聖なる体験をすることにあります。

◆才能・職業

あなた方は自分だけのオフィスや空間を必要とします。あなたは一人でする仕事が得意で、研究や図書室の仕事、コンピュータ関係など、黙々と仕事を進めながら何かを発見したり、ある仮説を立証していくことに喜びを感じます。あなた方は修道院や僧院などに住んだり、働いたりしながら精神世界の真実を追究する職業で大成します。あなたの個人的な夢を人々と分かち合う職業である芸術家、職人、パフォーマー、音楽家にもなれるでしょう。縁の下の力持ちとしての才能もあるので、何かを推進するプロモーターとしても成功します。普通の企業に職を得たとしても、あなた方は一人で過ごし、静かに自省する時間を十分に取る必要があるでしょう。

あなた方は詳細について適宜に注意を払い、情報を効率よく分析する才覚を持っています。あなたが前世から引き継いできた実用的な能力を背景として夢の実現を目指すと、その能力は大いに役立つでしょう。しかし詳細に注意することや徹底した分析、完璧さ、そして簿記やシステム分析などの正確さを核とする職業につくと、不安や落ち着きのなさから解放されません。あなた方に向いているのは心に描くイメージを具現化したり、実用的な能力を生かして何かを創出する職業です。

●あなたを癒す言葉●

「すべては計画通りに展開し、うまくいっている」

「神の摂理に失敗や見落としはない」

「私が手を離し、神に委ねるとうまくいく」

「私は無秩序に惑わされない」

「これは私の仕事ではなく、神の仕事だ」

性格

◆前世

ドラゴンヘッドを魚座に持つ人々はその前世の多くを、体を癒す人やそれに関連した仕事に従事していました。外科医、医師、看護婦としてさまざまな社会で働いてきたのです。職業柄、人の命を預かるために「正しい行為」をしようと大変な集中力で仕事に臨んでいたのです。このためこの人々は今生でもものごとを完璧にこなすことへの強い執着を持ち、それが非常に重要だと考える姿勢を持っています。ものごとが計画通りに進むと、あなたは「すべては秩序を保ち、計画は成功している」と考え、自信を持ち、強さを感じます。しかし不測の事態が発生するとパニックに陥ります。無意識にあなたは何かが誤作動すると、人が死ぬと思うからです。

医療従事者として、あなた方は規則や決まった手順を持っていました。間違いは許されないのです。このため今生でもあなたは緻密《ちみつ》に、非の打ち所のない仕事をしようと努めます。あなた方はこの重篤な完璧主義を自分に課すだけでなく、周りの人々にも同じように厳重な基準を守らせようとし、それはとくに仕事の現場で顕著《けんちょ》に現われます。前世で医療の分野に携わっていた影響から、あなた方の多くは健康管理に関心が高く、汚染に敏感で、住環境の衛生に気を配ります。

またあなた方は前世で僧侶や尼僧、マザー・テレサのような人々として、人類の鑑《かがみ》を体現しつつ、神聖な行為で現実の社会に奉仕する仕事をしていました。あなた方は一般人が尊敬し、その生き方を学ぶ対象である聖人だったのです。あなた方のその完璧な行為が前世では賞賛と報酬をもたらしてきたために、今生での思考回路が完璧に振る舞うことと、人生がうまくいくことを結びつけているのです。しかしこれらの前世であなた方は形式的な完璧さの罠にはまり、癒しの力から遮断されていたのです。無理からぬことではありますが、それらの前世であなたは儀式を進行し、いつも決まった服装で決まった行動を取っていたのです。今生のあなたはこれらの形式へのこだわりを捨て、ものごとの本質に迫る姿勢を築こうとしています。今生は、あなた方の前世での奉仕の報酬として、平穏な心と満足感を得るときなのです。

・分析好き

前世で、あなたは分析能力を使いすぎ、能力の開発過剰に陥っているため、今生でもすぐにあらゆるものを分析しようとします。常にものごとを分解し、それがどうやって機能するか調べ、きちんと理解できるまでやめません。あなたの心は常にトップギアに入っているようなもので、ほうっておくべきものまで端から分析してしまうのです。玉ねぎの皮をむくように一枚一枚皮をむき、最後に何もなくなると空虚で不安な気持ちになるのです。今生でのあなたは、分析によって答えを出すように運命づけられていません。

あなた方はものごとをあらゆる角度から分析し、ほかの人々はそれにとてもついていけません。あなた方はまた、ものごとがうまくいかなくなった際の、手に負えないシナリオをいくつも想定します。何らかの心配ごとが生まれると、あなた方は平常心を失い、そのことで頭がいっぱいになります。現実に起こっていることよりも、未来に起こりうる何かがあなたを激しく悩ませるのです。あなたが心に描く心配の大多数は杞憂《きゆう》に終わりますが、それでもあなたは終わりのない不安を抱えて生き続けようとします。

あなたの描く「最悪のシナリオ」が現実のものとならない理由がいくつかあります。(1)恐れる結果に対処する新しい考えや行動を考慮に入れていない。(2)外から加えられる力を度外視している。(3)これが最も重要なのですが、あなた方は本当に悪いことが起きる可能性について、自分の直感が正しい答えを出すということを信じていないのです。頭ですべてを解決するのをやめて、未来を心で「感じる」努力をしてみましょう。

あなたの過剰分析の傾向は、さまざまな問題を引き起こします。たとえばあなたはあるイメージを心に抱き、それを現実のものとするべく強引に行動し、宇宙の摂理の入る隙を与えません。あなたには前方に道が見えますが、それは一人ぶんのスペースしかない狭い道なのです。あなた一人の旅ならそれでも構いませんが、ほかの人も関与しているとき、もっと広い視野が必要なのです。

あなたは自分の仕事に集中する習慣がついているため、目の前の仕事という狭い視野に集中するあまり、周辺の状況に気を配ることができません。ものごとがあなたの思うように回らなくなったとき、一番よいのは一歩退いてみることです。パニックに陥る代わりに、あなたに見えなかった高次元の計画が動き始めたのかもしれないと考え、達観するのです。

・答えを見つける

混沌とした状況に秩序を生む仕事をしてきた前世の習慣から、あなたは生まれつきすべてを自分が解決する必要があるという考えを持っています。その結果あなた方は常に自分と周りの人々のために、心を癒し秩序を回復する方法を探っています。あなたが問題に直面すると、緊張感を持って答えを見つけようとしますが事態は悪化し、不安が増します。正しい答えを見つけられないことであなたは自分を責め、それから立ち直るのに何日もかかります。

皮肉なことにあなた方は答えを見つける力を持っているのに、自分一人で解決しようとするため、取り逃がしてしまうのです。これを避けるためあなたは自力で分析しようとせず、問いを高次元の力に委ね、あなたの直感を通してやってくる洞察力に耳を傾けるべきなのです。そして正しい答えがあなたの洞察として、あるいは状況が改善するという形でやってきます。

私のクライアントに、ヨーロッパで何年か勉強した後、声楽の伝統的な教授法をマスターした人がいました。しかし彼女がその教授法を生徒に応用すると、ひどく時間がかかりフラストレーションを起こす結果になりました。そこで彼女は気構えることをやめ、生徒一人ひとりの声楽的な機能不全を受け止め、その欠点を高次元の力に委ねました。すると直感的に生徒それぞれの声の伸ばすべき長所が見えてきて、それを指導に生かすことができたのです。すぐに答えを見つけなければならないという強迫観念を捨て去ると、彼女は無意識の中で答えを知っていることに気がつき、生徒の声楽を指導する比類ない能力を見出すことができたのです。

・自分という概念

あなた方は常に自分がどこに帰属するのか考えています。自分の居場所、仕事、周りの人々と折り合えるところ。この根強い欲求は、仕事や任務を離れたら自分には価値がないと無意識に考えること、そして自分の定義がないことへの恐怖から始まっています。

あなたが求める究極の安心感が得られるのは、「自分自身にぴったりフィットする自分」を持つこと以外にありません。これが分かるまであなたは時間とエネルギーをかけて居場所を探し求めますが、実は今生では現世的にはっきりした居場所が得られない運命にあります。自分の中に「収まる」感覚を得るには、瞑想、リラクセーション・テクニックの数々、ヨガやそのほかの霊的な探求により精神世界を意識することが大変有効です。これらの経験は、現世的な物質の世界に内在する目に見えない価値にあなたの関心を向けさせます。

現実の裏側で展開する精神世界の価値観に焦点を当てることで、あなた方は他人とのつながりを心地よく感じ、そこから安心感を得るのです。そしてそれがあなた方を包む大いなる計画に目を向けさせ、すべては完璧な姿をしているのだと感じさせてくれるのです。あなたがこの完璧さと静寂を自分の中に感じると、自分が作り出す環境にもっと敏感に気を配るようになります。自分自身のエネルギーの領域を意識することで、あなたはどこに行っても自分自身を包む空気の中に収まる快感を覚えます。

◆完璧主義

前世において完璧であることが要求され続けてきたため、あなたは今生でも無意識に「常に完璧であれ」という司令を自らに与えています。あなたはいつでも「ミスター完璧」「ミス完璧」でいなくてはならないと考えるのです。しかし実際のところ、いつでも何らかの欠陥が最後に現われてあなたの「完璧」のイメージを壊し、今生では完璧でいられない運命にあります。これは宇宙があなたに「今生のあなたは完璧でなくてもよいのです。人間らしく、あなたらしくいなさい」と言っているのです。

・計画すること

あなた方は計画を立てることが好きです。どこに行きたいかを考え、どうやって到達するかを綿密に計画します。そして細かいことに気を配る前世での傾向に従い、計画通りに実行することばかり考えて全体の展望を見失います。計画の一部が変更を余儀なくされるだけであなたは大騒ぎし、それが計画の全部を台無しにすると考えてしまうのです。

あなたはすべてを正しく遂行できれば、世界を自分の思う秩序の中に収められると考えます。細かい部分を過大視するため、ちょっとしたことでもあなたの世界が崩壊してしまうのです（たとえば妻が家出をした、ビジネスで失敗した、子供が反抗した、などなど）。あなたがすべての計画の準備を整えると、宇宙は横からそれに揺さぶりをかけるでしょう。これは宇宙があなたに「あまりに厳格に自分の方法論に固執するとうまくいきませんよ」と教えているのです。自分のやり方に固執することにより、あなたは予期しないさまざまな楽しいことや冒険に満ちた経験を追い出しているからです。あなたが自分の望むものをきっちり計画通りに遂行しようとすると、そこから得られるのは自分があらかじめ意図したもの以外にないのです。

たとえばあなたと友人がニューヨークからロサンゼルスへ

車で行こうと思ったとします。あなたは多分、実現可能な最短距離のルートを綿密に計画するでしょう。出発して間もなく、二人が目指すルートを吹雪が横断するのを友人が発見し、計画を変更して吹雪を避けて通れるルートを提案します。あなたは恐らく動揺するでしょう。あなたは自分の作った計画に執着し、それに従って行かないとロサンゼルスには着けないのではないかと恐れるのです。

あなた方はまた過密な計画を立てる傾向があり、短期間にたくさんのことをこなすよう自らを追いつめてしまいます。しかしこれを避けるためには時間の配分を再構成し、すべてを無理なくこなせるように計画を立て直すことではなく、構成すること自体を放棄して実行し、自分の行動を観察することです。この方法を取ると、自然に適切な時間配分ができ、緊張することなくバランスのよい行動ができるのです。

これを取り入れるためにあなたにできることの一つに、何をするにも少なめに、足りない程度にするという方法があります。計画やスケジュールの内容を意図的に少なくし、その場で決める要素を多く取り入れるのです。こうすることにより全体の展望を視野にとどめることができ、そのおかげで時間の使い方も上手になります。あなたに必要なのは目的意識をもっと強く持つことと、到達する方法をあまり厳密に考えないことです。自然な流れを取り入れると心の中に「大丈夫、うまくいく」という確信が生まれるのです。

・自己批判

あなたは過剰に自己批判的なところがあります。誰より自分を厳しく批判し、常に「正しいか正しくないか」との判断にさらされる結果、緊張感と罪の意識が生まれます。あなたの環境の中で、あなたに近い人の身に何か不都合があるとあなたは自分に責任があると考えます。あなたの行動が完璧でなかったために不都合が起きたと考えてしまうのです。しかしこう考えると周りの人に迷惑をかけることを恐れ、建設的な変化を起こす意欲が麻痺してしまいます。

あなた方は自分の持つイメージに沿わないと、些細なことでも自分を責め立てます。あなたは間違うことが大嫌いで、もし間違うと自分に大変つらく当たるのです。あなたはそれを分析し、なぜ間違えたのか合理的に考え、説明しようとします。あなたは「ごめんなさい。間違えました」と口に出して言うことが非常に苦手なのです。前世の完璧主義の影響から、自分が象徴するイメージが崩れていくことを無意識に恐れるのです。このため今生でも「正しい行い」をすることはほとんど崇高な義務であるかのように感じています。

皮肉なことにあなたが自分の間違いを認めると、あなたは真実を曲げていないため、より安定した立場を得るのです。

そして「間違えてしまいました。どうしたらいいでしょう？」と素直に言えるようになります。あなたが自分を叱咤激励《しったげきれい》して完璧であろうとすると、あなただけでなく周りの人にもよくない結果が生まれます。あなたの心が平和であるためには、自己批判の精神を改める必要があるのです。

あなたが「自分がうまくできなかったからこんなことになった」と思うとき、あなたは前世の弱点を繰り返しているのです。あなたが理想と比較して自分や他人を批判するとき、あなたはいつも人生の軌道を外れています。宇宙はあなたが失敗をするような状況を作ることによりあなたに謙虚さを教え、自分が「完璧」でいたいと願うことや、何かが「間違っている」と考える姿勢を改めるよう促しているのです。「間違っている」ことなどないのです。すべては起こるべくして「起きている」のです。あなたがこれを理解し、人生の流れに沿うようになると、あなたはあるべき軌道に戻れるのです。そしてものごとの自然な展開の中で自分の自信を取り戻し、自分を癒していけるのです。

・「修正」する

あなた方はとても真面目で、いつでも何か不都合が生じるとすぐに自分で「修正」にかかろうとします。「順調で、邪魔の入らない進捗《しんちょく》状況《じょうきょう》」が乱されることに過敏で、それに気づくとパニックになり、批判的で不機嫌な態度が周りの人を刺激します。

あなたの前世での経験があなたに非常に狭い視野を与えた結果、今生のあなたも狭い範囲に意識が集中します。問題の一部はあなたがどこに焦点を当てるかにあります。あなたは現世で起きている事象の細かいところに焦点を当て、こだわるのです。多くの場合あなたは対象に近寄りすぎて、ほかのものが見えなくなっているため、その問題に神経を集中させてしまいます。あなたはちょうど、ガラスのウインドウに顔を押しつけた子供のようになっているのです。このようにあなたが問題にはまり込んでしまい、秩序を取り戻せないことに苛立ち閉塞感を感じていると、ちょっとずれている程度の些細なことが大きな問題に見えてしまいます。そしてあなたは緊張感と不安感を高め、犬から骨を引き離すのが難しいのと同じくらい、あなたは問題に固執してしまうのです。

皮肉なことに、このジレンマから解放されるには、やはりあなたの焦点を合わせる力に頼ることが有効なのです。焦点を問題の構成に向ける代わりに、高次元の力に委ねることに移行させるのです。今生であなたが現世的な結果にこだわると、神経質ないらいらにとらわれ、それが人間関係など、すべての行動に影響します。あなたはとても緊張し、胃が絞られるような思いがします。胃がキューッとなるほどの緊張感を覚えたら、その状況から一歩下がり、手を離す合図だと考えましょう。

自分で何とかしようという気持ちを断ち切るには、自分にこう言い聞かせてみましょう。「すべて大丈夫。ものごとはあるべき方向に向かっているのだから」あなたの過剰分析に向かう頭脳に何度もそう言い聞かせ、その対象から一定の距離を保つようにしましょう。そして小休止しながら次に何が起きるか観察するのです。何も解明する必要はありません。ただ待つのです。問題を高次元の力に委ねてその状況の中にとどまっていると、癒しのエネルギーが生まれ、ごく自然に最良の選択が見えるようになります。

私のクライアントには、周りの人に横暴な態度を取る義理の母親がいました。その母親は自己防衛的な姿勢をいつも持っていて、私のクライアントが訪問しないと自分に対する攻撃のように受け取るのです。アルコールの問題を抱えているこの母親は、日ごろから周りの人々に彼女の面倒を見ないことへの罪の意識を持たせるのです。何年もの間、私のクライアントは彼女を助けようとしましたが、何の効果もありませんでした。そしてある日ぱったりと助けるのをやめたのです。すると義理の母親はセラピストのところに通い始め、私のクライアントにも家族の一人としてセラピーに参加してほしいと伝えたのです。私のクライアントは喜んでそれに協力しました。私のクライアントが一番驚いたのは、彼女が状況をそのまま受け止めるようになり、状況を手放すまで何も変化が起こらなかったことです。「私は何もしなかったのよ」と彼女は言っていました。

あなたが問題を放り出し、横に置いておくことを覚えると魔法のようなことが起きるのです。あなたは自分が出ていかないと何も解決しないと考えるのですが、出ていかなくても問題が解決していくのを見て驚くのです。あなたの干渉なしにものごとが収まっていくと、あなたはこう考えます。「私がいないのにうまくやっていけるですって？」

◆強迫観念

あなた方には妄想や強迫観念という問題があります。あなた方の心は、いつでも状況を分析しようとする強迫観念に追いたてられているにもかかわらず、あなたの心に平和をもたらすような解決を見ることがありません。時々何の予兆もなく問題や依存症が解決することがあります。そんなときあなたがすべきことは、その理由を分析するのではなく、問題がなくなったことを受け止め、ただそのことに対する感謝の気持ちを表現することです。あなたはその「贈り物」を、無批判に受け入れる必要があるのです。

あなたが「なぜ」という概念にとらわれるとき、その問題が再び戻ってくるのではないかという恐れが根底にあるのです。しかし分析の過程で、あなた方は問題をさらに呼び込んでいるのです。あなた方がすべきなのは、好ましくない状況がなぜ起きているのかを理解する必要はないと知り、ただ解決を望み、それを受け止めることです。あなた方は人生には不思議なことがあるものだということ、あらゆるものは宇宙の摂理に沿って変わり続けること、そして人生があなたにもたらす解決法に対する畏敬の念を学んでいるのです。

・優越感：尊敬される人物

あなたは前世で、正しい行いをする人物として尊敬されてきたためにエゴが拡大しています。外科医などの医師は一般人にとって神のような存在です。人々に尊敬され、その高い評判を受け止めるのは容易なことです。そして他人に奉仕することがあなたのエゴ拡大に貢献していったのです。

この影響からあなた方の多くは今生に、ある優越感とともに生まれてきました。あなたは教師や僧侶、消防士、警察官などのようなある種の尊敬を集める人物にならなくてはならないと考えています。何らかの形であなたは自分が人々の暮らしに社会的価値を示す対象だと考えているからです。尊敬される人物として、あなたは非の打ち所のない行動を取る必要があると思うのです。しかし「完璧」な行為は優越感をともない、それがあなた方にとっては「終わり」の始まりなのです。これはあなたが役割に閉じ込められること、そして権威を傘に行動すると反対する人々が現われるという意味においてあなたの「終わり」を意味するのです。

あなた方はその職業を人格と同一視するほど重要に考えます。あなたの生活は職業的な生活で埋め尽くされ、個人としてのあなたを分けることができません。仕事を終える前にもう一つの作業を片づけよう、という姿勢から始まり、あなたは早晩仕事一筋の人間、ワーカホリックになっていきます。あなたは仕事に身を捧げますが、自分には妄想の類いはないと思っているでしょう。あなたはただ「するべきことをしているだけ」だと思っているのです。しかし仕事と自分自身は分けて考える必要があるのです。そうすれば自分を見失うことなく仕事を進めることができるようになるでしょう。あなたの場合、実際に仕事をしている時間が少なくても、仕事のことを考え悩んでいる時間は少なくないのです。いずれの場合でもあなたにとって仕事は人生のすべてで、すべてに優先する課題なのです。

あなた方はまた、部下や同僚と問題を起こします。他人が仕事をうまくこなせるかを信用できないため、他人をコントロールしたいという気持ちを抑えられないからです。あなたにとっての「正しい」仕事の進め方は普遍的なものではなく、他人はその人なりの進め方で、同じようなよい結果を生むことができることをあなたは学んでいます。あなたは人々に違ったやり方でものごとを進める自由を与えるべきなのです。同時に人々はその仕事のこなし方を学んでいるのだから、初めから最良の方法を知っていると期待するほうが無理なのだということを認識しましょう。

あなたは自分には地球上ですべき任務があるという意識から、人々と距離を持ってつきあいます。人々と対等につきあい、感情的な絆ができてしまうと仕事がおろそかになり、自分という定義から外れていくことを恐れるのです。あなたは役割に徹するために仮面をかぶります。仮面を外して感情の赴《おもむ》くままに行動すると大衆と同レベルになってしまい、尊敬される人物でいられなくなると恐れるのです。

実際あなたが役割の仮面をかぶると、あなたにその役割を演じてほしいと考える人々を周りに引き寄せます。誰かに「私のために××になって下さい」と言われるとあなたはエゴを拡大させますが、それはあなたがその役割に閉じ込められることを意味します。皮肉なことに、あなたは高次元のエネルギーをこの地球にもたらしているにもかかわらず、エゴのレベルで動いている間は自分の力をほとんど持たないのです。あなたに必要なのは何らかの行動を起こすことではなく、何もせずありのままの自分でいることなのです。

・義務と罪悪

あなた方は秩序を維持することに強い義務感を持っています。あなたはある役割を持ったり、ある儀式や仕事をこなすことにより義務を果たすことが自分の使命だと考えています。あなたにとって、宇宙の流れに身を委ねることは「誰でもない人物」になることを意味するのです。誰でもない人物になることは義務を果たさないことを意味し、それが罪の意識を育てるのです。「僕が義務を果たさないと、それは間違った行為になる」と考えることは、あなたを終わりのない心の悪循環に閉じ込めます。これはすべてあなたの優越感に始まっていることで、それゆえあなたには崇高な使命があると考えているのです。

心の悪循環からあなたを解放し、自分本来の人間性を回復するには、何らかの揺さぶりが必要です。たとえば到底あなたの力では解決できない事態に巻き込まれること。そこから抜け出すには謙虚さと受容だけが鍵で、これが完璧さ——義務——罪悪感の悪循環を断ち切る唯一の方法といえるでしょう。人生のある時点であなたが状況から手を引くということは「やっぱり僕は完璧な仕事をすることができないんだ。神にすべてを任せるしかないのかもしれない」と考えることです。このときあなたは意識の転換をし、それまでよりずっと大きな視野が目の前に広がっているのです。

必要とするもの

◆定義と構造にこだわらない

あなた方は細部をすべて吟味して、あらゆるものを分類しようとします。きちんと定義されていないものを扱うことは、あなたにとって居心地が悪いのです。あなたは自分が誰で、どのような役割を持ち、どんな仕事をして、どんな活動をしているのか、そしてどんな日課を持ち、どんな行動規範に基づいているかなどという厳密な定義が明確でないと安定感を感じられないのです。しかし真実のところ自分で決めた定義が少ないほどあなたは幸せでいられるだけでなく、自分自身を知る機会を多く持ち、環境の変化に目を向けることができるのです。

あなた方は自分がどこへ行こうとしているかを認識することと、どうやってそこに到達するかについての厳密な定義を持つことは、まったく別のものだと知るべきなのです。目的意識や目標、そして展望を持つのは健全なことで、あなたが求めている安定感を生むものです。しかし、どうやってそこまでいくかについては流動的にしておいたほうがよいのです。未来に何が必要になるか、またどんな展開をするかは誰にも分からないのですから。あなたがすべきなのは、未来に起こりうることについての考えをすべて捨て、ただ目標に焦点を定めること。あなた方は自分の厳格な定義の中に自分の経験を閉じ込めることをやめ、定義するよりも先に経験することを今生で学ぶのです。

方法を流動的にしておくことができれば、あなたの何でも定義したいという傾向をプラスに活用することができます。まず現状をゆるやかに定義し、その中で自分の夢がどう関わり、状況を活用できるかを検討してみましょう。ただしその定義は一時的なもので、将来もっと情報を入手して調整していくことを視野に入れておきます。定義する理由が、ある状況に自分がどう収まるかを知るためだった場合、その定義はあなたを縛ることになるのでよくありません。状況が自分の展望と理想的に関わるにはどうしたらよいかを見るための定義だった場合、そこからあなたは新しい情報や協力を受け入れられるので、プラスに働きます。

・**変化を受け入れる**

あなたは予測可能なことや日課が好きで、どんな場合でも変化を好みません。昇進でさえ、不意にやってきたときは抵抗を感じる人なのです。あなたは自分に安心感を与えてくれる独自のシステムに固執します。残念ながらこれは厳格さを助長し、あなたが人生の喜びを自由に経験できなくさせるのです。

今生のあなたは、すでに分かっていることへの執着を捨て、変化を歓迎する姿勢を学びます。これには、分からないことを意識的に受け入れることが条件なのです。分からないことに不安を抱くとき、あなたはそれが自分のためにならないと分かっていても、普段の規則的なもので生活を埋めようとします。あなたがある状況を好ましくないと考えたり、変化が始まる兆しが見えたら、意識してそれを受容するよう努めて下さい。現状が壊れていくのは、もっとよいものが現われる兆しかもしれないのですから。何かあなたの知らないものに直面していると感じたら、より高いレベルの満足感を得るためのステップが始まったのだと考えましょう。

実際あなた方はすぐに退屈するので、活力と元気を維持するためにも変化はあなたに必要なのです。あなたの神経はとても敏感なので、変化に抵抗したり、環境をコントロールしようとするとすぐに疲労困憊《こんぱい》し、精神や肉体に異常をきたしてしまうのです。ですから早く肩の力を抜いて変化を受容するほど、あなたは幸せで平和な暮らしが送れるのです。あなたの課題は人生の中で自然に起こる変化があなたを変えるに任せ、角の取れた人格を受容するということです。川の流れに逆らって上流を目指すモーターボートでいることをやめ、流れに沿って下るカヌーのように生きるとよいのです。それでも舵は取れるし、そのうえ川の流れと戦う必要もないのです。

私のクライアントに、朝の散歩に子供を連れていくことで、もっとこの時間を楽しもうと考えた人がいました。交差点をいくつか過ぎたところで水柱が立っていました。息子はそれを見にいきたいと言いましたが、彼はそのまま散歩を続けたかったのです。息子は潤んだ目をして「もう疲れたよ。歩きたくない」と言いました。彼は自分の計画通りにいかなくなったので苛立ち、今家に帰ったらもう二度と散歩には連れていかないぞと脅しました。息子は動揺してその場に座り込み、ただ水柱を眺めました。そしてついに彼は水柱を見にいかないと散歩が続けられないことを受け入れました。しかしその朝の散歩は実に楽しいものになったのです。彼らは蟻や、ガラスの破片、石などを眺めるために何度も立ち止まり、彼は心臓を強化するために丘を走って登ったり下りたりして、結局二マイルも一緒に歩いたのです。いつもと同じ散歩をすることはできませんでしたが、その散歩で彼は息子とともに、ことにばかり集中して百回も見過ごしてきた景色に初めて目をとめることができたのです。人生はいつでも計画通りに行くわけではありません。人生が進もうとしている方向に歩み寄る姿勢があなたにあれば、当初の計画で手に入れようとしていたことの何倍もの価値のある出来事が展開していくのです。

・宇宙の摂理とタイミング

あなた方はいつも先を急いでいます。優れた集中力を持っているにもかかわらず、あなた方は短い時間に多くのことを片づけようと思うあまり、タイミングがずれているのです。あなたは社会のルールとして普通は時間を守るのですが、ときとして遅れるのはものごとをたくさん片づけようとする姿勢に起因しています。あなたは一日が二十四時間では足りないと始終感じます。

このジレンマを解決するにはまず行動のテンポをゆるめ、周りの流れと一致させるのです。この流れのペースが、宇宙が自然に展開する速度です。宇宙の流れは独自のタイミング、波長、スピードを持っています。人がこの動きと調和していると生きることがとても楽に感じます。本人に準備ができると、待っていたように何かが起こるもので、自分の心臓の鼓動に合わせて歩いている限り障害は少ないのです。

このように歩調を遅くしていつもより少なく行動することにより、あなたはより多くを成し遂げることができるようになります。あなたが発信する波長（あなたはいつも倍速でたくさんの行動をしようとしているため、波長が短いのです）が宇宙の波長と合わなかったとき、あちこちで問題が発生するのです。あなた方はいつも「やりすぎ」なのです。そして突然壁に突き当たり、「どうしてこの壁が越えられないのだろう」と悩むのです。

この種の抵抗に出合ったとき、一番よいのはペースを遅くすること。そうすればほかの人や新しい考えが入ってきて改善に向かうことができます。ゆっくりしたペースで進むと、宇宙のほかの部分と調和するようになり、あなたの波長は周りのそれと同調し、流れの一部になることができるのです。

◆平和を求める

・自己浄化

あなたは自分の意識改革をするエネルギーを受け入れる前に、自分を浄化する必要があると感じます。しかしそれには終わりがありません。あなたは自分が十分純粋になったと考えることはなく、また高次元のエネルギーを受け入れるための準備が完璧に整ったと感じることもないからです。その上、あなたの自己浄化の過程は行動に関する厳格な規範を元にしているのです。あなた方は自分の期待に応えようと、自己浄化という義務の名の下に障害を乗り越えていこうとします。しかし現実にあなたに必要な浄化とは、あなたを縛る定義の数々を放棄することにあるのです。あなたは自分の機能に基づいた自分の定義を放棄することを学んでいます。あなたの仕事は自分を定義することではありません。あなたの義務を全部積み上げても、人間にはならないのですから。

あなたの望む高次元の意識領域に達するためには、あらゆる役割を演じるための定義という定義を手放す必要があります。

あなたは前世ですでに現世的な能力を開発してきました。今生では主としてゆったりと過ごし、平穏な心を取り戻すことがテーマなのです。しかしひっきりなしに心が仕事をするため（あらゆるものを分析して、自分の定義により「不完全」なものを修復しようとすること）、あなたは終わりのないストレスと緊張感の中にいるのです。自分の心に平和が訪れるような変化を起こそうとしても、あなたはやはり緊張感から解放されないのです。

あなた方は一人で過ごす時間を作り、自分の内側を見つめることで心配ごとを解決していく必要があるのです。あなたが気にしていることがらについてよく考え、感じ、それを外に排出できるような回路を作るべきなのです。そしてあなたの心の中で脈打っている不安を解体する方法を考えるべきなのです。あなた方がこの自己浄化の過程をこなせるのは、一人になったとき以外にありません。

あらゆるもののしがらみから抜け出すことができたら、一つ何かがやってくるたびに、それに反応する自分自身を冷静に観察することができるようになります。その過程を通じ、物質界のレベルへのあなたの執着の糸が少しずつ切れていきます。自然なものごとの流れに抵抗するあなたの心が次第に弱まり、あなたに本当に必要な自己浄化が進むのです。

自分の中の緊張感を解くことなく人生を進んでいくと、あなたは延々と不安の源泉となる考えや心配ごとにわずらわされていくでしょう。一人になり、瞑想をすることの重要性をあなたやあなたと親密な人々が理解し、尊重する必要があります。何らかの瞑想効果のある活動を生活の中に定期的に取り入れ、あなたを縛る緊張感を解き、心の中にある幸福感を育てていく必要があるのです。

・降伏

外の世界に何か不都合が生じ、自分が緊張し始めたと感じたら、あなたはそれを「合図」にして一歩下がり、距離を置いて状況をもう一度眺めるようにしましょう。あなたはそこで「手を加えないほどよい」という事実に、驚きをもって気づくでしょう。あなたがたくさんのエネルギーをつぎ込んで事態を修復しようとすると、あなたはその事態にはまって身動きが取れなくなり、不安が増幅して新たな間違いを犯すのです。事態の様相はよくなるどころか悪化し、いらいらしながらも自分の手には負えないとばかりに手を上げてしまうかもしれません。

しかしあなたが初めから降参して手を上げていれば、事態はずっと早く解決しているはずです。降参することにより自分の中の精神性を開放することは、あなたの持つ才能の一つなのです。あなたの人生に何が起ころうと、宇宙はあなたの味方で、必ずよい方向に向かっているのだと信じることが肝要です。あなたが状況の解決を天に委ねると、あなたの意識は高次元の領域にまで拡大し、大いなる計画はその状況を使ってあなたをよい方向に導いてくれているということが見えてくるのです。

私のクライアントに小さな保育園を経営している人がいました。彼女は保育園の細々とした仕事に深く関わり、それ以外に費やす時間——自分の好きなことをしたり、家族と過ごしたり、楽しいことをする時間がまったくなくなってしまいました。そしてまったく予想していないときに、保育園内でトラブルが三件続けて発生し、閉鎖の危機に見舞われました。この三件は関連性がなく、すべて唐突に起きたのです。彼女は唯一の収入源である保育園を失うかもしれないということに恐怖を感じ、パニックになりました。彼女は保育園を続行できるよう「彼女の思い通りに展開する」ことを神に祈り続けました。そしてしばらくして彼女はやきもきすることを突然やめたのです。彼女は一人で悩むよりも理事会と交渉すれば、一時的に誰か管理担当者を任命して運営に当たってもらえると気づいたのです。管理担当者に報酬を支払わなくてはならないけれど、ほかの人にビジネスを任せ、自分が直接関わらないことのメリットが見えるようになったのです。そうすれば彼女のエネルギーを保育園の広報活動に使えるし、そうして空ベッドが埋まっていけば管理担当者の給料が払え、自分の収入も増えるのです。そして最も大事なことは、それにより自分の人生を取り戻せるということでした。

あなた方は、宇宙があなたの幸せを願って考えてくれる計画のほうが、あなた自身が立てる計画よりずっとあなたのためになるということを学んでいるのです。

◆充電

・高次元の意識

あなたは度重なる前世で多くの任務をこなしてきたので、今生はゆっくり休み、魂を充電するためのときなのです。あなたが外界であまり長い時間を過ごすと、げっそりと疲れてしまうのはこのためです。あなたは内なる平和の世界に引きこもり、自らを癒してあげるべきなのです。毎日の日課から逃れ、静かに休むことはあなたに大変必要なことです。

あなた方は、何もしないのに不意に高次元の意識領域に入ってしまうことがあります。これを一度経験すると、またそこに行きたいと願うようになります。何時間も瞑想し、考えられるすべての方法を試し、一度経験したあの状態に戻れるようにと完全に孤独な環境を作るかもしれません。しかしそういう努力はむしろ、到達から遠ざかるものなのです。ただリラックスし、与えられた環境を受け入れ、水の中にいる魚のような心を持つことが鍵なのです。

あなたの心が高次元の意識領域に入ると、ただ人生を楽しく過ごすことに喜びを感じます。しかしあなたには、たとえば教師が生徒を正しい方向に導くといった、さまざまな役割に対する考えがたくさんあり、それらが人生を楽しむという自然な感覚を追い出してしまうのです。一日の間にしなければならない無数の仕事を忘れて、ただリラックスすることができたら、あなたは自分の周りにエネルギーが自然にあふれてくるのを感じるでしょう。魚座は悟りを開いた意識――すべての命と一つになる海のような感覚――をつかさどります。ドラゴンヘッドを魚座に持つ人々の人生の目的は高次元の意識を拡大し、自分の日常に取り入れるためにあらゆる努力をすることです。高次元の意識はあなただけでなく、周りの人々も無差別に支えてくれるのです。

あなたの組織力やものごとを定義する能力は素晴らしいものですが、現世では機能しないことになっています。あなたがあなたを包む大いなる世界と調和し、幅広い視野と意識を持って、ありのままを見ながら進んでいくと、混沌とした状況の中に大いなる流れが見えてくるでしょう。それが見えれば、その流れに現実問題としてどう自分を調和させ、自分の願いを叶えていけばよいのかが分かるようになるのです。

あなた方の心は宇宙や、高次元の力に降伏したいのです。自分の意志力でこれができないとき、あなた方はドラッグやアルコール、その他の方法で逃避を図ります。あなたの過大な分析癖《へき》から生まれる不安を静めようとして、そういうものに依存するのです。アルコール依存症、ドラッグ依存症、過食症などの自助グループや高次元の力に身を任せる活動に参加するために、無意識に物質依存の道に入ることもあるでしょう。面白いことに、魚座はドラッグ、アルコール、睡眠過剰、自己破壊的行動などの逃避癖をつかさどる一方で、冥想や精神世界の頂点をなすもの、無償の愛と至福をもつかさどります。

あなたを悩ます問題を遠ざけるには、仕事場でも一人になれる場所を確保することが大切です。あなたの「問題を解決する」習性を刺激することから、仕事はあなたに最も多くのストレスを与えます。あなたは個人のオフィスや、自分のプライバシーが保てる一隅を持ち、一人で仕事をするほうがずっと楽にできるはずです。もしあなたが集団で仕事をしているなら、ほかの人と向き合うのではなく、壁に机をつけて仕事をするほうがあなたにはよいのです。ほかの人のエネルギーがない空間に身を置くほうがあなたは幸せで、仕事もはかどります。落ち着きを保ち、広い視野で状況を見ることができるのです。

・意義のある仕事

あなたが生涯を通じて取り組めるのは、学ぶことと、成長することです。あなたの周りの人々を理解し、受容する必要性があなたに研究や学びの方向性を与えることが少なくありません。

あなた方はインスピレーションや精神性、広報活動などに関する分野で才能を発揮します。あなたにはきらめくような想像力があり、あるイメージを形にする仕事を見つけると、あなたは天命のようなものを感じます。あなたはそのイメージを心にとどめ、そこから派生する細かいことはほかの人に任せましょう。心にあるイメージの視点を保ち、ほかの人々にも結びつく目標を示しながら協力を仰ぐと、みんなの熱意を勝ち取ることができます。

あなたはどんな仕事や立場にも、この進め方を取り入れることができます。銀行員として、あなたは金融面の不安を抱えて銀行を訪れる顧客の気持ちを理解し、彼らに奉仕するという大局を視野に置いた上で慈愛に満ちた態度を持って接することができるでしょう。セールスに携わる人として、店や企業が発展するという大局的なイメージを心にとどめ、愛と奉仕の精神で顧客を喜ばせ、隣りのセールスマンを批判しようという気持ちは意識して控えるよう努めるでしょう。

残念ながら、あなた方の多くにとって最悪の戦いは仕事の場面で起こります。あなた方は仕事を進める中心的役割をこなそうとします。しかし大局のイメージを見失うと、そこであなたのエゴが拡大してしまうのです。あなたは焦点を「これが私のするべき仕事」という姿勢に徹し、「私が仕事を進めている。私が組織して人を配置し、細かいことをそれぞれに命じている。マック、私のコーヒーはまだかね?」となりそうになるのを自制しなくてはなりません。あなたが実現すべきイメージに気持ちを集中させ、謙虚な姿勢を持っている限り、それを遂行するために十分なエネルギーがやってくるのです。そうでないと人々はあなたに反抗し、途方に暮れることになるでしょう。そうなるとあなた自身とエネルギーのつながりが切れてしまうのです。

　仕事の場面でのもう一つの課題は、あなたの気分の浮き沈みです。あなたは楽しそうに仕事をしているかと思うと、突然エネルギーが低下し、苛立ちます。あなたはオフィスの雰囲気作りができる人なので、あなたの気まぐれにも周りの人は振り回されます。あなたが幸せで平和な気分でいるとオフィスの雰囲気がよくなり、周りの人もよい気分で仕事ができます。しかしあなたが落ち込んで苛立っていると、周りにもそれが伝わるのです。自分では気づかないかもしれませんが、あなたはそういう影響力を持っているのです。あなたがいらいらしていると周りも同じように苛立ち、仕事の生産性が下がります。あなたが落ち着きと自信に満ちていると、周りはそれを感じ、仕事がはかどるのです。このようにあなた方にはその場の雰囲気を前向きで自信に満ちた考えやエネルギーで満たすことにより、周りの人の態度を変える力が備わっているのです。

　その場の雰囲気を悪くさせるあなたの気分の変化は、些細なことに重篤な関心を寄せることから始まります。あなたが思うようにものごとが進んでいないとき、あるいは誰かがあなたの希望通りに仕事をしていないとき、あなたは動揺します。あるいは予測していなかった何かが起きると、あなたは宇宙があなたの味方をしていないと感じ、緊張感と不安の渦に巻かれて沈んでいくのです。これを避けるためあなたはものごとがどう展開していくべきなのか、まったく知らないのだという認識を持つべきなのです。誰かが間違いを犯すのは、あなたが見落としている全体像を見るためのきっかけかもしれないのですから。

　あなたの提案に誰かが抵抗感を示したら、それはあなたの提案そのものよりあなたの否定的なエネルギーに反発しているのです。成功に気持ちを集中させることにより、実際に成功に近づくことができます。そういう心理状態で人々と対話をすると、あなたの姿勢は自然と前向きになるでしょう。あなたがイメージに気持ちを集中させると、細かい作業はひとりでに解決していくでしょう。

あなたがしてはいけないのは、実現すべきイメージを忘れてチームの一員になってしまうこと。些細な仕事を片づけ、低いレベルの成功を築くのはあなたの役目ではなく、周りの人々の意識を常に前向きなイメージにつなぎとめておくことなのです。そこにあなたが持って生まれた才覚とリーダーシップが光るのです。

人間関係

◆ロマンス

親密な関係においてあなたはすべてあべこべになっています。あなたは世間的な結果にこだわることをやめ、あなたが好感の持てる人でいられるよう支援してくれる高次元の力に身を委ねるほうが得策です。あなたが役割に固執し、世間的な結果を引き出そうと状況のコントロールを始めると、他人の目にあなたは冷たい人に映るのです。あなたは全エネルギーを投下して役割を演じるため、他人はその下にいる本当のあなたが見えません。

役割を放棄するとあなたは人間らしく振る舞え、あなた本来の個性的な魅力が輝き出すのです。役割に徹していると、その役割に定められた定義通りの性格しか表現されません。しかしあなたが自分自身になれれば、周りの状況に自由に反応し、相手との相互理解や感謝につながるような交流ができるのです。

・感情への恐怖

あなた方は割合世俗的で性的な喜びを求めます。しかしあなたは肉体と感情の両面で相手と親密に交わることにぎこちなさを感じます。このため体は相手を求めていても、感情面で相手から遠ざかり、つかみ所がない印象を与えます。あなたはわざわざ過密な仕事のスケジュールを組んで他人との深い感情の交流を避けることもあるでしょう。あなたは他人と対等に触れ合い、自分の弱さを見せることに居心地の悪さを感じるのです。

あなたは論理的な過程を経てすべてを決定して生活をしているため、感情を素直に表現するのが得意ではありません。あなたの一部は他人と今までと違った方法で触れ合うことを求めていながら、知らない領域に踏み込むことへの恐怖に打ち克つことができず、ほとんどの場合躊躇してしまいます。感情は状況を予想しない方向に押し流す、膨大で定義不能なエネルギーといえるでしょう。感情には論理性がないため、これに道を譲ってしまうと論理的に説明できない領域にまでいってしまうことさえあるでしょう。

あなた方はわきおこる感情に惑わされずに行動したいと考えています。あなたは一定の義務を果たし、一定の態度を守り、それぞれの状況で予期された通りの感情表現をします。感情の自由な流れを許してしまうと、あなたが親しんでいる構造を崩し、あなたを無防備な状態に追い込みます。このため感情に支配されると考えただけでも死ぬほど恐ろしいとあなたは感じるのです。しかしそれによって「死ぬ」のはあなたのエゴで、あなたのエゴはあなたが精神的、感情的にほかの人と絆を作ることを阻害し続けているのです。あなたは本当に今生ではすべての人々と心の絆を持つという至上の幸福を手にすることができると、宇宙に約束されているのです。しかしこれを実現させるには、構造に対する執着を捨て、未知の力に身を委ねる勇気と覚悟が要るのです。これがあなたの救済と完結への鍵なのです。

あなたが親密な関係を築く助けとなるのは、セックスの相手との雰囲気作りに十分な時間をかけることです。週に一回はレストランで夕食をとり、ロマンチックな雰囲気作りに音楽をかけ、キャンドルや花など、あなたがロマンチックな気分になりそうな小道具をそろえます。こうするとあなたの厳格に役割を演じようとする姿勢を軟化させることができ、二人の関係に情緒的な深みを与えます。こういう儀式を行うことで得られる喜びは、それに費やされる時間と努力に十分報いるものです。人間関係も仕事のように勝ち取るもの。あなたが今生で学んでいるのは自らが努力をすることの大切さなのです。こういうことが起こるかもしれないと予測する代わりに、積極的に行動することで意識的に前向きな状況を二人の間に築いていく必要があるのです。

あなたにとって難しいのは愛に気持ちを集中させること。そして自分のシナリオに従って相手の愛をコントロールするのではなく、ただ相手の愛を受け止め二人の愛がもたらすあらゆる喜びや幸福のイメージを描くことです。あなたがそこにある愛情を心から信じ、自然の流れを見守ることができたら、その結果はあなたを驚かせることでしょう。

もちろん愛情は瞬間的にしか見つけられないかもしれません。しかしそこに愛情を感じられるときに、それを楽しむことが肝要なのです。そこに愛を感じられないとき、あなたは愛を感じていたときの記憶を信じる必要があります。ギブアンドテイクを考えるのではなく、何の障壁も設けず批判もせずに相手をただ受け入れると、あなたは無償の愛が理解できるようになるでしょう。

・他人との絆

あなたは前世で自分の問題と取り組むことに慣れているため、今生でも計画を立てるとき、他人を考慮に入れることを忘れてしまいます。あなただけでなく、他人にも毎日の暮らしはあるのです。人は誰も夢の実現を願い、間違いを犯し、失敗から学んでいるのですが、あなた方はこの事実になぜか気づかないことが多いのです。

他人が夢を実現しないほうがよいとあなたが考えているわけではありません。あなたは奉仕の姿勢を持ち、心から人助けもしたいと考えているのですが、思考の焦点が狭すぎて他人の考え方にまでゆき届かないのです。周りの人は自分の夢や計画が考慮されていないことに気づくと、あなたに敵対心を抱きます。そうなるとあなたはその人の考えを真っ向から否定する傾向があるのです。誰かが自分の計画を主張しようとすると、あなたはあなたの計画に対する反発だととらえ、むきになって抵抗します。その結果あなたは孤立し、双方のコミュニケーションは絶たれてしまいます。

あなた方は前世の影響から間違いを極端に恐れる習性を持っています。あなたの頭脳のコンピュータのチップの一つが、「絶対に間違いを犯してはいけない」とあなたに指令を出し続けているのです。このためあなたは自己防衛的になり、ほかの人の意見に柔軟に耳を傾けられず、それが多くの誤解を生んでいくのです。コミュニケーションの回路を築くには、相手のほうがあなたをリラックスさせ、あなたの「正しい」考えに同意しなくてはならないのです。「そうですね。あなたはまったく正しい。しかし私の見るところでは……」キーワードは「正しい」という言葉です。

あなたは周りの人々同様、その「正しいことにこだわる」メカニズムの被害者だといえます。正しくありたいと考えること自体があなたに多くのストレスを与えます。考えすぎに陥ったら、こう考えるとよいでしょう。「私は正しいことをした。あの状況の中で感じた〝導き〟通りにできるだけのことをしたのだ」そうすれば心に平和が戻ってきます。

あなた方はエネルギーの変化に敏感です。俗世間に意識が調和していると、あなたは周りの人のエネルギーをコンスタントに感じます。これに反して、もう少し精神世界よりに意識開発（客観的に自分を観察し、物質界から遮断する）を行うと、あなたは自分の進むべきイメージに従って前進できるようになり、周りからの影響を受けにくくなります。そこには俗世間とはまったく違う現実があります。そこであなたは人々の感情エネルギーとはまったく違う、霊的なエネルギー領域に触れることができるでしょう。物質界に結びつく強い絆を引き離し、精神世界に入ろうとするには意識を集中させる必要があります。あなたが自分を客観的に見つめ、さまざまな状況にあなたの体がどう反応するかを観察すると、あなたの周りの人々のエネルギー領域に影響されずに決断を下せるようになります。

◆期待

自分や他人に期待すると、今生のあなたの場合何よりも大きな失望感を味わうことになるでしょう。あなたが本領を発揮するには、いつでも自分の未来の展望を意識している必要があります。親密な関係においても、意識的にプラスのエネルギーを二人の関係に注ぎ、無償の愛を意識するといった広い意味での経験を大局の目標にしていけば、その場その場で最もふさわしい決断をしていけるようになり、素晴らしい関係を築くことができるでしょう。しかしあなたの意識が二人の関係の中でうまくいっていない部分に集中し、相手があなたの期待に沿わない部分を探していくと、すべては下降線をたどります。あなたには日常生活を超越した高邁《こうまい》な目標――あなたの行動の一つ一つに精神的価値を見出す必要があるのです。

・批判と判断

あなたはほかのどのドラゴンヘッドグループよりも他人の批判を気にします。あなたが「完璧でない」と他人が、そして誰よりも自分で考えることが耐えられないのです。批判にさらされるときの心の苦しみから逃れるために、あなたは常に完璧に振る舞わなくてはならないという終わりのない努力を続けるのです。あなたは批判を逃れるという戦いを一生でも続けてしまいます。あなたは心の奥底で、間違いを犯すことはとてつもない恥であり、社会的な侮辱だと考えます。

人々の心や体を癒すために、完璧な言動を要求された前世の記憶から、あなたは批判的な目を持ち、他人の欠点をいち早く見つけます。それを正し、癒すという大義名分のもと、あなたは他人に対して常に批判的態度を取ります。言葉で表現しないかもしれませんが、他人はいつでもあなたの批判的な目や分析する姿勢を感じ取ります。仕事の場面で、あなたはあまりに他人に批判的なために同僚から孤立することが多いでしょう。そしてあなたの批判精神はあなたの子供を不安にさせます。

あなたは常々他人の欠陥に気づき、それを本人が直しさえすれば安らかで愛に満ちた心でいられるだろうと考えています。しかしそういう結末は決して訪れないのです。無意識のレベルで、周りの人はあなたが今生で無償の愛を学んでいることに気づいています。あなたが他人をまったく受けつけないというはた迷惑な傾向に、周りの人は時々被害者意識を感じます。あなたはあなたで他人があなたの指摘通りに考えを改めないことで自分こそが被害者だと思っているのです。これではお互いのためによくないのは明らかです。

双方が納得する方向に持っていくには、あなたの批判的な考え方を変える必要があります。仕事の流れを重視したり相手の反応を「意図的」なものだと考えることをやめ、関わる人の見方を変えなくてはなりません。相手にとって不可能な部分や、無意識の習性などに目を向けると、あなたの心は慈愛に満ち、平和が戻ってくるのです。そして双方によい状況が生まれます。相手はあなたが寛大に見守ってくれることを感じ、自由意思でその態度を改めるか、そうでないかを決められるのです。あなたは心に平和を取り戻しているので、相手が態度を改めるかどうかには影響されません。

・「修正」への強迫観念

あなたは常に問題を物色しています。すべてが順調にいっているかを監督するのが自分の個人的義務だと感じているのです。常にそれが不安材料となってあなたはものごとをいい加減に片づけることがあり、それにより周りの人が迷惑をします。あなたの他人を助けたいという願いが、あなたの何でも「修正」しようとする欲求から発しているものだと気づくと、多くの場合他人はこれを拒絶します。今生のあなたの習得するべき姿勢はありのままを受け入れるということ。そして他人に広い視野を見せることであなたも自信を得るという命題があるのです。あなたが他人に捧げるべきなのは批判（それがどんなに正しくても）ではなく、快適さや支え、そして慈愛です。

また、相手の問題に意識を向けるのではなく、自分が相手にしていることで何か誤りがないか反省する姿勢が求められているのです。「まったくこの人とはやっていけない。問題が多すぎる」と言うのではなく、自分の態度を振り返り、改めることで相手の反応を変えるよう仕向けるのです。

人間関係のすべてにおいて、あなた方はその動向を宇宙に委ねたほうがよいのです。自然の成り行きに任せると、あなたのパートナーがあなたにふさわしい人かどうかも見えてくるのです。パートナーが、根深い心の問題から否定的な態度を取ったりすると、あなたはこれを「修正」できると感じてしまう「弱点」があります。前世で医者や看護婦だったあなたは、他人の心身の健康を取り戻すことができると信じているのです。しかし本人に「治ろう」とする意志がなければ、その人を治すことはできません。

あなたは、あなたに治してほしいという意志のある人とない人を区別する必要があります。多くの人はあなたに治してほしいとは思わず、そのままでまったく問題がないと考えているのです。その場合あなたのほうが、悪い習慣を持つ相手との関係を持とうとする自分自身を「修正」する必要があるのです。あなたが否定的なエネルギーに傷つけられると、被害はあなただけでなく周りの人にも及びます。それはあなたからエネルギーを奪い、ほかの人を助ける力を奪い、あなたの子供やほかの人にも悪い結果として残ってしまいます。

他人を修正しようとする傾向の弊害はまだあります。修正を必要とする人を周りに引き寄せてしまうことです。これはあなたのエゴを満たす無意識の行動なのです。あなたは他人を修正する立場で多くの人生を過ごしてきたので、あなたは一般の人よりも高い地位にいると思っているのです。助けてほしいと思わない人を助けようとすることは、いつでもこのエゴを拡大しようとする行為なのです。今生で「自分が治してやろう」という姿勢を改めることとは、謙虚な行動にあふれる、あなたの進むべき道を行くということです。

◆罠にはまる

あなたは相手に対する責任を強く感じ、人間関係の罠にはまることがあります。これはあなたの義務感に端を発しています。あなたが自分に課している完璧な行動や理想に見合う行動ができないと、あなたは罪の意識にさいなまれます。それがあなたにとってはまったくメリットのない関係に長いことつながれてしまう大きな要因になっているのです。

あなたは愛する人や自分が責任を感じている人に対してノーと言えません。そしてあなたは相手に利用される構図を作ってしまいます。あなたが規則や決まりに基づいて与えている場合、あなたは相手からそれなりの見返りを期待しますが、そこに愛情の交換という要素は入ってきません。二人の交際に愛を満たしておきたいならあなたは自分を信じ、与えられる以上のものを捧げてはいけません。実際のところ、相手はあなたが思うほど助けを必要としているわけではないのです。その証拠に相手はあなたにお返しをしないのです。相手はあなたが捧げるほどの犠牲や奉仕を求めているわけではありません。

あなたの義務感の一部は自分が十分ではないという不安から発しています。あなたは「僕は自分しか君に差し出せるものがないんだ」と考えます。あなたは自分の至らなさを奉仕で補おうとし、そこには終わりがありません。

あなたはときとしてこれに疲れ、やめてしまいます。そしてあなたは一生他人のために奉仕を続けても、しまいには自分には何もなくなってしまうということに気づくのです。あなたが自らを犠牲にして奉仕していることを相手が感謝せず、当然のものととらえていることに気づくと、あなたは変わります。

ジレンマを解決するには、まず自分を第一義に考えること。ただしあなたの考える「あるべき自分」でもなく役割でもない人間としてのあなた自身を大切にするのです。こう自問してみましょう。「もしこれをしたら、自分のためになるか、あるいは他人のためにしかならないか?」あなたは人助けが好きですが、そのために自分の内なる声、自分の人間性を侵害すると、あなたの奉仕は誰のためにもなりません。

あなたのしていることが相手を助けているか、あるいはその逆か(相手の責任感と自助努力を促しているか、奪っているか)を知る唯一の方法は、あなた自身の感覚です。あなたが誰かに奉仕をしたとき、気持ちがよく楽しかったら、それは正しいことと考えてもよいでしょう。しかし自分がかわいそうに思えたり幸せを感じられなかったら、それは意味のない奉仕なのです。

答えは、あなたの義務感を他人の上にではなく、自分に対して感じるように意識変革をするところにあります。あなたが何かをするとき、自分に対する義務を全体の計画の中に入れるようにすると、すべてにバランスが取れるようになります。今生でのあなたのレッスンは、他人との関わり方以上に、自分との関わり方を学ぶことにあるのです。基準はあなたの心の状態――心の平和と満足感です。あなたは自分の心は霊的な存在で、その意思は善を目指していることを信じ、あなたの心がノーと言ったらそれは外的環境に対する正確な判断だと考えるべきなのです。

・エネルギッシュな奴隷

あなた方がパートナーを選ぶとき、相手が愛情と心の平和を感じさせてくれることが第一の理由になることはありません。あなたは自分が決めた役割の中で安心していられる相手と結婚するのです。そしてあなたの奉仕の精神を当然のように受け止める相手を見て、当初はとても快適で魅力的だった二人の関係が突然牢獄のように感じられ、そこから逃げたいと願うようになります。しかしそのころには子供や共有の財産、仕事上のつながりなど、簡単には断ち切れない絆ができてしまっていて、個人的な責任感からその関係にとどまり、自分のイメージを全うするしかないと考えるようになるのです。

あなたはパートナーとエネルギーレベルでも結びつき、一度深く結びついてしまうとエネルギーの交流がなくなるまで相手の元を去ることができないと感じます。あなたが相手に対する役割を果たし、もう去ってもよいと感じる前に、相手のほうがあなたとの絆を断ち切らなくてはならなくなります。

あなたの義務感と完璧でありたいと願う傾向は、最悪の結婚にあなたをつなぎとめ、あなたの奴隷のようにへりくだった姿勢が相手からの虐待を招くことすらあります。相手に対する責任感があなたの心からの愛情ではなく、役割意識から来るものだった場合、相手があなたをどう扱おうと、あなたにとって終わりのない苦痛に満ちた奉仕の連続になるでしょう。しかし自然な人間としての反応を正直に示すと、相手はあなたの領域と限界を知り、お互いに尊敬と感謝を感じ合えるような関係が築けます。あなたが幸せで建設的な関係を望むなら、これは避けて通れない道なのです。

あなた方は自分を取り巻くエネルギーにとても敏感です。宇宙の望むような方向にものごとを進めていくには、これらのエネルギーと積極的に関わる必要があるとあなたは感じるでしょう。このため、二人の関係があなたにどれほどの苦痛やストレス、不幸を与えていても、エネルギーの結びつきが何らかの理由で途切れるまでは相手の元を去れないと考えてしまうのです。あなたはカルマに引き寄せらるような感覚を持ち、相手の元から次の目的へ移行する前にするべきことがあると考えます。そしてあなたはカルマをまっとうすることを願いながら相手に奉仕を続けるのです。しかしそういう絆はある段階で、つまりあなたが単に利用されるばかりで感謝されないという事実だけで、すでに断ち切ることができるものなのです。

あなたは自分を犠牲にすることで相手のためになることをしてあげていると感じますが、あなたは誰も助けてはいないのです。あなたはこういうメッセージを送っているのです。「あなたは私を虐待してもよく、私に感謝をしなくても私はあなたの元を去らない。私を犠牲にしてもあなたは自分のわがままを通せばいい」言うまでもなくこれは正しいことではありません。あなたが無意識に「修正」を必要としている配偶者を引き寄せたとき、そして配偶者があなたにひどい仕打ちを始めたとき、あなたが気づくべきなのは、宇宙の考えた完璧な計画の中で、配偶者の次のレッスンは相手を傷つけたままでは済まされないということです。

・手放す

あなたが悲惨な結婚生活にピリオドを打てない理由がいくつかあります。まず第一に自分が間違った選択をしたことを認めることが何より苦手だということ。またあなたが結婚すると、不安を共有してくれる人ができたということで大きな安らぎを得るのです。配偶者はあなたの日常で起きたさまざまな問題や不公平の話に耳を傾け、あなたの不安や恐れの共鳴板になってくれることが非常に多いのです。公衆の面前であなたはリーダーのように振る舞いますが、配偶者はあなたがその鎧の下では理不尽な子供のようだということを知るのです。

あなたは相手に問題や不安、恐れについて語りますが、相手に答えを求めようとはしません。相手が提言をしてもあなたはそれを退け、それよりも高い精神レベルでの解決法を模索します。実用的な考えや人間の共感はあなたの役に立たないのです。しかしあなたが相手を共鳴板として必要としていることが、結婚生活が破綻してもやめない理由の一つなのです。あなたはほかのどこにも自分の不安を受け止めてくれる人はいないと考え、自分のパートナーに依存し続けるのです。

別のレベルであなたは自分が完璧でないことについて罪の意識を感じます。あなたは相手が完璧でなくても寛大で、相手が暴君になるまで放置します。あなたが耐える仕打ちはあなたの自尊心を著しく傷つけます。それはあなたがその結婚生活を断ち切り、新しい関係をほかの場所で築くことすらできないのではないかと感じさせるのです。しかしあなたの心の、そして霊的な平和を破壊するような関係からは自らの力で脱する必要があるのです。分析も批判もなく、ただあなたの平和な暮らしを乱す相手の近くから立ち去るのです。これにはあなたの心、つまり精神の平和の感覚を信じ、あるべき方向に導かれていることを信じる必要があります。

何十年か前、日本で三つの武道、空手（攻撃の武道）、柔道（防御の武道）、そして合気道（回避の武道）についての議論がありました。それぞれの武道の師範が招かれ、どれが最も効果があるかについて検討したのです。試合の後、抜きんでていたのは合気道の師範でした。合気道は体をかわす技をきわめたもので、ひたすら相手から逃れるのです。自己防衛のために殴ったり腕を上げることはなく、ただ相手が向かってくる領域を立ち去り、相手は自分の攻撃力によって倒れていくのです。あなたはこの逸話から多くを学べるでしょう。否定的なものに直面したとき、あなたはそれに立ち向かうより、ただ立ち去るほうがよいのです。

・意識して生きる

あなた方は自分の幻想ではなく現実に自分がどこにいるのかを意識し、自分の感情に正直でいる必要があります。あなたは自分が幸せでなくても、それを認めようとしないことが少なくありません。あなたが自分の演じている役割から出られなくなっている閉塞感を否定しようとします。あなたはそれに罪の意識を感じ、自分の感情とはかかわりなく役割を演じ続けなくてはならないと思うのです。

意識しないとあなた方は過剰に楽天的で、周りの人々や出来事をすべて信用し、周りの人々のエネルギー領域に無限に影響されます。あなたは一瞬一瞬の二人の関係に気持ちが向いて、全体像が見えません。しかしあなたが全体像を心にとどめていると、直感に導かれることができ、盲目的に何かに遭遇することはありません。

あなたには近道がありません。しかし幸運なことにあなたには勤勉さという長所があります。今生で勤勉に努力すべき分野は、状況に振り回されないというレッスンです。これを通じてあなた本来の姿と調和した環境を自らの手で築くことができるようになるでしょう。幸せになりたいなら、自分に課している役割を捨て、本来の自分や真の強さを持って人々と接するように変化していきましょう。

ゴール

◆未知との遭遇

心の深いところであなたは未知の領域に向かっていることを知っています。それがあなたの運命なのです。しかしあなたはその場に立ちすくんでしまいます。あなたは組織や体制に慣れ親しんでいて、その枠を超える新しい経験はすべて恐怖感をともなうため必ず最初は抵抗します。あなたは自分がどんな役割を演じることになるか、何が期待されるかが分からないのです。あなたの知っているところでは、役割は一定の定義がありますが、知らないところには定義がありません。あなたは翻弄されるのが怖いのです。

未知の世界を恐れるもう一つの理由は、何か予期しないものがあなたの視野を遮ったという否定的な過去の経験を持っているからです。このためあなたはあらかじめ見ることのできないものを恐れるのです。あなたは細部を分析することに集中し、世界を制御しようと努めます。残念ながらあなたは今生でこれとまったく逆の方法に変換するよう迫られているのです。細部に集中していると全体像を見失い、周辺部に起きていることに気づかないのです。そして予期しないことがあなたを驚かすのです（それはまるで前方の車に追突しないよう注意を集中させているドライバーが、右のレーンから急接近してくる車に気づかないのと同じことです）。あなた方は現在《いま》と此所《ここ》という細部から一歩下がってもっと広い視野で世界が回るのを眺める必要があるのです。

あなた方は自分を変化させ、意識を解放するエネルギーを取り入れる前に、できる限り自分の性格を向上させなくてはならないと考えています。あなたの意識の中にある何らかの障害物がエネルギーの自然な流れを滞らせ、未知の世界と直面するための強さを奪うと考えているのかもしれません。あなたが明晰さと集中力を持って自力で対処できるエネルギーを持っていないことは事実ですが、だからこそ高次元の力と調和していく必要性があるのです。未知の世界に一歩踏み込んだら、あなたの求める明晰さと集中力は自然に培われるのです。

・混沌《カオス》

あなた方は無秩序と混沌を忌み嫌います。迷子になることやどこに所属するのか分からないことはあなたに大変な恐怖心を起こさせるからです。しかし高次元の力がすべてをプラスの方向に動かしていることを信じ、それが宇宙のあるべき姿であることを認めましょう。あなたが高次元の秩序に至る唯一の方法は、現在のレベルの秩序を手放し、新しい秩序が出現する前段階としての混沌を迎え入れることです。

あなたが古い構造に対する「鉄の執着」を手放すとき、あなたは新しい経験の領域に入ります。その過程で氷解し、変化するのは古いタイプの経験の仕方です。古いタイプの経験により、あなたがあなたであるという個性を認識しているため、それらの経験が氷解・変化するとき、あなた自身が死んでしまうような気がします。しかしそれにより新たな、もっと活気のある、拡大された自我が芽生えるのです。

たとえばあなたが運転をしない人だったら、その限界を補うさまざまな態勢を築くでしょう。車を持っている人と仲良くする、他人に交通手段を依存する、他人に買い物を頼む、などなど。あなたの人生はすべてその限界に関わっているかもしれません。そしてあなたが自分の車を持ったら、古い生活パターンや人間関係を手放すことに大きな不安を感じるでしょう。しかしあなたには運転を始めるというまったく新しい拡大された自我が生まれ、より自由な生き方が展開するのです。変化は避けられるものではありません。あなたが変化に抵抗するのをやめ歓迎するようになると、あなたの人生はずっと生きやすく、楽しくなってくるのを感じるでしょう。

・直面する

あなたは現世で行動を起こす前に、大変な心理的苦痛を経験することが少なくありません。あなたは他人が何と言うかや、どう反応するかについて取りつかれたように悩みます。基本的にあなたは自分が直面するものにうまく対処できないことを恐れていて、このためあなたはできる限り対決を遅らせようとします。あなたは驚くかもしれませんが、ほとんどの場合、その対象は恐れるには及ばない程度のものなのです。また、あなたは一つ成功しても、それを次に持ち込まない傾向があるのです。あなたは心の中で問題をいっそう複雑にして、一度うまく対処できたものでも次にまた出合うと同じ苦しみを一から始めるのです。

この習性は現世レベルでは難しすぎて解決の糸口すらありません。あなた方のレッスンは、単にそういうレベルから一段上昇し、高次元の力がどんな状況も自我の拡大と成長の好機に変えてくれるのだと信じることです。あなた方は一歩下がって現状をどのように生かして自分のゴール達成に貢献させられるかについて考える必要があります。そして結果を心配せずに行動を起こしていけば、一つの行動が次の行動を決定していくのです。それぞれの過程が次にどれを目指したらよいのかを示してくれます。鍵は行動の結果にこだわらないことです。

あなたの進路に「踊り場」はありません。途中で考え込んだり、後で考えを訂正したり、分析したりしてもプラスの結果は得られないのです。常に意識して高次元の力に委《ゆだ》ねて日々を過ごすことなしに、あなたの暮らしは不安から解放されることはないでしょう。どれほど奉仕しても何かに直面する恐怖から自らを守ることはできません。障害が発生したとき、あなたがすべきことはただ一つ、高次元の力に状況を委ね、あなたは一歩ずつ進みながら次のステップへの指示が自然に見えてくるを待つのです。

たとえばあなたがレストランで食事をして、支払いをカードで済ませようとしたらそのカードが拒絶されたとします。あなたの最初の反応はパニックと抵抗です。「なぜこんなことになるんだ？　今日は一日最高の気分で過ごしたのに、最後にこんな仕打ちか」。あるいは「最悪だ！　誰かが僕のカードを盗んで使い込んでいるに違いない！」それほど珍しくもない出来事についてあなたは延々と大袈裟に悩み、自分を哀れみ、もし宇宙が自分を愛しているならこんなことは二度と起きてほしくないと願うのです。あなたは起きてしまったことを受け入れないことにより、自分や周りの人々に傷を負わせるのです。

実際問題として、取るべき第一のステップは明白です。クレジットカード会社に電話をかけ、何が起きているかたずねるのです。一歩下がって考えると、あなたがそのカードでどれほどの金額を決済してきたかにもう少し注意を払っておくべきでした。そして宇宙があなたが大きな負債を抱え込まないように、ちょっと教えてくれるための出来事だったのかもしれません。あるいは本当に誰かがカードの番号をコピーして、宇宙があなたにそれを伝えてくれたのかもしれません。でなければクレジットカード会社の間違いで、この出来事でしかその間違いを正す方法がなかったのかもしれません。あなた方は、あなたを包む大きな流れを常に意識し、どんな出来事からもあなたにとってよいことが始まるのだということを信じる必要があるのです。

◆直線的でない存在

あなたは自分の毎日を無数の日課や規律、義務でがんじがらめに構成し、暮らしのすべてを予測可能なものにする傾向があります。この構造を作ってしまうと、あなたはその通りに進めたくなくなります。しかしあなたの人生を面白い方向に導きそうな出来事に出合うと、あなたはすぐにいつもの日課に戻ろうとするのです。あなたもできるなら普段と違う、もっと景色のよいルートで人生を歩んでいきたいと考えるのですが、それをするには今よりずっと意識的な生き方を必要とします。

・冥想

意識して毎日を生きるための第一ステップは、一日のどこかで必ず一人になって自分を振り返る時間を持つこと。一日最低四十分は何もしない時間を作りましょう。テレビもラジオも電話もやめ、外からの刺激を遮断するのです。気分によってしばらく静かに沈黙した後で冥想し、心に何が生まれるかを待つのもよいでしょう。あるいは日記をつけてその日にしたことを書きとめながら、それらを行った高次元の理由について考えるのも有効です。聖書、中国の易経などの精神世界の書物をひも解き、インスピレーションを開発してもよいでしょう。四十分の間にヨガや呼吸法、リラクセーション運動などを取り入れ、体を静かに動かすことで心の内なる平和に触れてみましょう。

大切なのは、その時間はあなただけのためのものだということ。義務でも用事でも仕事でもなく、役割もなく、邪魔も入らない時間。――この時間を利用してあなたは大いなる宇宙の計画の中にある自分の人生を見つめます。あなたは今生で何を作り、経験したいのですか？　家庭で、そして仕事場で、どんな将来像を描いていますか？　どんな環境を築きたいですか？　少なくとも週に一回はこれらの質問について考えると、自分の人生に責任を持つ自分が感じられるようになります。

こういう時間を持つとあなたの人間関係や家族との関係にも調和が生まれます。あなたにとって大切な人々と質のよい時間を過ごしていますか？　あなたが九十五歳になったとき、子供たちとどんなことをするべきだったと考えるでしょうか？　パートナーとはどんな親密さを持ち、どんなことを一緒にしたいですか？　どこか訪ねてみたい土地はありますか？　定期的にこういう質問を自分に投げかけると、あなたの人生に新たな、わくわくするような側面が現われてきます。そして不思議なことに、これらは一直線上にあるわけではないのです。瞑想をしているうちに唐突に考えが浮かび、それらを実現する方法が浮かぶのです。

瞑想をしている間、あなたの未来像に協力してくれる人々についても考えます。あなたの精神性を高め、あなたの人生をもっと面白くしてくれる友人はいますか？　あなたの精神性や心の平和を深めてくれるクラスがどこかで開講していますか？　一人になることが鍵です。毎日自分のために四十分ほど過ごすことを続けていると、あなたは自分の人生がどんなに変化するかに驚くことでしょう。

・意識の次元

あなた方は前世の多くを人類全般のために捧げてきた結果、長い間自己実現というテーマを見失っています。今生で、あなた自身の夢の実現は必ず達成するべきテーマです。これを確実に達成するには、一ヵ月おき程度に自分が実現したい願いごとのリストを作ります。これによりあなたは自分の意思を確認でき、目指すべき方向が定まるとすぐに魔法のように実現への道が開けていきます。問題点に目を向けて悩むのをやめ、単純にこうあってほしいというイメージを描くと、あなたはその通りに行動できるようになり、夢がいつか現実のものとなるのです。

あなたの生活パターンが直線的で繰り返しの多いものに逆

戻りすると、前世の呪縛である、すべてを厳格なスケジュールで埋め尽くしたいという欲求を呼び戻してしまいます。そうなると目の前の状況にどっぷり浸かり、すぐに全体像を見失っていきます。あなたは折りに触れ、その誘惑に何度も迫られることになるでしょう。そしてそれはあなたの今生では機能しない方法であるにもかかわらず、あなたはこれが成功の秘訣だと考えてしまいます。

あなた方は自分の人生を取り囲む大いなる計画やイメージにとって大切なものとそうでないものを区別し、一時的に心を動揺させるものはすぐに消え去るのだということを学んでいます。あなたのせわしない生活パターンや分析したがる思考回路を横においていて、自分のありのままの姿を認め、夢を追いかけると、人生はずっと楽になるでしょう。そして魔法のように、あなたの夢も実現していくのです。

・自己観察

あなたを役割意識から引き離すとき、心を断ち切るのが最大の難関です。さまざまな感情が渦巻く次元から心を断ち切り、一段高いところから観察することができたら、あなたは成長し、変化することができます。自己観察がここでの鍵です。同僚と接し、家族と接し、車を運転している自分を客観的に観察するのです。

あなたが自分を見つめた結果、自分が他人に対してしなくてはならないと考え、行動していることが実は他人を傷つけてきたということを批判することなく見て取ったとき、あなたは変化することができるのです。たとえばあなたが仕事で誰かほかの人の締め切りを守るために苛立っているとき、あなたの態度が周りにどんな影響を与えているかを観察するのです。そして視覚を働かせて細部に目を向けます。外見ではなく彼らの心の反応、感情やボディーランゲージに見られる態度を観察します。

あなたが自分を観察できるようになると、すべてが変わり始めます。健康が改善され、自分や周りの人に好感を持てるようになります。この過程を通じて、あなたはどうやって他人と折り合っていこうかという関心の対象が、自分自身との折り合いに移行していきます。そして成長が始まります。

◆精神世界への道を求める

・高次元の力

あなたの今生の目的は、現世に向いているあなたの意識を、精神世界への道に向け、高次元の意識から得られる心地よい世界と調和するところにあります。あなたの人生のすべてを高次元の力に解放するのです。そして大いなる流れにあなたはうまく乗れるようになり、宇宙から送られるメッセージを平穏な心で受け止め、人々とともに自分の本来の軌道を歩んでいけるようになります。

あなた方は強引にものごとを進めることに慣れていて、「僕が何とかする」という姿勢を取ります。そしてそのときあなたはあるべき軌道を外れています。あなたは高次元の力を常に意識し、その力があなたを一瞬から一瞬へと導いてくれるという感覚を忘れてはいけません。分析したくなる気持ちを自制し、宇宙が示す次の行動の合図に注意を払いましょう。そしてその合図を信じ、勇気を持って踏み出しましょう。

あなた方は未来を見通す能力を身につけています。あなたが心を静め、霊的な意識に集中すると、ものごとの連鎖的な展開が見えるのです。あなたは最初に予知したものに過剰反応するかもしれません。人や状況があなたの心に浮かび、あなたは激しい不安に心を揺さぶられます。あなたは近い将来、問題が起きることを確信するのです。あなたは今生で新しい才能を与えられています。それは霊的な直感力です。

これは宇宙からの素晴らしい贈り物で、何か否定的なことが起きる前に直感の警告によりあなたを守ってくれるのです。しかしそれを予知したとき、あなたの最初の反応は、どうすることもできないというパニックです。事前に知っていれば準備ができるので、予知が見えたときはそれを避けるか、それをどうプラスに転化できるかを考えればよいのです。そのとき、さらに情報を得るまでは行動を避けたほうが得策です。あなたの直感的な過程を進め、対処のための洞察や解決法を知るには、一人になって心に浮かぶのを待つことです。

あなたの周りにはたくさんの天使がいます。ですからあなたがすべきことはただ現状を生かして自分の計画をどう進めるか、天使が教えてくれる合図を待つことだけなのです。しかしくれぐれも状況を分析してはいけません。あなたはそれぞれの状況があなたの夢の実現に至る階段だと思える意識レベルに達するまで辛抱強く待つのです。

あなたがこの霊的な資質を自分のものにできたら、あなたに起きる問題を何ヵ月も前に予知し、対処することができるようになります。人生の前線から一歩下がると、タイミングや機会が大きな世界観の中で見えてきて、あなたの人生は晴朗で平和なものになっていきます。あなたは日々の状況を自信を持って過ごしていける、この新しい能力を自分のものにすることを学んでいます。

・信頼

前世で自分の行動を監視し続けてきたために、今生では心にあるものを語りたがらない人が少なくありません。あなたは否定的なエネルギーをその場に送り込みたくないという理由で積極的に参加しません。この傾向から、あのときあのことを言っておけばよかった、と悔恨の念に苛まれることが非常に多いのです。

ここでも解決法は自分を信じ、その動機を知ることなのです。もしあなたが言葉をかけることで相手が間違っていることを指摘したり、相手の態度を変えさせることが目的だったとしたら、その言葉を放つべきではないでしょう。しかしあなたが状況を客観的に眺めることができ、愛情を持って、その場の流れに心を解放した上で何かを提案する場合、あなたの言葉はみんなに感謝され、的を射た提言になるのです。それがフラストレーションやエネルギーの爆発など、どんな形のものでも、決して分析や解釈を加えてはいけません。あなたが言葉にすると、ほかの人がそれに反応するのであなたはその一瞬だけ自分自身をさらけ出すというリスクを負うのです。

皮肉なことにあなたが役割を離れた自分自身でいると、そのときのほうがほかの人に多くの示唆を与えているのです。「完璧でいたい」というシナリオがあなたの言動を縛っていないとき、あなたは自分の精神の信条を最良の形で示すことができるのです。

あなた方は自分を高い次元で完結させる経験をするでしょう。これは現実のものを工作して「よく見せる」のではなくありのままのものを目に見えない完璧さとして信じるという完結の仕方を指します。あなたが取り組むべき心の仕事は自己破壊的な行動を慎むこと——自分が決めた理想に基づいて「完璧」にこなそうという「怠慢」をやめることです。

宇宙を信じると、あなたはもう変化を恐れません。すべては大いなる流れの中で動いているのだから、その真意は善なるもので、神や高次元の力はあなたの味方なのです。あなたの人生に現われる人はみな高次元の力から送られた人々で、すべては大いなる計画の中のことなのですから、プラスの結果にならないはずはありません。あなたが人生の流れを信じると、あなたにふさわしい人が現われ、然るべき変化が起こり、あなたはプラスのエネルギーを感じ、全体像が見えてきます。善なるものに焦点を合わせることが鍵です。心配ごとをすべて追い出したら、自分の無力感は安らかで静かな力の感覚に変化するのです。

◆未来の展望

前世からの影響であなた方の心は複雑になっているので、今生ではシンプルであることがテーマです。シンプルで、複雑でない形のものならすべて今生のあなたにふさわしいものだと考えてよいでしょう。歩みを遅くして流動的な姿勢を守っていると「すべてはうまくいっていますよ」という天使からのメッセージをあちこちで聞くことができるでしょう。このメッセージを聞くだけでもあなたには大きな力となり、あなたが描く未来像にさらに近づくことになります。

・慈悲の心

今生であなたは受容と慈愛を学んでいます。あなたがすべきことは評価を保留すること。他人の批判をやめるとあなたは自分にもやさしくなれます。これにより、あなたが切望していた静かな心が生まれるのです。あなたが他人に感じていた批判、目についていた望ましくないことがらが、あなたが心の障壁を下ろし、相手に愛を感じることを妨げていたのです。

あなたが他人に感じていたものは、実は相手があなたに感じているのではないかという無意識の恐れから発していたことに気づくでしょう。ですからあなたが相手に対して批判的な考えを持ったとき、たとえば「彼女の髪は長すぎる、短すぎる、態度が悪い」などという反応は、周りの人があなたに対して感じていることだと考えてもよいのです。反対に、誰かが一生懸命努力しているとあなたが意識的に考え、またその人の長所を愛情を持って見出していると、あなたは無意識に周りの人もあなたのことを同様に受容しているのだと考えてよいのです。そうすると厳しい自己批判をしなくなります。

もちろんこれを始めると、ここでもあなたは完璧でありたいと願い、それを行使できないと自己批判します。あなたが完璧でないとき、あなたは謙虚になれるので、完璧でないほうがあなたのためになると言っても言いすぎではありません。そしてあなたもまたその場に与えられた最良の導きとともに一生懸命努力をしているのだということが理解でき、自分を以前より愛することができるようになるでしょう。

あなたは悟りを開いた意識――宇宙の完璧な慈悲の心――の中に迷い込んだ経験が過去にあります。あなたが自分や他人への批判を保留すると、あなたの意識は偶然ではなくこの意識レベルに近づくことができるのです。

・感謝と至福

あなた方は持続する幸福感の中にとどまりたいと願い、あなたの計画を妨害しようとする俗世間の予期しないできごとが、幸福な世界からあなたを引き戻すのです。あなたの心の平和を長続きさせるには、何があったとしても「宇宙は私を愛していて、これも最終的には私のためになることなのだ」と考えることです。これを何度も心の中で繰り返しましょう。この言葉を念じながらすべての変化を歓迎すると、あなたの視点は驚くほど変わっていきます。

大切なのはあなたの目の前に展開するあらゆる状況に対して、それが外見上どのように見えても感謝するということ。「神様、私の健康上の問題について感謝します」。それが何であれ、感謝の心で受け止めると奇跡が起きるのです。現状を感謝の気持ちで受け入れ、精神的に解放されていると、あなたの中の抵抗が消失し、次の状況が開けてくるのです。

あなた方は心配や不安、義務感などで憔悴してしまうため、始まりはいつも難しい形でやってきます。しかし現世の現象を超越した精神世界の現実に焦点を定めるように方針を変えることができると、あなたは世界中で最も幸福感に満ちた生命を謳歌できる人なのです。意識を集中させて客観的に自分を観察できるようになると、あなたの身の回りの微妙なエネルギーが大いなる流れを導いているのが分かり、その方向性や、あなたの夢を現実にする方法が見えるようになります。宇宙はあなたを大事にしてくれています。そしてあなたがそれを理解している限り、次にどこを目指せばよいのかが自然に分かるのです。

あなた方は魔法のような精神エネルギーに包まれています。皮肉なことにあなたはそれにまったく気づいていないのです。あなたはまるでそういうエネルギーを持っていないかのように、エゴのレベルであくせくと成功を目指すのです。ただリラックスして、あなたの周りにある精神エネルギーに意識を向けてみましょう。すると魔法があなたの命を包んでくれるでしょう。あなたがものごとを何でも難しくする習慣を絶ちさえすれば、あなたの人生ほど易しいものはないのです。「手を離し、神に任せる」だけで、宇宙が導く平安な世界に進んでいけるのですから。

あなたの人生の中で最も難しいところは、ほかのドラゴンヘッドグループにとって当たり前の「現実」、つまり実際に触れることができ、みんなが知っている現世が、今生のあなたの住むべき「現実」ではないということを理解すること。触れることのできない「現実」をよりどころとするのは、ほかの人に理解されないというリスクを負うことでもあります。あなたの仕事は精神世界の現実の経験を地球上にもたらすこと。それをするには自分の人生の中でその現実を意識し続けること以外にありません。自ら精神世界に身を投じることで、あなたはこの現実を他人に知らしめ、そこに静かな喜びを見出すのです。

〔癒しのテーマソング〕

音楽は何かに挑戦するとき、感情面でユニークな力を発揮します。
それぞれのドラゴンヘッドグループに合わせ、
エネルギーをプラスに転化する働きを持つ詩を作りました。

起こるべくして起きる

この心が洗われるメッセージは、ドラゴンヘッドが魚座にある人々の無意識をやさしく自己完結の方向へと導き、起こるべくして起きている姿に気づき、自らの精神性に目覚め、平和と受容に満ちた人生を受け入れるよう導くために書かれました。
成功しても躊躇する自分が
どうしても理解できなかった
目に見えるものが現実のすべてだと
願いながら、もしそうでないなら
違う「現実」が見たいと願っている
そんなとき私は気づく
世界は善に満ちていると
初めは理解されなくても、善なるものは
私の前に絶妙のタイミングで現われる
だからいつも私はこう考える
すべては起こるべくして起きていると

訳者あとがき

二十一世紀に新たな自分と出会い、新しい一歩を踏み出そう

――自分自身の心の中を一〇〇%知っている人が、世界じゅうに何人いるでしょうか？

自分の知らない自分と出会う旅をすることが生きること。そんな表現があるほど、人は一番身近な自分のことを案外知らないものです。私は本書を読み、それまで知らなかった自分のいろんな能力や資質に目を向け、こわごわその能力を使ってみたところ、驚くような速さで、それは自分に備わった能力として定着していきました。使っているうちに本書に裏付けされた能力というレベルを超え、自分の中の迷いを払拭し、ある種の自信を支えるまでになったような気がします。昨年春、本書の英語版、"Astrology for the Soul"をオーストラリア、ゴールドコーストの書店で見つけてまもなく、「どうしてもこの本を多くの日本の人々と共有したい」と思ったのは、そんな理由からでした。

翻訳をしている間にも、周りの友人や知人の心の中をリーディングしてみました。するとアルバムの写真のように見えていたその人の二次元的なイメージが、まるでホログラフィーのように立体化されて見えてくるのです。それまで考えもしなかった、その人の精神構造の全形ばかりでなく、本人も気づかない影の部分や心のひずみまでが映し出されていきました。また、とてもしっかりした印象をみんなに与えている人が、実は正反対の傷つきやすい本心をひた隠し、まったく違うキャラクターを演じていることもあり、人の心の奥深さを今さらながら痛感しました。

「人の心の中を覗《のぞ》くなんて、プライバシーの侵害だ！」と言われそうですが、相手のことをそこまで深

く見てしまうと、人は相手を理解し、寛大になれるものなのです。そこが本書の著者、ジャン・スピラーのいう「占星術の根幹は愛から来ている」ということなのです。

二〇〇〇年十月のある晩、急な出張でニューヨークにいた私は、セントラルパークの向かいにある古いホテルのバーでジャン・スピラーと会いました。黒のジャンプスーツに身を包み、ブロンドヘアを躍らせて現れた彼女は、ミステリアスな雰囲気を漂わすいわゆる典型的な占星術家のイメージとはまったく異なるキャラクターの楽しい人でした。

ジャンはすでに何冊かの占星術の本を出版していますが、彼女は〝今生での仕事〟についてこんなことを言っていました。

「占星術家として、いろんな人々の相談を受けていると、どの人も生まれたときに作られた誕生図のシナリオにほんとうに忠実に生きているものだと痛感するの。人間関係にエネルギーの大半を使い、ありとあらゆる悩みを抱えて暮らしているのはハッピーな人生とはいえないわ。そんなクライアントの姿を見るにつけ、私は著書を通じてこの人たちに人生の〝台本〟の存在を知らせ、悩んだり苦しんだりせずに人生を送れるような支援をしたいと思っているの。だって人生の舞台が進行する前に台本を読むことができれば、わざわざ落とし穴にはまったり、罠にかかったりしないでしょ。そんなことに足を取られていないで、それぞれの人が一番輝いて主役を演じられるように自分で台本を書き換えるほうがずっとハッピーだし、それが宇宙のためにもなるんだから」

現在ジャンは、カルマで結ばれた人間関係に関する本を書いています。そして彼女の本を愛読するアメリカ人は少なくありません。

日本でもアメリカでも、著名人と呼ばれる人々の多くは占星術家をプライベートコンサルタントに持っています。ホワイトハウスでも財界でも、およそ社会に大きな影響を与える決断を下す立場にいる人々は（星にすべてを委《ゆだ》ねるわけではもちろんありませんが）参考意見として耳を傾けるのです。つまり占星術は保険のような存在、といえるかもしれません。

占いは女性が好むもの、というイメージは現代にはもう当てはまらないかもしれません。なぜなら自分や他人の未来を垣間見たり、行動パターンを予測することは、もはや単なるエンタテインメントではなく、生きていくうえで誰もが求める情報だからです。今の私たちの身の回りにはあらゆるリスクが隠れていて、ヴァーチャルなコミュニケーションにより人と人の結びつきが希薄になりつつあります。人間関係も大きなリスクファクターである以上、本書のような人格解読の手引きは、あなたの人間関係のマネジメントにおいて〝保険〟以上のサポートを発揮するはずです。

奇しくも今年はミレニアムイヤー。二十一世紀の幕開け前夜に発行される本書は、心新たに未知の海へ漕ぎ出す人々への頼もしい海図となるでしょう。あなたの周りの人々、そしてこれから出会うたくさんの人々との間に、あなたにとって、そして相手にとってもプラスになるような関係が築けるよう、宇宙は遠くから見守っています。本書を紐解くことで、本来人は喜びを享受するために生まれてくるということ、そしてそのためのルートが宇宙からいつでも用意されているということを、少しでもおわかりいただければ、それ以上の喜びはありません。

ジャンと私は〝ソウルメイト〟と呼べる間柄で、たぶん前世のどこかで何度も出会っている、カルマで結ばれた関係でしょう。今生での私の役割は、ジャンが発信するメッセージを日本の読者のために翻訳することかもしれません。また機会があればジャン・スピラーの著書、そして広く宇宙の叡智を説く世界の書物のなかから訳出し、日本の多くの人々と共有したいと願っています。

最後に本書英語版の存在を知らせてくださった安井洋子さん、占星術についていろいろ教えてくださった伊泉龍一さん、徳間書店の石井健資さんのご協力に深く感謝いたします。

東川恭子

二〇〇〇年十一月

◆著者紹介
ジャン・スピラー（Jan Spiller）

全米占星術界で最も信頼されている重鎮の一人。米国内外のさまざまなメディアや講演、講座などで活躍。処女作“Spiritual Astrology”（『スピリチュアル占星術』カレン・マッコイとの共著）はベストセラーとなり世界各地で出版され、本書『前世ソウルリーディング』は、既存の占星術の枠を超えた鋭い洞察が世界中で高い評価を得た。『新月のソウルメイキング』で新月のたびに願い事をリストアップする習慣を日本に紹介した。（1944〜2016）
ホームページ――https : //www.janspiller.com

◆訳者紹介
東川 恭子（ひがしかわ・きょうこ）

翻訳家。ヒプノセラピスト。

ハワイ大学卒業、ボストン大学大学院国際関係学部修了。メタフィジカル・スピリチュアル分野の探求を経て2014年よりヒプノヒーリングサロンを開設。最先端の脳科学をベースにしたヒプノセラピー＆コーチングを行うかたわら、催眠による心身症治療、潜在意識活用法の普及に努めている。翻訳書は『［魂の目的］ソウルナビゲーション』『〔魂の願い〕新月のソウルメイキング』（徳間書店）、『あなたという習慣を断つ』『超自然になる』『３つの波と新しい地球』（ナチュラルスピリット）など多数。

米国催眠士協会会員。米国催眠療法協会会員。

ホームページ――https : //hypnoscience-lab.com

前世ソウルリーディング

初　刷　2000年12月31日
19　刷　2025年６月20日

著　者　ジャン・スピラー
訳　者　東川恭子
発行者　小宮英行
発行所　㈱徳間書店
〒141-8202 東京都品川区上大崎3-1-1
目黒セントラルスクエア
電話　編集 03-5403-4344
販売 049-293-5521
振替00140-0-44392
印刷所　本郷印刷株式会社
半七写真印刷工業株式会社
製本所　東京美術紙工協業組合

落丁・乱丁本はお取かえいたします。

ISBN978-4-19-861284-9